KB054949

걸프 사태

구주지역 동향 2

걸프 사태

구주지역 동향 2

한국학술정보

| 머리말

걸프 전쟁은 미국의 주도하에 34개국 연합군 병력이 수행한 전쟁으로, 1990년 8월 이라크의 쿠웨이트 침공 및 합병에 반대하며 발발했다. 미국은 초기부터 파병 외교에 나섰고, 1990년 9월 서울 등에 고위 관리를 파견하며 한국의 동참을 요청했다. 88올림픽 이후 동구권 국교수립과 유엔 가입 추진 등 적극적인 외교 활동을 펼치는 당시 한국에 있어 이는 미국과 국제사회의 지지를 얻기 위해서라도 피할 수 없는 일이었다. 결국 정부는 91년 1월부터 약 3개월에 걸쳐 국군의료지원단과 공군수송단을 사우디아라비아 및 아랍 에미리트 연합 등에 파병하였고, 군 · 민간 의료 활동, 병력 수송 임무를 수행했다. 동시에 당시 걸프 지역 8개국에 살던 5천여 명의 교민에게 방독면 등 물자를 제공하고, 특별기 파견 등으로 비상시 대피할 수 있도록 지원했다. 비록 전쟁 부담금과 유가 상승 등 어려움도 있었지만, 걸프전 파병과 군사 외교를 통해 한국은 유엔 가입에 박차를 가할 수 있었고 미국 등 선진 우방국, 아랍권 국가 등과 밀접한 외교 관계를 유지하며 여러 국익을 창출할 수 있었다.

본 총서는 외교부에서 작성하여 30여 년간 유지한 걸프 사태 관련 자료를 담고 있다. 미국을 비롯한 여러 국가와의 군사 외교 과정, 일일 보고 자료와 기타 정부의 대응 및 조치, 재외동포 철수와 보호, 의료지원단과 수송단 파견 및 지원 과정, 유엔을 포함해 세계 각국에서 수집한 관련 동향 자료, 주변국 지원과 전후복구사업 참여 등 총 48권으로 구성되었다. 전체 분량은 약 2만 4천여 쪽에 이른다.

2024년 3월
한국학술정보(주)

| 일러두기

· 본 총서에 실린 자료는 2022년 4월과 2023년 4월에 각각 공개한 외교문서 4,827권, 76만여 쪽 가운데 일부를 발췌한 것이다.

· 각 권의 제목과 순서는 공개된 원본을 최대한 반영하였으나, 주제에 따라 일부는 적절히 변경하였다.

· 원본 자료는 A4 판형에 맞게 축소하거나 원본 비율을 유지한 채 A4 페이지 안에 삽입하였다. 또한 현재 시점에선 공개되지 않아 '공란'이란 표기만 있는 페이지 역시 그대로 실었다.

· 외교부가 공개한 문서 각 권의 첫 페이지에는 '정리 보존 문서 목록'이란 이름으로 기록물 종류, 일자, 명칭, 간단한 내용 등의 정보가 수록되어 있으며, 이를 기준으로 0001번부터 번호가 매겨져 있다. 이는 삭제하지 않고 총서에 그대로 수록하였다.

· 보고서 내용에 관한 더 자세한 정보가 필요하다면, 외교부가 온라인상에 제공하는 『대한민국 외교사료요약집』 1991년과 1992년 자료를 참조할 수 있다.

| 차례

정 리 보 존 문 서 목 록					
기록물종류	일반공문서철	등록번호	2013110103	등록일자	2013-11-29
분류번호	772	국가코드	XF	보존기간	영구
명 칭	걸프사태 동향 : 구주지역, 1990-91. 전5권				
생 산 과	서구1과/동구1과/중근동과	생산년도	1990~1991	담당그룹	
권 차 명	V.3 프랑스				
내용목차					

0001

관리번호	90/1211

	분류번호	보존기간

발 신 전 보

번 호 : WUS-2550 900802 1742 DY 종별 : 긴급

수 신 : 주 수신처 참조 대사, 총영사

발 신 : 장 관 (중근동)

제 목 : 이라크, 쿠웨이트 침공

WUK -1277 WFR -1472
WJA -3270 WCN -0782
WAU -0529 WCA -0258
WSB -0277 WIR -0250

표제 사태 관련, 주재국 반응(영문) 및 사태 평가 내용 긴급 파악 보고 바람. 끝.

(중동아프리카국장 이 두 복)

수신처 : 주미, 영, 불, 일, 카나다, 호주, 이집트, 사우디, 이란

1990.12.31. 에 예고문에 의거 일반문서로 재 분류됨.

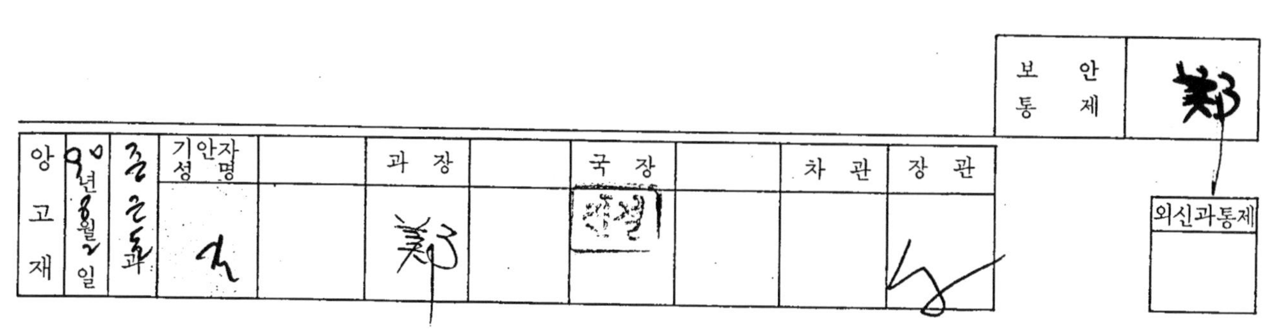

앙고재	90년 8월 2일	중근동과	기안자 성명		과 장		국 장		차 관	장 관

보안통제	

외신과통제

0002

관리 번호	90/1200

원 본

외 무 부

종 별 : 긴 급

번 호 : FRW-1406 일 시 : 90 0802 1800

수 신 : 장관(중근동,구일,정일)

발 신 : 주 불 대사

제 목 : 이라크,쿠웨이트 침공

대:WFR-1472

1. 표제관련, 주재국 외무성 REGNAULD-FABRE 담당관 확인에 의하면, 주재국 정부는 금 8.2. 오후 하기 요지 성명을 발표하였음.

- 이락측의 쿠웨이트 침공을 강력히 비난

- 이락군의 즉각적인 철수 요구

- 유엔 안보리의 긴급 소집 요청

2. 동 담당관을 통해 확인한 기타 표제 사태 상화 아래 보고함.

- 이락군은 금일 04:30(파리시간) 쿠웨이트를 침공 4-5 시간만에 쿠웨이트 전역을 점령함.

- 쿠웨이트 AL-SABAH 국왕은 금일 오전 헬기로 탈출, 현재 사우디내에 은신중이며, 쿠웨이트 행정은 이락군 통제하에 있음.

- 현재 쿠웨이트내 교전상황은 없으며, 쿠웨이트 거주 외국인등에 대한 신변상의 위협도 없는 것으로 알고있음.

- 현재 주재국도 쿠웨이트 주재 불대사관과의 교신이 불통상태임.

3. 본건 진전사항, 수시 추보하겠음. 끝.

(대사 노영찬-국장)

예고:90.12.31. 까지

90.12.31. 에 예고문에 의거 일반문서로 재분류됨.

중아국	장관	차관	1차보	2차보	구주국	정문국	상황실	청와대
안기부								

PAGE 1

90.08.03 01:57

외신 2과 통제관 CN

0003

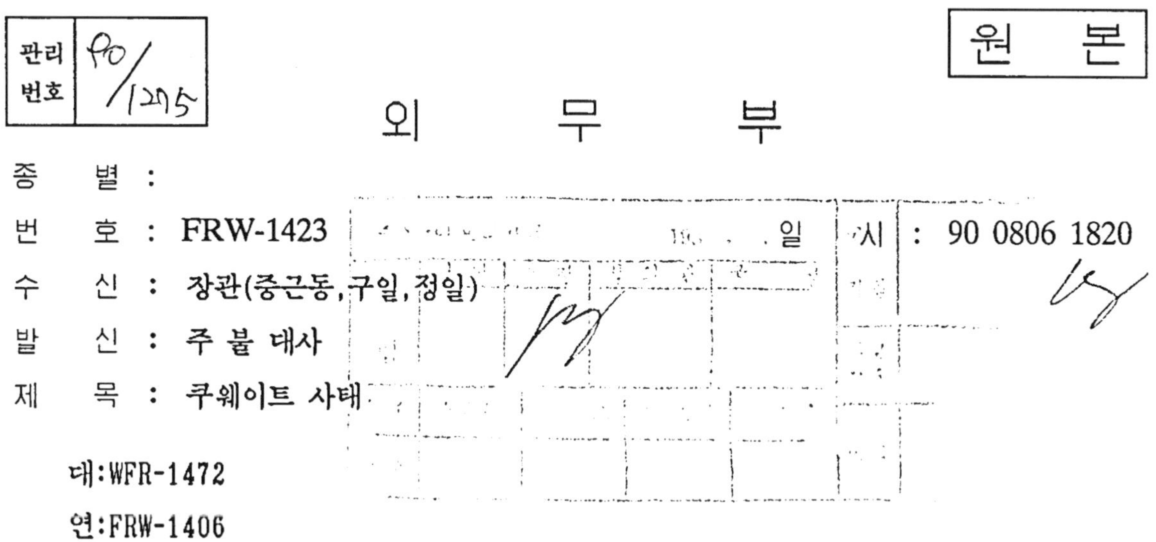
관리 번호 90/1275

원 본

외 무 부

종 별 :

번 호 : FRW-1423 일 시 : 90 0806 1820

수 신 : 장관(중근동,구일,정일)

발 신 : 주 불 대사

제 목 : 쿠웨이트 사태

대:WFR-1472

연:FRW-1406

1. 주재국 MITTERRAND 대통령은 하기휴가를 중단, 8.4. 오후 관계 각료및 군, 정보기관 간부를 소집, 긴급 대책회의를 개최함.

2. 동 회의후, DUMAS 외상은 기자회견서 주재국은 미, 쏘, EC 등 서방진영과 대이락 제재에 공동보조를 취할 것이며, 서방의 군사제재 필요시 가능한 불측참여 방안도 아울러 검토하였다고 부연함.

3. 당지 일부언론은 현 지역분쟁이 과거와 달리 동구변혁이후 구체화되는 신질서하에서 미.쏘의 새로운 협력관계를 보여 주었으며, 또한 신질서하에서도 미. 쏘의 국제적 영향력은 변함이 없는 것으로 일단 분석하고는 있으나, 막강한 군사력및 정보수집 기능을 갖고 있는 양국이 동사태를 미연에 방지치 못했다는 사실에 의구심을 나타냄.

4. 미.쏘, UN 및 서방주도의 각종 대이락 제재는 실효가 있을 것이나, 그시한이 장기화될 경우, 일본및 EC 는 다소 영향이 있을 것으로 보임.

5. 미국및 서방이 8.6. 처음으로 쿠웨이트 괴뢰정권(수반은 이락 HUSSEIN 의 인척이라함)을 용납치 않겠다고 밝히고, 이락의 쿠웨이트 전면철수를 계속 주장하나, HUSSEIN 은 정규군을 철수시키는 대신 지원병을 투입하는 동시에 10 여만의 예비군 총동원령을 내리는 등, 현재 정면대결 자세를 보이고 있는 바, 8.7.로 예정된 2 차 철군의 추이에 따라, 열강의 군사제재 문제가 구체화되리라 보여짐. 서방은 완전철군이 실현되고 사우디에 대한 이락측의 위협이 없으면 무력개입은 최후선까지 유보할 것으로 보임.

6. 금번 사태를 위요, 아랍권은 분열상을 보이고 있는 바, 향후 연기된 정상회담이

중아국	장관	차관	1차보	2차보	구주국	정문국	청와대	안기부

PAGE 1

90.08.07 06:03

외신 2과 통제관 CW

0004

개최되더라도 각국의 입장이 상이하므로 소기의 성과를 거두기 어려울 것으로 보여지며, 이는 아랍권에 과거 NASSER 와 같은 구심인물이 없는데도 기인한다 함.

7. 본건, 수시 추보할 것임.끝.

(대사 노영찬-국장)

예고:90.12.31. 까지

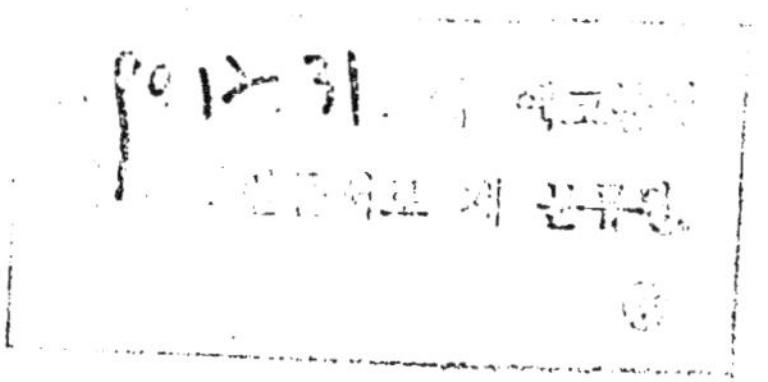

PAGE 2

0005

	분류번호	보존기간

발 신 전 보

번 호 : WUK-1318 900809 0100 DN 종별 : 긴급

수 신 : 주 수신처참조 대사. 총영사

발 신 : 장 관 (중근동)

제 목 : 이라크의 쿠웨이트 합병

√WFR -1517 WGE -1136
WIT -0721 WUS -2634
WJA -3358

사담 후세인대통령은 8. 8 쿠웨이트를 합병한다고 발표하였는바 이에 대한 주재국의 공식반응과 언론 반응을 지급 보고바람.

수신처 : 주 영국, 불란서, 서독, 이태리, 미국 및 일본대사

(중동아국장 — 이두복)

보 안 통 제	

앙 고 재	90년 8월 8일	중근동과	기안자 성 명		과 장		국 장		차 관	장 관

외신과통제

0006

원 본

외 무 부

암호수신

종 별 : 지 급

번 호 : FRW-1447

일 시 : 90 0809 1910

수 신 : 장 관(중근동)

발 신 : 주 불 대사

제 목 : 이라크의 쿠웨이트 합병

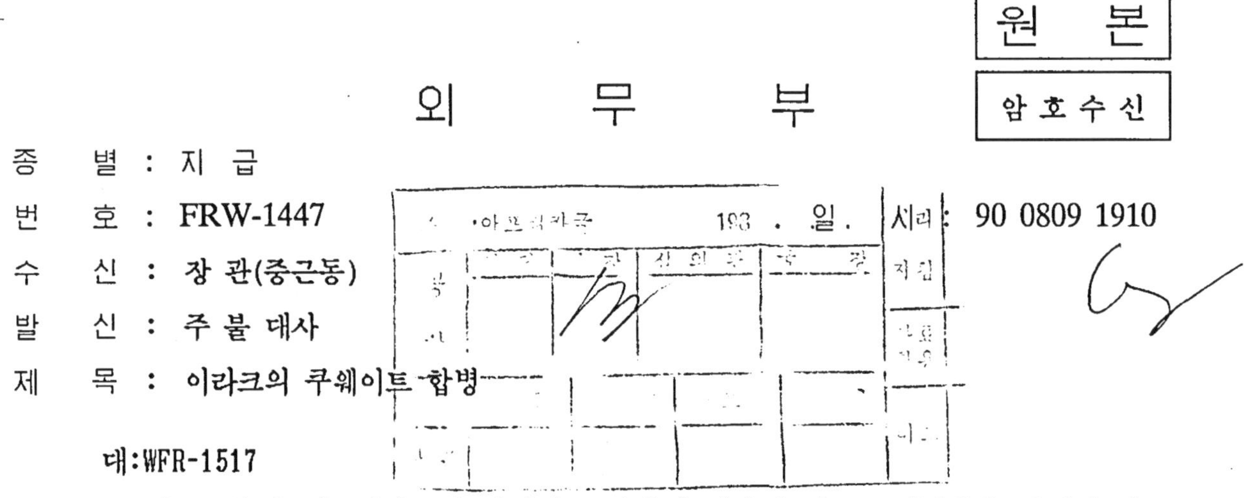

대:WFR-1517

1. 대호, 주재국은 이라크의 쿠웨이트 합병에 대하여 상금 공식반응을 보이지 않고 있는 바, 금일 저녁 미테랑 대통령이 주재하는 각료회의에서 주재국측 공식 입장이 결정될 것으로 기대되고 있음.

2. 당지 언론은 동 합병을 주권침해 행위로 간주, 비난하고 있으나, 강도있는 규탄은 삼가하고 있음.

3. 주재국은 해군함정 (FREGATE DUPLEIX) 을 파견 (8.15. 현재 도착 예정)한 외에는 상금 다국적 군대에의 참여를 결정하지 않고 있는등, 금번 사태에 대해 미온적인 반응을 보이고 있는바, 이는 과거 15 년간 이라크와의 특수 경협관계 (무기판매, 원전협력, 원유 구매등)를 감안, 여타 서방국과 같은 수준의 비난을 하기 어려운 실정으로 보임.한 예로 불란서 기업체들이 주재국 정부에 대하여 침묵입장 (POLITIQUE DE SILENCE)을 취하도록 압력을 가한 사실이 있음.

4. 따라서, 주재국은 명분상 국제사회의 제재및 비난에 동조하는 입장이나, 양자적 성격의 비난은 상기와 같이 자제하되, EC 또는 UN 의 범주내에서 동제재에 수동적으로 호응하고 있는 입장을 견지하고 있는 것으로 관측됨. 끝.

(대사 노영찬-국장)

중아국 차관 1차보 2차보 청와대 안기부

PAGE 1

90.08.10 03:57

외신 2과 통제관 DL

0007

관리번호 P0/1343

원 본

외 무 부

종 별 : 지 급

번 호 : FRW-1452 일 시 : 90 0810 1650

수 신 : 장관(중근동)

발 신 : 주 불 대사

제 목 : 쿠웨이트 합병

연:FRW-1447

1. 미테랑 대통령은 8.9 저녁,2 시간에 걸친 각료회의에서 현지에 파견되어있는 3 척의 해군함정(PROTET, DUCUING, DUPLEIX)을 보강하기 위해 CLEMENCEAU항공모함을 파견키로 결정하고, 이어서 가진 기자회견에서 아래 내용의 성명을발표하였음.(불문 TEXT 는 FAX 송부함)

-불란서는 과거 이.이전서 이라크를 지원하였으나, 이라크의 쿠웨이트 침공및 합병은 수락할 수 없으며(NON ACCEPTABLE), 이라크가 위반한 국제법의 회복을위해 여타 국가와 함께 노력하기로 결정하였고, 금수및 경제제재 조치의 시행을 위해 불란서 해군이 골프만에 진주해 있음.

-현재, 골프만 아랍국가들에 위협이 확대되고 있음에 비추어, 동 문제가 아랍국가간에 해결되기를 기대하나, 불가능시 불란서는 하기와 같이 독자적인 대응을 할것임.

. 물자및 기술자의 현지 보급(군수품 포함)

. 불 해군및 공군력의 현지 증강으로, 필요시 대통령의 지시로 개입함.

. 현재까지는 쿠웨이트와 이라크 주재 불란서 교민이 위협을 받고 있지않으나, 이에대해 각별히 주시하겠음.

-새로운 침공이 있을 경우, 골프만 주둔 불 해공군력을 활용할 것임.

2. 당지 언론은 상기 성명에 대하여, 미테랑 대통령이 애매모호한(AMBIGUITE) 수법을 구사, 그 어느때 보다도 "미테랑식" 이라는 논평을 함. 불란서가 세계및 아랍의 경찰역할을 할 의무가 없으나, 쿠웨이트 유전에 대한 이락의 무력침공이 불란서를 직접 당사자로 만들었으며, 골프만 위기가 전쟁으로 발전될 가능성을 배제하고 있고, 미국의 개입을 이라크 제 2 의 목표인 사우디에 대한 억지력으로서

중아국 장관 차관 1차보 2차보 청와대 안기부

PAGE 1

90.08.11 00:56

외신 2과 통제관 CF

0008

기대효과를 인정하는 한편, 다만 동개입이 HUSSEIN 을 부유국에 대한 빈곤국의 저항(남북대결)으로 유도시킬 수도 있음에 대학 우려를 표명함.

3.-미테랑 대통령 성명은 골프만 위기이후 처음 나온 것으로, 불란서는 유사시 군사개입의 가능성을 배제하지 않으나, 미국이 원하는 다국적 군대에의 참가는 하지 않고, 독자적인 행위를 수행할 것으로 봄.

-또한, 미테랑 대통령은 동 위기에 대한 국제적 해결에 있어 UN 이 주도하기를 희망하는 바, 이럴 경우 불란서 개입이 미국이 주도하는 때보다는 더 용납될 수 있을 것으로(PLUS ACCEPTABLE) 간주하며, 이점에서 쏘련의 우려와 일치하고 있음.

-CLEMENCEAU 항공모함이 내주초에 파견되어, 현지 도착에 2 주가 소요될 것임에 비추어, 불란서는 골프만 위기 해소를 위한 우방국의 노력에 동참하면서도,상황의 추이를 계속 주시, 불란서 나아가서 유럽의 개입에는 상당한 여유를 갖는 동시에 사태가 장기화 될 경우, 서방과 아랍국간을 연결하는 중재자로서의 위치를 모색코자 하는 것으로 감지됨.

4. 미테랑 대통령 성명 불문 전문은 FRW(F)-0026 으로 송부함. 끝.

(대사 노영찬-국장)

예고:90.12.31. 까지

관리 번호	90/1345

원 본

외 무 부

종 별 : 지 급

번 호 : FRW-1457 일 시 : 90 0810 1930

수 신 : 장관(중근동)

발 신 : 주 불 대사

제 목 : 이라크.쿠웨이트 사태

대:WFR-1533

대호 쿠웨이트 주재 외국공관의 이전문제 관련, 주재국 외무성 RENIAUD FABRE 이라크 담당관에 의하면 EC 12 개국이 금 8.10 일 브랏셀에서, 국제법을 위반한 이라크의 쿠웨이트 합병을 무효로 선언한 유엔 결의안 662 호 를 준수하여, 동 합병은 물론 외국 공관의 이전을 포함한 점령지역에서 이락의 행정권 발동등 강압적인 행위 시도는 완전한 무효(NUL ET NON AVENU) 라고 선언하였으며, 내주초 이와 관련한 EC 12 개국회의를 또 개최할 예정이라함. 끝

(대사 노영찬-국장)

예고:90.12.31 까지

중아국 장관 차관 1차보 2차보 청와대 안기부

PAGE 1

90.08.11 05:24

외신 2과 통제관 CF

0010

[illegible]

FRW(F)-0026 00810 1650

차관(중근동)

별첨)

La déclaration du président

« La France entretient depuis longtemps d'amicales relations avec l'Irak. On sait qu'elle l'a aidé lors de la guerre contre l'Iran. Cela l'autorise d'autant plus à dire clairement qu'elle n'accepte ni l'agression contre le Koweït ni l'annexion qui a suivi. Aussi a-t-elle décidé d'associer ses efforts à ceux des pays qui s'engagent pour le rétablissement du droit international violé par l'Irak.

» C'est pourquoi elle a voté les résolutions du Conseil de sécurité des Nations unies et celles de la Communauté européenne, et pris l'initiative de certaines d'entre elles.

» C'est pourquoi elle exécute sa part de l'embargo et des sanctions économiques également mises en œuvre.

» C'est pourquoi enfin sa marine est présente dans la zone du Golfe, toujours en application de la décision des Nations unies.

» Mais la menace s'étend aujourd'hui à d'autres pays de la région. Dans cette situation, la France a souhaité et continue de souhaiter que le problème ainsi posé soit réglé au sein de la communauté arabe.

» Si cela se révèle impossible, la France assumera ses propres responsabilités.

» Premièrement : en répondant positivement aux demandes qui lui ont été adressées par l'Arabie Saoudite et d'autres États de la péninsule, concernant par exemple la livraison de matériel et l'envoi de techniciens sur place.

» Deuxièmement : en renforçant dès maintenant ses moyens navals et aériens dans la même zone, de telle sorte qu'ils soient en mesure d'intervenir à tout moment là où cela serait jugé nécessaire, sur décision du président de la République.

» Enfin (...), la France apporte dans cette crise la plus vigilante attention au sort de ses ressortissants, tant au Koweït qu'en Irak. Suivie jour par jour, leur situation ne comporte pas dans l'état présent d'éléments de pression physique ou de menaces. Ils n'en sont pas moins retenus dans l'un et l'autre de ces pays avec interdiction d'en sortir. Le caractère préoccupant de cet état de choses a conduit le gouvernement à donner ordre aux navires français de se tenir prêts à toute mesure de rapatriement et l'ensemble des moyens diplomatiques continuera d'être mis en œuvre. »

배부처	장관실	차관실	一차보	二차보	기획실	의전장	아주국	미주국	구주국	중아국	국기국	경제국	통상국	정문국	영교국	총무과	감사관	공보관	외연원	청와대	총리실	안기부
처	/	/	/	/					/	0	/		/	/2						/2	/	/

1408계

0011

관리 번호	90-408

	분류번호	보존기간

발 신 전 보

번 호 : WUK-1351 900813 1854 DP 종별 :

수 신 : 주수신처 참조 ~~대사, 총영사~~

WJA -3423 √WFR -1546
WGE -1161 WAU -0562

발 신 : 장 관 (미북) 기협)

제 목 : 이라크.쿠웨이트 사태

1. 금번 이라크의 쿠웨이트 침공과 이에 대한 미국정부의 강력한 대응, 국제적인 경제제재 조치 및 군사적 움직임 등 일련의 사태는 그 심각성으로 인해 향후 동 사태가 진정된 이후에도 세계경제 및 정치정세에 다대한 영향을 끼치게 될 것으로 사료됨

2. 본부로서는 현재 이라크.쿠웨이트 사태가 향후 상당기간 가변적이 될 것으로 사료되나, 아국의 중장기 정책수립에 참고코저하니 우선 현재까지 밝혀진 귀주재국 정부의 입장, 학계 및 전략문제 전문가들의 다각적인 견해, 언론 해설 등을 예의분석하여, 앞으로 사태 종결후 예상되는 중동정세 및 세계정세(경제 포함)의 변화 등에 관하여 가급적 조속 보고바람.

3. 본건과 관련하여서는 앞으로도 귀주재국 정부의 입장, 각계 의견을 예의 관찰, 분석하여 수시로 보고바람. 끝.

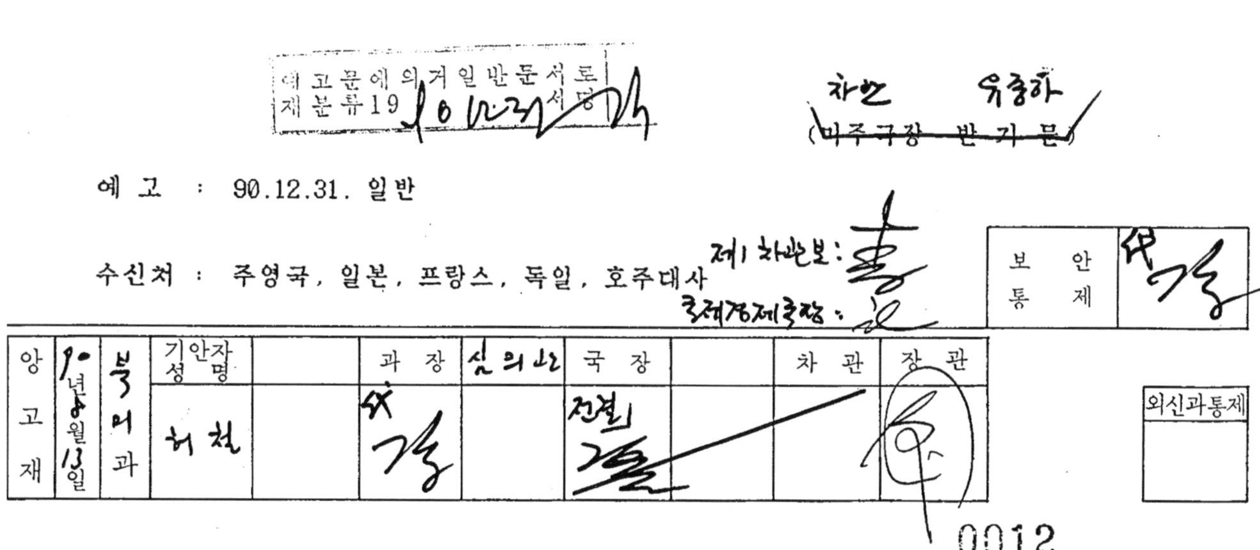

예고문에 의거 일반문서로 재분류19 90.12.31 서명

차관 유종하
~~(미주국장 반 기 문)~~

예 고 : 90.12.31. 일반

수신처 : 주영국, 일본, 프랑스, 독일, 호주대사

제1차관보:
국제경제국장:

보 안 통 제	

앙 고 재	90년 8월 13일	북미과	기안자 성 명		과 장	심의관	국 장		차 관	장 관
			허 철				전결			

외신과통제

0012

관리번호 PO/f34

외 무 부

종 별 : 지 급

번 호 : FRW-1460 일 시 : 90 0813 1600

수 신 : 장관(통일)

발 신 : 주 불 대사

제 목 : 대 이라크 경제 제재

대:WECM-0020

표제관련사항 아래 보고함.

1. EC 및 UN 결의 관련 주재국 조치내용(90.8.13 현재)

가. 자산동결 조치(8.2 대통령령, 8.4 경재 재무성령)

0 외환, 자본이동, 제반 개인 및 법인간(이락 및 쿠웨이트 거주, 이락 및 쿠웨이트 국적 소요) 결제는 사전에 경제, 재무성의 허가 필요

0 이락 및 쿠웨이트로부터의 대주재국 투자도 사전에 경제, 재무성의 허가 필요(회사설립 및 청산 포함)

0 경제. 재무상, 해운상, 정부 대변인은 상기 조치 시행 여부 공동감시.

나. 군함(PROTET 호, COMMANDANT- UCING 호)에 의한 EMBARGO 시행(8.6 UN 결의 이래 지속)

2. 대 이라크 및 쿠웨이트 교역량(89 년기준, 단위:백만불)

0 대 이라크

- 수입: 852(전체 대비 4.5%): 미 , 터키, 일, 브라질 다음으로 5 위

- 수출: 478.8(전체 대비 2.8%): 서독, 미, 영, 일 다음으로 5 위

0 대 쿠웨이트

-수입: 172.8(전체 대비 0.9%)

-수출: 211.2. (전체 대비 1.2%)

3. 이라크의 대 주재국 채무

0 서방 제국에 대한 채무 350 억불중 대 주재국 채무는 약 50-60 억불로 추정 (실제 대외 발표는 않고 있으나, RESCHEDULING 대상이 240 억프랑 정도 되는것으로 알려짐)

통상국 장관 차관 1차보 2차보 중아국 청와대 안기부

PAGE 1

90.08.14 08:46

외신 2과 통제관 CW

0013

0 이라크의 대 주재국 채무 관련 RESCHEDULING 현황

-89 년: 85 억 프랑

-90 년도: 35 억 프랑(타결 단계에서 쿠웨이트 침공으로 최종 협상 중단)

0 참고 사항

- 90 년초 이라크는 THOMSON 으로부터 구입한 9 억프랑 상당의 장비 대금 및 PECHENEY 사 알미늄 공장건설(8 억프랑 상당)을 위한 DOWN-PAYMENT 를 CASH 로 지급한것으로 알려지고 있음.

4. 체류국민현황.

0 이라크내: 230 명(장기 체류자 170, 경유자 40, 쿠웨이드에서 이송된 BRITISH AIRWAY 승개 20)

0 쿠웨이트내 : 300 (경유자 50 포함)

사우디내에는 약 1500 명이 체류중.

5. 본건 관련사항 수시 확인보고 위계인바, 주재국측은 대 이라크 및 쿠웨이트 투자 현황 일체에대한 대외 발표를 현재까지 금지하고 있음을 참고 바람. 끝

(대사 노영찬-국장)

예고:90.12.31 일반

PAGE 2

0014

관리 번호 | 원 본

외 무 부

종 별 : 지 급

번 호 : FRW-1471 일 시 : 90 0814 1820

수 신 : 장관(중근동,구일,미북 사본: 국방부)

발 신 : 주 불 대사

제 목 : 이락 사태(주재국 대응)

대:WFR-1546

1. 주재국 미테랑 대통령은 8.13 각료 및 여, 야 주요 정치인 12 명을 비동맹 국가(특히 회교권)에 특사 자격으로 파견, 이락 사태에 관한 불측 입장을 설명키로 결정하였는바, 동 특사 및 파견 대상국은 하기와 같음.

- MAUROY 사회당 당수(전수상: 알제리, 모로코, 튀니지
- AVICE 아. 태 담당상: 알젠틴, 부라질, 멕시코, 베네주엘라
- DE BEAUCE 국제문화교류담당국무상: 바레인, UAE, 오만, 카탈
- BIANCO 대통령 비서실장: 사우디, 애급
- CHEYSSON 전외상(현 구주 의회 의원) 지부티, PLO(아라팟트와 접촉 예정)
- DECAUX 불어권 담당상: 예멘
- DURAFOUR 공직상(중도파 인사): 파키스탄
- LECANUET 상원외교, 국방위원장(CHIRAC 외교 고문) : 인도, 터키
- FRANCOIS-PONCET 상원 의원(전외상): 요르단
- SCHEER 외무차관:시리아
- VAUZELLE 하원 외무 위원장: 유고

2. 상기 특사는 사회당, 중도계 및 우파등 전정파 주요 인사를 망라한 초당외교적 성격을 띠고 있는바, 파견 대상국중 현사태와 관련 중요도가 있는 국가에는 전직 외상 또는 비서실장을 배정한것이 특색임.

3. 상기와 같이 주재국은 이락사태 발발이후 부터 미국을 위시한 서방측과는 UN 또는 EC 테두리내에서 피동적인 공동 보조를 취하는 한편, 대이락 및 중동관계 특수성에 입각, 미.영측과는 별도의 독자적인 대응 전략을 수행하고 있음.

4. 상기 특사 파견은 불란서의 입장을 아랍 및 회교권에 설명하는 동시에 , 사태가

중아국 장관 차관 1차보 2차보 미주국 구주국 정문국 정와대
안기부 국방부

PAGE 1

90.08.15 04:17

외신 2과 통제관 CN

0015

협상국면에 접어들경우, 서방과 아랍권을 연결시킬수 있는 적절한 협상 중재자로써의 독특한 입지를 점유키 위한 예비 조치로도 분석됨.

5. 또한 주재국은 미측 구상인 걸프만봉쇄(BLOCUS)문제와관련, 봉쇄의 개념이 교전상태를 의미하므로 현재로는 이에 호응치 않을것임을 분명히 하는 동시에 UN 제재에도 한계를 설정해야 한다는 입장을 표명하므로써 미.영 공동 방안에 계속 회의적인 입장을 보이고 있음.

6. 한편 8.14 자 당지 HERALD TRIBUNE 지는 불란서가 자국이 이락에 공급한 신예 무기 및 전자장치에 관한 상세 정보를 미측에 제공했다고 보도하였는바 동 기사가 불 매체에는 보도되지 않은 점으로 보아, 이는 미측이 미국 입장에 소극적인 불란서의 각성 촉구와 불란서의 이중적인 외교 정책에 대한 불만을 간접적으로 표출키 위해 의도적으로 미 언론에 기사를 흘린것으로 보여짐.

7. 사태 배경, 중장기 전망에 관한 당지 분석은 외무성, 학계, 언론계의 시각을 종합, 별전 보고할것임.끝

(대사 노영찬-국장)

예고:90.12.31 일반

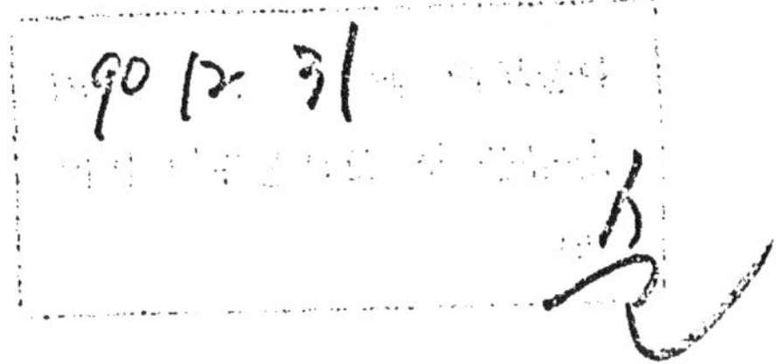

PAGE 2

0016

관리번호	90/1384

외 무 부

종 별 :

번 호 : FRW-1479 일 시 : 90 0816 1850

수 신 : 장 관(미북,중근동,구일)

발 신 : 주 불 대사

제 목 : 이락사태

연:FRW-1471

주재국 은 쏘련 다음으로 이락에 무기를 수출(67 년 부터)하는 국가인바, 현재 이락이 보유하고 있는 불란서산 무기 내역은 하기와 같음.

1. 전부기

-미라지 FI 104 대

-미라지 FI BQ 16 대

2. 헬기

- GAZELLE 53 대

0 대전차용

OHOT 미사일 탑재 가능

0 대당 2 백만불

-SUPER -FRELON13 대

0 해상 작전(대잠함)용

0 대당 8 백만불

ALOUETTE32 대

0 다목적 헬기

0 대당 60 만불

-PUMA 10 대

0 공격 또는 구출용

0 대당 700 만불

3. 대전차 장비

-SS11

미주국 대책반	장관	차관	1차보	2차보	구주국	중아국	청와대	안기부

PAGE 1 90.08.17 03:58

외신 2과 통제관 DL

0017

-MILAN

0 보병용 휴대용 유도탄

0 사정거리 2 키로

0 대당 3 만불

4. 미사일

- EXOCET(약 1000 기추정)

0 대구축함용(전투기, 헬기 탑재 가능)

0 사정거리 60 키로

0 기당 20 만불

-ROLAND 60 기

0 지대공

0 사정거리 500-8000 미터

0 대당 600 만불

-R-530

0 지대지 요격용

-MAGIC

0 공대공

-AS-30(레이저)

0 공대지

- HOT

0 BEUPTFCEKNK(JTUVLU ZEWPEULEFDK)

0 GEPTKLTVU 4XUVA

0 LUBEK 5MEFWHV

5. 대포류

- 155 미리포 (GIAT 사제작) 72 문(AMX-30 탱크부착)

0 사정거리 24 키로

-중박격포 120 미리형

6. 레이다

-SATONY 90 (THOMSON 사제작). 끝

(대사 노영찬-국장)

예고: 90.12.31. 까지

PAGE 2

0018

72(3)

관리 번호	90-1750

원 본

외 무 부

종 별 :

번 호 : FRW-1480 일 시 : 90 0816 1850

수 신 : 장 관(미북,기협,중근동,구일)

발 신 : 주 불 대사

제 목 : 이락사태

연:FRW-1471

대:WFR-1546

이락사태 관련 당관 박참사관이 접촉한 주재국 외무성 정세분석실 FILIU 중동과장 및 걸프 전문가인 NOUVEL OBS 지 BACKMANN 외신차장외 당지 주요 언론 및 학계의 분석을 하기 종합 보고함.

1. 사태배경

- 이락은 이.이전 8 년간 국토를 전장화하고 막대한 전비를 부입, 이란의 과격회교 혁명이 걸프 산유국에 수출되는것으로 봉쇄한 공로가 있다고 자부해 왔으며, 이에 대해 GCC 국가로 부터 응분의 댓가 (기존부채 탕감 및 추가 재정지원)가 있을것을 기대함.

-그러나 이.이전 종결후 쿠웨이트 및 사우디는 전쟁중 공여한 부채의 상환을 요구 하므로써, 그간 군사강국으로 성장한 이락의 불만을 야기, 급기야 제 1 목표인 쿠웨이트를 강제 합병케됨.

-쿠웨이트는 적은국토, 인구에 비해 과거 1,2 차 원유위기를 치루면서 막대한 원유 수입을 국방의 부담없이 탁월한 재 TECH 를 발휘, 서방 금융중심지에서 많은 해외 자산을 증식(주로 부동산, 써비스업 투자) 하였으므로 아랍권 다수국가로 부터 비난의 대상이 되어왔음.

-이락 후세인은 "바빌론 영광 재현", "아랍권 맹주"등 평소의 개인적 이상을 바탕으로 이.이전을 치루는중 막강한 군사력및 실전경험을 축척케 되었으므로 군사적으로도 자신감을 얻게 되었음.

-쿠웨이트 강점후 아랍권의 지지를 얻기위해서는 아랍의 공통 CAUSE 인 반시오니슴의 기치를 뚜렷이함이 필요 하였으며, 사태가 진전됨에 따라 아랍권

미주국	장관	차관	1차보	2차보	구주국	중아국	경제국	통상국
청와대	안기부	대책반						

PAGE 1

90.08.17 07:11

외신 2과 통제관 BN

0019

국민(지도층 제외)의 일반적인 공감대를 형성하는데 일단성공

2. 현황분석

가. 미국진영

-미국이 최정예 병력을 사우디에 배치한것이나, 미.영. 불공동의 해상시위를 볼때 후세인의 사우디침공가능성은 현재로는 매우 희박할것으로 보임

-미.쏘양국및 서방진영 대부분은 이락과의 확전이 가져 올수있는 엄청난 위험에 대해 깊이 인식하고 있으므로 점차 UN 을 중심으로한 해결방안 (UN 통합사 설치등)을 모색, 나아가서는 현재의 미측이 적극적으로 응하지 않고 있는 이락측의 추후 협상제의등을 현실적으로 고려, 사태를 협상국면으로 끌고갈 가능성이 농후 해짐.

나. 이락진영

-이락이 2 차에 걸쳐 미국이나 이스라엘측이 받아들일수 없는 협상 조건을 제의 한것이나 대이스라엘 성전포고를 한것등은 경제제재의 조기 종식을 위한 선전전략이며 이는 또한 이락의 실질적인 약세를 들어낸것으로 볼수있음.

-또한 이락은 현재 자국 및 쿠웨이트내에 상당수의 서방교민을 인질화하고 있으며, 아울러 국제테러 전개등의 대서방 협박을 통해, 인도적인 문제에 대해 감상적인 서방 일반 여론으로하여금 협상으로 사태를 전환시키게하는 카드도 갖고 있는것으로 보임.

- 만약 사태가 악화, 교전상태에 들어가 이락이 미국및 다국적 군에게 군사적으로 패배할지라도 금번 사태를 부국대 빈국, 군주정대 비군주제, 이슬람대 시오니즘의 집합적인 대결로 부각시켜 전 3 세계 및 아랍권을 대표한 명분있는 투쟁을 이끈 국가로 인정 받고자 할것임.

-또한 8.15 대이란 제의(75 국경수로 ALGER 협약인정, 상호 포로교환등)에 대한 이란의 호의적 반응으로 이란을 성전 또는 반미 연합전선에 합류 시키던가 최소한 동사태에 관한 이란의 중립확보가 주목적이 있는것으로 보임.

다. 아랍권

이하 FRW-1481 호 계속

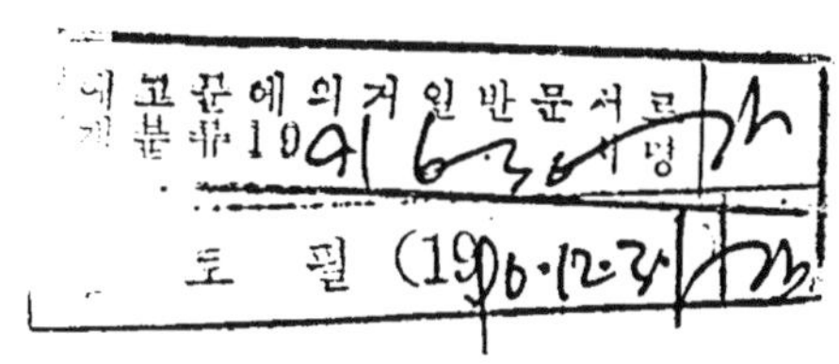

PAGE 2

0020

7ᆻ(31)

관리 번호	90-1751

원 본

외 무 부

종 별 :

번 호 : FRW-1481 일 시 : 90 0816 1850

수 신 : 장 관(미북,기협,중근동,구일)

발 신 : 주불대사

제 목 : FRW-1480호 계속

다. 아랍권

-쿠웨이트 체제의 붕괴는 아랍권 군주국가에 대한 공통적인 위협으로 대두되고 있는바, 이중 사우디 요르단 및 모로코는 동위협에 매우 민감한것으로 보임.

-사우디의 미군배치 허용은 아랍진영내에 이교도군에게 성지를 바친 배신행위로 비난받고 있으므로 이락으로서는 이를 회교권결속에 유리한 요인으로 활용할수 있으며 CAIRO 아랍정상회담 결과와는 별개로, 아랍 각국서 이락 후세인 지지운동이 확산되는것은 상기를 반증하는 좋은 예임.

라. 이스라엘

-이스라엘은 현시점서 이락사태가 아랍권의 분렬과 이락의 국력 약화라는 자국의 유리한 결과를 가져 왔으므로 내심 만족하고 있음.

-그러나 향후 이락의 대이스라엘 공격 위험성 또는 이.이 연합전선에 대비, 서방 메디아 (특히 유태계 미국, 서구언론)를 동원, 자국의 입장 홍보와 전쟁 재개 가능성을 의식한 국방력 재점검등 양면으로 대처하고 있음.

3. 전망

-이락은 5 년내 핵무기 보유가 가능하고 또한 이.쿠 양지역은 전세계 원유매장량의 40%를 접유하는 요충지이므로 현재 서방, 이락 양측 모두 지역또는 전면전을 결행키는 상호 어려운 입장임.

- 서방의 대이락 제재조치 또한 이락에 치명타를 주는 효과가 있는 동시에 서방 경제에도 적지않은 어려움을 주는 양면성이 있으므로 동제재도 장기화될수는 없을것임.

- 전시 경제체제에 익숙한 이락의 식량 비축분 3-5 개월분과 서방의 평균 원유 비축분 5 개월을 기준으로 볼때 전면전이 없는 대치 상태또는 소강 상태에서최대 5

PAGE 1

90.08.17 07:17

외신 2과 통제관 BN

0021

개월 이상 사태가 장기화 되기는 어려울것으로 보임.

-그러나 이락이 사우디 요르단, 이스라엘에대한 공격을 가하는등 상황이 악화될 경우는 사태의 추이를 예측키 어려울것임.

-또한 이란이 대 이락 협조 내지는 중립적인 태도를 보이면 새로운 형태의 반미, 반이스라엘 이.이연합 전선이 결성되므로 미국은 후세인 요르단 국왕등을 차넬로 한 협상 공로를완전 단절치 않고 이락이 서방의 경제 제재 및 무력 시위에 대처 하는중 국력이 많이 소모되면 그기회에 쿠웨이트 무조건 철수, 서방교민 귀환보장, 사우디 불가침등을 골자로 유리한 고지에서 대이락 협상을 전개코자 할것으로 보임.

4. 평가

- 미국이 필요이상의 막강한 정예병력을 사우디에 배치한 궁극적인 목적은 1) 걸프산 원유의 보호 및 적정가격의 안정공급 보장 2)정치, 군사적 요인으로 주기적으로 일어나는 에너지 위기의 종식 및 3) 아랍권 국가 (현재는 이락)의 이스라엘 공격 가능성을 사전에 분쇄하는데 있음

- 또한 미.쏘 양국체제는 동.서대결 종식후 다극체제 양상을 띠어가는 현 국제 질서속에서도 계속 종전의 영향력 유지를 모색하고 있던중, 대규모 산유국,자원부국및 군사대국인라 공통입장을 바탕으로 금번 이락사태를 계기로 93 년 확대 예정인 EC 및 경제 부국인 일본을 위시한 아. 태권등에 대해 미.쏘 협력체재의 위력을 과시할수 있는 호기를 마련함.

- 소련은 사태 악화시 원유가가 30 불 선이상으로 인상되면 원유 수입으로 인한 HARD CURRENCY 유입 증가로 당면한 경제개혁을 추진할수 있으므로 우선 미국에게 사태 해결의 주도권을 양보한채, 배후에서 사태를 관망하다 결정적 순간에 자국의 VOICE 를 높이는 전략으로 임하는것으로 보임.

- 상기 제반상황으로 볼때 현재 이락은 의식 또는 무의식중 동.서대결 종식후 양극체제와 서방권의 협력에 의한 서방 경제 침체에 돌파구를 마련할수 있는 "북남 대견" 에 필요한 "악역"을 담당하고 있다고도 볼수 있으므로 현사태를 단순한 HUSSEIN 의 무모한 오판에 기인한것으로 평가 하기보다는 향후 국제 신질서 정착및 이에 따른 선진 경제의 새로운 발전전략등을 염두에 둔 복합적 요인이 게재된 사태로 이해함이 좋을것으로 보임.끝

(대사 노영찬-차관)

예고:91.6.30 일반

검 토 필 (1990.12.31)

예고문에 의거 일반문서로 재분류 19 91.6.30

PAGE 2

0022

원 본

외 무 부

종 별 :

번 호 : FRW-1496 일 시 : 90 0817 1910

수 신 : 장관(중근동,구일,미북)

발 신 : 주불 대사

제 목 : 이락 사태 (주재국 입장)

주재국 CHEVENEMENT 국방장관은 작 8.16 개최된 하원 국방 상임 위 특별회의에참석 이락사태에 대해 주재국 정부 입장을 밝힌바,동 장관의 발언 요지 아래 보고함.

1. 걸프만 주둔 해공군력의 임무는 방어적 목표로써 하기 4개임

-불측에 구원을 요청하는 우방 제국(특히 사우디, UAE 및 카타르) 지원(방독면 제공등)

-새로운 침공 저지

-경제 제재 조치 감시

-바그다드 에억류되어 잇슨 불국민 보호

2. 불란서는 가능한한 유엔 결의안 661호 테두리내에서 행동할것인바, 현재로서미.영 해공군이 불해공군과 다른 지시를 받은바 없는것으로 알고있으며, 동 해공군들이 지시받은 임무는 감시와조정 업무및 필요한 경우 검색할수 있는 업무일뿐임

3. 불란서는 유엔 결의안 661호 에 따른 경제 제재조치로 구칠뿐 전쟁 행위에 해당하는 해상 봉쇄를 취할 의향은 없음.

별다른 조치가 필요하다면 새로운 유엔 결의안이 논의투표로써 결정되어야 할것임.끝

(대사 노영찬-국장)

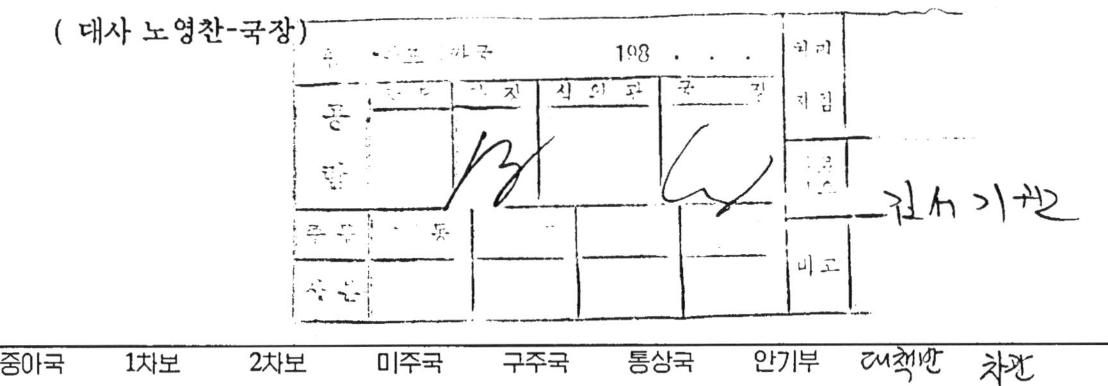

중아국 1차보 2차보 미주국 구주국 통상국 안기부 대책반 차관

PAGE 1

90.08.18 08:25 DN

외신 1과 통제관

0023

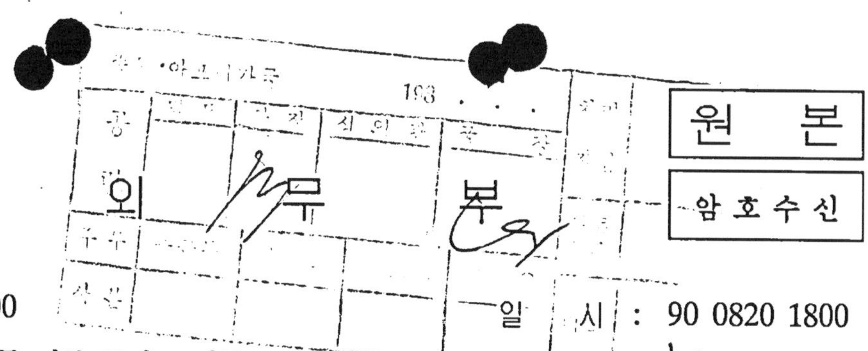

원 본

암 호 수 신

종 별 :

번 호 : FRW-1500 일 시 : 90 0820 1800

수 신 : 장관(중근동,사본:구일,국방부)

발 신 : 주 불 대사

제 목 : 이라크사태 정세보고

1. 지난주 이라크의 외국인 인질사태로 급격히 악화되고 있는 골프만 위기에 대한 불란서의 입장을 아래 보고함.

가. 불란서는 그간 아랍세계와의 친분관계를 고려, 금수조치(EMBARGO)와 봉쇄(BLOCUS) 사이의 미묘한 구분을 도입하면서 사태의 완화를 기대해 왔으나 외국인 인질중 27 명의 불란서인이 포함되자, 이러한 소극적 입장에서 탈피, 사우디 주둔 미군철수 및 EMBARGO 해제와 외국인 인질석방을 연계시킨 이라크의 제의를 미국 및 영국에 이어 일축하면서, EMBARGO 강화를 위해 현지 진주 불해군함정에 단호한 검색조치를 명령하였음.

나. 검색조치이외에 정선명령에 불응시 경고발포(COUP DE SEMONCE)까지 할것인지 여부는 알려지지 않았으나 8.21(화) 저녁 개최될 각료회의에서 상기사태에 대한 구체적인 입장이 나올것으로 봄.

다. 지난 금요일 주재국 외무성은 ABDEL AL HACHIMI 주불 이라크대사를 소환, 이라크의 외국인 출국 금지 조치에 대해 강력히 항의(PROTESTATION INDIGNEE)를 전달한 바 있음.

2. 이와관련 UN 안보리에서 봉쇄 결의안이 상정되는 경우 미국, 영국에 따라 불란서도 찬성할 것으로 예상된다 하며, 서방 외국인 인질사태및 골프만에서 해상봉쇄 관련 협조문제를 협의하기 위해 8.21(화) 파리에서 UEO(UNION DE L'EUROPE OCCIDENTALE) 9 개국 외상및 국방상 회담이 개최될 예정임.

3. 한편, 골프만 사태로 인한 계속적인 유가앙등과 관련, BEREGOVOY 경제 재무장관은 ROCARD 수상에게, 경제성장을 유지하기 위해 에너지 긴축 소비를 포함한 내핍정책을 건의하였음. 끝.

(대사 노영찬-국장)

중아국	차관	1차보	2차보	구주국	통상국	정문국	청와대	안기부
국방부	대책반							

PAGE 1

90.08.21 04:52

외신 2과 통제관 DO

0024

관리 번호	90-1197

외 무 부

1 과

종 별 :

번 호 : FRW-1501　　　　일 시 : 90 0820 1940

수 신 : 장관(중근동,구일,미북)

발 신 : 주 불 대사

제 목 : 쿠웨이트 주재 외교공관 철수문제

대:WFR-1562

연:FRW-1495

당관 이공사는 금 8.20 주재국 외무부 SIBIUDE 중동.북아프리카국 심의관을 면담하고, 표제관련 불측입장을 문의한 바, 동인 언급 요지 아래보고함.

1. 주재국은 EC 12 개국과 함께 이라크측의 쿠웨이트주재 공관 패쇄 요구를 묵살, 이라크측이 강제 폐쇄조치를 취할 때까지 자국공관을 계속 유지할 것임.

2. 쿠웨이트주재 주재국 대사는 사태발생 당시 본국 휴가중으로, 현재 쿠웨이트에는 대사대리외 공관원및 동가족 20 여명이 잔류하고 있으며, 필요시 필수요원 이외의 공관원 감축은 검토 가능하 것임.

3. 동 심의관은 이라크사태가 급격히 악화, 위기사태로 치닫고 있는 현상황에 대해 커다란 우려를 금할수 없다고 평하고, 금일 유엔 안보리에서 논의되고 있는 경제제재 조치(EMBARGO)의 구체적 방안과 더 나아가 봉쇄조치가 결의안으로 결정될 경우 불측은 동조치를 적극 수행할 것임.

4. 동인은 또한 과거 이란의 테헤란내 미국인 인질사건을 경험삼아 볼때, 이라크의 외국인 인질사태가 미측의 군사개입으로 직접 연결되지는 않을 것으로 본다고 언급함. 끝.

(대사 노영찬-국장)

예고:90.12.31. 까지

중아국	차관	1차보	2차보	미주국	구주국	통상국	정문국	청와대
안기부	대책반							

PAGE 1

1990.12.31. 에 예고문에 의거 일반문서로 재분류됨

90.08.21 04:54

외신 2과 통제관 DO

0025

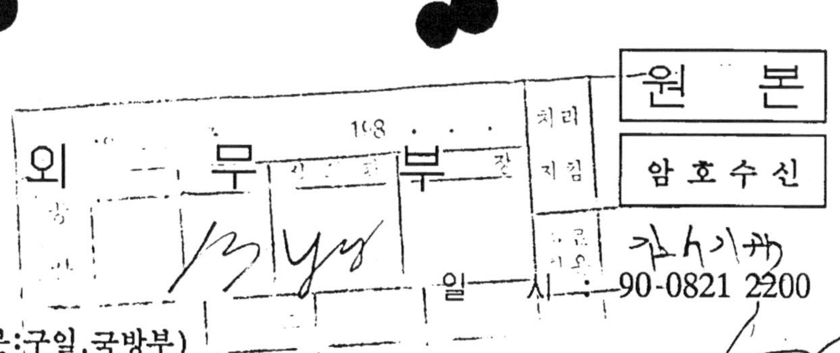

종 별 : 지 급

번 호 : FRW-1513 일 시 : 90-0821 2200

수 신 : 장관(중근동,사본:구일,국방부)

발 신 : 주 불 대사

제 목 : 이라크 사태 정세보고

연:FRW-1500

1. 이라크 사태와 관련한 주재국 입장의 추이를 아래 보고함.

가. 불란서가 미국의 이라크 봉쇄정책에 참가할 경우, 억류중인 불란서인도미국인과 동일하게 취급함은 물론 불란서와의 우호관계를 종식시키겠다는 이라크의 위협을 받고있는 가운데, 금일 ROLAND DUMAS 외무장관은 UEO 외무장관 및 국방장관 회의 주재를 끝낸 자리에서, 서방 억류교민을 처음으로 "인질(OTAGE)"이란 용어를 사용하면서, 무력충돌의 위험성이 명백하여(RISQUE D'AFFRONTEMENT ARME EST EVIDENT), UEO 9 개국은 골프만에서 군사협조를 시행키로 (PRATIQUER LES COOPERATIONS MILITAIRES) 결정하고, UN 안보리에 EMBARGO 강화를 위해 필요한 보완조치 (MESURE NECESSAIR SUPPLEMENTAIRE)를 취하도록 요청키로 했다고 언급하였음.

주재국 외무성에 따르면 현재 불란서인 인질은 33 명임. 한편, 겐셔 독일 외무장관은 동 회의를 끝내고, 독일은 유럽차원을 떠난 군사력 동원을 위해(OPERER LES FORCES EN DEHORS DU THEATRE EUROPEEN) 헌법을 수정할 것이라고 말하였음.

나. 주재국 외무성은, INTERNATIONAL HERALD TRIBUNE(8.20 자) 에서 불란서가 PLO 를 통해, 억류중인 불란서인이 타억류인과 달리 특별배려를 받도록 이라크에 요청했다는 기사에 대해 이를 전적으로 부인하는 동시에, 불란서는 억류인 문제에 대해 서구와의 결속을 강화할 것이라고 현지 언론이 보도함.

다. 한편, 불란서는 현지 함대를 보강키 위해 유류보급함 "DURANCE" 호를 골프만에 파견하였음.

라. 또한 DUMAS 외상은 금주말 쏘련을 방문 예정이라함.

2. 골프만 위기이후 불란서 주가는 금일 5 퍼센트 대폭락함으로써 한달만에24

중아국 대책반	장관	차관	1차보	2차보	정문국	청와대	안기부	국방부

PAGE 1 90.08.22 05:51

외신 2과 통제관 CW

0026

퍼센트 하락을 기록하고 있음. 끝.

(대사 노영찬-국장)

PAGE 2

0027

원 본

암호수신

외 무 부

종 별 : 지 급

번 호 : FRW-1518 일 시 : 90 0822 1430

수 신 : 장관(중근동,구일,사본:국방부)

발 신 : 주 불 대사

제 목 : 이라크 사태 정세보고

연:FRW-1513

연호, 주재국의 구체적인 입장을 아래 보고함.

1. 8.21(화) MITTERAND 대통령 주재 골프만 사태이후 제 2 차 관계장관 각료회의는 아래 요지의 공식 성명서를 발표함.

-불란서는 현지 파견 불해군 함정의 강제수단 사용(RECOURS A LA CONTRAINTE)을 포함, UN 제재조치를 엄격히 시행함.

-이라크의 인질행위는 용납할수 없으며, 이의 석방을 촉구하는 UN 664 호 결의안이 즉각 시행되어야 함.

-억류 불란서인에 대한 보호와 지원을 강화

-골프만 위기에도 불구, 불란서 현 경제정책은 변함이 없음.(실업률 해소를위해 필요한 성장률을 유지등)

-이라크의 쿠웨이트 주재 외교공관폐쇄 요청은 완전 무효이며, 교민보호를 위해 계속 정상적인 대사관 활동을 수행하겠음.

2. 또한 MITTERAND 대통령은, 동 각료회의후 가진 기자회견에서 아래와 같이 밝혔음.

-골프사태에 대한 불의 입장은 LOGICAL 함.

-사우디와 UAE 에 불란서 군사교관과 정찰대대를 각각 파견함.

-"강제수단" 이라함은 필요시 검색까지 포함함을 의미하며, 발포여부 결정은 대통령에게 있는바,"제재없는 EMBARGO 는 환상에 불과"함을 밝힘.

-불란서는 미국처럼 UN 안보리의 결정을 앞서가는 대신, 이를 충실히 따르는 입장이라고 하면서 미국을 간접 비판함.

-현사태의 추이와 불란서입장을 주지시키기 위해 8.27. 임시 국회를 소집함.

중아국	장관	차관	1차보	2차보	구주국	청와대	안기부	국방부

PAGE 1

90.08.22 23:50

외신 2과 통제관 CF

0028

-주식 폭락사태와 관련 주식 부자가들이 심리적으로 동요하지 않도록 촉구함.

3. 한편, 동 각료회의 참석에 앞서, CHEVENEMENT 국방장관이 익명을 요구하면서,"수일내(DANS LES TOUT PROCHAINS JOURS) 대이라크 공격 가능성을 크게 우려하며, 장차 협상의 가능성은 조금도 없을지도 모른다"고 사견을 밝혔음이 주목되며, 현지 언론은 동 익명요구를 받아 들이지 않았음.

4. 상기 각료회의 이전 당지 개최된 EC 외상회담에서 EC 12 개국은 이라크의 쿠웨이트 주재 외교공관의 철수 통첩을 완전 무효라고 선언하고 억류교민 안전은 전적으로 이라크의 책임이라고 밝혔음.

5. 연호 UEO 9 개국 회담 관련 추가사항 아래 보고함.

가. 동 회담에는 EC 12 개국중 9 개국과, 그리이스, 덴마크, 터어키가 옵서버로 참가하였으며, 아일랜드는 참가초청을 거절하였음.

나.EMBARGO 를 준수시키기 위해, UN 의 결의가 없더라도 무력사용을 만장일치로 합의함.

다. 현지에서의 긴밀한 군사협조를 위해, 각 외무성및 국방성의 대표들로 구성된 특별그룹을 설치, 하기사항을 상시 협의함.

-작전지역

-임무 분담

-상호 병참지원

-정보 교환

-함대보호

라. 오는 8.24. UEO 9 개국 참모총장(CHEFS D'ETATS-MAJORS) 회의를 개최, 현지에서 여타 우방국 특히 미국과의 원활한 협력을 모색함.

마. 동 회담 결과,5 개국(화란, 벨지움, 이태리, 그리이스, 스페인)이 해군을 파견키로 결정하였으며, UEO 가 서부유럽내 유일한 안전보장기구로서의 성가를 크게 높인 것으로 평가됨.

바. 따라서 골프만에서 곧 UEO 국가 소속의 20 여 해군함대가 각(208)파견국 고유의 지휘를 받으면서도 이들사이의 협력체제를 갖출것이라 함.

6. 상기 불란서 입장에 대해, 여야및 현지 언론은 지금까지의 2 중적 자세에서 강경하고 확고한 입장으로 결의를 굳힘으로서 역사의 그림자가 아닌 동반자로서의 역할에 들어 섰다고 평가함. 끝.

(대사 노영찬-국장)

PAGE 3

0030

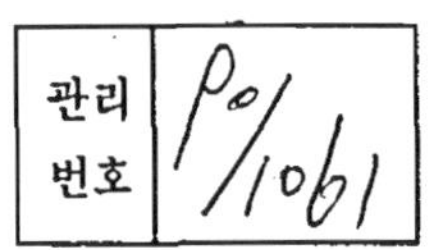

외 무 부

종 별 :

번 호 : FRW-1540 일 시 : 90 0824 1630

수 신 : 장관(통일)

발 신 : 주 불 대사

제 목 : 대이라크 경제제재

대:WECM-0020

연:FRW-1472,1460

연호 주재국의 자산동결 조치관련, 상세 내용(경제. 재무성령) 아래 보고함.

1. 대주재국 "부자"에는 모든 형태의 자산, 특히 아래 사항이 포함됨.

-신용기관에 대한 예치

-유가증권

-직접 부자

-부동산및 그에 귀속되는 권리

2. "이라크(쿠웨이트)로 부터의" 부자라 함은 아래 내용을 의미함.

-이라크(쿠웨이트) 국적 소지자나 동 지역에 거주하는 자연인에 의한 부자

-이라크(쿠웨이트)에 본점을 둔 법인에 의한 부자

-하기 경제주체가 자산(CAPITAL) 또는 의결권의 50 프로 이상을 소유하는 법인에[84f. 이라크(쿠웨이트) 국적을 가지거나 동 지역에 거주하는 자연인

. 이라크(쿠웨이트)에 소재하는 공공기관

. 이라크(쿠웨이트) 국자 자체

3. 자산동결 조치의 예외(경제. 재무성 사전 승인 불필요)

-통상적인 환전(MANUAL EXCHANGE)

-신용기관에 대한 모든 형태의 예치

-100 만 프랑 한도내에서의 모든 형태의 인출.끝.

(대사 노영찬-국장)

예고:90.12.31. 일반

통상국 대책반	장관	차관	1차보	2차보	구주국	중아국	청와대	안기부

PAGE 1

90.08.25 00:42

외신 2과 통제관 DO

0031

관리번호	90/1480

원 본

외 무 부

종 별 :

번 호 : FRW-1547 일 시 : 90 0827 1750

수 신 : 장관(중근동,구일, 국방부)

발 신 : 주 불 대사

제 목 : 이라크 사태

연:FRW-1518

1. ROLAND DUMAS 주재국 외무장관의 8.25-26 간 쏘련 방문 관련사항을 아래보고함.

가. 불.쏘 외무장관은 하기내용의 공동선언을 발표함.

-UN 665 호 대이라크 봉쇄결의에 만족함.

-이라크군 쿠웨이트 철수등 골프만 위기의 정치적 해결을 위해 UN 헌장에 따른 집단 안보원칙에 동참을 재확인함.

-이라크가 쿠웨이트주재 외교공관 기능을 방해하는 활동을 중지토록 촉구함.

-팔레스타인 문제, 레바논 문제등 또다른 중동문제 해결을 위해서는 골프만위기 해소를 위한 집약적 노력이 가일층 요구됨.

-양국은 레바논 위기 해결을 위한 아랍의 지지를 재천명함.

나. 동 방문과 관련, 고르바쵸프 쏘련 대통령이 오는 10 월 불란서를 방문할 예정이라 함.

다.UN 의 결의에도 불구, 골프만 봉쇄를 위한 무력사용을 자제하려는 쏘련의 입장을 제외하고는, 불.쏘 양국이 아랍국가와의 협조등을 통해 외교, 정치적 해결을 위한 노력에 의견의 일치를 봄으로써, 과거 대아랍 특수 우호관계를 맺어온 양국의 공동이익과 아랍에서의 미국 영향력 견제효과를 가지려는 것으로 풀이됨.

라. 특히,"파리-모스크바축은 유럽및 세계균형의 중요한 부분" 이라는 DUMAS 외무장관의 발언에 비추어, 10월 고르바쵸프의 불란서 방문에 이어, 11월 중순 파리에서 개최예정인 유럽안보회의(CSCE)중 예상되는 양국 대통령 별도 회담을 통해 아랍에 대한 양국간의 협력이 강화될 것으로 전망됨.

2. 쿠웨이트 주재 불란서 대사관 직원가족 23 명이 지난 8.25. 암만에

중아국 대책반	장관	차관	1차보	2차보	구주국	청와대	안기부	국방부

PAGE 1

90.08.28 02:08

외신 2과 통제관 CF

0032

도착체류중이며 동 대사관에는 현재 6 명의 불란서 외교관이 있음.(주쿠웨이트 대사는 이라크사태 이전부터 본국휴가중에 있음.)

3. 금일 오후 주재국 임시의회가 소집되어, ROCARD 수상이 하원에서, DUMAS외무장관이 상원에서 골프만 사태에 대한 불란서 입장을 설명하여 이에대한 의회의 지지를 받는 동시에, 위기사태에 대처하는 의회의 역할을 토의할 것이라함.

4.CHEVENEMENT 국방장관은 8.25(토) 지부티에 도착한 CLEMENCEAU 항모를 순시차 방문하였으며, 주재국 외무성은 지대공미사일을 현지에 지원키로 결정하였음. 끝.

(대사 노영찬-국장)

예고:90.12.31. 까지

관리번호	90/1512

원 본

외 무 부

종 별 : 지 급

번 호 : FRW-1560　　　　일 시 : 90 0828 1840

수 신 : 장관(중근동,구일,사본:국방부)

발 신 : 주 불 대사

제 목 : 이라크 사태

1. 8.27(월) 오후 소집된 임시의회 관련사항 아래 보고함.

가. 이라크의 인질공세에 대처, 불란서의 확고한 결의를 천명하고 골프만 위기에 대한 불란서의 입장 지지를 촉구하는 MITTERRAND 대통령 메시지를 FABIUS국회의장이 낭독한데 이어, ROCARD 수상이 다음 요지의 정부성명을 발표하면서,정부는 필요시, 현재 지부티에서 오만해로 항진중인 CLEMENCEAU 항공모함외에 FOCH 항공모함도 추가 파견할 가능성도 있음을 시사함.

-정부는 페르시아만 위기를 위요한 국제관계의 긴장단계에서는 외교적인 방법으로, 무력충돌의 위협하에서는 군사적인 수단으로 대처해 왔음.

-외국인 인질의 즉각적이고 무조건적인 석방을 촉구

-경제파급 효과 관련, 더어려운 상황에 직면하기 이전에, 내핍경제 조치를 취할 예정임.

-팔레스타인 문제에 대한 UN 결의안 시행에 국제사회가 동일한 열의를 보여주지 못한데 대한 유감 표명

나. 한편, 상원에서는 그간 정부의 태도가 모호하고 매늦은 감이있었다고 비판하면서, RPR 위원장인 PASQUA 전내무장관을 중심으로, 불란서의 계속적인 방위노력을 강조함.

다. 동 임시의회에서, 불란서 입장에 대해 전반적으로는 CONCENSUS 를 이루었으나, 대다수 의원들은 동 의회가 적기에 소집되지 않은 점에 유감을 표시하고이러한 매늦은 의회소집이 앞으로는 새로운 국제질서, 유럽방위, 위기 대처 예산등 중요한 문제를 둘러싼 의회역할에 우려를 제기하면서도, 정부의 조치를 위축시키지 않기 위해 "봉쇄는 하나 전쟁으로의 발전은 예방하고, 외교채널을 통한해결"을 강조함.

2. MITTERRAND 대통령은 불란서의 아랍국가 접촉 정책의 일환으로 8.27(월) SAOUD

중아국 대책반	장관	차관	1차보	2차보	구주국	청와대	안기부	국방부

PAGE 1　　　　90.08.29 16:41

외신 2과 통제관 BT

0034

FAYSAL 사우디 외무장관 및 BOUTROS GHALI 이집트 국무장관을 접견한 자리에서 현 상황은 전쟁 직전 단계에 있음을 언급하고, CUELLAR 유엔 사무총장의 이라크군 철수를 전제로한 협상제의에 지지를 표명하면서, 사우디에 CLEMENCEAU 항모소속 전부 헬리콥터 (초병역할 수행) 를 파견키로 결정하였음.

3. 한편, 쿠웨이트주재 외교공관의 사태악화와 관련, 불란서는 유럽국가와 협력, UN 안보리 소집을 요청키로 결정하였음. 끝.

(대사 노영찬-국장)

예고:90.12.31. 까지

원 본

외 무 부

종 별 :

번 호 : FRW-1571 일 시 : 90 0829 1830

수 신 : 장관(중근동)사본: 구일, 국방부

발 신 : 주 불 대사

제 목 : 이라크 사태

미테랑 대통령이 8.28 (화) 오슬로에서 개최된'' 평화적 분쟁 해결을 위한 국제회의''(ANATOMIE DE LA HAINE) 에 참석 이라크 사태 관련 발언 요지 아래 보고함.

1. 이라크 사태를 계기로 UN 이 구각에서 벗어나 분쟁 해결을 위한 본연의 임무수행을 시작했음을 환영함.

2. 골프만 위기를 남북 문제로 간주하지 않으며, 평화적인 해결을 완전히 배제할수는 없으나 그 기회가 갈수록 희박해짐.

3. 강력한 국제기구만이 세계 평화 유지를 담당할 수 있을것임.끝

(대사 노영찬- 국장)

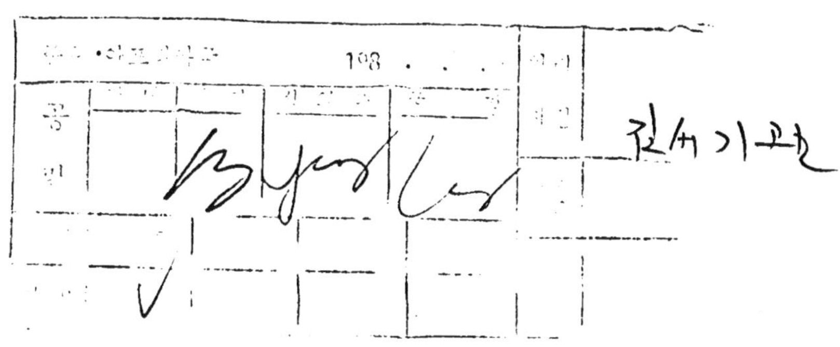

중아국 1차보 구주국 국방부 통상국 미주국 대책반 그라보

PAGE 1 90.08.30 05:45 CG

외신 1과 통제관

0036

관리 번호	90/1528

원 본

외 무 부

종 별 :

번 호 : FRW-1574 일 시 : 90 0830 1100

수 신 : 장관(중근동,구일,경일,사본:국방부)

발 신 : 주 불 대사

제 목 : 이라크사태(ARAFAT-ROCARD 면담)

ARAFAT PLO 의장은 8.29(수) 파리를 방문, ROCARD 수상과 면담을 가졌는바,그 상세 내용은 알려지지 않았으나, 파악된 개요를 아래 보고함.

1. ARAFAT 의장은 HUSSEIN 요르단 왕과의 협의후 제신된 것으로 보이는 아래요지의 걸프위기 해결책을 비롯한 중동지역 평화안을 불란서측에 설명함.

-봉쇄 해제

-이라크군의 쿠웨이트 철수및 걸프만 주둔군을 UN 군으로 대체

-UN 감시하, 쿠웨이트에서의 총선

2. ROCARD 수상은 UN 결의의 시행만이 걸프사태 해결 특히 억류 외국인의 무조건 석방및 이라크의 쿠웨이트 철수를 실현 시킬수 있을 것이며, 팔레스타인 문제에 대해서는 국제사회가 평화적인 해결을 위해 노력해야 한다는 불란서의 입장이 불변임을 상기 시키므로서, ARAFAT 와 의견 접근을 보지 못한 것으로 알려짐

3. 상기회담이 비록 성과가 없었으나, 불란서가 ARAFAT 를 접수, 협의한 기본 의도는 걸프사태가 협상 국면에 접어든 현시점서 주재국이 서방국중 주요한 협상 중재자로 부각 시킬수 있는 기회를 마련한것으로 분석되고 있음. 끝.

(대사 노영찬-국장)

예고:90.12.31. 까지

중아국 대책반	차관	1차보	2차보	구주국	경제국	청와대	안기부	국방부

PAGE 1

90.08.30 19:43

외신 2과 통제관 BT

0037

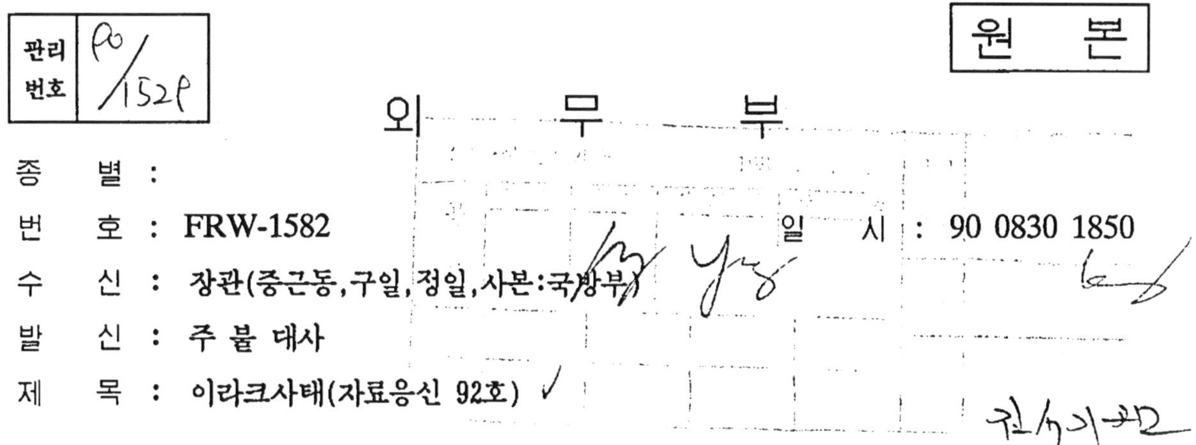

관리번호	90/1528

원 본

외 무 부

종 별 :

번 호 : FRW-1582 일 시 : 90 0830 1850

수 신 : 장관(중근동,구일,정일,사본:국방부)

발 신 : 주 불 대사

제 목 : 이라크사태(자료응신 92호)

1.MITTERRAND 대통령은 8.29(수) 아이스랜드 공식방문중 억류자중 부녀자및어린이 석방(불란서는 500 여명중 200 여명 해당)과 불란서 인질의 특수지역 강제추가 이동을 병행하는 후세인의 이중술책을 비난하면서, 이러한 선별적인 조치는 위기해결에 아무런 도움이 되지 못하므로 전원석방할 것을 촉구하였음.

2. 이라크의 인질전략에 대처, 주재국은 불란서 체재 이라크 정부 연수생 26명에 대해 특별 감시조치를 취하였으며, EC 각국도 자국주재 이라크 외교관에 대해 통행의 자유를 제한할 예정이며, 동 구제조치 내용은 금주말경 발표될 것이라함.

3.MITTERRAND 대통령은 그간 걸프사태에 대한 정책을 독주해 왔다는 국내 정당의 비판을 의식, 동사태에 대한 상호 의견교환을 위해 금주말및 주초에 각주요 정당대표및 원내교섭단체장(GISCARD D'ESTAING, JACQUES CHIRAC 등 7 명)과 협의키로 결정하였음.

4. 또한 MITTERRAND 대통령은, 유럽순방(스페인, 영국, 독일, 불란서)의 일환으로 9.3(월) 당지를 방문하는 HUSSEIN 요르단 왕과도 동문제 관련, 협의할 것이라함.

5.DUMAS 외상은 금일, 암만 방문차 파리를 경유한 CUEILLAR 유엔 사무총장과의 협의중, 서방의 대이라크 협상은 쿠웨이트 철수및 억류자 무조건 석방이라는 유엔결의를 전제로 해서만 가능하다는 요지의 주재국 입장을 천명하였음.

6. 한편, 걸프위기 이후, 이라크의 HUSSEIN 이 서방 메디아와 처음 가진 8.29. TF1 TV 와의 회견서, 이라크는 600 만명의 군사력을 동원할 수 있으며, 이라크군 해체, 경제붕괴, 정부전복등 미국의 3 개목표는 비현실적이라고 비난하고, 불란서의 태도에도 실망했다고 말하는 한편 CUEILLAR 유엔사무총장과의면담은 낙관적이라는 견해를 밝혔음.

7. 상기와 같이, 주재국은 사태초기에 보인 미온적인 대이라크 제재 자세에서,

중아국 장관 차관 1차보 2차보 구주국 정문국 청와대 안기부
국방부 대책반

PAGE 1

90.08.31 03:08

외신 2과 통제관 CW

0038

적극적인 미국입장 지지자세로 선회하였는 바, 이는

가. 인질등 문제에 관한 국내여론의 비등

나. 미.영 진영과의 공동보조가 전체적인 서방이익에 부합된다는 분석

다. 쏘련의 대이라크 특수관계 철회로 인한 자극및

라. 미국의 압력등에 기인한 것으로 분석됨. 끝.

(대사 노영찬-국장)

예고:90.12.31. 까지

관리 번호	90-1671

외 무 부

종 별 :

번 호 : FRW-1583　　　　일 시 : 90 0830 1850

수 신 : 장관(중근동,구일,정일,사본:국방부)

발 신 : 주 불 대사

제 목 : 이라크사태(자료응신 93호)

표제사태 관련 주재국이 홍해및 쿠웨이트 연안에 배치한 군사력 내용을 하기 보고함.

1. 총병력 8,900 명

-해군 4,000

-육군 3,900

-공군 800

-기타 200

2. 전부선단(총 9 척)

-DURANCE(보급선)

.150 명 승선

-CLEMENCEAU(항공모함)

.1,700 명 탑승

. 헬기 40 대(정찰용 GAZELLE 30 대 포함)

.SUPER-PUMA 전부수송기 10 여대 탑재

-COLBERT(미사일 발사선)

.561 명 탑승

.MASURCA 및 EXOCET 미사일 무장

-VAR(유류 보급선)

.160 명 탑승

.40 미리포 적재

-MONTCALM(대잠함)

.220 명탑승

중아국 장관 차관 1차보 2차보 구주국 정문국 청와대 안기부
국방부 대책반 미주국

PAGE 1　　　　90.08.31 03:09
외신 2과 통제관 CW

0040

.EXOCET 해대해 미사일, CROTALE 해대공 미사일,100 미리포, LYNX 헬기등으로 무장

-DUPLEIX(대잠함)

.220 명 탑승

.EXOCET 및 CROTALE 미사일 탑재

-BORY(호위선)

.172 명 탑승

.EXOCET 대함정 미사일 적재

-PROTET(호위선)

.172 명 탑승

.EXOCET 무장

-DUCUING(통보함)

.105 명 탑승

.EXOCET 대함정 미사일 적재.끝.

(대사 노영찬-국장)

예고:90.12.31. 까지

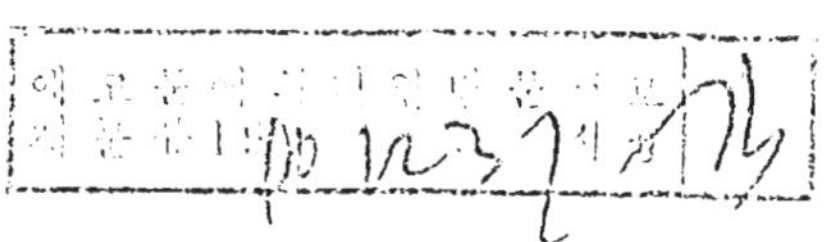

PAGE 2

0041

관리번호 Fo-1P14

원 본

외 무 부

종 별 :

번 호 : FRW-1605　　　　일 시 : 90 0904 1710

수 신 : 장관(미북,중근동,경일,정일)

발 신 : 주 불 대사

제 목 : 이락사태(국제전략분석)

대:WFR-1689

주재국의 유수한 국제전략 전문가인 BRETON 교수는 현 이락 사태와관련, 하기와같이 분석함(박참사관 9.3 접촉)

1. 사태 예견설

일단의 국제경제 전략 전문가(IMF 의 엘리트 구룹등)들은 현 이락 사태를 사전에 충분히 예견, 미.서방의 대 이락 공동제재 및 봉쇄, 이락측의 쿠웨이트내산유작업 정지 및 인근 송유관 기능폐쇄등의 순서를 거쳐 원유가가 40 불선으로 인상되는 시나리오를 설정, 10 개월간의 혼란 과도기를 거쳐 그후 18 개월을 선진국 경제 재정비 및 재도약을 위한 기간으로 산정 하였다는 확인되지 않는 설이 현재 유포되고 있다함.

2. 유가 문제

- 만약 원유가가 40 불선이 될경우, 현재 경제성 문제로 개발이 유보되고 있는 DALLAS 유전(심층지반이 8 천미터로 사우디등 중동지역의 평균지반 100 미터에 비해 채굴 비용이 과대하므로 사태전 18 불선의 유가 체제하에서는 개발이 보류됨) 의 90% 가 가동할수 있다함.

또한 경제성 결여를 이유로 개발이 지연되었던 ALASKA 산 원유의 생산도 가속화 될것임.

-EC 의 경우는 BRENT 산 원유의 3 분의 1 증산으로 영국은 별 타격이 없으나 불란서를 위시한 대부분의 EC 국은 유가가 40 불선으로 될경우 타격을 입게될것이므로, 미국 및 아랍권의 국제원유 칼텔은 최소한 서구는지원하므로써 심각한 위기에는 이르지 않도록 배려할것으로 보임.

-과거 양차 석유파동을 치루면서 장기적인 대책을 세운것으로 알려진 일본도

미주국 차관 1차보 2차보 아주국 구주국 중아국 경제국 통상국
정문국 청와대 안기부 동자부 대책반

PAGE 1　　　　90.09.05 06:38
외신 2과 통제관 CW

0042

유가가 40 불선이 되는경우, 경제성장율이 1% 이하가 될것임.

또한 현재 걸프지역서 70%선의 원유를 수입(이락. 쿠웨이트 지역서는 일산 10 만바렐: 전체 15%)해온 일본이 최근 사우디의 대일 수출 16% 감량등 추가요인을 감안할때 입을 타격은 매우 심각함. 8.20 일본은 이란과 일산 28 만바렐(필요시 70 만바렐로 증량 가능) 수입 협정을 체결, 난국 태개를 모색하고 있으나,변화 무쌍한 중동 정세추이를 염두에 둘때, 이 또한 근원적인 해결방법은 되지못할것임.

-쏘련은 원유가가 30 불선 이상이 될 경우 HARD CURRENCY 수입이 크게 증가할 것이므로 유가 인상에 반대할 이유가 없음.

또한 동구 개혁후 과거 쏘련에게 전적으로 에너지를 의존해 온 폴란드, 체코 및 국내적으로 강렬한 분리운동을 전개하고 있는 발트 3 국 및 아르메니아등을 실질적으로 견제, 종전과 같은 영향력을 계속 행사할수 있는 강점도 갖고 있음.

3. 분석

-일본은 과거 20 년간 미국의 방어우산하에 직접적인 국방부담없이 경제 발전을 이루어 오늘날의 경제 대국으로 성장함. 또한 지난 10 년간의 대미 경제 전쟁중에도 특유의 기지를 발휘 성장이 위축됨이 없이 미국과 EC 등 선진국과 정면대치하여 왔음.

- 그러나 세계 제 1 의 경제 대국인 일본이 외교면에서는 미국, 군사면에서는 미.영. 불에 의존, 완벽한 의미의 국가주권은 확립치 못하였으므로 국내적으로도 경제력을 바탕으로한 실질적인 자주 외교, 국방을 주창하는 극우파인사(SONY 사장등)가 급증하고 있음.

- 미 부시 대통령은 이락사태 초기 부터 전 서방 진영을 자신의 지휘체제하에 묶고 필요시 쏘련과 공동 보조를 취함으로써 동구 개혁 이후 실추한 미국의 국제적 위치와 국내 경제난 타개를 위한 호의적인 환경조성에 성공한 반면, 부존자원부재와 국방력의 타국의존이란 여건에서 이룬 일본의 부는 결국 사상 누각에 불과하다는것이 재차 증명됨.

- 따라서 일본은 향후 일정기간 정치, 군사적 안정속에 이룬 발전의 댓가를인상된 가격의 원유 구입과 장기적으로는 자주 국방체제 구축을 위한 군사대국으로부터의 무기 구입으로 환원하여야 하며, 단기적으로도 그간 국방을 대행해준미국에대해 응분의 보상을 해 주어야 할 입장에 있음.

-이에 반해 미.쏘, 서구는 각국이 공통 이해로 결속, 합치된 보조를 취할수있으며 사태가 장기화되면 될수록 주도권은 대일 제 1 채무국인 미국이 정치, 외교, 경제등

전분야에 걸쳐 계속 장악하는 모순이 존속케됨.

-금번 이락사태는 표면적으로는 서방과 이락의 대결 또는 종교적인 대결 양상을 띠고 있으나 사태가 진전됨에 따라 기존 국제질서를 주도해온 강대국의 대 일본 엄중 경고의 성격도 띠게 되었음.

- 따라서 모든 국제위기에 대처 미국과 서방의 배후에서 서식하며 의식적으로 운신의 폭을 좁혀온 일본도 향후 신 국제질서속에서 독자적인 역할을 극대화하여 물리적으로 국력을 소모시켜 타 선진국과 공동 보조를 취하지 않는한, 미.쏘 및 서방의 직, 간접 대일 압력은 날로 가중될것으로 보임.끝

(대사 노영찬-국장)

예고:91.6.30 일반

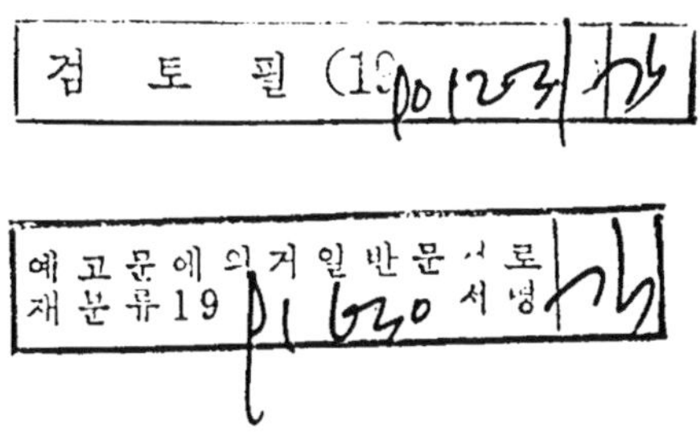

PAGE 3

0044

관리번호	90/1560

원 본

외 무 부

종 별 :

번 호 : FRW-1607 일 시 : 90 0904 1800

수 신 : 장관(중근동,구일,정일,사본:국방)

발 신 : 주 불 대사

제 목 : 이라크 사태(자료응신제95호)

1. 9.3 주재국 외무성은 이라크의 억류자 석방중단 술책을 비난하는 한편, ROLAND DUMAS 외상은 주재국 국영 TV ATENNE 2 와의 인터뷰에서 걸프사태는 초기의 대응단계 및 외교 협상 결렬 단계를 거쳐 제 3 단계에 접어들고 있다고 분석하면서, 불투명한 평화 해결의 기회가 조만간 무력행사로 악화될 가능성도 배제할수 없다고 밝히고, 현재 해상 봉쇄 상태는 만족스러우나, 필요시 UN 주도하에 육로 및 항공에도 확대해야 할것이며, 동 문제가 오는 9.9 헬싱키 미.소 정상회담에서 거론되기를 희망함.

또한 불란서가 현지에 14 개 함대를 주둔 미국에 이어 2 번째의 군사력 파견국임을 상기 시켰음.

2. 미테랑 대통령은 9.3 자 후세인 요르단 왕과의 회담에서 요르단 체재 쿠웨이트 난민 구호를 위해 EC 국가의 300 만 ECU 에 이어, 4 백만 프랑을 불란서가 별도 지원할것임을 밝혔음.

3. 또한 미테랑 대통령은 9.3 자 각료회의에서 걸프사태의 경제적인 영향에지체없이 대처하기 위해, 에너지 절약, 성장 지속, 소득불균형 해소 노력 지속, 경제난 타개를 위한 노력 분담등 기본 방침을 수립하였으며 석유가 인상으로인한 투자 활동 위축을 최대한 줄이기 위해 재투자 소득세 인하, 부동산 소득세인상, 부유세 증액등이 가능한 조치가 오는 9.12 각료회의에서 결정될것으로 보임.

4. 한편 EC 제국은 쿠웨이트 주재 공관의 어려운 현지 실정을 감안, 곧 철수할것이라하며, 동 철수가 쿠웨이트에 대한 이라크의 주권을 인정하는것이 아니라는 입장을 강조하고 있음. 끝

(대사 노영찬-국장)

예고:90.12.31 까지

19 90. 12. 31. 에 예고문에 의거 일반문서로 재분류됨

중아국	장관	차관	1차보	2차보	구주국	정문국	청와대	안기부
국방부	대책반							

PAGE 1

90.09.05 06:43

외신 2과 통제관 CW

0045

길

관리번호	PO-1115

외 무 부

종 별 :

번 호 : FRW-1645 일 시 : 90 0908 1030

수 신 : 장관(중근동,미북,구일,정일)사본:국방부

발 신 : 주 불 대사

제 목 : 이라크사태(자료응신 98호)

1. 9.6 미테랑 대통령은 걸프사태이후 3 번째로 불란서 입장 표명을 위한 기자회견을 가졌는바 그 요지 아래 보고함.

가. 오는 헬싱키 회담에 앞서 9.6 부시 미 대통령 및 고 쏘련 대통령과 전화 통화했음을 밝히고(내용은 공개 안함), 이라크 사태관련 불란서가 미국 다음가는 제 2 의 군사파견국으로서 적극 대처하고 있음을 강조함.

나. 현재 사태는 "전쟁직전의 단계(LOGIQUE DE GUERRE)"에 있는것이 사실이나 이를 해결하기 위한 모든 노력을 경주 해야 함을 촉구하고 향후 추이와 관련한 다음 3개 가능성에 대해 언급함.

1) 이라크의 새로운 침공

0 절박한 상황이 아닌한, 새로운 침공은 어려울것으로 보이며 침공시는 불란서가 단호히 개입할것임.

2) 미국의 무력 행동

0 미국의 군사개입은 예정되지 않았으며, 미국이 이라크의 도발에 앞서 돌연 군사행동을 수행한다 하더라도 불란서는 유엔 결의(EMBARGO) 테두리에서 벗어날 의도는 없음.

3) EMBAGO 에 대한 신뢰

위기 해결은 EMBARGO 성공에 있으므로 유에 범주내에서 대응하는 국가들이 EMBARGO 에 신뢰를 가지도록 촉구함.

다. 헬싱키 및.쏘 정상회담 개최를 짓하나, 동 회담이 군사행동으로 발전되는 계기가 되어서는 안될 것이라고 강조하는 동시에 위기 해결을 위한 아랍 국가간 협상의 중요성을 상기 시킴.

라. 인질문제에 대해서는 여하한 압력에도 굴복할수 없음.

중아국	장관	차관	1차보	2차보	미주국	구주국	정문국	청와대
안기부	국방부	대책반						

PAGE 1 90.09.08 20:15

외신 2과 통제관 DO

0046

마. 소련이 제의한 중동 평화를 위한 국제회의는 당면과제는 아니며, 유엔 결의 시행을 대체할수 없는바, 쿠웨이트 철수 및 억류자 전원 석방을 선결 조건으로 하는 유엔 결의시행후 개최 되어야 할것임.

2. 상기 기자회견은 불 국민에게 정부 입장을 설명하기 위한 동시에 헬싱키 미.쏘 정상회담에 앞서 불란서 입장을 천명한것으로 불란서가 미국 다음으로 걸프 사태에 군사적으로 관여하고 있음에도 불구, 주요 결정이 임박한 시기에 불란서가 소외된데 대해 은근히 불만을 표시하고 미국이 과도한 국제 경찰역할을 수행하고 있음을 간접적으로 비난하는것으로 관측됨.

3. 한편 미테랑 대통령은 걸프만 파견 함대 격려차 조만간 현지를 방문할것이라는바 이기회에 봉쇄조치로 타격을 받은 아랍국가등도 방문, 아랍세계 내에서의 사태 해결도 촉진 시킬것으로 전망됨.

4. 한편 CHEVENEMENT 국방상은 9.7 -24 간 이집트, 불란서식 무기를 보유하고 있는 카타르, UAE 를 방문하는바, 이집트에서는 MOUBARAK 대통령과 ABOU TALEB 외상과 면담하며, UAE 에서는 불란서 파견 대전차 초병대대(훈련교관 340 명)를 순시할것이라함(UAE 는 MISTRAL 및 CROTALE 대공 미사일, MILAN 대전차 미사일등 불란서 무기 보유)

5. 불란서는 영국과 함께 요르단에 무기 공급을 중단키로 결정하였는바, 요르단이 EMBARGO 대상국은 아니나 걸프사태에 대한 요르단의 태도 여하에 따라 해제 할수 있는 잠정 조치라함.

또한 불란서의 경우, 88 년 요르단과 판매 계약을 체결한 12 대의 미라지 2,000 전투기(10 억불 상당) 가 DASSAULT 회사에서 제작중에 있으며, 내년 중반이후에 인도될 예정으로 있다함. 끝

(대사 노영찬-국장)

예고:90.12.31 까지

PAGE 2

0047

외 무 부

종 별 :

번 호 : FRW-1702 일 시 : 90 0915 1030

수 신 : 장관(중근동,구일,정일,사본:국방부)

발 신 : 주 불 대사

제 목 : 이라크사태 관련 EC 동향 (자료응신 제102호)

1. 구주의회는 9.12(수) STRASBOURG 에서, 단호한 대이라크 봉쇄조치를 압도적인 다수로 (찬성 305, 반대 37, 기권 49) 지지하였는바, 반대표는 녹색당 및 KJVTW 극우파가 던졌다함. 또한, 동의회는 완전한 봉쇄만이 무력충돌을 예방하는 유일한 해결책임을 천명하고, EMBARGO 는 민간인의 생존에 필수적인 의약품및 식품에는 적용되지 않는 것이라는 의견을 밝힘.

2. 브랏셀 EC 집행위원회는 9.12 EC 12개국이 19억 5천만불을 이집트, 터키, 요르단에 지원키로 제의하였는바, 동 지원액의 반은 1991년 EC 예산으로, 나머지반은 회원국의 기부금으로 충당토록 할것이라 하며, 이러한 지원은 걸프위기에 영향을 받은 모로코, 방글데쉬등에도 확대될 것이라 함. 끝.

(대사 노영찬-국장)

중아국 1차보 구주국 정문국 안기부 국방부 대책반 미주국 통상국

PAGE 1

90.09.15 21:36 DA

외신 1과 통제관

0048

74

관리 번호	90-1851

외 무 부

종 별 :

번 호 : FRW-1714 일 시 : 90 0917 1740

수 신 : 장관(중동,구일,북미,정일)사본:국방부

발 신 : 주 불 대사

제 목 : 이라크군 불대사관저 납입에 대한 주재국 대응(자료응신104호)

1. 9.14 이라크군의 쿠웨이트 주재 불대사관저 난입 사건과 관련, 주재국은 9.15 미테랑 대통령 주재하에 긴급 관계각료회의를 갖고, 하기 요지의 대이라크 대응조치를 취하기로 결정하였음.

가. 외교적조치

0 긴급 유엔 안보리 소집 요구

- 불요청에 다라 9.16 개최된 유엔 안보리는 이라크군의 쿠웨이트 주재 외국 외교공관 침입 비난 결의안을 채택

- 주재국은 유엔이 기 결의한 대이라크 EMBARGO 의 성공을 위하여, EMBARGO 를 준수하지 않는 국가 및 기업체에 대한 제재 방안과 동 EMBARGO 를 항공까지 확대하는 방한을 모색하도록 안보리측에 요청

0 불 주재 이라크 무관 및 정보요원 추방

- 주재국은 불 주재 이라크 무관 및 간첩 행위 혐의가 있는 정보 요원과 26 명의 공군 연수 요원등 총 40 여명을 즉각 추방키로 결정, 1 차로 9.15 밤 무관을 비롯한 29 명을 추방함.

0 이라크 대사관 직원에 대한 파리이외 지역 여행자유 제한

나. 군사적 조치

0 사우디내 불 군사력을 증강, 하기 3 개 연대로 구성된 특전여단과 30 여대의 전투기를 추가 파견키로 결정(총 4,000 명 규모의 군사력으로써 DAGUET 작전이라고 명명됨)

- 1 개 전부헬기 연대(전투헬기 48 대), 1 개 기갑연대(AMX-10 장갑차 48 대) 및 1 개 보병 연대(대전차포 및 MISTRAL 대공미사일 장비 포함)

0 상기조치로 중동 배치 불군사력은 총 13,000 명으로 증강

중아국	장관	차관	1차보	2차보	미주국	구주국	정문국	청와대
안기부	국방부							

PAGE 1

90.09.18 02:56

외신 2과 통제관 DO

0049

2. 주재국 대응 조치에 대한 각국 반응

- 미국: 적절하고도 정당한 조치라고 평가

- 사우디: 사우디 방문중인 CHEVENEMENT 국방상에게 FAHD 국왕은 사우디내 불 군사력 추가 파견 조치에 대해 사의를 표하고, 이는 정당하고도 단호한 결정이라고 평함.

- 이스라엘: ARAFAT PLO 의장의 8 월초 방불 접수등으로 불측에 대해 다소 회의적 입장을 가졌던 이스라엘은 금번 사태로 불측의 대이라크 자세가 강경해지고, 사우디내 불 군사력이 증강해 지는데 대해 내심 만족하고 있음.

- EC: 9.17 브라셀에서 개최되는 EC 각료회의에서 표제문제를 협의하고, 불측 대응조치와 같은 외교적 대응 조치를 공동으로 취할것으로 예상됨.

- 주재국 우파 야당: CHIRAC RPR 당수와 GISCARD UDF 당수 공히 금번 조치를 환영, 전폭지지를 표명함.

3. 주재국내 분석 및 평가

가. 이라크 심리전

0 이라크군의 쿠웨이트주재 외교 공관 침입은 후세인 이라크 대통령이 하기 목적하에 심리전의 일환으로써 고의적으로 도발한 일종의 우회전략(STRATEGIE DE CONTOURNEMENT) 행위로 평가됨.

- 주재국을 위시한 일부 서방 제국들의 반격 가능성 시험과 서구 정치 지도자 및 국민 여론의 결단력 측정

- 서구 제국 국민여론 호도와 국가정책의 일관성 와해 효과

0 이라크는 향후 상기 심리전의 일환으로 팔레스탄인 과격파를 이용한 사우디 주둔 서방 군사력에 대한 공격과 대이라크 밀교역을 거부하는 서방기업체에 대한 테러 행위를 감행할여지가 있는것으로 관측됨.

0 이라크는 특히 과거 자국과 긴밀한 유대관계에 있던 불란서가 대이라크 강경 노선을 취하고 있는 미.영측에 적극 가담하는것을 억제하기 위한 전려 밴 @으로 아프리카내에 소요사태를 도발, 새로운 전선을 형성할 기도가 있는것으로도 보이는바, 이경우 친 이라크 노선을 취하고 있는 수단 및 모리타니를 사주하여 불이해관계가 긴밀한 챠드및 세네갈내에 각각 소요 사태를 도발, 불측의 관심을 분산시키고자 꾀할 가능성이 있는것으로 분석됨

나. 주재국 입장

PAGE 2

0050

0 미테랑 대통령은 9.15 긴급각료회의 직후 가진 기자회견을 통해 유엔 테두리 내에서의 EMBARGO 강화를 재촉구함으로써, 무력충돌은 가급적 피하는하는 한편, 강경 노선의 미.영측과 아랍제국간 중재자로서의 불의 독자적 노선을 견지하려는 주재국의 기본입장을 재확인함.

- 미테랑 대통령은 특히 향후 이라크측이 불란서내 테러행위를 감행할경우, 이를 개전사유로 간주, 군사적 대응조치를 취하는데 불명한 답변을 회피하고 새로운 사태발생시 응분의 대응조치를 검토, 결정하겠다고 언급함으로써 금번 조치가 미.영측에 밀착하는것이 아닌 독자적인 조치임을 강조함.

0 미테랑 대통령은 일부 국가 및 기업체가 유엔의 대이라크 EMBARGO 결의안을 준수하지 않고 있다고 지적하고, 동국가 및 기업체에 대한 제재조치와 항공까지의 EMBARGO 확대가 필요하다고 역설함으로써, 대이라크 EMBARGO 조치를 성공시키기 위한국제적 여론을 환기시킴.

- 상금 주재국을 위시한 서구내 250 여기업체가 그리스 및 키프러스 선주들을 통해 이라크와 밀교역을 하고 있는것으로 추정

- 레바논및 키프러스내 5,000 여기업체가 육로 및 해상편으로 이라크와 밀교역중인것으로 추정

- 리비아, 예멘, 알제리 및 요르단은 항공편(특히 이라크항공사)을 통하여 대이락 밀교역을 수행중인것으로 간주(특히 15 대의 이라크 수송기가 바그다드-예멘간 매일 운행중인것으로 추정). 끝

(대사노영찬-국장)

예고:90.12.31 까지

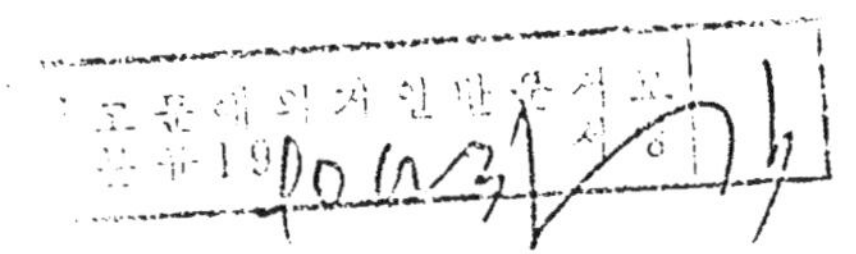

PAGE 3

0051

2

관리번호	90-1802

외 무 부

종 별 :

번 호 : FRW-1725 일 시 : 90 0918 1900

수 신 : 장관(중근동,구일,미북,정일)

발 신 : 주 불 대사

제 목 : 이라크사태,EC 대응(PI105)

대:WFR-1769

연:FRW-1714

1. 연호 EC 12 개국은 9.17 개최된 외상 회담을 통해 이라크의 쿠웨이트 주재 외국 공관 침입을 강력 비난하고 하기 요지의 외교적 공동 대응조치를 취하기로 결정함.

-EC 제국 주재 이라크 무관 추방

(이라크 무관 주재국은 불, 영, 이, 서독 및그리스 5 개국)

0 영국:이라크인 31 명(무관실직원 8 명 포함)추방

0 이태리:이라크인 11 명(무관포함)추방

0 서독:48 시간내 이라크 무관 출국 명령

-EC 12 개국 주재 이라크 외교관에 대한 여행 자유 제한

-유엔이 결의한 대이라크 EMBARGO 강화

0 EMBARGO 감시 방안 모색

0 EMBARGO 를 준수치 않고 있는 국가에 대한 경제적, 외교적 제재 방안 강구

-걸프 위기로 큰 피해를 당하고 있는 이집트, 요르단 및 터키 3 국에 대한 원조 필요성 재강조

0 EC 차원에서 15 억 ECU(약 19 억 5 천말불)경제원조 제안

2. 연이나 상기 EC 회담시 주재국이 주창한 대이라크 항로 봉쇄 문제는 유엔 차원에서 결정할문제로 간주하고 동 관련 언급을 피하였으며, 인근 3 개 피해국에대한 15 억 ECU 규모의 경제 원조 상세 내역은 영. 화란, 스페인등의 이견에따라 9 월말 재협의, 결정키로함.

-상기 15 억 ECU 규모 원조액중 1/2 인 750 억 ECU 는 EC 공동 재정으로 충당하고 나머지는 각국별로 동 3 개국에 제공키로 원칙 합의가 되었으나, 영. 불등은 각각 기

중아국 차관 1차보 2차보 미주국 구주국 정문국 청와대 안기부

90.09.19 16:22

외신 2과 통제관 BA

0052

제공한 군사적 지원도 상기 총 원조 규모에 포함될것을 주장

3. 주재국은 대이라크 밀교역 혐의가 있는 12 개 불 중소기업체에 대한감시(특히 세관 검색등)를 강화하고 있는것으로 알려지고 잇는바, 동 대이라크 밀교역은 터키, 뛰니지등으로부터의 주문에 의해 비밀리 이루어지고 있는것으로 추측하고 있음.

4. 서구 연맹(UNION DE L'EUROPE OCCIDENTALE)은 걸프 지역에서의 회원국간군사적 협력 강화 방안을 협의하기 위하여 외상 및 국방상 회담을 9.18 오후 파리에서 개최중임.끝

(대사 노영찬-국장)

예고:90.12.31.까지

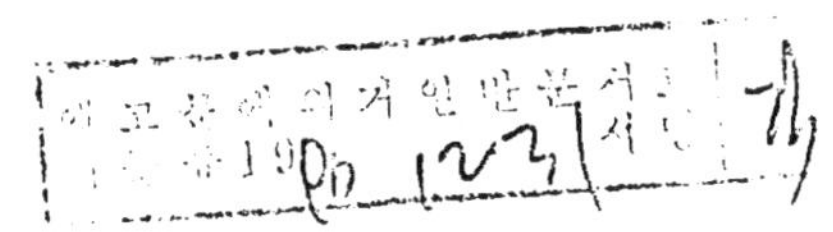

PAGE 2

0053

9

관리 번호	90-1883

외 무 부

종 별 :

번 호 : FRW-1728 일 시 : 90 0919 1500

수 신 : 장관(중근동,구일,미북,정일,사본:국방부)

발 신 : 주 불 대사

제 목 : 이라크사태 관련,서구연맹 외상,국방상 회담(자응106호)

연:FRW-1725

1. 서구연맹(U.E.O.)은 걸프사태 관련, 미국을 의식, 서국제국의 독자적 위상을 높이려는 의도하에 걸프지역에서의 회원국간 군사적 협력및 조정업무를 협의코자 9.18. 오후 당지에서 외상및 국방상 회담을 개최한바,9 개 회원국이 합의한 내용 아래 보고함.

-유엔이 결의한 대이라크 EMBARGO 조치를 항로 봉쇄까지 확장토록 유엔 안보리측에 요청키로 결정한 동시, 동 EMBARGO 를 준수치 않고있는 국가에 대한 제재조치를 희망함.

-걸프지역내 회원국 육. 공군력의 새로운 주둔 방식과 동 군사력의 상호보완 운영및 임무조정등에 합의함.

2.U.E.O. 9 개 회원국중 현재 6 개국이 걸프지역에 해군력을 파견한 바 있으며, 특히 불.영 2 개국은 육군력도 사우디에 파견하였으며, 화란도 조만간 F-16 전투기 18 대를 터키에 파견할 예정으로 알려져있음.

3. 상기 회담시, 회원국들은 다국적 군사력이 배치되어 있는 걸프지역에서 자국정부 지휘하에 있는 각국 군사력이 실질적으로 미국측의 작전조정하에 놓일수 밖에 없음(특히 미공군력및 정보망에 의존)을 인정하면서도, 서구제국의 독자적 위상을 높이기 위해 군사작전 과정에서 미측과 종속관계가 아닌 협력. 보완관계를 설정하기 위한 방안모색이 주로 논의되었던 것으로 알려짐.끝.

(대사 노영찬-국장)

예고:90.12.31. 까지

일반문서로 재분류(1990. 12. 31.)

중아국 미주국 구주국 정문국 국방부 대책반

PAGE 1 90.09.20 01:27

외신 2과 통제관 CF

0054

오

관리 번호	90-2099

원 본

외 무 부

종 별 :

번 호 : FRW-1742 일 시 : 90 0921 1200

수 신 : 장관(미북,중근동,정일)

발 신 : 주 불 대사

제 목 : 걸프사태 전망

연:FRW-1605

대:WFR-1689

주재국 외무성 정세분석실 FILIU 중동부장의 표제건 전망내용을 하기 보고함.(9.20. 당관 박참사관 면담)

1. 서방입장

-미, 영, 불등 지상군을 사우디에 파견한 국가는 최악의 경우, 교전가능성도 념두에 두고 있으나 작전시 지휘권문제, 사막전에 대한 서방군의 적응력 미숙과 아울러 전격작전이 성공한다해도 감수해야 할 후유증등을 감안, 현재는 무력보다는 각종 제재조치로 인한 이락측의 탈진을 유도하는 전략으로 대처하는 것으로 보임.

2. 이락측 입장

-이락은 과거 이스라엘의 팔레스타인지역 강점이 국제사회에서 사실상 추인되었던 선례를 믿고 쿠웨이트를 참략하였으나, 시간이 흐름에 따라 상황이 전혀 다르게 전개됨을 인식케 됨.

-또한 이라측의 호언에 불구, 서방의 제재가 금년말까지 계속되면 이락은 질식상태가 될 것이므로 그이전에 협상을 자청해야할 입장에 있음.

3. 이.이 제휴 가능성

-이락이 이란과 접근코자 하는 기본목적은 이란을 이용한 제재우회, 이란의 과격회교주의자를 사주한 공동성전 참여등이나, 종국적으로는 시리아같이 이란이 서방측에 가담치 않고 최소한 중립적인 태도를 취해주는 것임.

-그러나 역사적인 불신감, 서방의 대이란 투자 필요성 점증등으로 이란으로서는 서방과 대치, 이락과 전면 제휴할 입장이 아니므로, 이.이 접근은 잠정적인 제휴가 될 것임.

미주국	장관	차관	1차보	2차보	구주국	중아국	정문국	청와대
안기부	대책반							

PAGE 1

90.09.21 21:05

외신 2과 통제관 DO

0055

4. 협상시 문제점

-협상이 본격적으로 개시되면 이락은 쿠웨이트 기점령 인정, 대걸프 산유국 부채탕감을 주장하다 결국 쿠웨이트와 사우디에서의 양측 공동철군으로 후퇴할수 밖에 없음.

-또한 서방측도 쿠웨이트에 왕정을 복구시키는 문제는 양보할 수 있으나 이락의 완전철군을 통한 쿠웨이트의 주권회복은 협상의 기본선이므로 이를 관철시키는데 주력할 것임.

-이락이 갖고있는 최후무기는 서방인질뿐이나 이락측이 이를 과도히 이용하면 국제적 고립을 감수해야 하므로 적당한 선에서 타협, 단계적으로 귀환시키는 유화적인 제스추어를 쓸수 밖에 없을 것임.

5. 전망

-금번 사태의 상황전반을 볼때 SADAM HUSSEIN 은 결국 패배가 될 것이며, 미국 역시 국제 신질서태동을 앞둔 이시기에 이락과 같이 기존 서방중심 국제질서에 정면도전한 세력에 대해 시범적 교훈을 주려하므로, 현재로서는 교전의 가능성은 희박하나 시간이 가면 갈수록 HUSSEIN 의 패배는 필연적임.

-동 의도가 일단 성공하면 미국도 금번사태로 인한 원유가의 인상으로 전세계 국가로부터 미국의 위력에 대한 인식은 새롭게 할수 있으나, 또한 유가 인상으로 인한 대다수국가의 경제난 가중이란 불편한 양상도 있으므로, 유가를 25-30 미불 선에 묶고, 사태를 종결짓는 방향으로 나갈것으로 보임.

-또한 일단 사태가 수습되면 쏘련군부의 불만및 아랍권의 반발로 사우디의 미군 장기주둔도 더이상 명분이 없으므로 협상진전에 따라 적기에 철군하는 대신, 걸프지역 전체를 미국을 주축으로한 집단안보체제로 묶어 동 지역에 대한 미국의 군사적 영향력을 계속 유지코자 할것임.

-따라서 이락이 협상의사를 보이면, 아랍권내의 해결방안을 우선 유도한 후, 그결과를 놓고 미국과 서방이 유리한 고지에서 협상을 진행시킬 것으로 전망됨. 끝.

(대사 노영찬-국장)

예고:91.6.30. 일반

검 토 필 (1990.12.31.)

예고문에 의거 일반문서로 재분류19 91.6.30 서명

PAGE 2

0056

원 본

외 무 부

종 별 :

번 호 : FRW-1745 일 시 : 90 0922 1630

수 신 : 장 관(중근동,구일,정일)

발 신 : 주 불 대사

제 목 : 이라크,불 대사관 직원 추방령(PI-110)

1. 주재국 외무성은 9.21 대변인 성명을 통해 이라크 정부가 바그다드 주재 불 대사관 직원11 명(외교관 7명 및 보조직원 4명)을 추방키로 결정, 9.26(수) 이전 이라크로 부터 출국 하라는 통보를받았다고 밝힘.

2. 동 외무성 대변인은 또한 이라크측의상기 조치가 지난주 불정부의 이라크인 추방에대한 보복 조치라고 평가하고, 불 정부는 현재 이에대한 대응 조치를 검토중이라고 언급함.

3. 상기 불 대사관 직원 11명 이 추방되어, 바그다드 주재 불 대사관에는 JANIER 대사 대리를 비롯한 외교관 2명 보조직원 6명만 잔류하게됨.

4. 이라크측은 하기와 같이 서구 5개국에 대하여도 동일한 대사관 직원 추방령을통보한것으로 알려져있음.

-미국 7명, 영국 3명, 이태리 4명, 서독 2 명, 스페인2명. 끝

(대사 노영찬-국장)

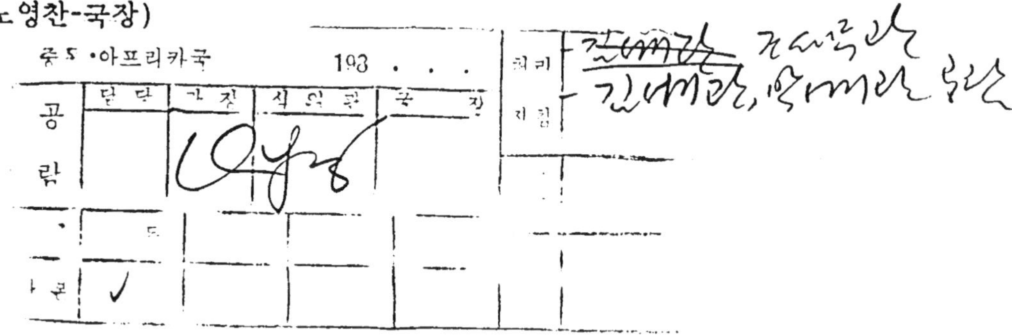

중아국 1차보 구주국 정문국 안기부

PAGE 1

90.09.23 09:05 ER

외신 1과 통제관

0057

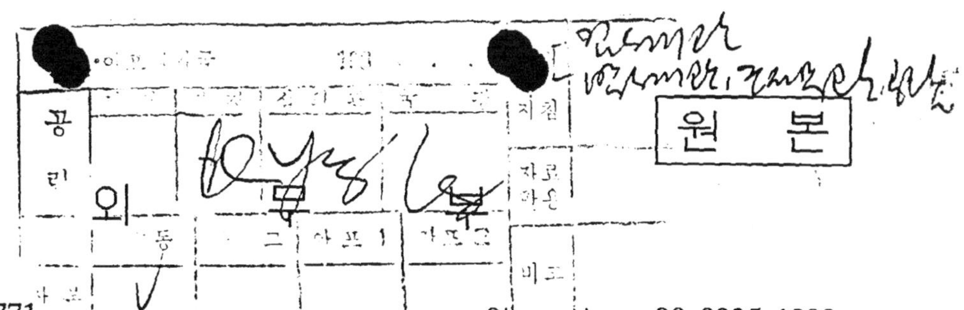

종 별 :

번 호 : FRW-1771 일 시 : 90 0925 1800

수 신 : 장 관 (중근동,구일,미북,정일,국방부)

발 신 : 주 불 대사

제 목 : 미테랑대통령 유엔총회 연설(자료응신 111호)

연: FRW-1732

1. 미테랑 주재국 대통령은 작 9.24. 유엔총회 연설을 통해, 유엔의 권위와 국제사회내 법규존중을 위한 유엔의 역할을 강조하고, 걸프지역내 무력충돌을 막기위한외교적 해결방안으로써 4단계 평화계획안을 제안한바, 요지 아래 보고함.

가. 제1단계: 이라크측이 쿠웨이트로 부터의 철군과 서방인질을 석방하겠다는 의지를 확인할경우, 협상을 포함한 모든 조치가 가능시됨.

나. 제2단계: 대이라크 제재조치를 취하고 있는 모든 국가들의 걸프지역으로 부터의 군사력 철수와 쿠웨이트의 주권회복 및 쿠웨이트 국민의 자국장래에 대한 민주적선택권을 보장(JABER 쿠웨이트 왕정복귀가 필수조건이 아님을 암시)

다. 제3단계: 중동지역내 선린관계 유지와 평화정착 방안 모색을 위한 국제회의 개최

-레바논,팔레스타인및 이스라엘 문제등을 포함한 지역문제 해결방안 모색을 위한 국제회의가될 수 있으나, 성격이 각기 다른 모든 분쟁의 포괄적 해결책 강구는 비현실적이라고 첨언

라. 제4단계: 걸프지역내 군사력의 상호감축과 안정 및 번영을 위한 중동 및 마그레브 제국들간의 협력방안을 강구

2. 상기 미테랑 대통령 연설에 대한 주재국내 분석 및 평가는 아래와 같음.

-미테랑 대통령은 후세인 이라크 대통령의 완강한 입장견지로 인해 전쟁발발 가능성도 배제치않고 있으나, 가급적 동 무력충돌을 막아야한다는 입장임.

-협상을 위한 선행조건으로 이라크군의 무조건 철수를 주장하는 강경 노선의 부쉬 미 대통령 입장과는 다소 상이하게, 후세인 대통령 비난을 삼가하고 다소 유화적인대 이라크 협상여지를 표명함으로써, 미국을 의식, 금번사태에 대한 주재국의 독자적

중아국 차관 1차보 미주국 구주국 정문국 안기부 국방부

PAGE 1

90.09.26 05:32 CG

외신 1과 통제관

0058

위상을 정립하는 동시, 협상국면으로 유인하려는 시발점으로 관측됨.

-아랍제국과의 전통적 특수우호관계를 의식, 서방진영의 결속감을 해치지 않는 범위내 (유엔 안보리결의안 전폭지지 재확인 및 후세인 대통령의 입장변경이 없는한 대이라크 타협에는 반대)에서 아랍제국들의 일부 반미,반서방 감정과 아랍권내(튀니지,요르단 등)에서 독자적으로 제시된 금번사태 해결방안을 일부 수용함으로써, 금번사태에 대한 아랍 및 서구간 중재자로서의 역할 가능성을 대두시킴.끝.

(대사 노영찬-국장)

PAGE 2

0059

긴

외 무 부

암호수신

종 별 :

번 호 : FRW-1816 일 시 : 90 1001 1830

수 신 : 장관(구일,중근동,미북,정일)

발 신 : 주 불 대사

제 목 : DUMAS 외상,대이라크 비밀협상설 부인(자료응신 113호)

1. 후세인 이라크 대통령은 9.30. 모하메드 탄생기념일에 제한 대회교도 연설을 통해, 걸프사태에 대한 지금까지의 강경입장을 다소 완화, 미테랑 주재국 대통령의 9.24. 유엔연설을 긍정적으로 평가하고, 대화와 평화정책이 위협과 군사력증강을 대신하는 경우, 이라크는 협상에 응할 자세가 되어있다고 밝힘.

연이나, 동 대통령은 8.2. 이전 상황으로는 되돌아갈 수 없다고 첨언, 쿠웨이트로부터의 이라크군 철수의지가 없다고 강조함으로써, 이라크측의 기본입장에변화가 없음을 재확인함.

2. 후세인 대통령은 또한 상기 연설시, 이라크 정부는 불정부측과 특별한 대화를 계속 유지하고 있었다고 언급함으로써, 불-이라크간 비밀협상이 추진되고있었음을 시사한바, 유엔총회 참석중인 DUMAS 주재국 외상은 동 비밀협상을 부인하고 파리및 바그다드 주재 양국 대사관을 통한 정규 외교채널이외 특별대화채널은 전혀 없었다고 9.30. 뉴욕에서 발표함.

3. 분석및 평가

-후세인 대통령의 9.30. 연설은 쿠웨이트로부터의 철군의사가 없다는 기본 이라크 입장을 고수하는 동시 대서방 협상의지를 표명하는 한편, 불측과의 비밀협상설을 유포함으로써 서방진영내 분열을 획책코자 하는 심리전 일환으로 보임.

-주재국측은 이라크는 물론, 이집트, 요르단, 알제리, 모로코등 아랍제국들과의 특수 유대관계를 기반으로, 서방진영내 일원으로써 동 결속을 해치지 않는 범위내에서 아랍제국들이 제안하는 해결방안을 최대한 반영, 금번 걸프사태 해결책 모색을 위하여 독자적인 외교노력을 경주하고 있는 것으로 분석됨. 끝.

(대사 노영찬-국장)

구주국 미주국 중이국 정문국 안기부

PAGE 1

90.10.02 08:03

외신 2과 통제관 FE

0060

UNW(F)- ■J, 01005 194●(국연.중근동)

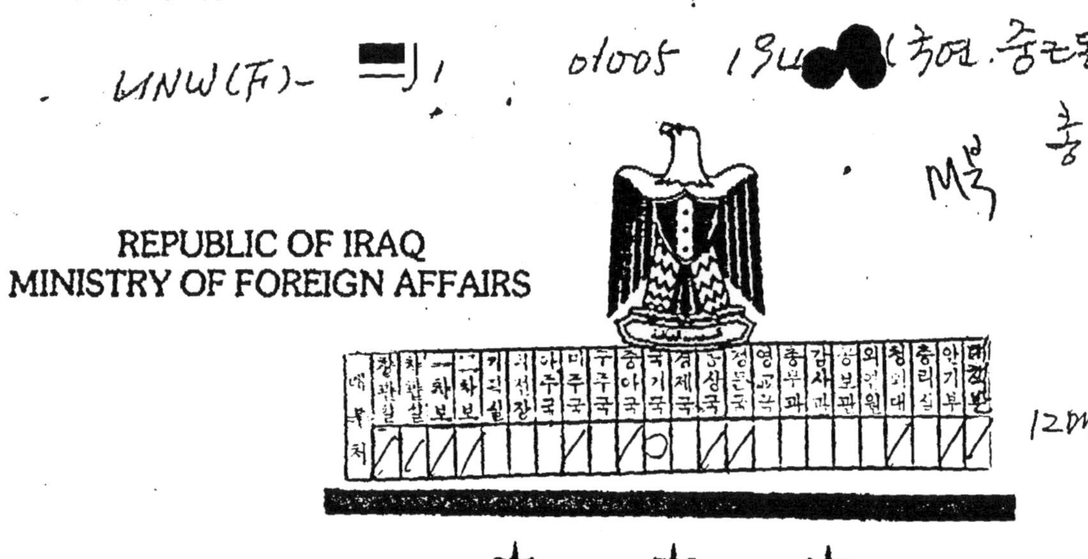

REPUBLIC OF IRAQ
MINISTRY OF FOREIGN AFFAIRS

본 전문의 누락부분은 재송 요청중이므로
추후 재배부 하겠습니다. 통제관:

Statement
by

H.E. Mr. Tariq Aziz Deputy Prime Minister and Minister of Foreign Affairs of the Republic of Iraq

AS DELIVERED ON HIS BEHALF BY AMBASSADOR ABDUL - AMIR AL- ANBARI, PERMANENT REPRESENTATIVE OF IRAQ TO THE UNITED NATIONS

FORTY - FIFTH SESSION OF
THE GENERAL ASSEMBLY OF THE UNITED NATIONS

4 OCTOBER 1990

NEW YORK

2-1

0061

Mr. President,

The present Statement was scheduled to be made before the General Assembly by the Minister of Foreign Affairs of my country. As matters stand, however, he has been prevented from doing so by the position of the American authorites, as explained in the letter dated 23 September 1990 addressed to the Secretary General by my country's Minister of Foreign Affairs and circulated in document S/21812.

As has been the case in past years, we requested the American authorities to permit a special plane, conveying the Minister of Foreign Affairs and the members of the Iraqi Delegation, to land in New York. Those authorities, however, refused to comply with our request and suggested the use of commercial airlines. This could only mean that the United States is, in fact, deliberately preventing the Minister of Foreign Affairs of my country from coming to New York to participate in the proceedings of the General Assembly, present Iraq's point of view on the events and enter into dialogue with representatives of States.

It is to be noted in this regard that, in spite of our contacts with the Secretary General and his contacts with the American Mission on the matter, the Secretariat has done nothing to press the American side to reverse the measures which have prevented the Foreign Minister from participation.

Having made this clarification, I shall now proceed to read the Statement.

0082

Mr. President,

It is a pleasure for me and for my delegation to offer you our congratulations for your election as President of the present session of the General Assembly. In this connection, I should like to assure you of our total willingness and sincere desire to cooperate with you to ensure the success of your task.

The recent events which have taken place in the region have raised and continue to raise a number of vital issues which the international community, and the countries of the third world in particular, need to analyse deeply and derive the right conclusions therefrom. The reason is that these events and the way the United States and its Western Allies have acted in relation to them indicate beyond any doubt that our world is entering a new era. Some would imagine that the prospects this era will open for the peoples of the world, and the peoples of the third world in particular, promise more favourable conditions than those which prevailed in the cold war. The bitter truth, however, is that this new era is the era of the resurgence of Western imperialism under the leadership of the United States, at times with the tacit acquiescence of other great powers and at others with their active participation.

The Western imperialist alliance, under the leadership of the United States, is now conducting a large-scale campaign of disinformation on a global level for which all the capabilities of the American and Western political and informational apparatus — to say nothing of the military apparatus — have been pressed into service with a view to misleading the peoples of the world into believing that that alliance, with its benighted history as reflected in the way it deals with the causes of peoples, is today defending international law, the Charter of the United Nations and the so-called international order.

No matter what divergent views may be held on the subject of Kuwait, we must not ignore the vital issues which the United States and its Allies are trying to erase from consciousness and spread disinformation about:

1) The United States and its allies are deliberately and highhandedly obliterating any awareness of the fact that the issue of Kuwait has a history that is rooted in the modern colonialist era when, in 1913, Britain undertook to sever Kuwait from Iraq; of the fact that all the successive governments, both monarchical and republican, which have ruled Iraq over a period of seventy years have refused

2

0063

to accept this colonialist act; and of the fact that this question was the subject of dispute in the Arab League and the United Nations in the sixties. The United States and its Western Allies are deliberately obliterating any awareness of the developments and events which have led to the present situation as well as the fact that, several months before 2 August 1990, they had started a large-scale campaign of conspiracy, defamation and blockade against Iraq and had taken action to put that country under a boycott which included an embargo on exports of foodstuffs to it and further covered scientific and technological fields.

On 4 September 1990, I sent to the Ministers of Foreign Affairs of the world a letter in which I recounted the history of this question and these developments. I shall therefore refrain from touching on these matters here.

2) These events have taken place in the Arab region — a region which, for many decades, has had its own mechanisms and procedures for dealing with the problems which arise there. The events began on 2 August 1990. On 3 August, His Majesty King Hussein sought to convene in Jedda, on 4 or 5 August, a miniature Summit Meeting to be attended by Iraq, Saudi Arabia, Egypt, Yemen and Jordan in order to deal with the problem within the framework of the usual Arab mechanisms and procedures. But the party which was supposed to host the meeting, namely, Saudi Arabia, disavowed the meeting after agreeing to having it convened. Two days after the scheduled date of that meeting, American forces landed in the Arabian Paeninsula. That makes it clear that it was the United States which put the Arab mechanisms out of action and decided to take control of the political situation itself. One day after its forces had landed in the Arab Paeninsula, the United States had its henchmen in the region convene a meeting in Cairo not with the aim of considering and dealing with the question within the mechanisms and procedures by which Arab issues are normally resolved but with a view to obtaining its collaborators' support for the American occupation and American control over the political situation, a matter which led to a sharp division within the ranks of Arab governments. Since then, sincere Arab parties have sought to restore the Arab mechanisms and procedures for dealing with this question, but the United States has suppressed and reviled these attempts; it has threatened the leaders undertaking them and used the Security Council as a tool to frustrate any sincere Arab effort.

3) This fact sheds light on what happened and what continues to happen at the Security Council. On the very first day of the events, the United States had the Security Council convene an emergency meeting and placed before it a resolution based on Chapter VII. For the first time in its history, the Security Council did not allow enough time for the Minister of Foreign Affairs of the State concerned in the issue to be able to participate in its deliberations; nor did the Council provide any opportunity for the participation of any Arab representatives who could make a responsible contribution to those deliberations. America called for the meeting at 4:45 New York time in the morning of 2 August; it submitted a draft resolution and insisted that it be adopted just hours after its submission; then it proceeded to

9-4

0064

build the subsequent political activity on the basis of that resolution althought it well knew that to have a resolution of that kind passed in that hasty fashion would preclude all possibility of a serious and responsible search for suitable solutions to the issue, especially on the Arab side. It is especially regrettable that other international parties have yielded to this line of action which has crippled and continues to cripple a responsible approach to the issue. Resolution 660 is unprecedented in the history of the Security Council whether in terms of the hasty way in which it was passed and discussed or in terms of its direct leap to Chapter VII within the first hours of the occurrence of the events.

4) In a manner which has had no precedent in the history of the United Nations, the United States and its Western Allies had the Security Council pass a series of subsequent resolutions each of which has had the effect of causing further aggravation and escalation of the situation and of blocking the responsible efforts made to seek a solution. In addition to this deliberate political hysteria on their part, the United States and its Allies proceeded, following the events, to mobilize fleets, aircraft and ground forces in the region in a way that has had no parallel in contemporary history, thus bringing the entire region, nay the entire world, to the brink of a devastating war.

5) It is incumbent on us to ask, and ask forcefully on the basis of a review of the events of contemporary history, are the United States and its Western Allies taking this stand to defend international law and the Charter and the just rights of peoples? If the United States and its Western Allies are, as they now claim, such firm upholders of principle, why, then, have all the problems and crises in the world remained unsolved? Why do we come here every year to complain of the continued existence of those problems and crises? To whom have our complaints been addressed? Have they not been addressed to America and its Allies whose actions and policies have been at the root of the problems and crises as well as of the procrastinations in resolving them? Haven't America and its Allies been those who have used the veto to quash the resolutions we would submit to the Security Council, thus providing a cover for the violations committed by their allies in Tel Aviv and Pretoria? Have they not been those who have treated with contempt the resolutions which we would once in a while succeed in having approved by the General Assembly where the third world States have the numerical majority?

Why have the Questions of Palestine, the Middle East and Lebanon remained unsolved until today? What has been the fate of the Security Council resolutions thereon, all 166 of them? Why does Israel continue to occupy Arab territories and have the impudence to declare them part of the "land of Israel"? Why does it call the West Bank Judea and Samaria and declare occupied Al-Quds its eternal capital within sight and hearing of those who have shown such firm resolve to have Security Council resolutions implemented only after the Council has passed its well-known resolutions following the events of 2 August 1990?

9-5

0065

외 무 부

74

종 별 :

번 호 : FRW-2008 일 시 : 90 1025 1830

수 신 : 장 관 (중근동,구일)

발 신 : 주 불 대사

제 목 : 이라크의 불인질석방 관련, 주재국반응 (자료응신 121호)

1. 10.23. 이라크측의 불인질 석방 결정조치에 대한 주재국 반응 아래 보고함.

가. DUMAS 외상

- 주재국은 불인질 석방교섭을 위하여 이라크측과 사전 비밀교섭한바 없었다고 밝히고, 동 조치가 이라크측의 일방적인 결정으로 이루어졌음을 강조함.

- 동 석방조치는 용납될 수 없는 국제법 위반행위에 대한 호도에 불과하며, 이라크에 대한 불란서의 강경하고도 단호한 입장에 따른결과임.

- 동 석방조치에도 불구, 불의 대이라크입장 (서방인질 전원 석방및 이라크의 쿠웨이트철수)은 변함이 없음을 강조하고, 10.24. BAKER미국무장관에게도 단호한 상기 불입장을 전화로 재확인시킴.

나.주재국, DUFOIX 적십자사 총재 이라크 파견

- 이라크측은 불인질 석방실현을 위해 불정부각료의 이라크 방문을 희망해왔으나, 불측은 정부인사가 아닌 DUFOIX 불적십자사 총재를 파견키로 결정함.

- 불인질들의 이라크 출국은 이라크측과의 제반출국절차 협의를 거쳐 10.27(토) 이후에야 가능할것임.

2.당지 분석에 의하면, 금번 후세인 이라크 대통령의 불인질 석방조치는 대이라크 제재조치에 참여한 서방진영의 분열을 기도하기 위한 '독약이가미된 선물'로 간주하고 있는바, 이는 후세인 대통령이 금번 걸프사태 해결을 위한 불측의협상 이니셔티브를 기대하고 있음을 간접적으로 시사하고 있다고도 평가됨.

- 특히 이라크측은 10.28-29간 파리에서 개최예정인 불.쏘 정상회담시 걸프사태 해결바안을 위한 양국 협의가 있기를 기대하고 있는 것으로 분석.끝.

(대사 노영찬-국장)

중아국	1차보	구주국	정문국	안기부	2차보	미주국	통상국	대책반

PAGE 1

90.10.26 09:30 WG

외신 1과 통제관

0066

외 무 부

종 별 :

번 호 : FRW-2038　　　　　일 시 : 90 1030 1058

수 신 : 장 관 (중근동,정일)

발 신 : 주 불 대사

제 목 : 불 인질 귀환

1.이락,쿠웨이트등지에 억류되었던 불 인질중 267명이 10.30 저녁 IRAQI AIR 전세기(B-747) 편, 파리 귀환하였음.

2.상기 인질의 귀환으로 이락에 자진 잔류한 교민은 40여명인바, 주로 2중 국적소지자라 함.

3.한편 MITTERRAND 대통령은 성명을 발표, 불 인질의 석방관련, 이락과 비밀교섭이 전혀 없었으며 이락은 UN 결의에 따라 전 서방인질(현 4000명 추산)을 석방해야할 것이라고 강조함.

4.상기 이락 전세기는 귀로에 의약품등 구호품을 적재, 출발함.

5.당지 주요 언론은 상기 인질석방이 최근 쏘련이 기도한 중재노력의 실패후, 서방과 아랍권을 공히 연결할 수 있는 주재국이 향후 중재에 주도적으로 나설 가능성이 많은 것으로 예견하고있음.

6.최근 걸프사태 진전에 관한 분석, 전망은 각계 전문가 접촉후 추보할 것임.끝.

(대사 노영찬-국장)

중아국　1차보　정문국　안기부　2차보　미주국　통상국　대책반

PAGE 1

90.10.30　21:27 CG

외신 1과 통제관

0067

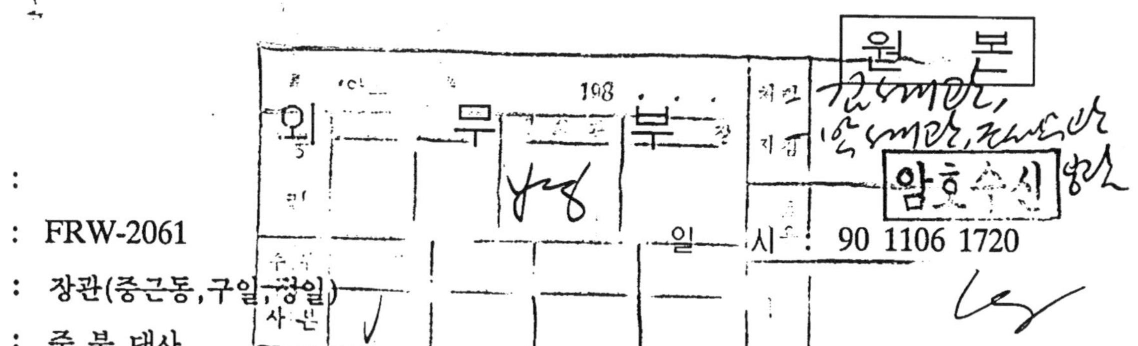

종 별 :

번 호 : FRW-2061 일 시 : 90 1106 1720

수 신 : 장관(중근동,구일,정일)

발 신 : 주 불 대사

제 목 : 후세인 요르단국왕 방불(자료응신 제122호)

1. 후세인 요르단국왕은 11.4. 저녁 당지 도착,11.5 주재국 미테랑 대통령및 CHEVENEMENT 국방상과 면담을 갖고 걸프사태 및 이로인한 요르단의 경제적 피해에 관해 의견을 교환함.

2. 후세인 국왕은 미테랑 대통령과의 회담시 이라크의 쿠웨이트 침략과 팔레스타인 및 레바논 문제등 제반 중동문제를 연계, 중동사태의 포괄적이며 순차적인 해결 방안 구상을 언급하고, 동 실현을 위한 주재국의 외교적 중재노력을 요청하였으나, 미테랑 대통령은 9.24. 유엔연설을 통한 사담 후세인 이라크 대통령의 입장 변화 촉구에도 불구하고 상금 이라크측의 기본입장에 전혀 변화가 없다고 말하고 따라서 금번 걸프위기 해결을 위하여는 유엔 안보리 결의안을 엄격히 적용하는 방법이외 별다른 방안이 없다고 단호하게 답변하고 특히 경제제재 조치의 엄격한 적용이 중동내 무력충돌을 회피하는 유일한 방법이라고 강조한 것으로 알려짐.

3. 당지 언론분석에 의하면, 이라크는 미.영의 무력압력을 피하기 위한 목적으로 하기 2 개 조건하에 서방인질을 석방할 의향이 있다는 유연적인 입장을 밝히고 있는것으로 평가하고 있음.

-유엔 안보리 차원에서 무력사용보다는 평화적 해결방안을 촉구함.

-국제적인 대이라크 무력개입 조치가 이루어지지 않도록 주재국을 위시한 쏘련, 중국, 일본및 독일의 외교적 노력 약속.

4. 이라크측은 걸프사태 해결을 위한 서방진영 및 아랍제국간 불정부의 중재역할을 크게 기대하고 있으며, 금번 방불한 후세인 요르단국왕을 통하여도 이라크의 동 입장이 불측에 전달된 것으로 관측됨(후세인 국왕은 당지 도착 직전 11.3 AZIZ 이라크 외상과 기 면담한바 있음)

5. 불정부는 페만 사태로 인한 요르단의 경제적 손실 보상 요청에 따라 조만간 1

중아국 구주국 정문국 안기부 공보처

PAGE 1 90.11.07 07:06

외신 2과 통제관 FE

0068

억프랑(약 2,000 만불) 규모의 특별차관을 요르단에 제공할 계획인 것으로 파악됨. 끝.

(대사 노영찬-국장)

PAGE 2

0069

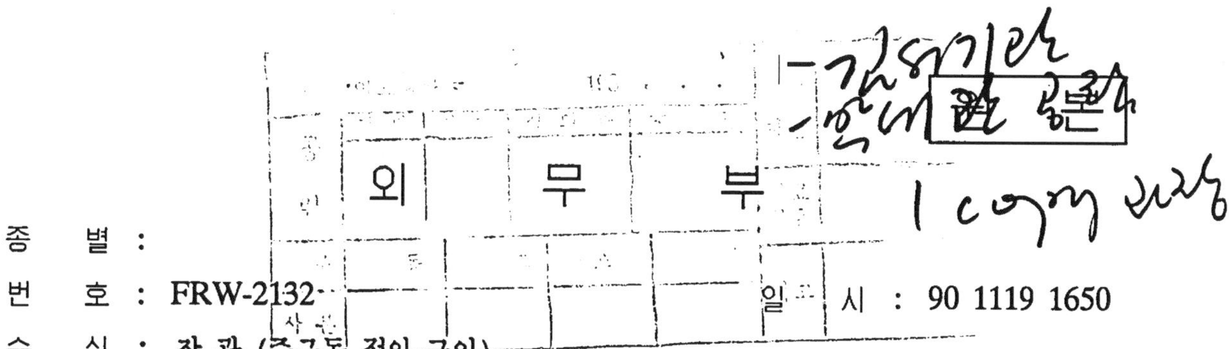

종 별 :
번 호 : FRW-2132 일 시 : 90 1119 1650
수 신 : 장 관 (중근동,정일,구일)
발 신 : 주 불 대사
제 목 : GULF 사태(학계 분석)

표제건 관련, 불 국제관계 연구소(IFRI) DEMONTBRIAL 소장은 하기와 같이 분석함. (동인의 이락사태 주제 강연회 및 기고 종합)

1.일반 관찰

가.미군의 사우디 주둔 초기목표인 이락의 사우디, 이스라엘 침공방지는 일단달성 되었으나, 현재 미국의 사우디 계속주둔은 대이락 무력행사가 없는한 그명분이 퇴색됨.

나.대이락 공격시 지리적 사항 (현지 기온, 사막풍으로 인한 시계등)에 대한고려가 선행되어야 하므로, 무력사용도 11월에서 내년 1월사이에만 가능함.

다.따라서 무력개입 관련, 3개의 가정을 설정할수 있는바

1)이락의 요충지 집중공격

-86년 미국의 리비아 공폭시와 유사하나 SADDAM 이 사망하기 전에는 별효과가 없고, 실패할 경우, 아랍의 반서방 전선을 강화시킬 우려가 있음.

2)쿠웨이트 탈환

-효과적인 작전이 어려우며 (지형상), 이락이 초토작전 (유전폭발및 방화)으로 맞설경우, 성공의 전망이 불투명함.

3)전면 군사행동

-이락이 미측과 대치하는 동시에 단말마적인 발상으로 이스라엘에 미사일 공격을 병행할 경우, 대전으로 확대 우려

2.반이락 공동전선의 문제점

-과거 2차대전부터 월남전까지는 미국 자체의 경제력과 전비지출로 지역분쟁에의 직접 참여가 용이 하였으나, 최근에는 일본, 독일등으로 부터 전비를 지원받아야 하는 상황에서, 효율적인 작전이 성공할수 있는가 하는 의구심이 대두됨.

중아국 1차보 구주국 정문국 안기부 대책반

PAGE 1

90.11.20 05:08 DA
외신 1과 통제관
0070

-당초 경제제재의 효과가 3개월이면 충분할 것으로 예상 되었으나, 군수물자및 병기 부속을 제외, 기타 모든 물자는 밀수로 이락에 반입되고 있으며, 또한 SADDAM HUSSEIN 의 약화는 커녕 각국 주재 공관 정상운용및 인질을 선별적으로 석방시키며 협상시기를 기다리는 여유를 보임으로써 서방측을 당황케 하고있음.

-군사 행동시 주체가 미국인지 또는 UN 인지 불분명할뿐 아니라, 작전지휘의일원화도 기하기 어려움.

-미국 중간선거 이후 미,영은 입장이 분명하나 반이락 전선에 가담한 서방국들은 대체로 무력개입을 반대하고 있음.

-다만 이란과 이스라엘은 각기 다른 속셈에서 미국의 대이락 공격이 있을 경우,국익에 PLUS가 될것으로 기대하고 있음.

3.각국 입장

가.사우디

-이락이 피침, 붕괴되면, 아랍권 아닌 이란이 회교권의 강자로 출현케 되므로,이락에 대해 구쿠웨이트영 해상출구를 허용하는 내용의 국경선 조정에 현재는 반대하나, 궁극적으로는 응해야 될것으로 보임.

-이교도군의 성지 주둔 허용에 따른 아랍권의 반발에 봉착, 특히 3월 중순 라마단과 6월 멕카 성지순례 기간등 회교권 주요일정을 계기로 동불만이 고조될 것을우려함.

나.시리아

-지난 20년간 반 서방노선의 국가가 GULF 사태를 계기로 극적으로 서방에 합류한 보상으로 레바논 분할이란 댓가를 얻었음.

-그러나 최근 미국의 대 이스라엘 추가원조 제공및 EC 의 대시리아 제재조치 미철회등으로 인해 당초 15,000명 파병 약속중 상금 4,000명만 파견하고 추가 보상을 기대하고 있음.

다.에집트

-강경노선을 견지하는 보상으로 미국및 EC 의 대에집트 부채 완전 탕감등을 기대하고 있으며, 특히 이락 취업 자국 노동자 100만명의 귀환으로 인한 경제적 압박으로 곤경에 처해있음.

라.요르단

-초기 제재에 가담 하였으나 다국적군의 사우디 주둔은 반대하며, 미국의 지원으로

이스라엘이 강화되는것 보다는 이락의 존재가 부담이 적으므로, 쏘련 유태인의 점령지 식민에 대해 반대함.

-선진국 공여 약속 원조의 미도착으로 인한 경제파탄 현상과 아울러 국민 대다수의 이락 지지로 인한 국론분열등도 난제로 대두됨.

마.마그레브

-알제리, 튀니지, 리비아 국민다수 이락 지지

-리비아의 카다피는 이락에 호의적인 쿠웨이트 국경선 재조정안 제의.

-알제리는 카이로 아랍 정상회담서 기권, 이락에 호의적인 태도 견지

-튀니지는 카이로 정상회담은 거부했으나 UN결의는 피동적으로 지지 표명.

-모로코는 범 아랍군에 파병하였으나 전쟁은 반대하므로 불란서및 요르단 국왕,알제리대통령, 아랍팟등과 협의, 아랍식 평화안 도출노력 주창.

바.터키

-사태초 이락은 터키의 중립을 기대했으나, 반이락 전선에 가담.

-9.5 NATO 기지의 사용을 허가하고 INCERLIK 기지에 미 F111 형 14기 및 F16 형20기 추가 수용등 준전부 행위에 적극가담하는 동시에 대이락 국경선의 병력증강배치로 이락군의 9개사단 (총전력의 10프로)을 터키 국경선에 분산시키는 효과를 갖어옴.

-그러나 국민 대다수는 전쟁에는 반대하며 서방측이 약속한 원조의 조속 실현을고대하고 있음.

사.쏘련

-초기에 LOW-KEY 로 대처하다 9.10. 미.쏘 정상회담을 계기로 참여를 본격화함.

-10월 중순 있은 PRIMAKOV 의 교섭은 실패 하였으나 전쟁위기에서 협상의 가능성으로 사태를 유도코자 하며 이는 불 MITTERRAND 대통령과의 10월말 정상회담시확인됨.

-현재 실현이 난망시되는 범 아랍회의를 필두로하여 중동문제 해결을 위한 국제회의 개최를 주장하고 있음.

아.불란서

-파병 참여와 협상유도 (9.14 MITTERRAND 대통령 UN연설) 라는 2중 정책으로67년 드골 대통령이 기반을 마련한 대아랍권 특수관계를 견지코자 노력하고 있음.

-개전이 되어도 이는 UN 주도로 결행이 되어야 한다고 주장하나, 내심

전쟁은불가능한 것으로 이해하고 협상에 대비한 자국의 외교력 축적에 부심하고 있음.

-최근 이스라엘의 팔인 학살사건및 이락의 불인질 석방등으로 협상 분위기가 고조되었다고 평가, 쏘련과 함께 범 아랍회의 개최를 통한 중동문제 일괄타결을 주장하고 있음.

4.전망

-미국은 냉전체제에서의 승자이나 그간 과도한 군비경쟁으로 인해 예산적자 3천억불(90) 및 총 대외부채 3조억불이란 최대의 경제위기를 맞고있음.

-또한 GULF 사태 관련 병력배치 경비도 당초 200억불 선에서 증가, 향후 천억불 선까지 이를 가능성이 많으므로 미국 단독 부담은 불가능하고 일본, 독일등 경제부국의 지원에 의지해야 하는 실정임.

-상기 경제난에도 불구, 미국은 군수산업 중심의 대기업 위주 경제체제를 전환시키지 못하고, 상금 연구개발비 700억불중 군사부문에 400억불을 투자하는등 과거의 체제를 유지하고 있음.

-상기 상황에서 무력개입을 결행할 경우, 유가가 100불선에 이르러 미국 맹방경제에 타격을 주어 이들의 대미 지원이 단절될 우려가 있음.

-미국의 GULF 진군의 궁극적 목표로 보이는 동지역에서의 군사보루 획득을 통한원유 자원통제와 이스라엘 보호도 사태가 만약 협상으로 유도될 경우, 사우디 계속 주둔 여부도 논란의 여지가 크므로 미국은 진퇴양난의 입장에 빠짐.

- SADDAM 을 멸망시키면 새로운 위기를 야기 시킬것이며, 또한 과거의 미국이테러국으로 지정한 이란, 시리아가 중동의 주도권을 행사하는 모순도 있을뿐더러, 상기 국과와 이스라엘간의 직접대결 가능성의 농후해질 것임.

-개최 자체에 문제가 많으나 아랍권내 협상이 있을 경우, 이락의 철군과 쿠웨이트내 해상로 대이락 할애가 불가피하며, 오랜기간 미국의 반대로 실현되지 못한중동문제의 포괄적 협의 (이스라엘- PLO 문제)도 어떤 형태던 협상 테이블에 올려놓아야 하므로, 미국의 대중동 입장이 약화될 소지가 있음.

또한 협상중 국경선이 변경 조정되면 이는 2차 대전후 질서에 의한 세계모든 국경선의 재조정 요구가 각지역서 야기될수 있는 위험도 내포하고 있음.

-결국 GULF 사태로 미국은 자국 주도하에 서방을 집결시키는 것만 실현했지, 경제력이 수반되지 못하므로 후속처리에 혼미를 거듭하고 있으며, 이과정서 저개발국 대부분의 증오를 유발시키는 실수를 범하므로써 향후 신질서내에서의 단일 주도권

구축 기도도 도전을 받게될 것으로 보임.

끝.

(대사 노영찬-국장)

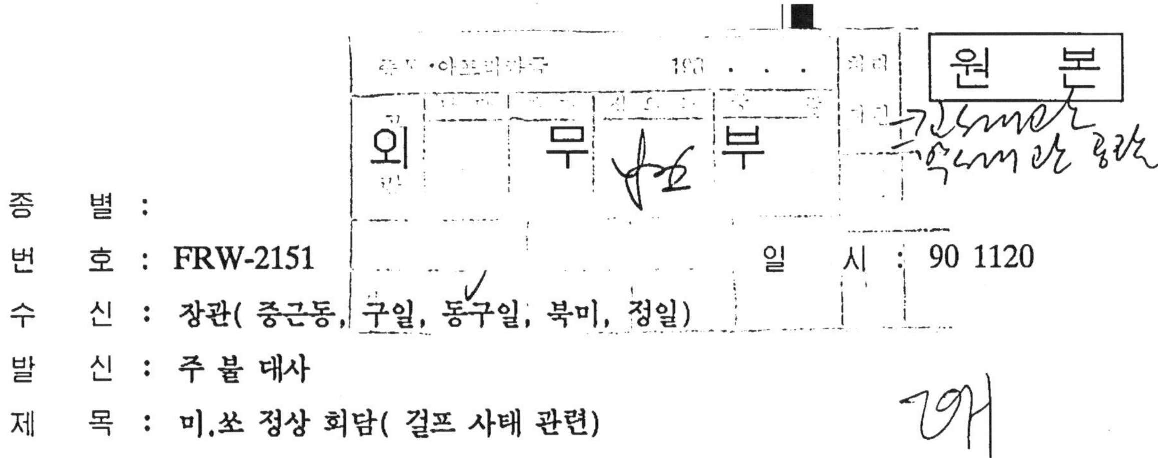

종 별 :

번 호 : FRW-2151 일 시 : 90 1120

수 신 : 장관(중근동, 구일, 동구일, 북미, 정일)

발 신 : 주 불 대사

제 목 : 미.쏘 정상 회담(걸프 사태 관련)

1. CSCE 제 2 차 정상회의 참석차 당지 방문중인 부쉬 미 대통령과 고르바쵸프쏘련대통령은 11.29 저녁 업무 만찬을 갖고 주로 걸프 사태에 관해 의견을 교환함.

2. 동 회담에서 부쉬 미 대통령은 대 이라크무력 사용을 허용하는 새로운 유엔 안보리 결의안 채택을 위한 쏘련의 협조를 구하였으나, 고르바쵸프 대통령은 대 이라크 무력 제재 가능성을 배제하지는 않았으나, 미측이 요청한 유엔 결의안 제안에는평화적 해결방안 모색을 위하여 아직은 인내가 필요한 시기라고 반대한 것으로 알려짐.(동 관련 양국이견으로 당초 만찬후 계획 되었던 공동기자 회견도 취소됨)

3. 부쉬 미 대통령은 금번 CSCE 정상회의를 계기로 유엔의 대 이라크 무력 사용 결의안 채택을위하여 다각적인 대서방 외교 노력을 취하고 있는 것으로 보이며, 주재국 정부도 미측의 요청에따라 기본적으로는 유엔 테두리내에서 대 이라크제재 조치 를 강화해야 한다는 입장을 밝히고, 무력 사용을 허용하는 새로운 유엔 결의안 채택 원칙에는 반대하지 않으나, 동 결의안에 대 이라크 최후 통첩 또는 무력 사용 일자등 무력 행사를 위한 구체적 표현에는 반대하고 있는 것으로 알려짐.끝

(대사 노영찬- 국장)

중아국 2차보 미주국 구주국 구주국 정문국 안기부

PAGE 1

90.11.21 05:54 CG

외신 1과 통제관

0075

원 본

외 무 부

종 별 :

번 호 : FRW-2156　　　　일 시 : 90 1121 1830

수 신 : 장 관(중근동, 구일, 미북,정일)

발 신 : 주 불 대사

제 목 : 미.쏘 외상 회담 (걸프 사태 관련)

(자료응신 125호)

연: FRW-2151

대 이라크 무력 제재를 허용하는 새로운 유엔결의안 채택을 위한 국제적 지지 확보를 위한 외교적 노력 일환으로 BAKER 미국무장관은 연호 미.쏘 정상회담에 뒤이어 11.20 CHEVARDNADZE 쏘 외무장관과 총 4시간여에 걸친 미.쏘 외상 회담을 가진바 지금까지 파악된 동 결과아래 보고함.

1. 쏘측은 현재 시행중인 대 이라크 제재 조치의 실효성 여부 조사와 새로운 제재 조치 채택가능성 여부를 검토하기 위한 유엔 안보리 소집에는 동의함.

2. 연이나 쏘측은 상금 무력 제재 조치에는 부정적인바, 걸프사태의 평화적 해결방안 모색을 위한 정치, 외교적 노력이 충분히 이루어지지 않았다고 평가 하고, 아직은 인내를 갖고 현 제재조치를 강화하는 한편 범 아랍식 해결방안 강구가 필요하다고 강조함.

3. 상기 쏘련의 태도와 새로운 대 이라크 제재 조치를 강구하기 위한 유엔 안보리 소집에는 동의 하나, 무력 제재 조치에는 상금 회의적인 입장을 보이고 있는 주재국 측의 변함 없는 태도로 인하여 미측은 금번 CSCE 정상 회의를 통하여 유엔 테두리 내에서 대 이라크 무력 사용을 합법화 시키기 위한 국제적 지지 획득 외교노력에는 일응 미흡 했던 것으로 당지언론은 분석하고 있음.끝

(대사 노영찬- 국장)

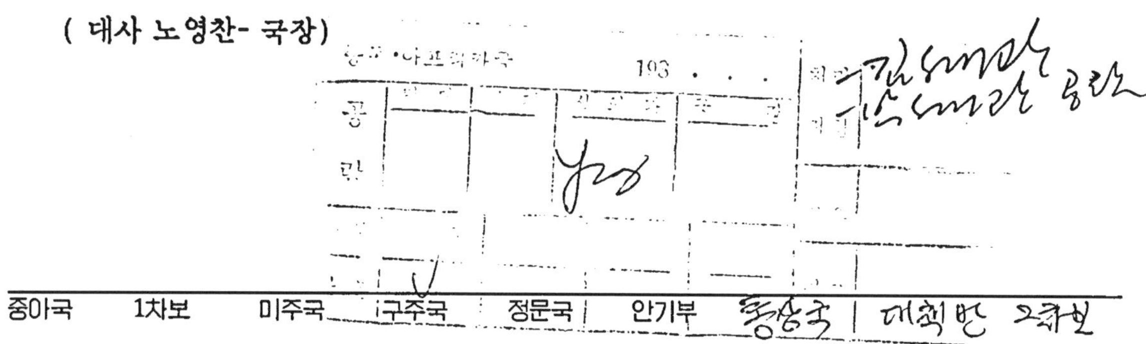

중아국　1차보　미주국　구주국　정문국　안기부　통상국　대책반　구주일

PAGE 1　　　　90.11.22　09:20 WG

외신 1과 통제관

0076

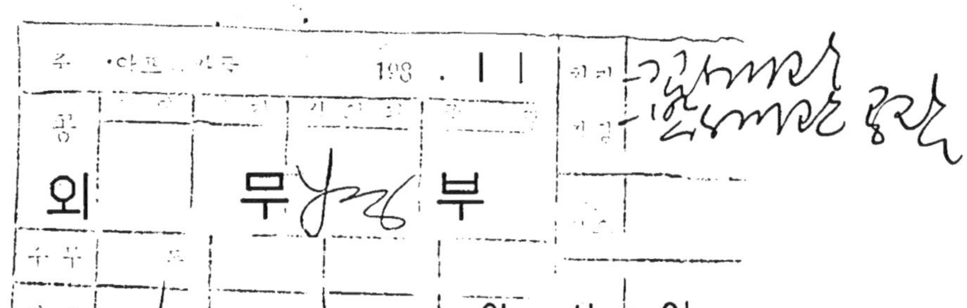

종 별 :

번 호 : FRW-2171

수 신 : 장 관(구일,중근동, 동구일,정일)

발 신 : 주 불 대사

제 목 : 미테랑 대통령 기자 회견

일 시 : 9ㅏ

주재국 미테랑 대통령은 CSCE 정상회의 폐막후 11.21 저녁 엘리제궁에서 특별 기자회견을 가진바, 동 회견 요지 아래 보고함.

1. CSCE (별전 보고)

- 동.서 양불록으로 나뉘어온 얄타 체제는 금일로 파리에서 종식됨.

- 금번 CSCE 정상회의는 승자도 패자도 없는 전례 없는 국제회의 인바, 진정한 화해를 건설, 유럽내 더이상 적은 없어짐.

- 향후 유럽의 새로운 분리 (부국 서구와 빈국 동구)현상이 재현 되는것을 방지하기 위한 적극적인 공동 유대 노력이 필요함.

2. 쏘련 실정

- 경제 상황이 어려운 형편이며, 연방 정치 체제유지에도 문제점이 있는 실정임

- 고르바쵸프 대통령은 용기와 결단력이있는 인물인바, 쏘련은 대국의 위치를 계속 유지 할것임.

-발트 3개 공화국은 유엔 회원국도 아니며, 국제 사회로 부터 주권국으로 승인 받지 못한 국가 이기 때문에 금번 회의에 참가하지 못함.

- CSCE 정상회의 준비를 위한 비엔나회의시 집행 사무국은 발트 3개국을'' 비공식초청 인사'' 자격으로 동 정상 회의에 참가토록 허용 하였으나, 쏘련측의 비토에 의해 실현 되지못함.

3. 걸프 사태

- 걸프 사태는 금번 정상회의 의제가 아니었으며, 주로 양자간 회담 및 유엔 안보리 상임이사국 4개국 (중국제외) 간 회의시 논의되었음.

- 불란서는 대 이라크 무력 사용을 허용하는 새로운 유엔 안보리 결의안 협의에 참가할 준비가 되어 있음.

구주국 1차보 구주국 중아국 정문국 안기부

PAGE 1

90.11.23 09:15 WG

외신 1과 통제관

0077

- 동 결의안 내용은 관계 전문가들의 협의를거쳐 3주 이후 (12월 상반기중) 채택될 가능성이있을 것으로 봄.

- 무력 제재를 허용하는 유엔 결의안이 채택된다 하여도 동 결의안이 자동적인 군사작전을 허용 하는 내용이 되어서는 안될것인바, 군사 작전실시 결정 여부는 또 다른 협의를 소집 결정해야 할 사항임.

- 고르바쵸프 쏘 대통령은 평화적 해결 방안을 선호하고 있는바, 새로운 결의안에 대한 고르바쵸프 대통령의 동의 여부는 알수 없음.

4. 레바논 사태

- 불 정부가 정치적 망명을 허용한 AOUN장관은 불 대사관내에 체류하고 있는바, 동인 보호는 불 정부의 의무임.

- 동 장군의 레바논 출국은 합법적인 레바논 관계 기관과 레바논 주둔 외국군들의 허가 여부에 달려 있음.

끝

(대사 노영찬- 국장)

PAGE 2

0078

원 본

외 무 부

종 별 :

번 호 : FRW-2254 일 시 : 90 1207 0930

수 신 : 장 관 (중근동,구일,정일)

발 신 : 주 불 대사

제 목 : 중동문제 관련 주재국 입장

주재 DUMAS 외무장관및 CHEVENEMENT 국방장관은 12.4. 당지에서 개최된 서구동맹(UEO) 회원국 의원 특별회의에서 걸프사태등 중동문제의 포괄적 해결방안 모색이 필요하다는 주재국 입장을 밝힌바,동인 언급 요지 아래 보고함.

1. DUMAS 외무장관

-우선적으로 걸프사태 해결방안을 모색한 이후,레바논 및 이스라엘-팔레스타인 문제를 포함한 중동문제의 포괄적 해결책 강구를 위한 국제회의 개최가 필요함.

2. CHEVENEMENT 국방장관

-걸프사태 관련 무력 충돌을 피하기 위하여는 이라크가 우선 쿠웨이트로 부터의철수의지를 표명해야하며,이경우 걸프사태와 여타 중동문제를 연계한 포괄적 중동문제 해결 방안 모색과 이를 위한 91년중 국제회의 개최가 가능할 것으로 봄.끝.

(대사 노영찬-국장)

중아국 1차보 구주국 정문국

PAGE 1

90.12.07 20:49 DQ

외신 1과 통제관

0079

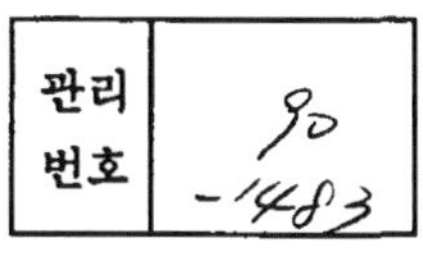

외 무 부

종 별 :

번 호 : FRW-2348 일 시 : 90 1221 1830

수 신 : 장관(마그,구일)

발 신 : 주 불 대사

제 목 : 주레바논 대사관 재개

대:WFR-2336

대호 관련 주재국 외무성 AUBERT 레바논 담당관 견해를 아래 보고함.

1. 주재국은 레바논 주재 대사관을 베이루트로 부터 철수한 적이 없으며, 현재도 대사 및 공관직원들이 베이루트에 상주, 양국 관계업무를 정상적으로 담당하고 있음.

2. 레바논사태 관련, 불정부 입장은 현 레바논 주둔 외국군대의 철수와 레바논내 억류 인질의 석방을 호소하는 EC 제국의 공동입장과 같음을 재 강조하고,불-레바논간 현안문제인 AOUN 장관(10.13. 이래 불대사관내에 정치망명, 피신중)의 출국문제가 상금 해결되지 않고 있다고 첨언함.

3. 현재 베이루트내 치안은 양호해진 것으로 파악되고 있으나, 걸프사태(90.1.15. 대이라크 최후 통첩등) 추이를 감안할때, 기철수한 베이루트 주재 여타국가들의 대사관 재개 문제는 향후 2-3 개월내 사태를 관망한후 결정하는 것이 바람직할 것으로 생각됨.(동인 개인 견해임을 강조). 끝.

(대사 노영찬-국장)

예고:91.6.30. 까지

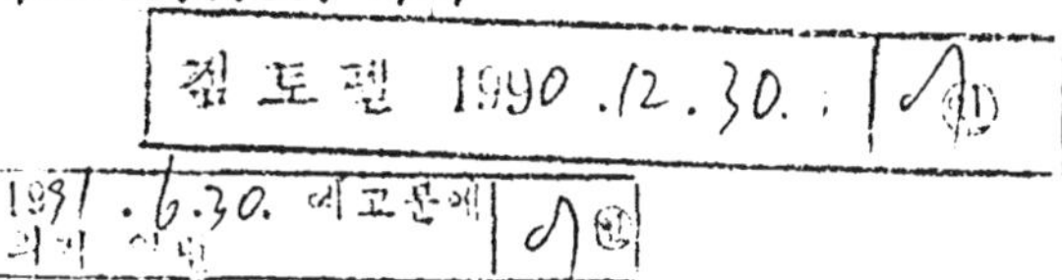

중아국 구주국

PAGE 1

90.12.22 08:49

외신 2과 통제관 BT

0080

원 본

외 무 부

종 별 :

번 호 : FRW-0008 일 시 : 91 0103 1800

수 신 : 장 관(중근동,구일,정일)

발 신 : 주 불 대사)

제 목 : 걸프사태:불하원 외교분과위원장 이라크방문

(자료응신 제1호)

1.주재국 하원의 VAUZELLE 외교분과위원장은 걸프사태의 평화적 해결방안을 모색하기 위한 불의회 차원의 외교적 노력일환으로, 이라크 및 요르단을 방문, 동구 지도자들의 면담을 갖기 위해 1.2(수) 오후 당지를 출발하였음.

2.VAUZELLE 위원장은 당지 출발직전, 자신의 이라크 방문이 미테랑 대통령의 친서나 불정부의 위임없이 이루어지는 개인차원의 비공식 방문이라고 밝혔으나, 동 위원장이 미테랑 대통령의 측근인사(81-86년간 대통령 대변인역임)이며, 1.2. 오전 미테랑 대통령을 면담한 사실을 고려할때, 가급적 전쟁을 피하고 마지막 순간까지 평화적 해결방안 을 모색코자 하는 미테랑 대통령의 외교적 이니셔티브의 하나로 평가되고 있음.

3.EC 는 불.독측 요청에 따라 걸프위기 해결을 위한 공동 외교방안을 협의키 위하여 1.4(금) 룩셈부르크에서 긴급 외상회의를 개최키로함.끝.

(대사 노영찬-국장)

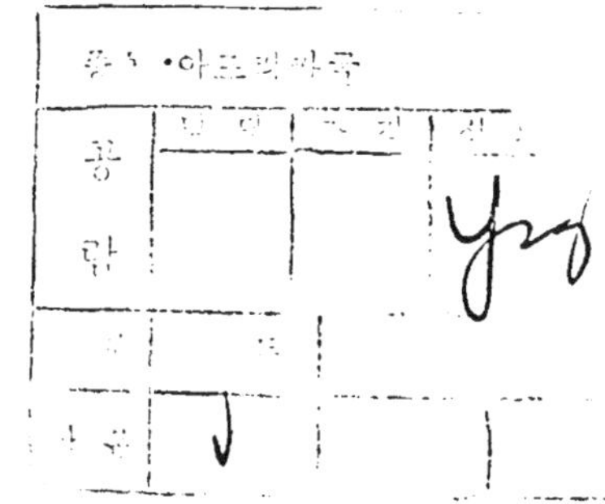

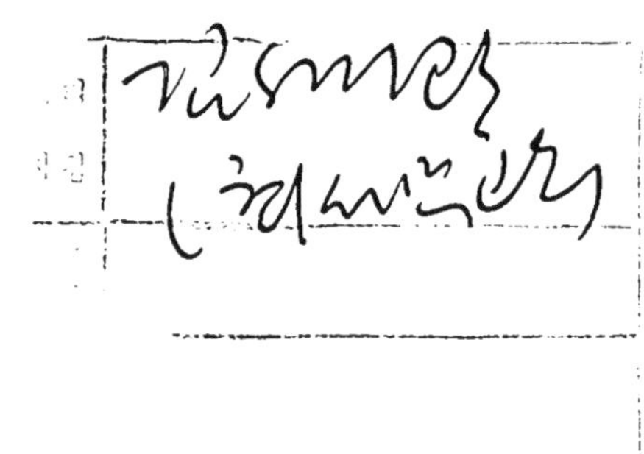

중아국 1차보 구주국 정문국 안기부 미주국 2차보 영교국

PAGE 1

91.01.04 09:02 DN

외신 1과 통제관

0081

종 별 :

번 호 : FRW-0020 일 시 : 91 0106 1440

수 신 : 장 관 (중근동,구일,정일)

발 신 : 주 불 대사

제 목 : 이락사태(주재국 입장)

1. 주재국은 1.4.개최된 룩셈브르그 EC 외상회담서 하기 7개항의 해결방안을 제의함.

가. 1.15.전 이락의 쿠웨이트 완전철군 발표

나. 철군 발표후, 서방의 대이락 불침 입장 표명

다. 철군 실현후, 국제회의 개최, 포괄적인 중동문제 논의

라. 1.15전 이락외상을 초청, EC 측과 회담주선

마. 사태해결을 위한 BUSH 대통령의 새로운 노력 지지 표명

바. EC 전, 현, 차기 의장국(트로이카)으로 하여금 1.15전 유고(비동맹 의장국),아랍제국 및 UN 사무총장등을 각각 접촉케하여, 이들로 하여금 EC 와는 별도의 사태해결방안을 모색토록 유도

사. 장기적으로는 CSCE 회의와 같은 형태의 중동안보방안 모색

2. EC 회담 직후있은 회견서 주재국 DUMAS 외상은 회담중 영국, 화란, 아일랜드등 국가로부터 이의 표명이 없지는 않았으나, EC 결의안에 불제의가 다수 수용된데 대해 만족을 표명하고, 이에는 독.불간의 지속적인 협조가 주효한 것이라 강조함.

3. 한편 MITTERRAND 대통령도 동일 회견을 갖고 하기와 같이 언급함.

가. 1.15이전 UN 안보리를 소집, 시한을 재검토함이 필요함.

나. SADAM HUSSEIN 은 철군 의사표명시 일반적인 철군 발표와 함께, 구체적인 관련조치도 동시에 발표하는것이 신뢰감을 주는데 도움이 될 것임.

다. 쿠웨이트의 주권이 회복되면, 팔레스타인문제를 포함한 제반 중동문제 논의를 위한 국제회의 개최가 필요하며, 동 국제회의가 91년중 개최된다면, 이는 국제평화에 커다란 도움이 될 것임.

라. 동 사태와 관련, 불란서는 미국과 대등한 협의, 협력관계를 유지하고 있으며,

중아국 1차보 구주국 정문국 안기부

PAGE 1 91.01.07 00:24 FC

외신 1과 통제관

0082

미국의 지휘체계에 속하고 있지는 않음을 분명히 강조함.

마. 애급-시리아-리비아간 최근 정상회담 관련, 만약 아랍권이 독자적인 해결방안을 마련케 되면, 이는 사태해결에 결정적인 역할을 할수 있을 것이며, 또한 PLO 는대이락 설득에 적절한 위치에 있다고 볼수 있음.끝.

(대사 노영찬-국장)

PAGE 2

0083

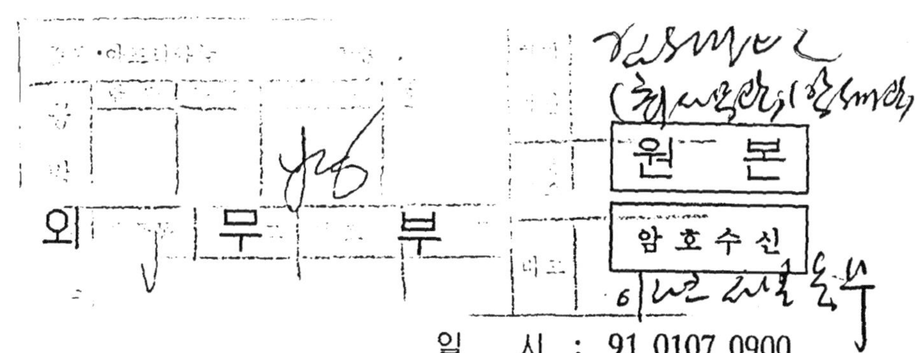

종 별 :

번 호 : FRW-0021 일 시 : 91 0107 0900

수 신 : 장관(중근동,구일,정일)

발 신 : 주 불 대사

제 목 : 이락사태(주재국 분석)

표제건 최근 진전과 관련한 당지 언론(LE MONDE 등)및 학계(국제문제연구소DE MONTBRIAL 소장) 의 분석을 하기 보고함.

1. 미.이락 외상회담의 1.9. GENEVA 개최 합의는 풍전등화의 개전위기를모면케하는 마지막 전기를 일단 마련함.

2. 다만 동 회담서 미측은, 이락의 무조건 쿠웨이트 철군, 이락측은 팔레스타인 문제를 포함한 중동문제의 일괄타결등 각자의 기존입장을 되풀이할 경우, 이는 개전의 불가피성을 재확인시키는 회담으로 변질될 가능성도 배제할수 없음.

3. 한편, 영국등 친미국을 제외한 대다수 EC 국은 개전이 초래할 정치, 경제적인 엄청난 결과를 의식, 최후단계까지 가급적 전쟁은 억제코자 노력하고 있음. 지난 1.4. EC 결의및 1.10. 이락 외상의 EC 초청등은, 동 사태가 미.이락간에만 국한되지 않은 범세계적인 위기 상황이므로 EC 제국의 별도 해결노력도 긴요한 것임을 인식시키는 노력의 일환으로 볼수 있으나, 현 시점까지 이락이 동 EC 제의에 대한 냉담한 반응을 보이고 있음은, 이락이 사태본질 문제는 미국과, 협상시 보완조정은 EC 와, 각각 전개한다는 단계적 복안을 갖고 있는데 기인된다고 분석됨.

4. 미국은 2 차대전이후 가장 강력한 군사력을 현재 걸프일원에 배치하고 있으므로, 이락이 이를 대항해서 승리할수 있는 가망성은 전무함을 SADAM HUSSEIN 자신이 더욱 잘 인식하고 있음. 또한 현재까지 SADAM HUSSEIN 이 보여준 제반대응조치(인질의 선별적인 석방을 통한 서방전선의 균열모색 및 각종 심리전등)와 육상, 해상 전선서 미측의 공격을 유도할 수 있는 군사도발 자제등으로 보아 유전폭발 및 이스라엘 선제공격등과 같은 자멸행위는 쉽게 단행치는 않을 것으로 보임.

5. 미국은 2 차대전시 진주만이 피침된 외에, 역사상 본토가 전장화된 사례가 없으므로, 만약 대이락전이 미국의 기본전략 및 이해(중형산업의 본격가동을 통한

중아국 장관 차관 1차보 2차보 구주국 정문국 안기부

PAGE 1

91.01.07 18:35
외신 2과 통제관 BA
0084

경제 부흥, 세계 원유매장량의 3 분지 1 을 점하는 GULF 에서의 자원통제, 장기적 군사기지 확보및 이스라엘 보호등)에 부합한다면 일전을 회피할 이유가 없음. 오히려 평화협상이 개최되면, 미국이 오랜기간 금기시 여겨온 PLO-이스라엘 문제등이 본격적으로 논의되고, 미군의 사우디등 동 지역에서의 장기주둔 명분이 퇴색될 것이므로 사태이전 보다 자국의 입장이 낳아질것이 없다는 관측등이미국의 화, 전 결정 과정의 가장 어려운 국면으로 보여짐.

6. 또한 미국의 대 중동전략은 전통적으로 동지역내의 강력한 미국의 우방정권을 확보(과거 이란왕정등) 하여 동 지역의 공통이해를 갖고 있는 서방진영을결속시켜, 미국을 국제안보의 축으로 고착시키는데 있었으므로 지난 이.이전서이락을 적극 지원, 친미, 친서방 성향의 국가로 성장시켜, 이를 주축으로 터키,사우디, 아랍에미레이트, 애급등으로 상호 연결시킨 친서방 전선을 구축한다는구상이 좌절되자 부득이 시리아등을 회유케 된것임.따라서 이란과 시리아 양국도 금번사태로 이락이 약화되는 것은 환영하나 동지역에서 미국이 대승을 거두는것은 내심 바라지 않고 있음.

7. 상기 제반 관점에서의 미국이해와, 표면적으로는 미국과 공동보조를 취하면서도 내심 전쟁은 원치않는 서구와 일본등의 입장속에서 미국은 전쟁이 야기시킬수 있는 우방진영의 약화가 서방 우방의 정치, 경제지원을 필요로하는 자국의 이해에 부합하는냐에 대한 정확한 판단부재로 인해 개전을 결행키도 어렵고 또한 미국이해와 명분이 PLUS 가 되지못하는 협상도 쉽게 응할수 없는 기로에 처하게됨. 끝.

(대사 노영찬-국장)

PAGE 2

0085

원 본

암호수신

외 무 부

종 별 :

번 호 : FRW-0046 일 시 : 91 0108 1750

수 신 : 장관(중근동,구일,정일)

발 신 : 주 불 대사

제 목 : 이락 사태

1. BAKER 미 국무장관은 1.9. 이락 외상과의 GENEVA 회담을 앞두고 EC 진영과의 사전 협의의 일환으로 금 1.8. 오전 당지를 경유, MITTERRAND 대통령과 회담함.

2. 동 회담서 미.불 양측은 서방공동전략및 결속의 원칙에는 의견을 같이 하였으나, 주재국의 일관된 입장인 중동문제의 포괄적 해결을 위한 국제회의 개최 문제에 대해서는 미측의 확고한 호응을 얻지 못한것으로 알려짐.

3. 한편 주재국 대통령의 개인밀사 자격으로 최근 SADAM HUSSEIN 과 면담한바 있는 VAUZELLE 하원 외무위원장도 1.7. TV 회견시 구체 교섭사항에 관한 질문에 답변을 회피함으로써 주재국이 서방결속은 유지하되 필요시 이락과 비밀교섭을 하여, 독자적인 대응책을 모색한다는 인상을 주었음.

4. 주재국은 만약 1.9. GENEVA 회담이 실패할 경우, 긴급 안보리 소집요구및 관련 아랍국을 개별 접촉, 개전을 방지 할수있는 최후의 노력을 전개함으로써 주재국의 독자적인 외교역량을 과시할 것으로 전망됨. 끝.

(대사 노영찬-국장)

중아국	장관	차관	1차보	2차보	구주국	정문국	청와대	안기부

PAGE 1 91.01.09 06:40

외신 2과 통제관 CF

0086

관리 번호	91 -23

외 무 부

종 별 :

번 호 : FRW-0048 일 시 : 91 0108 1810

수 신 : 장관(경일,기협,구일)

발 신 : 주 불 대사

제 목 : 페만사태 무력분쟁 대비 석유수급 제한조치

대:WFR-2415

연:FRW-0019

대호 관련, 주재국 정부는 페만사태가 무력분쟁화 되었을 경우에도, 주재국내 석유 결핍 사태가 초래될 가능성은 극히 희박할 것으로 전망하고 있으나, 유사시에 대비하여 산업성을 중심으로 아래와 같이 점진적 4 단계 대처방안을 수립한것으로 알려짐.

-아래-

1. 주요대상

0 주재국내 최대 석유 소비분야인 차량통행을 중심으로 제한조치를 취하되 상황을 보아 여타분야로 확대

2. 단계별 제한조치 및 기대효과

01 단계:현재의 차량제한 속도(시내 시속 50KM) 준수(연간 70 만톤 절감효과)및 주택난방 기온의 19 도 제한(연간 1 백만톤 절감)

02 단계:고속도로내 시속 120KM 제한(연간 40 만톤 절감)

03 단계:일요일 차량통행금지(50 만톤 절감) 및 1 주일에 2 일간 주유소 영업금지, 필요시 격일로 차량통행 실시

04 단계:석유 배급제 실시(1956 년 스웨즈운하 사태시 기실시한바 있음)

3. 실시

0 상기 단계별 조치는 정부고시로 즉각 시행가능

4. 기타

0 주재국 정부는 페만 무력분쟁시에도 극단적인 조치를 취할 가능성은 거의 없을 것으로 보고있으며, 최악의 경우에 사용할 약 100 일간의 석유를 비축하고 있음. 끝.

경제국 장관 차관 1차보 2차보 구주국 경제국 청와대

PAGE 1

91.01.09 05:52

외신 2과 통제관 CF

0087

(대사 노영찬-국장)

예고:91.12.31. 까지

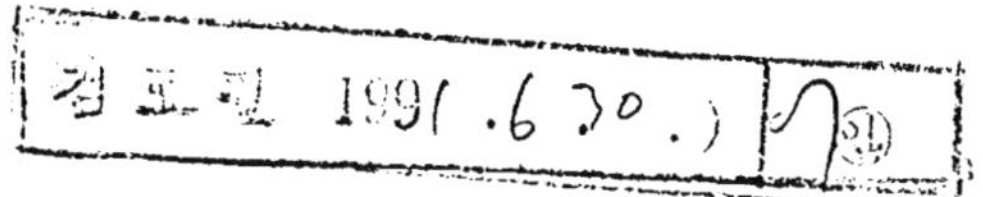

PAGE 2

0088

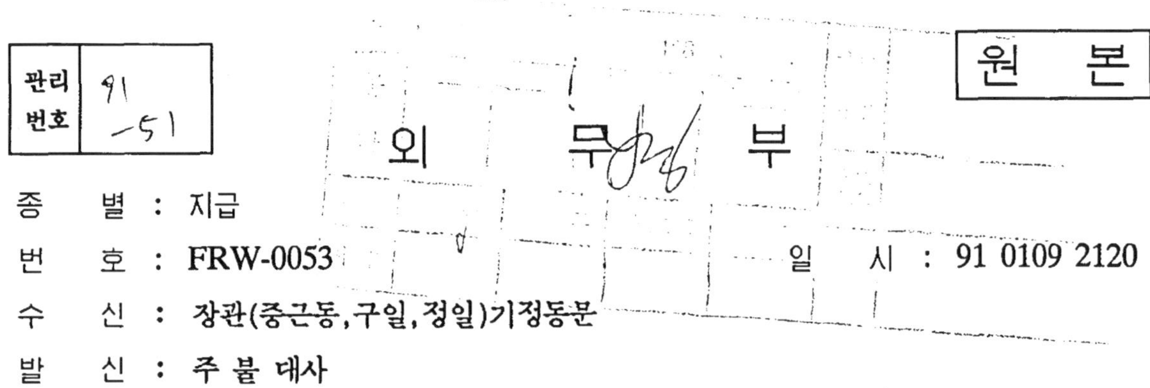

관리 번호	91 -51

원 본

외 무 부

종 별 : 지급

번 호 : FRW-0053 일 시 : 91 0109 2120

수 신 : 장관(중근동,구일,정일)기정동문

발 신 : 주 불 대사

제 목 : GULF사태(주재국입장)

자료응신 3 호

연:FRW-0046,0021

1. 주재국 미테랑대통령은 금 1.9. 18:00 미 부시 대통령과 전화통화를갖고,제네바 미.이락 회담 내용을 논의한후, 기자회견을 개최, 표제건에 관한 주재국의 기본입장을 천명하였는바, 동 요지 하기 보고함.

가. 유엔안보리결의 678 호에 명시된 이락의 쿠웨이트 전면철군은 사태 해결에 선결요건이므로 동 철군에관한 진전이 없는 상황에서 1.15 시한의 연기는 불가함. 상기 시한내 철군이 실현되지 못하면 개전은 불가피할것으로 보임.

나. 걸프문제 해결과관련 불란서는 유엔테두리내에서 미국과계속 공동 보조를취할것임.

다. 냉전종식후 생성되는 신질서의 기본은 평화이므로 최후순간까지 평화를달성하려는 노력은 유지 해야 할것임. 이를위해 불란서는 다각적인 노력을계속전개할것이며 동 노력은 국제사회에서 정당한 호응을 받게될것으로 확신함.

라. 이락이 상금 사태해결을위한 성의있는 자세를보이지 않고 있으므로 불란서의 특사(예:DUMAS 외상등)를이락에 파견할수 있는 여건은 성숙되지 못함.

마. 이락측은 EC 가 재차 제의한 EC-이락간의 알지에 회담을 수락해야 할것임.

바. 이락과의 협의시 유엔 결의안을 기초로 대응함은 기본원칙이나 사태와관련된 제반문제를 복합적으로 협의함도 필요함.

사. 미국은 이락 및 아랍권의 대다수국가가 희망하는 이스라엘-팔레스타인 문제를 포함한 중동문제의 포괄적인 해결을 위한 국제회의 조기 소집에 긍정적으로 응해야 할것이며 이는 해결에도 긴요한요소임.

아. 사태가 해결되지 못한채 1.15 시한이 경과할경우, 파리시간 1.17 오전 주재국

중아국 장관 차관 1차보 2차보 구주국 정문국 청와대 총리실
안기부

PAGE 1 91.01.10 08:06

외신 2과 통제관 BW

0089

긴급 임시국회소집을 요청할것임.

2. 분석

가. 서방결속

걸프에 군사력파견등 서방의 공동 보조를취하는 일방, 독자적인 외교 영역을 구축하는 주재국태도에 불만을 갖고 있는 미국에 대해 불란서의 서방 체재내 결속과 참여의 기본원칙 천명

나. 유엔 주체의 사태해결

사태해결의 주체가 유엔결의 또는 유엔 자체로 규정, 미국주도의 사태해결 방식에 대한 유보 표명

다. 불란서의 독자 노력 계속 경주

전쟁보다는 평화를 선호는 주재국이나 EC 대다수 국가의 입장을 대변하는 동시에 이를 위한 독자적 노력 견지 의지 천명

라. 중동 문제의 포괄적 해결

주재국의 전통적인 입장인 "팔" 문제를포함한 중동문제의 포괄적인 해결의 위한 국제회의 개최 수락을 미측에 촉구

마. 개전시 군사행동

1.17 긴급의회 소집은 군사행동이 불가피할경우 정부차원 이외 의회등 국가전체의 총의를 모아, 필요시 독자적인 군사작전 전개 또는 제한적 참여등에 대한 최종 입장을 정립코자하는것으로 보임.끝

(대사 노영찬-국장)

예고 91.6.30 까지

1991. 6. 30. 에 예고
의거 일반문서로 재분류

PAGE 2

0090

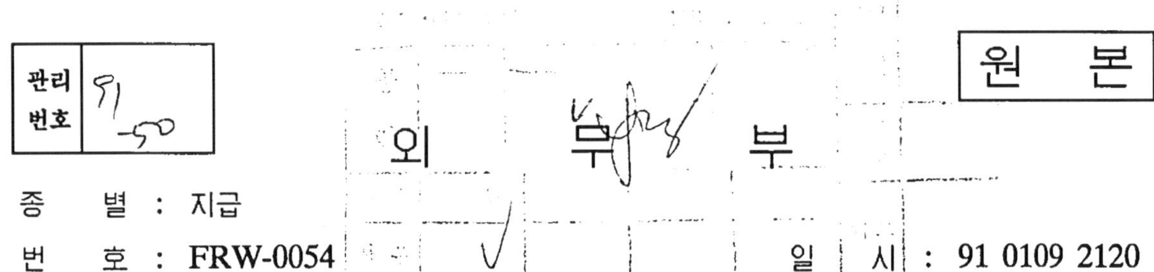

관리번호	91-50

원 본

외 무 부

종 별 : 지급

번 호 : FRW-0054 일 시 : 91 0109 2120

수 신 : 장관(중근동,구일,정일)기정동문

발 신 : 주 불 대사

제 목 : 걸프 사태 (자료응신 제4호)

연:FRW-0046

1. EC 대표인 룩셈부르그 POOS 외상과 이락 AZIZ 외상간의 알제 회담 제의에 대해 이락측은 동 제의를 수락하는 대신 동 회담이 바그다드에서 개최 될것을주장한것으로 알려짐.

2. 이락측이 동 EC 의 제의에 대해 긍정적으로 응하게 된거 , BAKER 미 국무장관이 제네바 회담전 불란서, 독일등 EC 주요국과 제네바 회담의 실패에 대비한 보완적인 협의을 하므로써, EC 가 사태의 본질문제에 관련됨을 인식한 동시에 제네바 회담 실패시 대 서방 협상을 전면 단절시키지 않으려는 이락측의 전략에 기인된것으로 보임.

3. 한편 주재국외무성은 30,000 명으로 추산되는 걸프 지역 체재 불교민(특히 부녀자 및 어린이)의 대피를 권유하는 훈령을 관련공관에 하달하였다함.

4. 예정시간을 초과 7 시간간 개최된 제네바 미.이락 회담은 양측 입장의 일방적인 재 천명으로 인해 실패(BAKER 미 국무 언급)한것으로 알려졌는바, 동 회담에 관한 분석 및 사태 전망에 관한 주재국 정부, 언론, 학계의 관측은 추후 종합 보고할것임.끝

(대사노영찬-국장)

예고:91.6.30 까지

중아국 장관 차관 1차보 2차보 구주국 정문국 청와대 총리실 안기부

PAGE 1

91.01.10 08:08

외신 2과 통제관 BW

0091

원 본

외 무 부

종 별 :

번 호 : FRW-0060 일 시 : 91 0110 1230

수 신 : 장 관(중근동,구일,정일,기정)

발 신 : 주 불 대사

제 목 : GULF 사태(자료응신 제5호)

1.주재국 대통령실 VEDRINE 대변인은 미.이락간 GENEVA 회담 관련, 금 1.10. 성명을 발표하고, 동 결과에 실망하였으나, 이에 불구 불란서는 이락의 쿠웨이트 철군을 위한 다각적인 외교적 노력을 계속 경주 할 것이라고 말함.

2.한편 영국, 호주, 일본, 미국등은 금 1.10-1.12 간 주이락 공관을 철수할 것으로 알려졌는바, 주재국은 현재 GULF 지역 거주 일반교민의 대피 권유 훈령을 시달한후, 공관 철수에 관한 입장은 상금 결정치 못하고 있다함.끝.

(대사 노영찬-국장)

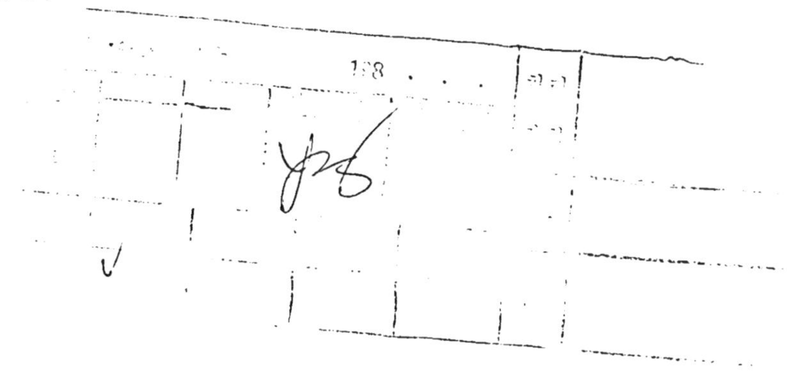

중아국 1차보 구주국 정문국 안기부

PAGE 1 91.01.10 22:03 CG

외신 1과 통제관

0092

관리번호	91/1421

원 본

외 무 부

종 별 : 지 급

번 호 : FRW-0061 일 시 : 91 0110 1230

수 신 : 장관(중근동,구일,정일,기정)

발 신 : 주 불 대사

제 목 : 걸프사태(분석)

자료응신 제 6 호

연:FRW-0053

중동 전문가인 LAMBROSCHINI(LE FIGARO 지 논설위원), 국립행정대학원 LELLOUCHE 교수(국제문제)및 DE MONBRIAL 국제관계 연구소 소장(국제전략)등은 표제건과 관련 하기와 같이 분석함.

1. 1.9. 제네바 회담에 임한 미국은 협상 자체가 침략국에 대한 정당성을 부여하는 것으로 간주한 반면, 이락은 동 회담이 항복을 의미하는 것으로 인식하였으므로 회담의 성공은 당초부터 기대키 어려웠음.

2. 따라서 제네바 회담은 다분히 형식적인 외교접촉에 지나지 않고, 본질 문제 해결은 향후 있을 UN 사무총장의 이락 방문, EC 의 대이락 접촉, 불란서와 아랍간의 접촉 및 유고 외상을 통한 비동맹진영의 해결 노력등을 통해 최후의 실마리를 마련해야 할것임.

3. 제네바 회담의 실패로 표면적으로 개전 가능성은 일단 높아졌다고 볼수 있음.

그러나 사담 후세인은 협상 자체에 반대하는것이 아니라 협상의 수확에 집착하고 있으며 또한 지상군을 제외하고는 서방 연합군의 화력, 작전력 및 군수지원등에 비해 모두 열세이므로 개전을 내심 두려워하고 있으므로 극적 타결을 통한 전쟁 방지가 불가능한것만은 아님.

4. 개전을 막을수 있는 유일한 방안은 이락의 철군 선포이며 철군이 결정되면 유엔과 협의, 1.15 의 시한 재조정 , 철군 구체사항 확정 및 유엔의 철군감시역할 수임등의 수순으로 추진하는것이 바람직함. 연후 적기에 중동 문제 국제회의를 개최 팔레스타인, 레바논문제를 포함한 지역내 오랜 현안문제 및 이락과 인근 걸프국간의 국경 재조정, 부채탕감 및 WARBA, BUBIYAN 등 해상 출구와 ROUMAYLAH 유전 지역에

중아국	장관	차관	1차보	2차보	구주국	정문국	청와대	총리실
안기부								

PAGE 1

91.01.10 23:44

외신 2과 통제관 CE

0093

관한 협상이 전개되어야 할것임.

5. 개전의경우 공군력이 주력으로 지상군도 병진케되면 2 주일이내 이락에 패배를 가할수 있음. 미국은 과거 월남의 경험으로 인해 금번에는 가급적 속전으로 임할것임. 다만 지상전의 경우 서방 연합군의 인명 피해는 다소 클것으로 보여짐.

6. 이스라엘은 사태 초기부터 계속 LOW-PROFILE 을 유지하는 반면, 미국의 재계, 언론계를 장악하고 있는 유태 로비를 동원, 이번기회에 아랍 최강국 파괴를 통한 아랍권 약화를 목적으로 여론을 개전 방향으로 유도하고 있음.

그러나 개전후 이스라엘이 피침되지 않는한 이스라엘의 참전은 아랍권의 단결과 이들의 대이락 지원을 초래하므로 결과적으로 반 이락 연합전선의 균열을 가져올것임.

7. 62 년 큐바사태가 극적으로 타결(미국, FLORIDA 등 인근지역에서의 직접적인 위협 제거:쏘련, 미국의 대큐바 침공방지 획득)되었으며 당시 미.쏘 양측이모두 승리자임을 자처했던 전례도 있으므로 금번에도 극적인 평화적 타결가능성이 완전 포기 해서는 안될것임.끝

(대사 노영찬-국장)

예고 91.6.30 까지

PAGE 2

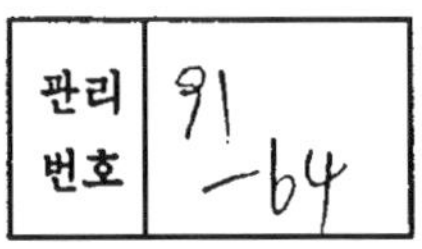

외 무 부

종 별 :

번 호 : FRW-0068 일 시 : 91 0110 1920

수 신 : 장관(기협,사본:국방부))

발 신 : 주 불 대사

제 목 : 페르시아만 사태

대:WFR-0002

연:FRW-0067

대호관련, 금 1.10. 주재국 공업성 석유국 GREMILLOT 부국장및 GUY MAISONNIER 국제과장 면담내용 아래 보고함.(조참사관, 오서기관 접촉)

1. 유전 파괴 피해

0 기본적으로 쿠웨이트의 유전(OIL FIELD)을 파괴할수는 없으며, 상당수의 쿠웨이트 유정과 유정시설이 타격을 받을것이나 유정 보수에는 수주일, 유정시설 복구에는 수개월이면 가능할 것임.

0 사실상 국제원유시장에서 쿠웨이트와 이라크의 SHARE 가 없어진 상태에서 쿠웨이트및 이라크의 유정이 파괴된다 하여 국제시장에 미치는 영향은 미미함.

2. 원유생산 및 유가영향

가. 원유생산

0 이란-이라크 전쟁의 경험에 의하면, 이라크는 사막전에서 수세에는 능하나, 공격적이지는 못했으므로 인근 국가가 타격을 받을 가능성은 크지않음.

0 연이나, 쿠웨이트에 인접한 일부 사우디 유전이 불가피하게 영향을 받을 경우, 최대 300 만 B/D 까지 공급부족은 예상되나 사우디내 여타 유전의 추가생산(최고 850-1,000 만 B/D)과 소비국 비축분 방출로 수급상 균형을 유지할수 있음.

나. 유가영향

0 전쟁 발발시 유가는 40-60 불 까지 상승할수 있으나 이는 수급상의 문제가 아니라 심리적 요인에 의한것이므로 오래 지속될수는 없으며 IEA 를 중심한 석유 수입국의 비축분 방출로 투기에 의한 가격상승을 억제될수 있을것임.

0 특히 금년 동절기 기후가 온화하여 수요가 줄어들것으로 예상되며, 또한 각국이

경제국	장관	차관	1차보	2차보	중아국	청와대	안기부	국방부

PAGE 1

91.01.11 22:50
외신 2과 통제관 DO

0095

과거 OIL SHOCK , 이란. 이라크전등을 통해 새로운 사태에 대응하는 경험이 축적되어 전후 유가는 25 불선 정도로 안정될 것임.

3. 불란서 대응책

0 주재국 정부는 연호와 같이 차량속도 및 주거 온도제한등 4 단계 대응책을 수립하였으며, 석유공급 부족이 전체 소비량의 7 프로까지 영향을 받을경우 비축분을 방출할 계획임.

0 주재국은 과거 OIL SHOCK 경험을 통해 여타 에너지로 사용이 가능한 산업은 이미 대체를 완료하였으므로(예:시멘트 산업은 석탄사용) 석유소비절약은 에너지 대체가 불가능한 차량운송 분야에 집중되어 있음.

0 주재국은 90.9. IEA 회원국 가입을 정식 신청하였으며 91 년 상반기에는 정식 회원국이 될것으로 예상됨. 끝.

(대사 노영찬-국장)

예고:91.12.31. 까지

검 토 필 (1991. 6. 30.) 서명

PAGE 2

0096

외 무 부

종 별 :

번 호 : FRW-0080 일 시 : 91 0111 1720

수 신 : 장 관 (중근동,구일,정일,기정)

발 신 : 주 불 대사

제 목 : GULF 사태

1.PEREZ DE CUELLAR 유엔 사무총장은 이락 방문전 금 1.11. 오전 주재국 MITTERRAND 대통령과 회담함.

2.동 회담서는 사태해결을 위한 특정 아랍국(알제리, 모로코, 예멘 등)의 중재문제, 미군도 사우디군도 아닌 다국적 유엔군을 쿠웨이트에 배치하는안 및 중동평화 국제회의 개최문제등에 대해 논의한 것으로 알려짐.

3.한편 주재국 각종 여론조사 기관에서 집계한 바에 의하면 불 국민 79프로가 전쟁에 반대 하였다함.

끝.

(대사 노영찬-국장)

중아국 1차보 구주국 정문국 안기부

PAGE 1

91.01.12 08:59 DA

외신 1과 통제관

0097

관리번호	91-824

원 본

외 무 부

종 별 : 지 급

번 호 : FRW-0081 일 시 : 91 0113 1930

수 신 : 장관(중근동,구일)

발 신 : 주 불 대사

제 목 : 페만 사태 비상 대책(자료응신 제 6 호)

대:WFR-0050

대호 당관도 1.12 이래 본직 주관하에 정무, 경제과를 중심으로 휴일 및 야간 근무등 비상근무체제를 유지하고 있는바 수시로 관련 정보를 수집, 분석 보고하겠으며 필요시 긴급 대응할수 있는 만전의 대비를 할것임.끝

(대사 노영찬-차관보)

예고:91.6.30 까지

중아국 차관 1차보 2차보 구주국 정문국 안기부

PAGE 1

91.01.14 03:55

외신 2과 통제관 CF

0098

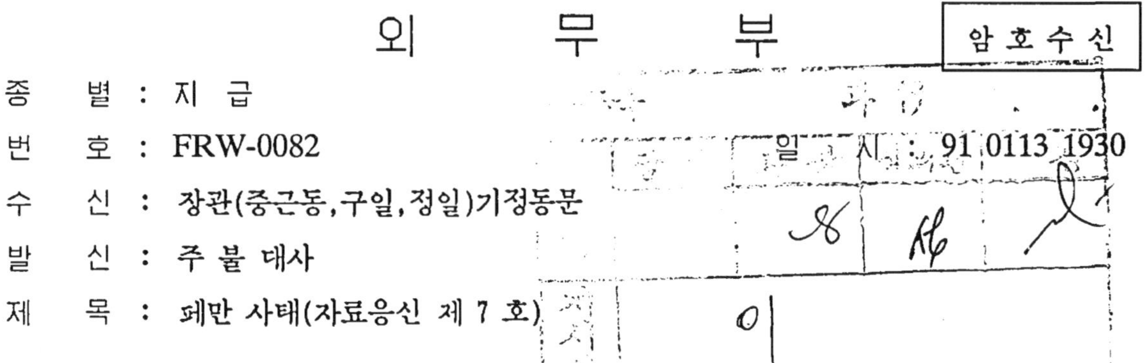

외 무 부

암호수신

종 별 : 지 급

번 호 : FRW-0082 일 시 : 91 0113 1930

수 신 : 장관(중근동,구일,정일)기정동문

발 신 : 주 불 대사

제 목 : 페만 사태(자료응신 제 7 호)

1. PEREZ DE CUELLAR 유엔사무총장은 SADDAM HUSSEIN과 면담시 이락의 쿠웨이트 전면 철군을 대 전제로 하기 5 개항의 사태 해결 방안을 이락측에 제의할것이라함.

가. 대 이락 불침에 관한 국제사회(UN)의 보장

나. 반 이락 연합군의 현 주둔지에서의 철수

다. UN, 이락 철군 감시단 파견

라. UN 군의 쿠웨이트 및 이락-사우디 국경선 배치

마. 중동문제 국제회의 개최

2. 상기안은 그간 수차 거론되었던 사항을 재정리, 미측과 합의한것으로 알려졌으나, 새로운 사항이 없으므로 이락측을 설득키는 미흡할것으로 보여짐.

3. 한편 EC 측은 유엔 사무총장의 이락 방문이 실패할경우, 이락을 접촉할것으로 구상하고 있으며, 주재국도 결정적인 순간에 DUMAS 외상 또는 미태랑 대통령의 이락 방문을 계획하고 있는것으로 알려짐.끝

(대사 노영찬-국장)

중아국	장관	차관	1차보	2차보	구주국	정문국	청와대	안기부

PAGE 1

91.01.14 04:01

외신 2과 통제관 CF

0099

관리번호	91-1795

원 본

외 무 부

종 별 : 지 급

번 호 : FRW-0083 일 시 : 91 0113 1930

수 신 : 장관(중근동,구일,정일)기정동문

발 신 : 주 불 대사

제 목 : 페만 사태(분석) 자료응신 제8호

연:FRW-0061

표제건 관련 당지 전략 연구소 ERIC LAURENT 부소장의 분석을 하기 보고함.

1. 양 진영 입장

가. 미국

-개전이 가져올 엄청난 결과를 충분히 인식하면서도 금번에 단호한 입장을 보이는 이유는

1)국제 신질서 내에서의 미국의 주도권 계속 확보

2)중동 원유 자원의 철저한 관리

3)유가 인상 및 대형 산업 원활가동을 통한 경제 부흥 및

4)이락이 2-3 년내 핵무기를 보유케 되면 이스라엘 보호는 불가능하게 될것이라는 판단등임.

나. 이락

-사태초 부터 SADDAM HUSSEIN 이 무모한 도발 보다는 심리전으로 일관한것을 감안하면, 동인은 나름대로의 판단과 목표가 있는것으로 보이는바, 즉

1)미국의 초 강경노선에 대한 의혹 또는 과소평가

2)대 미 전에 역부족임을 잘알고 있으나 자신의 신화가 ARAB CAUSE 를 수호한 순교자적 역할로 평가되어 신화적인 인물로 남기원함.

3)자신의 강경 대응에 혹시 서방측이 전면 승복할경우는 쿠웨이트 점령 기정사실화 및 아랍세계의 맹주화, 또는 협상으로 귀결될 경우에도 아랍세계의 숙제인 팔레스타인 문제를 포함한 전 중동 문제 해결을 위한 국제회의 개최라는 소득을 기대하기 때문임.

2. 사태 분석

가. 외교적 노력에 의한 평화적 타결

중아국	장관	차관	1차보	2차보	구주국	정문국	청와대	안기부

PAGE 1 91.01.14 06:03

외신 2과 통제관 CF

0100

- 유엔 사무총장의 이락 방문이 실패할경우, EC 중재 및 아랍권(이락과 대화가 원활한 예멘, 요르단, PLO)내의 절충안 도출 가능성이 있으나 그 전망은 밝지 못함.

나. 현상 대치 장기화

- 사태 초기후 미국이 군사력 배치, 유지를 위해 400 억불을 부입한점이나 , 3 월초 라마단 및 6 월 성지 순례 기간등으로 볼때 장기화는 불가능함.

- 따라서 동 사태는 외교적 타결 또는 개전등 2 개의 가정만 성립됨.

3. 개전시 예상

가. 미군사 전문가는 개전시 이락의 8 개 정예 사단이 배치된 쿠웨이트에서는 해병대 상륙작전 및 해상 폭격, 이락에는 F-117 폭격기 및 전투기 중심으로 군사기지, 병기고, 화학무기 공장 및 미사일 기지를 무력화하여 48 시간내 이락의 항복을 얻는다는것이라 함.

다만 이락의 전면 파괴는 전후 비동맹 및 아랍 전체에서의 후유증을 감안, 자제 할것으로 보임.

나. 사담 후세인은 공군력을 위시한 서방 연합군의 전력 및 화력의 우세를 인식하므로 선제 공격은 자제할것임. 친미 아랍국도 개전시 이스라엘의 참전에는 반대(애급 무바락 대통령)함을 알고 있으므로, 미국의 공격 즉시 요르단 국경 SCUD 미사일 기지를 시발로 이스라엘을 공격, 반 이락 전선의 군사전렬을 분산시킬 것으로 보임.

또한 석유 시설 파괴, 공공시설 방화, 테러 및 예멘 경유, 사우디 반 왕정 세력에 무기를 공급하는등의 전략도 가능시됨.

미국의 특공병력이 자신의경호 병력 우선 공격, 사태를 장악할 가능성에 대비, 별도 대책도 강구하고 있다함.

다. BUSH 미 대통령의 시한 만료 즉시 공격의 필요성 시사에 불구, 공격의 시기는 1.17-20 간 또는 2.15-19 간이 바람직하나 1.17 은 회교 휴일(라자브)기간이므로 실제로는 라마단전인 2 월이 최적기로 볼수 있음. 끝

(대사 노영찬-국장)

예고:91.6.30 까지

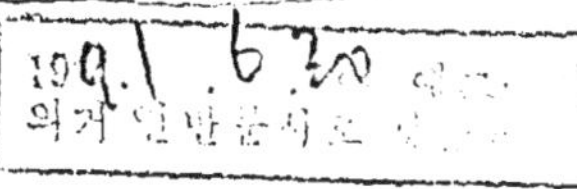

PAGE 2

0101

외 무 부

암호수신

종 별 :

번 호 : FRW-0085 일 시 : 91 0114 1030

수 신 : 장관(중근동,구일,정일,기정동문)

발 신 : 주 불 대사

제 목 : 페만 사태, 자료응신 제10호

연:FRW-0082

1.PEREZ DE CUELLAR 유엔 사무총장은 사담 후세인과 회담후 작 1.13 밤 당지 도착, 금 1.14 08:30 미테랑 대통령과 면담함.

2. 사담 후세인과 회담과관련 동 사무총장은 "낙관도 비관도 할수 없고 , 오로지 신에게 의존해야 하는 상황" 이란 간단하 COMMET 외에 별도 발표는 없었음.

3. 미테랑 대통령과의 면담 내용도 발표되지 않았으나, 주재국 외상 또는 대통령의 이락 방문 필요성에 대한 의견 교환이 있었던것으로 당지 언론은 추측하고 있음.

4. 동 사무총장은 당지 체류중인 POOS 룩셈부르크 외상(EC 의장국)과 면담을 갖인후 불정부가 제공한 CONCORDE 특별기편 금일 오전 뉴욕 향발함. 끝

(대사 노영찬-국장)

중아국	장관	차관	1차보	2차보	구주국	정문국	청와대	총리실
안기부								

PAGE 1 91.01.14 21:18

외신 2과 통제관 CH

0102

관리 번호	91/1081

분류번호	보존기간

발 신 전 보

번 호 : WUS-0131 910114 1646 FC 종별 : 긴급

수 신 : 주 수신처 참조 대사. ~~총영사~~

WJA -0173 WUK -0087
WSV -0117 √WFR -0062
WUN -0071 WIT -0079
WSB -0084 WCA -0043

발 신 : 장 관 (중근동)

제 목 : 페만사태 비상 대책

연 : WUS-0107

연호~~와 같이 페만사태 비상 대책 수립에 참고코자 하니~~ 1.13. 케야르 유엔 사무총장의 사담 후세인 대통령 회담, ~~결과 및~~ 1.14. 이라크 비상의회 소집, 기타 ~~유엔이 정한 이라크의 철군 시한을 앞두고 일련의 움직임에 주재국 정부, 언론계, 학계등의 관찰, 정세전망, 입장등을~~ 파악 지급 보고 바람. 끝.

(차 관 유 종 하)

1991. 6. 30. 에 예고문에 의거 일반문서로 재분류됨

예 고 : 91.6.30. 까지

보 안 통 제	

앙 고 재	91년 1월 14일	중근동과	기안자 성 명		과 장		국 장		차 관	장 관

외신과통제

0103

외 무 부

암호수신

종 별 :

번 호 : FRW-0087 일 시 : 91 0114 1540

수 신 : 장관(중근동,구일,정일,기정)

발 신 : 주 불 대사

제 목 : 페만사태(자료응신 11호)

연:FRW-0085

1.PEREZ DE CUELLAR 유엔 사무총장은 1.14. 오전 당지 출발전, 기자회견을 갖고 자신의 이락방문은 이락측의 철군 언급이 없었으므로 평화에 관한 희망이 사라지고 있다고 말하고, 자신은 NEW YORK 귀임후 안보리 보고를 위한 문서작업등 요식행위 외에 특별한 조치를 할것이 없다고 부연함.

2. 금 1.1.4 오전 개최된 EC 외상회담은 당초 계획했던 이락과의 접촉을 일단 포기하고, 금일 저녁 유엔 안보리 결과를 주시할 것이라고 발표함.

3. 한편 이스라엘은 1.15. 시한 이전 이락의 선공 가능성에 대비, 준 전시체제를 선포하였다 함.

4. 또한 주재국 대통령실과 긴밀한 협의를 갖고있는 알제리 GHOZALI 외상은금일중 이락을 방문, 아랍권내 타협방안을 협의할 것이라 함. 끝.

(대사 노영찬-국장)

중아국	장관	차관	1차보	2차보	구주국	정문국	청와대	총리실
안기부								

PAGE 1

91.01.15 01:12

외신 2과 통제관 CH

0104

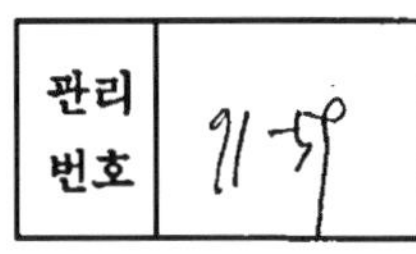

외 무 부

종 별 :

번 호 : FRW-0097 일 시 : 91 0114 1910

수 신 : 장관(조약,중근동,구일)

발 신 : 주 불 대사

제 목 : 사우디주둔 불군 지위협정

대:WFR-0063

당관은 주재국 외무성에 대호 협정관련 협조를 요청한바, 외무성 이락 담당관은 주재국은 별도의 의료단을 파견치 않았으며, 사우디 주둔 불군 지위협정은 90.11. 월 양국 정부간 서명된바 있으나(주재국의 경우 외무성과 국방성이 동 협정안 교섭에 참여), 동 협정은 국방문제에 관한 양국 정부간의 비밀 합의내용이 수록되었으므로 외부에 공개할 수 없는 입장이라고 말하고, 양해를 구해옴.끝.

(대사 노영찬-국장)

예고:91.6.30. 까지

1991.6.30. 예고문에 의거 일반

국기국 구주국 중아국

PAGE 1

91.01.15 08:11

외신 2과 통제관 BW

0105

관리 번호 91-1514

외 무 부

종 별 :

번 호 : FRW-0099 일 시 : 91 0114 1940

수 신 : 장관(기협,경일,중근동)

발 신 : 주 불 대사

제 목 : 페만사태(IEA 집행이사회 결과)

연:FRW-0067,68

대:WFR-0002

1.11. 개최된 IEA 집행이사회 관련, IEA 생산국담당 PAUL VLAANDEREN 과장 면담내용 아래 보고함.(조참사관 접촉)

1. 회의 주요결과

가. 전쟁발발시 석유공급 물량부족분에 대비하여 회원국 비축분, 소비 수요감축등을 통해 2.5 백만 B/D 방출(A COORDINATED ENERGY EMERGENCY RESPONSE CONTINGENCY PLAN)

나. 불란서, 핀랜드, 아이슬랜드등 IEA 비회원국의 동 비상계획 참여 환영

다.IEA 사무총장이 각 회원국과 신속한 협의를 거친후 회원국및 상기 3 개국에 비상계획 실시를 통보하면, 각 회원국등은 15 일내에 사이 "가"항 조치를 실행함.

라. 사무총장의 통보후 10 일이내에 집행이사회를 개최하여 상기 비상계획에 따른 석유시황을 평가하고 동 계획 수정여부를 결정함.

마. 국제 석유시장의 안정을 위하여 석유회사는 자체 비축분을 계속 방출하고, 각국 정부의 소비절약과 함께 석유회사와 소비자가 석유구입을 자제하여 줄것을 요망함.

2. 평가 및 전망

가.IEA 는 무력분쟁이 여타 유전지대로 확산될 가능성, 동 분쟁이 걸프만 OIL TRAFFIC 에 줄 영향, 여타 인접국 유전지대 근무 근로자 철수에 따른 감산 가능성등을 종합 검토하여 2.5 백만 B/D 방출을 결정하였으며(실제 방출물량은 2 백만 B/D, 회원국 절약 50 만 B/D) 시황을 보아 필요시 추가 방출 가능성도 배제하지 않음.

이하 나. 항이후 PART II 로 계속됨.

경제국	장관	차관	1차보	2차보	중아국	경제국	청와대	총리실
안기부								

PAGE 1

91.01.15 21:13

외신 2과 통제관 FE

0106

관리번호	91-1315

외 무 부

종 별 :

번 호 : FRW-0102 일 시 : 91 0114 1940

수 신 : 장관(기협,경일,중근동)

발 신 : 주 불 대사

제 목 : FRW-0099 의 PART II

나.IEA 는 석유시장에 물리적 부족분(ACTUAL SHORTAGE)이 발생할 경우 비축분을 방출한다는 기존 방침을 수정코, 전쟁발발 직후 석유부족이 감지(PERCEIVE)되는대로 비축분을 방출키로 결정함.IEA 의 여사한 방침 수정은 IEA 가 새로운폐만사태에 신속하고도 유연하게 대처함으로써, 불필요한 부기와 가격폭등 가능성을 사전에 억제하는 한편 그간 IEA 가 석유사태에 효과적으로 대응치 못하였다는 회원국의 비난을 일소시키고자 하는데 있음.

다.IEA 가 74 년 석유비축 이래 비축물량 방출을 결정한것은 최초의 사례로서, IEA 가 새로운 석유사태에 대비하여 그간 준비가 충분히 되어있을뿐 아니라 시장을 안정시킬 능력이 있다는 것을 과시하는 계기가 될것으로 보임.

라. 전쟁 직후 석유가 일시 폭등은 불가피 할것이나 IEA 비축분 방출방침이시장에 알려지는대로(실제 물량이 시장에 나오는 시기와는 관계없이) 즉각 하락세를 보일것으로 기대하나, 문제는 석유회사 및 소비자등이 IEA 의 결정에 어느정도 신뢰감을 갖고 합리적으로 행동하느냐에 달려있음.

마. 금번 IEA 비상조치는 전회원국간 만장일치로 결정되었으며, 불란서, 핀랜드, 아이슬랜드등 3 개 비회원국의 참여가 주목할만 함.

바.IEA 는 전쟁 발발에도 불구하고 금번조치로 인해 국제시장에서 석유물량부족사태는 없을 것이며, 가격안정에 대하여도 비교적 낙관적으로 전망하는 한편, 전후에 OPEC 체제의 유지 가능여부 및 가격폭락 가능성에 우려를 표함. 끝.

(대사 노영찬-제 2 차관보)

예고:91.12.31. 까지

경제국	장관	차관	1차보	2차보	중아국	경제국	청와대	총리실
안기부								

PAGE 1

91.01.15 21:19
외신 2과 통제관 FE

0107

원 본

암호수신

외 무 부

종 별 :

번 호 : FRW-0100 일 시 : 91 0114 2000

수 신 : 장관(중근동,구일,정일,기정)

발 신 : 주 불 대사

제 목 : 폐만사태(주재국 긴급각의)

(자료응신 13 호)

연:FRW-0087

1.MITTERRAND 대통령은 금 1.14. 1800 긴급각의를 소집, 준전시 또는 전시 교전지역및 인근체류 교민 소개와 기타 군사, 비군사 목적으로 필요시 정부(외무성, 국방성, 교통성)가 민간항공등 필요한 교통수단을 징발할수 있는 행정령 발동을 의결함. 동 행정령은 정부의 항공기 승무원의 통제도 허용하며 징발기간중 보험도 자동 유효토록 규정함.

2. 한편 주재국 AIR FRANCE 는 1.15. 자로 GULF 지역및 분쟁관련 지역(이스라엘 포함) 항공편의 취항을 잠정적으로 중단한다고 발표함.

3. 동 각의는,1.17. 로 예정된 상. 항 양원 합동회의 소집을 1.16. 오전으로 변경 의결함. 끝.

(대사 노영찬-국장)

중아국	장관	차관	1차보	2차보	구주국	정문국	청와대	안기부

PAGE 1

91.01.15 08:17

외신 2과 통제관 BW

0108

관리번호	91/275

원 본

외 무 부

종 별 : 지 급

번 호 : FRW-0101 일 시 : 91 0114 2040

수 신 : 장관(중근동,구일,정일,기정동문)

발 신 : 주 불 대사

제 목 : 페만사태(주재국동정)

1. MITTERRAND 대통령은 금 1.14. 1830 당지 AL HASHIMI 이락대사를 초치, 면담을 갖었음.

2. 동 면담내용은 현재 알려지지 않았으나, 불란서가 금일밤(파리시간 1.15. 03:00) 개최 예정인 유엔 안보리회의서 새로운 제의를 할것이며, 동 제의의 골자는 이락의 부분철군(RETRAIT PARTIEL)으로 보인다 함.

3. 불측은 동제의를 이락에 전달하고, 이에대한 이락측의 분명하고 신속한 이락의 응답에 따라, MITTERRAND 대통령의 이락방문 가능성이 있음을 강력 시사하고있음.

4. 불측은 그간 BIANCO 대통령 비서실장을 알제리에 파견, 동구및 PLO 측을접촉케한 바 있으며, 알제리 CHADLI 대통령및 GHOZALI 외상등과 협의, 불-아랍-이락을 연결하는 소위 "불.알제리 공동안"을 성안한바 있음. 끝.

(대사 노영찬-차관보)

예고:91.6.30.까지 19 . . . 에 예고문에 의거 일반문서로 재 분류됨.

검 토 필(1991.6.30.)

중아국	장관	차관	1차보	2차보	구주국	정문국	청와대	총리실
안기부								

PAGE 1

91.01.15 08:19

외신 2과 통제관 BW

0109

관리 번호	91-66

	분류번호	보존기간

발 신 전 보

번 호 : WJA-0203 외 별지참조 종별 : WTR-0073 910115 1927

수 신 : 주 수신처 참조 ~~대사, 총영사~~

발 신 : 장 관 (미북)

제 목 : UN 안보리 철군 시한 경과 관련 성명 발표

1. 페만 사태와 관련 UN 안보리가 설정한 1.15. 이라크군 철수 시한이 임박함에 따라 독일 정부는 상기 시한전 이라크군의 철군을 촉구하는 수상실 명의 성명을 1.14. 발표하였음.

2. 본부 조치 결정에 참고코자 하니, 1.15. 시한을 전후하여 주재국 정부의 여사한 입장 표명이 있을 경우 발표 즉시 지급 보고 바람. 끝.

(미주국장 반기문)

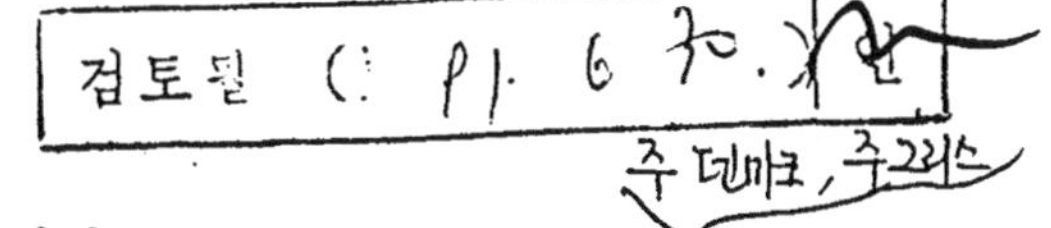

예고 : 91.12.31. 일반

수신처 : 주일, 주영, 주불, 주카나다, 주이태리, 주벨지움, 주덴마크, 주그리스, 주터어키, 주호주대사
(사본 : 주미대사) 주카이로총영사, 주파키스탄, 주사우디, 주방글라데시, 주모로코, 주세네갈, 주체코, 주쏘대사

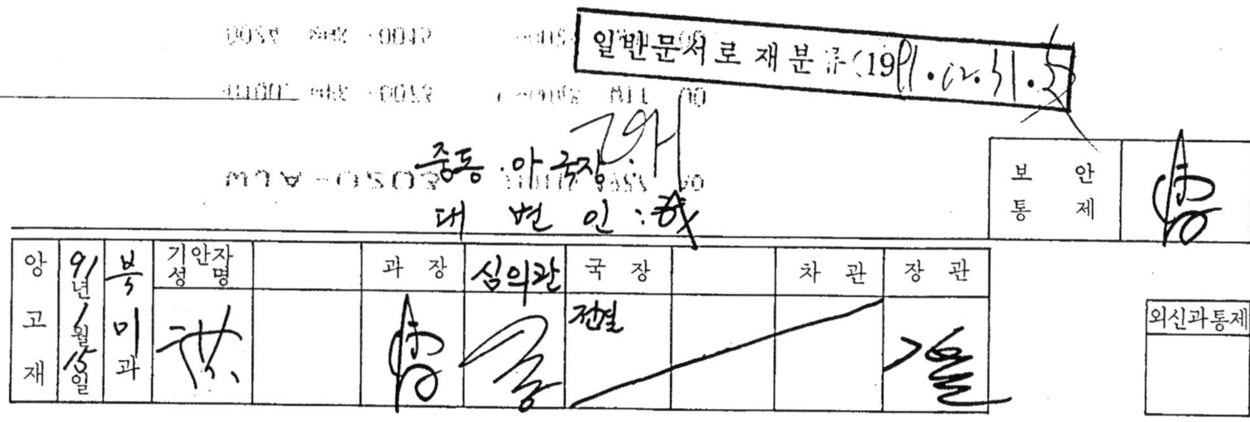

일반문서로 재분류(1991.12.31.)

중동아국장 대변인

보안 통제	

앙고재	91년 1월 15일	북미과	기안자 성명		과 장	심의관	국 장		차 관	장 관
							전결			

외신과통제

0110

유엔 안보리 철군 시한 경과후

~~대한민국 정부~~ 외무부 대변인 성명(안)

1991. 1. 16.

1. 대한민국 정부는 유엔 안보리 결의가 설정한 1.15. 철수 시한이 지났음에도 불구하고 이라크 정부가 쿠웨이트에 불법 주둔중인 이라크군을 아직 철수치 않고 있음을 유감스럽게 생각합니다.

2. 이에 따라 페르시아만 지역정세가 전쟁 발발 일보 직전으로 치닫고 있어 페르시아만 인근지역 전체는 물론 전세계인들을 공포와 불안에 떨게하고 있는 데 대해 우리는 깊은 우려를 갖고 있습니다.

3. 우리 정부는 이라크 정부가 지금이라도 전세계 평화 애호인의 염원에 부응하여 유엔 안보리 결의가 요구하고 있는 바와 같이 쿠웨이트로부터 즉각 철군할 것을 거듭 촉구하는 바입니다.

4. 대한민국 정부는 이 기회를 빌어 페르시아만 지역에 파견된 미국을 비롯한 다국적군의 헌신적인 평화유지 노력에 깊은 경의와 찬사를 보내고자 합니다.

끝.

중동아주국장
대변인

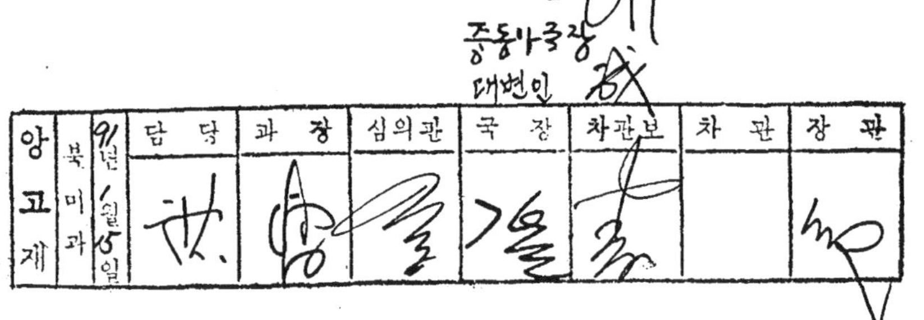

0111

원 본

외 무 부

암호수신

종 별 : 지 급

번 호 : FRW-0103 일 시 : 91 0115 0930

수 신 : 장관(중근동,구일,정일,기정)

발 신 : 주 불 대사

제 목 : 페만사태(자료응신 14호)T, 연:FRW-0101

1. 연호와 같이 주재국은 유엔안보리 회의서 하기 6 개항의 평화안을 제의함.

가. 대이락 평화 호소

나. 구체일정이 포함된 이락의 철군안 발표및 조속 철군 촉구

다. UN사무총장, 철군감시 및 아랍국 주축 구성 UN 평화군 쿠웨이트 철군

라. 대이락 불가침 보장

마. 사태관련 아랍국간 협상

바. 팔문제를 포함한 중동문제의 포괄적 해결을 위한 국제회의 개최

2. 상기 주재국안은 90.9. MITTERRAND 대통령의 UN 연설내용을 주골자로 성안된 것인바, 대부분 EC 국및 아랍권은 지지, 미, 영, 소는 반대의사를 표명했다함.

3. 한편 작 1.14. 밤 TUNIS 서 ARAFAT 의 측근 PLO 인사 3 명(수상, 내무상외)의 ABOU NIDAL 계 자객에 의한 피살에 대해, PLO 측은 이를 전쟁을 통한 아랍세계의 파괴와 ARAFAT 의 평화중재 노력을 저지하려는 이스라엘의 흉계라고 비난한데 대해, 이스라엘측은 이를 부인하고, 동 암살은 오로지 PLO 내분에 의한 것이라고 응수했다 함.

4.D-1 시점서, 주재국안에 대한 미국의 거부로 MITTERRAND 대통령및 DUMAS 외상의 이락 방문 가능성은 불확실하며, 상기 PLO 지도자의 암살도 사태의 평화적 해결에 부정적인 역할을 할것으로 당지 언론은 분석하고 있음. 끝.

(대사 노영찬-국장)

중아국	장관	차관	1차보	2차보	구주국	정문국	청와대	총리실
안기부								

PAGE 1

91.01.15 21:24

외신 2과 통제관 FE

0112

佛蘭西, 페灣事態 관련 緊急 上·下 兩院 合同會議 召集豫定

1. 1.14 「미테랑」大統領 주재로 긴급 소집된 佛閣議는 페灣事態를 논의하기 위해 1.16 긴급 上·下 兩院 合同會議를 召集키로 의결했음.

2. 佛蘭西의 페灣事態 對應推移

가. 페灣事態 발생(8.2) 직후에는 이락軍의 쿠웨이트 撤收를 강력히 要求하면서 UN의 對이락 制裁措置에 적극 동참해 오다가

나. 90.9 이락의 佛大使館 난입을 계기로 페灣地域에 대규모 地上軍과 艦隊를 增派하는 등 對이락 強硬姿勢를 견지하면서도

※ 페灣駐屯 佛軍 現況(91.1 현재)

- 總兵力 : 약 14,000명 (陸軍 8,500명, 空軍 1,500명, 海軍 4,000명)
- 艦艇 16척 (航母 1, 프리깃艦 4, 호위함 4, 순양함 4, 지원함 3), 戰鬪機 40여대, 戰車 40대등

다. 美國 주도하의 多國籍軍 참여를 거부하면서 平和的 事態解決을 위한 독자적인 仲裁努力을 병행해 왔음.

3. 仲裁 關聯動向

가. 24개 아랍 및 非同盟國家에 大統領特使를 파견(90.8)한데 이어 이락의

0113

의 ■웨이트 撤收 및 레바논·이스■■ 態를 포함한 中東地域 평화를 위한 國際會議 개최등 독자적인 4단계 平和案을 제시(9.24 「미테랑」大統領) 하는 한편

나. 蘇聯(90.10), 이집트(90.11), 요르단(90.11) 및 알제리(90.12)와의 頂上會談을 통해 中東問題의 포괄적 해결을 위한 國際會議 개최 필요성에 대한 國際的 支持獲得에 주력해 왔으며

다. 특히 이락軍의 쿠웨이트 撤收時限(1.15)을 앞두고 美·이락 兩國의 強硬立場 고수로 軍事對決 분위기가 고조됨에 따라

○ 7개항의 새로운 平和案을 제의(1.4 「뒤마」外相)하고 「보젤」下院 外交委員長(1.5) 및 「비앙꼬」大統領 秘書室長(1.8)을 각각 이락과 알제리에 派遣한 데 이어

○ 中東問題 해결을 위한 國際會議 개최에 대한 美國의 긍정적 對應을 촉구(1.9 「미테랑」大統領) 하였으며

○ 美·이락간 直接協商 결렬(1.9) 및 「케야르」UN事務總長의 仲裁失敗(1.13)에도 불구, UN安保理와 이락측에 獨自的 平和案을 제시(1.14) 하는 등 平和的 事態解決 노력을 경주하고 있음.

4. 이와 같은 상황에서 개최되는 上·下 兩院 合同會議는

가. 1.15 撤軍時限 이후 開戰 가능성에 대비, 페灣駐屯 佛軍의 參戰與否등 최종입장을 定立하기 위한 것으로서

46 - 27

0114

나. 佛側으로서는 페灣戰 勃發時 參戰 가능성을 示唆(1.9 「미테랑」大統領)
한 바 있다는 점에서 自國軍의 參戰이 승인될 것으로 보이나

다. 佛蘭西를 비롯한 歐洲의 反戰輿論을 감안, 최후까지 仲裁努力을 경주해
나가되, 參戰시에는 독자적인 指揮權 행사등을 提示할 가능성이 있어
注目됨.

0115

46 - 28

원 본

암호수신

외 무 부

종 별 : 지 급

번 호 : FRW-0119 일 시 : 91 0115 2000

수 신 : 장관(중근동,구일,정일,기정)

발 신 : 주 불 대사

제 목 : 페만사태(자료응신 15호)

연:FRW-0103

1. 시한 10 시간여를 남긴 시점서, 유엔 안보리는 연호 주재국 제안을 협의중이나, 미국과 영국의 반대로 불측안의 통과는 어려울 것으로 보임.(당초 반대입장 이었던 소련은 태도를 변경, 불측안에 동조하였다 함)

2. 미국은, 쿠웨이트에서의 철군과 팔문제 국제회의는 별개의 사항이라고 주장하고, 영국은 "불란서가 고독한 기사역할을 하고 있다고" 야유하므로써, 불측안에 대한 반대태도를 분명히함.

3. 한편 주재국 CHEVENEMENT 국방상및 CHEYSSON 전 외상등은, 미국이 사태해결의 핵심인 중동평화 국제회의를 끝까지 수락치 않는 이유가 무엇인지 반문코자 한다고 말함.

4. 주재국 공산당을 주도로 시작(1.12)된 전국규모의 반전시위는 금 1.14. 현재 40 만명에 이름.

5. 서방공관중 최후순간까지 이락에 공관을 유지한 주재국은 금일오후 공관에 국기게양을한 상태에서 대사대리를 대피토록 훈령하였다 함.

6. 미국은 자국의 위신및 신질서 하에서의 주도권 계속 확보, 경제부흥및 이락의 핵무장 위협에 대비한 이스라엘의 선재보호등의 제반 필요성과 이해관계로 인해, 이락이 시한만료 직전, 극적으로 철군선언을 하지 않는한 개전에 대한 확고한 의지는 변하지 않을 것으로 당지 언론은 관측하고 있음.

7. 따라서 금일 안보리는 영국주도로 이락에 대한 최후경고(불가침 보장 포함)만을 채택하므로써, 개전에 관한 정당성을 재차 부각시키는 선에서 종료될 것으로 보인다 함.

8. 주재국 상, 하원은 명 1.16. 오전 특별 합동회의를 갖고 개전시 입장을

중아국	장관	차관	1차보	2차보	구주국	정문국	청와대	총리실
안기부								

PAGE 1

91.01.16 06:29
외신 2과 통제관 FE

0116

국론으로 정리할 것이라 함. 끝.

(대사 노영찬-국장)

PAGE 2

0117

외 무 부

암 호 수 신

종 별 :
번 호 : FRW-0130 일 시 : 91 0116 1820
수 신 : 장관(중근동,구일,정일,기정)
발 신 : 주 불 대사
제 목 : 페만사태(자료응신 16호)

연:FRW-0119

1. 금 1.16. 오전 개최된 주재국 각의는 철군시한이 지난후에도 이락측으로부터 아무런 응답이 없으므로 유엔안보리 결의와 같이 서방 연합군과 함께 군사 행동에 참여키로 결정함.

2. 금일 11:00 에 소집된 상. 하 양원 합동회의는, ROCARD 수상의 참전안에 관한 제안 설명후, 각 정파별 질의, 응답을 거쳐 표결(찬 523, 반 43)로 참전을 결정함. 동 표결시 사회당 CHEVENEMENT-국방상 파 7 명, R.P.R. 4 명, UDF 3 명, 공산당 전원 및 극우파인 국민전선 1 명등이 반표를 던짐.

3.ROCARD 수상은 불 전부병력은 징집자가 아닌 전원 직업군인으로 편성되었으며, 불군은 미군 지휘부와 긴밀하게 협조할 것이라 함.

4. 주재국 MITTERRAND 대통령은 금일 20:00 대국민 담화를 발표하고 상기 참전결정을 부연 설명할 것이라 함. 끝.

(대사 노영찬-국장)

중아국	장관	차관	1차보	2차보	구주국	정문국	청와대	총리실
안기부	대책반							

PAGE 1

91.01.17 05:17
외신 2과 통제관 DO

0118

원 본

외 무 부

암호수신

종 별 :

번 호 : FRW-0133 일 시 : 91 0117 1030

수 신 : 장관(중근동,구일,정일,기정동문)

발 신 : 주 불 대사

제 목 : 페만 사태(미테랑 대통령 담화)(자료응신 16호)

연:FRW-0130

1. 주재국 미테랑 대통령은 1.16 20:00 표제건관련 하기 요지의 대국민 특별 담화를 발표함.

가. 불란서는 이락의 쿠웨이트 주권회복을 위한 유엔 안보리 결의안을 지지한 국가로써, 동 결의안에 규정된 시한 및 이에 대한 이락측의 답변이 없는 현상황에서 무력 사용의 정당성과 불가피성이 입증 되었으므로 29 개 연합국과 함께 무력 행사에 참여 할것임.

나. 이와같은 불행한 사태를 예방키 위해 불란서는 마지막 순간까지 평화안을 제의, 많은 국가로부터 호응을 받았으나, 동 안이 실현되지 못함은 유감임.

다. 무력행사시에도 불 전부 요원은 상대에 대한 맹목적인 증오심은 버리고 평화 회복을 위한 부득이한 과정을 수행함을 인식하고 작전에 임해야 할것이며, 불 국민은 용기, 통찰력, 인내로 이들을 성원해야 할것임.

라. 불란서는 사태 발전에 불구, 향후 평화를 위한 모든 노력을 계속 경주할것이며, 이를 위해 팔레스타인, 레바논 문제를 포함한 중동 국제 평화회의 개최는 필수 적임.

2. 분석

가. 서방 연합전선 체제속에서도 항상 독자적인 위치를 추구, 이락을 위시한 각 중동 국가와의 전통적인 특수 관계를 이용, 개전을 막고자 노력한 주재국도 현 상황은 역부족임을 시인하고 대 이락 군사 행동 참여 결정

나. 이락의 비 타협적인 태도를 비난함과 동시에 중동 평화 국제회의를 거부하는 미국도 간접적으로 비난함으로써, 전쟁의 책임이 양측에 공히 있음을 시사

다. 비록 연합군의 일원으로 참전하더라도 향후 평화를 위한 노력은 계속

중아국 장관 차관 1차보 2차보 구주국 정문국 청와대 안기부

PAGE 1 91.01.17 20:21

외신 2과 통제관 CF

0119

경주할것을 재천명. 끝

(대사 노영찬국장)

PAGE 2

0120

관리번호	91/278

원 본

외 무 부

종 별 :

번 호 : FRW-0134 일 시 : 91 0117 1030

수 신 : 장관(중근동,조약,구일,정일)

발 신 : 주 불 대사

제 목 : 주재국 파병(의무대)

주재국은 사우디에 별도 의료단을 파견치는 않고 전투병 편제속에 의무대가 배치되었다 하는바, 동 내용을 하기 보고함.

1. 배치(이락과 사우디 국경을 향해 피라밋 형을 배치)

가. 국경 부근

- 텐트형 2 개의 이동 외과 진료소(군의관 12 명, 의무병 100 명, 장갑차 40 대)

나. 국경 후방 지역

- 2 개의 야전 병원(병상 50 개, 6 시간만 체류하고 그 이상은 후송 조치)

다. RYAD 지역

-2 개의 중형 반 영구 병원(병상 150 개, 신경질환 전문치료 시설, 냉방장치 시설)

2. 병력

- 총 500 명의 근무하고 있으며 전시는 48 시간내 2 배인 1000 명선으로 증원 예상

- 전상과 후송 처리시 불 적십자사와 협조 합의.끝

(대사 노영찬-국장)

예고:91,6.30 까지 고문에 의거 일반문서로 재 분류됨.

검 토 필(1991. 6.30.)

중아국	장관	차관	1차보	2차보	구주국	국기국	정문국	청와대
안기부								

PAGE 1 91.01.17 20:27

외신 2과 통제관 CF

0121

원 본

외 무 부

종 별 :

번 호 : FRW-0135 일 시 : 91 0117 1030

수 신 : 장관(중근동, 구일,정일,기정동문)

발 신 : 주 불 대사

제 목 : 페만 사태(개전)

1. 당지 시간 1.17 00:30 을 기해 개시된 연합 4국 (미.영, 사우디, 쿠웨이트)의 제 1차 내이락 공폭 작전에 주재국은 참여치 않았다 하며, 미테랑대통령은 금일새벽, 불군의 참전을 허용하였다 함.

2. 미 국방성 발표 전황에 의하면 연합군의 전폭기는 이락의 핵무기 및 화학 무기 생산 시설을 무력화시켰다 하며 동 작전중 별다른 이락측의 저항없이 목표물을 파괴한후, 기지에 무사히 귀환했다 함.

3. 이락측은 SCUD 미사일 수기를 산발적으로 사우디 정유시설에 발사 했으나 명중 시키지 못하고 사막 지역에 떨어졌다함.

4. 사담 후세인의 호언에 불구, 이락측의 저항은 예상 보다 미미 한것으로 알려졌으며, 제 1차 공폭으로 바그다드의 인구 밀집 지역에 커다란 피해가 있었으며, 남부주둔 최정예 병력인 공화국 수호대가 괴멸 되었다 함.

5. 상기 공폭에 불구, 사담 후세인은 상금 건재하다 하며 금일 아침 TV 에 출연,대미 비난 연설을 하였다 함.

6. 주재국 공군은 제2차 공폭 작전시 부터 참전이 예상 되는바, 불군 보유 전투기는 40대(24 대의 JAGUAR 포함) 라 함.

7. 한편 EC 12개국 외상은 금일 17:00 당지서 회합을 갖고, 사태의 정치적 해결가능성을 협의할 예정이라 함.끝

(대사 노영찬- 국장)

중아국	장관	차관	1차보	2차보	미주국	구주국	중아국	정문국
청와대	총리실	안기부	대책반					

PAGE 1 91.01.17 21:20 CG

외신 1과 통제관

0122

원 본

외 무 부

종 별 :

번 호 : FRW-0136 일 시 : 91 0117 1030

수 신 : 장관(중근동, 구일,정일)

발 신 : 주 불 대사

제 목 : 페만 사태 (불란서 참전)

연: FRW-0135

1. CHEVENEMENT 국방상은 금 1.17 오전, 불 공군 JAGUAR 12 기가 제2차 연합군 공폭 작전에 참여하였다고 발표함.

2. 동 국방상에 의하면 동 불 전부기는 쿠웨이트내 군사시설 (비행장)을 폭격후,10기가 기지에 귀환하였으며 2기는 LAL JUBAL 기지로 이동하였다함.

3. 동 공격중 4기가 피격, 그중 1기가 심한피해를 입었다 하나 조종사 전원은 무사하다고 부언함.끝

(대사 노영찬- 국장)

중아국	장관	차관	1차보	2차보	미주국	구주국	중아국	정문국
청와대	총리실	안기부						

PAGE 1

91.01.17 21:20 CG

외신 1과 통제관

0123

관리 번호	91/2048

분류번호	보존기간

발 신 전 보

번 호 : WUS-0179 910117 1105 FK 종별 : 초긴급

수 신 : 주 수신처 참조 대사. 총영사

발 신 : 장 관 (중근동)

제 목 :

WJA -0228 WUK -0113
WGE -0079 WFR -0087
WCA -0056 WJO -0081
WSB -0116 WTU -0027

귀지에서 파악할수 있는 페르샤만의 전황을 수시로 긴급 보고 바라며, 이스라엘의 참전 여부가 금후 사태 발전의 큰 변수가 될것인바, 이에 관한 정보도 적극 수집 보고 바람. 끝.

(장 관) ~~미 상 목~~

수신처 : 주 미, 일, 영, 독, 불, 카이로, 요르단, 사우디, 터키 대사

예 고 : 91.6.30. 일반

보안 통제	기

앙 고 재	91년 1월 17일	중근동과	기안자 성명		과 장		국 장		차 관	장 관
			김도현		기					김

외신과통제

0124

관리 번호	91-70

외 무 부

종 별 :

번 호 : FRW-0144

일 시 : 91 0117 1840

수 신 : 장관(조약,중근동,구일)

발 신 : 주 불 대사

제 목 : 불.사우디간 파견군 지위협정

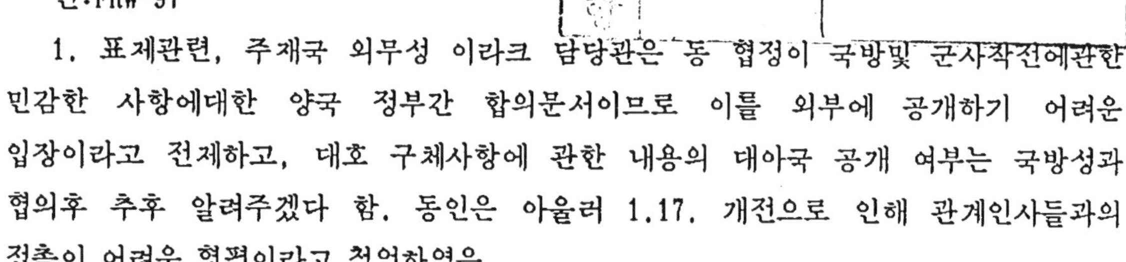

대:WFR-70,86

연:FRW-97

1. 표제관련, 주재국 외무성 이라크 담당관은 동 협정이 국방및 군사작전에관한 민감한 사항에대한 양국 정부간 합의문서이므로 이를 외부에 공개하기 어려운 입장이라고 전제하고, 대호 구체사항에 관한 내용의 대아국 공개 여부는 국방성과 협의후 추후 알려주겠다 함. 동인은 아울러 1.17. 개전으로 인해 관계인사들과의 접촉이 어려운 형편이라고 첨언하였음.

2. 당관이 우선 파악한 사우디 주둔 불군에 대한 작전 지휘권 행사 국가를 아래 보고함.

-이라크측의 공격시(사우디 영토내)에는 사우디측이 미테랑 대통령의 사전 동의하에 작전지휘권 행사

-쿠웨이트 탈환 작전시(사우디 영토이외 지역)에는 다국적군 연합사령부(미국)가 미테랑 대통령의 사전 동의하에 작전 지휘권 행사. 끝.

(대사 노영찬-국장)

예고:91. 3. 31. 일반

1991. 9. 7. 예고문에 의거 일반

국기국 구주국 중아국

PAGE 1

91.01.18 07:57

외신 2과 통제관 FE

0125

외 무 부

종 별 :

번 호 : FRW-0146 일 시 : 91 0118 1120

수 신 : 장 관 (중근동,구일,정일,기정,국방부)

발 신 : 주 불 대사

제 목 : 쾌만 사태(이스라엘 피침)

1.이락 SCUD 미사일(재래식)의 이스라엘 수개지역 공격 관련, 주재국 외무성은 금 1.18. 07:00 이를 규단하는 성명을 발표함.

2.한편 GERARD RENON 국방담당 국무상은 이락의 이스라엘 공격양상이 아직은 우려할 상황이 아니므로,냉정을 갖고 사태를 계속 주시해야 할 것이라고 말함.

3.이스라엘의 참전여부와 관련,당지 SOFER 이스라엘 대사는 회견을 통해,이락측의 화학무기 공격이 있을시는 참전이 불가피할것이나,동 문제는 금 1.18. 오전 개최될이스라엘 각의 및 미국과의 긴밀한 협의를 통해 결정될 것이라고 말함.

4.현재 미국의 우세한 공군력으로 이락측의 저항을 약화시킨 유리한 상황에서,이스라엘이 참전할 경우,현 서방 아랍 다국적군의 전렬이 와해될 가능성이 있으므로(특히 애급,시리아) 미국은 이스라엘의 보복자제와 아랍진영의 이탈방지를 동시에 설득중이라 함.

5.주재국은 작 1.17. 오전에 이어 2차로 동일 저녁 JAGUAR 12기를 출격시켜 쿠웨이트 공항 부근 탄약고를 파괴한후 무사히 기지에 귀환시켰다고 발표함.끝.

(대사 노영찬-국장)

√중아국 ② √장관 차관 1차보 2차보 미주국 구주국 정문국 √청와대
총리실 안기부 국방부

PAGE 1 91.01.18 21:11 DQ

외신 1과 통제관

0126

관리번호	91/283

원 본

외 무 부

종 별 :

번 호 : FRW-0164 일 시 : 91 0118 1710

수 신 : 장관(중근동,구일,정일,기정)

발 신 : 주 불 대사

제 목 : 페만사태(자료응신 17호)

1. CHEVENEMENT 주재국 국방상은 금 1.18. 2 박 3 일 예정으로 사우디 방문차 당지를 출발함. 사우디 방문중 불군의 증파 또는 장비추가 송부문제를 협의할것이라 함.

2. GORBACHEV 소 대통령은 전 아랍국가 원수에게 친서 또는 별도 방법으로,이스라엘을 적대시한 친 SADDAM HUSSEIN 전선에의 합류를 자제해 줄것을 호소했다 함.

3. 한편 이락의 이스라엘 공격개시에 대해 알제리, 튀니지, 요르단, 예멘 및 PLO 는 이를 지지한 것으로 알려졌음.

4. 또한 이스라엘은 직접 참전 대신 자국 전투기 64 기를 연합군측에 파견,공동보조를 취할 것이라는 설이 있다하나, 사우디, 애급등 아랍국의 반발이 예상되므로 실현에는 어려움이 있을 것으로 보임.

5. 주재국이 분석한 전황에 의하면,1.17. 제 1 일 작전에 비해, 이락측의 저항이 금일부터 격화되었으며, 미국의 이락 화학무기 파괴 보도에 불구, 대 이스라엘 화학무기 사용 가능성이 점차 증대할 것으로 보고있음. 끝.

(대사 노영찬-국장)

예고:91.6.30.까지 예고문에 의거 일반문서로 재 분류됨.

검토필(1991. 6.30.)

중아국	장관	차관	1차보	2차보	구주국	정문국	청와대	총리실
안기부	안기부	국방부						

PAGE 1

91.01.19 03:43

외신 2과 통제관 CH

0127

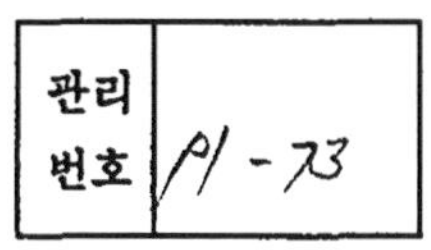

외 무 부

종 별 : 지 급

번 호 : FRW-0181

일 시 : 91 0120 1500

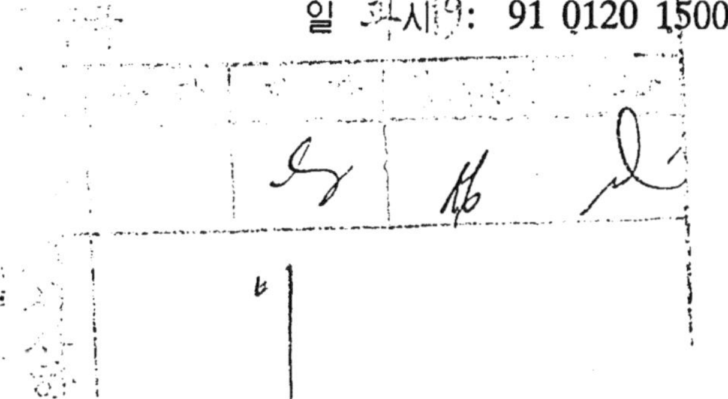

수 신 : 장관(중근동,구일,정일)

발 신 : 주 불 대사

제 목 : 페만전(자료응신 18호)

연:FRW-164

대:WFR-109

1. 주재국이 이락에 핵무기 기술을 공여했다는 이스라엘측의 비난과 관련, 주재국 MITTERRAND 대통령은 금 1.20. 새벽 HERZOG 이스라엘 대통령과 전화통화를 갖고 주재국은 이락에 재래식무기 이외는 지원치 않았음을 명백히 하였다함.

2. 또한 불 장병 위문차 사우디 체류중인 CHEVENEMENT 국방상은 1.19. 불 TF-1 TV 와의 회견서, 불군의 참전은 UN 결의의 정신인 쿠웨이트 해방이므로 이에 국한될 것이며, 대이락 공격작전 참여 확대문제는 현단계에서 검토치 않고 있다고 말함. 동 국방상은 이어 중동문제의 근본적인 해결방안은 팔-이스라엘 문제및 레바논등 전 중동문제의 포괄적 해결을 위한 국제회의 개최이므로, 이스라엘은 이를 수락해야할 것이라고 주장함.

3. 주재국은 불 참전요원 지원차 2 척의 병원선및 의무기로 개조된 HERCULE 2 기등을 추가 파견키로 결정했다함.

4. 한편 주재국의 중동문제 전문가(BRANCHE 중동전략 연구소장)및 군사전략전문가(GALLOIS 장군)등은 현상황을 하기와 같이 분석함.

가. 개전과 동시에 전황에 대한 보도와 분석은 미국 CNN 과 국방성이 독점한 상황이므로 정확한 현지 실정 판단이 어려우나, 미국의 가공할 공폭에 비해 이락측의 피해는 치명적이 아닌바, 이는 SADDAM HUSSEIN 이 공군력의 열세는 감수하고 전부력이 우수한 지상군으로 승부를 결하려는 기본전략에 따른것이 아닌가 보여짐. 따라서 현재는 지난 8 년간의 이.이전에서 얻은 경험과 국민의 전시체제 적응을 최대한으로 활용, 지하 참호시설 대피로 대응하고 있는 것으로 보임.

나. 2 차의 이락 SCUD 미사일의 공격을 받은 이스라엘은 커다란 피해가 없음에도

중아국	장관	차관	1차보	2차보	구주국	정문국	청와대	총리실
안기부								

PAGE 1

91.01.21 01:52

외신 2과 통제관 DO

0128

서방언론을 중점 동원, 이스라엘의 참전 정당성 부각에 부심하고 있음. 이스라엘의 개입에 관해서는 미국과 긴밀한 협의를 갖는 동시에 단계적으로 대응하는 것으로 보이는바, 즉 현단계에서의 개입은 다국적군 전렬와해를 초래할 우려가 있다는 미측의 권유에 따라, 미측으로 부터 대미사일 격추용 PATRIOT 2 기를 공여받는 선에서 인내를 보이는 전략으로 임하고 있음. 그러나 화학탄두 미사일등 이락측의 대이스라엘 공격이 격화될 경우에는 대이락 공격의 불가피성을 들어 참전할 가능성이 농후함.

다. 이스라엘의 참전은 전쟁양상을 아랍대 이스라엘의 전쟁 또는 세계대전으로 전환시킬 우려가 있으며, 이는 또한 SADDAM HUSSEIN 이 바라는 바이므로, 미국및 서방진영의 입장은 어려워 질것임.

라. 모로코를 제외한 마그레브지역(알제리, 튀니지, 리비아등) 및 지도층을 제외한 사우디, 애급, 요르단등 분쟁 관련국 국민은 SADDAM HUSSEIN 에 대한 연대감을 표명하고 있으며, 현재 엄정중립을 지키고 있는 회교 군사강국인 이란및 이스라엘에 대한 원한을 갖고있는 시리아등의 향배가 주요한 변수로 등장케 될것임.

마. 전망

-미국및 다국적군은 가급적 속전으로 전쟁을 종식시키는 것이 바람직하나, 현 상황은 교전이 비교적 장기화될 수 있는 여지가 있으므로, 미측은 섯부른 지상전은 적기가 아니라고 보고, 공군력에 의한 이락의 초토화를 이룬후 지상전을 전개한다는 전략으로, 최초의 작전관련향을 일부 수정한 것으로 보임.

-또한 교전이 장기화하여 양측의 인명피해가 많을 경우, 미국은 국내여론 비등과 아랍권의 반발등 2 중의 불리한 여론에 봉착케 될것이며, 경제적으로 볼때도 전혀 이득이 없으므로 난감한 입장에 처할것임.

-따라서 사태가 장기화할 경우에는 현재 논의되고 있는 소.인도 평화안, 모로코 HASSAN 국왕의 마그레브군 쿠웨이트 주둔안, 주재국의 국제평화회의안등 외교적 이니셔티브를 종합, 최소한 잠정휴전에 합의하는 가정과, 이기회에 아랍군사 강국을 완전히 제거, 아랍권의 결정적인 약화가 절실한 이스라엘의 사주로 인한 서방의 전쟁 장기참여등 양개의 가정이 있을수 있으나, 이에는 이스라엘의 직접 참전여부가 결정적인 요소가 될것임.

5. 대호 장기전망및 당관의 분석, 건의등은 종합되는대로 추보할 것임.끝.

(대사 노영찬-국장)

예고:91.6.30. 까지

1991.6.30 예고문에 의거 일반

외 무 부

종 별 :
번 호 : FRW-0183
수 신 : 장 관 (중근동,구일,정일,기정)
발 신 : 주 불 대사
제 목 : 걸프전(MITTERRAND 대통령 회견)(자료응신 19호)

일 시 : 91 0121 1130

MITTERRAND 대통령은 1.20. 20:00 주재국 TV 기자 3명과 회견을 갖고 표제건과 관련한 주재국 입장을 하기와 같이 설명함.

1.불군 참전

-JAGUAR 및 MIRAGE 2000 기를 주축으로한 52기의전투, 전폭기가 군사시설을 대상으로 작전에 참여하고 있으며, 현재 불군의 피해는 없음.

-불군의 작전이 쿠웨이트에 한정된 것은 다국적군간 합의한 공중 기본작전계획에의한것이며, 불군의 대이락 작전 참여여부는 향후 전황의 변화에 따라 검토될수 있는 문제임.

-개전의 목표는 UN 결의에 의하 쿠웨이트 해방과 GULF 지역에서의 균형회복이지,SADDAM HUSSEIN 에 대한 응징이나, 이락의 국제적 고립화가 아님.

2.전망

-각종 군사정보를 종합하면 전쟁은 수주일 계속될 가능성이 많음.

3.국내 회교도 동요

-불 참전은 회교도에 대한 기독교국의 적대행위가 아니고 침략자를 분쇄하는 것임.

4.이스라엘의 자세

-이스라엘은 현재 비교전국이므로 이락의 미사일공격은 도발행위이며,이에 대한이스라엘의 자위권은 당연한 것으로 볼수있음.

-다만, 이락이 파괴력이 약한 단거리용 SCUD 미사일로 공격하는 것은, 이스라엘을 전쟁에 유인하는 심리전이므로, 동 이락의 함정에 빠지는 우를 범해서는 안될 것임.

-불란서가 이락에 핵무기 및 신예 미사일을 제공했다는 이스라엘측의 근거없는 주장에 분개함. 불란서는 이스라엘이 파괴한 이락의 원전복구사업 참여요청도 응하지않았음을 명심해야 할것임.끝.

(대사 노영찬-국장)

중아국	장관	차관	1차보	2차보	미주국	구주국	정문국	상황실
청와대	총리실	안기부						

PAGE 1

91.01.21 20:25 DN
외신 1과 통제관

0130

외 무 부

종 별 :

번 호 : FRW-0203 수 일 시 91 0122 1240

수 신 : 장 관(중근동,구일,정일,기정동문)

발 신 : 주 불 대사

제 목 : 걸프전(자료응신 제21호)

1. 주재국 외무성은 1.21 오후 성명을 발표, 이락의 전쟁 포로 학대와 선전도구로의 이용은 전쟁포로에 관한 제네바 협정에 위반 된다고 비난하고, 당지 이락 대사를초치, 이의 조속한 시정을촉구함.

2. 한편 주재국 정부는 , 대사와 직원 2명을 제외한 당지 이락 외교관 13명을 기피 인물로 추방, 이들은 1.21 저녁 TUNIS 로 향발 하였음.

3. 주재국 양대 첩보 기관이 DST (국토 감시청) 및 DGSE (대외 안정청) 는 당지 체류 이락인 및 테러의 우려가 있는 아랍인에 대한 사찰을 강화한 것으로 알려짐.끝.

(대사 노영찬- 국장)

중아국 장관 차관 1차보 2차보 구주국 정문국 청와대 종리실
안기부

PAGE 1 91.01.23 09:31 WG

외신 1과 통제관

0131

관리번호	91-93

외 무 부

종 별 : 지 급

번 호 : FRW-0205 일 시 : 91 0122 1820

수 신 : 장관(중근동,구일,미북,정일)

발 신 : 주 불 대사

제 목 : 걸프전 분석,전망

연:FRW-0181

대:WFR-0109

작금의 전황에 관한 주재국 정부, 학계, 언론계의 분석, 전망을 기초로 관측한 표제건에 관한 당관 의견을 하기 보고함.(상황 변동시 수시추보 예정)

1. 전쟁 전망

가. 군사적 측면

-미군을 주축으로 한 다국적군은 초기 대량공폭으로 전세를 장악, 이락측의예기를 꺽은후 쿠웨이트 상륙탈환등 지상전으로 조기에 전쟁을 승리로 종결한다는 것이었으나, 이.이전등을 통해 비상대응 전략을 위시 전반적인 전시체제에 익숙해진 이락은, 초기 공중전은 불가항력임을 판단, 수동적인 방어와 피해 극소화 전략으로 대처하는 동시에 심리전으로 아랍 민족주의에 호소하는 한편, 이스라엘의 참전을 유도, 전쟁을 아랍대 이스라엘간의 성전으로 전환시키고자 부심하고 있음으로, 양상이 혼미한 국면으로 접어듬.

-다국적군은 금 1.22. 현재 8,000 여회에 달하는 이락 군사시설 집중공폭이기대효과에 미흡함을 인식, 이락의 정예병인 "공화국 수호대" 150,000 명이 위치한 북부지역 및 쿠웨이트와 후방의 차단을 위한 BASSORA 지역등에 대한 집중공격으로 이락의 지상군을 약화시킨다는 전략으로 전환할 것으로 보이며, 지상군 진입시기도 상기 새로운 작전의 진전에 따라 결정될 것으로 보임.

-현재 이스라엘의 참전이 없는 상황에서 볼때, 다국적군의 지상작전 착수시기를 2 월초로 본다면 동 지상전은 3 주일 내지 1 개월 정도 소요될 것이며, 이스라엘의 참전 경우에는 다국적군과 이락측의 정규전외에, 각 아랍국 의용군 중심의 이락지원 참전까지 가세하면 사태는 장기화 될것으로 보임.

중아국 장관 차관 1차보 2차보 미주국 구주국 정문국 청와대
총리실 안기부 국방부

PAGE 1 91.01.23 03:38

외신 2과 통제관 CA

0132

-단, 최악의 경우, 고온기후와 라마단이 시작되는 3 월전까지 전투를 종결시키고자 미국이 핵무기를 위시한 최신예 무기를 사용, 엄청난 인명을 살상케 되면, 승전후 커다란 부담을 지게될 것이므로 전쟁은 재래식무기 중심으로 수행할 수 밖에 없을 것으로 보임.

나. 정치적 고려요인

-미국

0 미국의 개전목표는

1)동.서 냉전종식과 소련의 약화후 생성되는 다극화 현상에 대한 미국의 국제적 단일 지도력 확보 ✓

2)경제부흥

3)이락의 핵무장 가능성에 대비한 이스라엘 선제 보호 ✓

4)GULF 지역내 장기적인 군사기지 확보등이므로, 전쟁은 필승을 거두어야 하는 입장임.

0 미국, 영국을 제외한 대다수 서구국, 일본및 신흥공업국은 상기 미국 의도와는 달리 평화적 협상에 의한 해결을 내심 기대했으나, 미.이락 양측 모두 전쟁에 관한 확고한 결의를 후퇴치 않고 개전을 강행하였으므로 양측은 승, 패 양단간 모두 물러서기 어려운 상황이 되었음.

-이락

090.8.2. 쿠웨이트 강점 당시 국제적으로 용인되는 명분이 없었으나, 수일후 성전선포등 아랍인의 맹목적인 종교열을 고조시켜 대다수 아랍국민(지도층 제외)의 지지와, 이란의 중립확보라는 수확을 얻었음.

0 대 다국적군과의 전쟁서 승리할 가능성이 없음을 인식하고 있으나, 반제,반시오니즘 투쟁으로 아랍권내에서 신화적인 위치로 남을수 있다는 계산에서 최후까지 응전할 것으로 보임.

0 이스라엘 참전시, 현재 70 프로 이상의 팔레스타인 인구로 구성된 요르단은 체제동요가 예상되며, 이락은 요르단을 침략치 않아도 동국의 대응으로, 대 이스라엘 일전을 위한 기지를 구축할 수 있는 가능성도 배제할수 없음.

0 또한 미국과 서방은 원유자원이 있는 이락을 초토화 시키지는 않고, 군사력만을 약화시킨후, 전후 예상되는 신 회교강국(이란, 시리아등)과의 균형을 이루도록 할것으로 보임.

-이란

0 동국 외상의 1.21. 부인에 불구, 이스라엘 참전시는 최소한 의용군 형태의 군대를 파견, 이락을 지원할 것이 예상됨. 이는 참전이 갖어올 전후의 이득(비아랍 회교국으로서 회교권의 지도적 위치 확보와, 중근동의 새로운 강자로 등장)을 위한 예비작업의 성격을 띌것임.

-시리아

0 서방측 합류의 목적이,1)이락의 아랍권 맹주화 견제,2)이에 대한 댓가로 레바논 분할 및 3)이스라엘로 부터의 골란고원 반환 유도등으로 분석됨.

0 그러나 만약 이스라엘 참전시에도 계속 다국적군에 잔류할 경우, 국내적으로 아사드 대통령의 위치는 도전을 받게 될것임.

-기타 아랍권

0 성지를 이교도군의 기지로 제공한 사우디 및 석유의 부를 특권층이 독점한 주변 토후국(오만, 카탈, UAE 등) 및 왕정체제(사우디, 모로코, 요르단)에 대한 아랍인 대다수의 불만은 고조되어, 명분없는 침략을 감행한 이락에 정당성을 부여하는 결과가 되었음.

0 사우디의 수원국이며 이락의 아랍권 맹주기도를 견제해온 애급과, 서방이적대시해온 시리아가 이락만을 견제 목적으로 다국적군에 참여한것은 고질적인아랍권 분열의 일면을 들어낸 것임.

0 북아프리카(리비아, 알제리, 튀니지, 모리타니아, 수단) 회교국 모두 이락을 지지하며, 모로코도 국왕등 지도층을 제외, 국민은 심정적으로 SADDAM HUSSEIN 에 동조한다 함.

이하 "-이스라엘" 부터 FRW-206 PART II 로 계속됨.

PAGE 3

0134

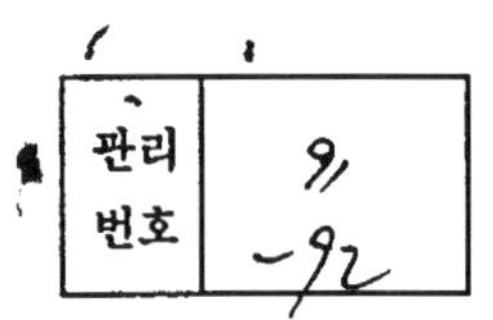

외 무 부

종 별 : 지 급

번 호 : FRW-0206 일 시 : 91 0122 1820

수 신 : 장관(중근동,구일,미북,정일)

발 신 : 주 불 대사

제 목 : FRW-0205 호의 PART II

-이스라엘

0 이락을 서방과 대결케하여 패망시키는 한편 아랍권을 최대한 분열시킨다는 기본 목표는 달성하였으나, 이락의 도발에 대한 응징으로 참전할 경우, 사태는 세계대전으로 확대될 것을 의식, 미국과 긴밀히 협의, 참전의 정당성이 국제적으로 인정되는 시점까지 LOW-PROFILE 을 유지할 것으로 보임.

다. 경제적 측면

-현재는 초기단계의 전황을 반영, 국제금융및 1 차 산품시장이 CONFIDENT REACTION 을 보이고 있으나, 향후 지상전이 개시되어 이락측이 호각세를 이루게 되거나 또는 이스라엘 참전으로 인한 대전으로의 확대가 있을 경우, 국제경제는 불안한 양상을 보일것임.

-유가의 경우, 지난 6 개월간 이락, 쿠웨이트산 원유의 공급없이 이를 극복하였으며, 또한 향후 이락의 사우디유전 전파 가능성이 거의없고 걸프만 유조선 통행이 크게 영향을 받지 않을 것으로 보이므로 약 20 불 선에서 유가가 당분간 유지될것임.(원유 전문가에 의하면 오히려 전후 유가가 15 불 이하가 될 경우는 OPEC 체제의 붕괴와 미국 석유카르텔에 의한 가격지배, 조정 가능성에 대해 우려를 표함)

-단기전의 경우, 미래에 대한 불확실성이 없어짐에 따라 기업부자 회복등 경기부양의 조짐이 나타날 것이며, 달러가치는 하락세가 예상됨.

-종래 전쟁발발 경우,1 차 산품가격의 폭등현상을 야기시켰으나, 금번 GULF전의 경우는 전쟁물자인 비철금속(동, 납) 가격이 안정세를 보이는등 반대상황이 일어나고 있으며, 오히려 보험료 증액에 따른 수송비 앙등이 우려요인으로 인식되고 있음.

-최근 G-7 회의시 일본, 독일등이 90 억불 정도를 추가 지원키로 합의하였다 하나, 장기전의 경우,1 일 전비 5-10 억불 소요를 감안하면 이에대한 부담은 속수무책일

중아국 장관 차관 1차보 2차보 미주국 구주국 정문국 청와대
총리실 안기부 국방부

PAGE 1 91.01.23 03:56
외신 2과 통제관 CA

0135

것이며, 미국의 재정적자(현 250 억불) 및 주요 선진국의 경기침체는악화될 것임.

-아울러 동구권의 시장경제 지향 및 개도국의 외채상환 노력에도 상당한 부담이 가해질 것임.

2. 전후 정세 전망

가. 미국

-인류 3 대 문명권이며 지구상 인구 3 분의 1 선을 점하는 회교도 및 아랍권과의 적대관계가 불가피하므로, 이에따른 국제테러의 표적이될 가능성이 많음.

나.EC 및 서구

-영국을 제외한 붎.독 대륙측은 기확정한 수순대로 단일시장 발족등 EC 확대에 박차를 가하는 동시에, NATO 의 기능과 구조개편도 주장하여 종속관계가 아닌 대등한 대미관계를 설정코자 노력할 것임.

다. 중동

-이란, 시리아등 중동의 신 강자와 이스라엘의 새로운 대결이 예상되며, 각국은 아랍 민족주의 재현으로 회교 원리주의 운동은 가속화되고 서방과의 이질감을 증폭될 것임.

-미국의 GULF 지역 장기주둔 여부에 관계없이 대부분의 구체제(사우디등 군주, 토후국 및 요르단, 모로코등)는 서서히 붕괴될 것으로 보며, 회교 교조주의자들의 정권장악으로 반미, 반 시오니즘 투쟁도 가열화 될것으로 보임.

3. 아국의 대응책 및 건의사항

-아국의 경제발전은 월남전을 시발로, 본격적인 국제화는 70 년대 중동진출이 커다란 전기가 되었으며, 전쟁이 종결되어도 중동은 원유등 자원부국의 위치는 견지할 것이므로, 전후 복구사업등 아국의 참여여지는 매우 클것으로, 정치적으로도 아랍권과의 유대관계 유지는 아국의 대외관계 균형발전과 다변화 원칙에 부합함.

-따라서 아국은 대미관계의 특수성에 불구, 현 걸프전에 대해 인도적인 면에서 국제적으로 납득이 가는 의료단 파견등 현 수준을 넘지 않는것이 좋을것으로 사료됨. 끝.

(대사 노영찬-장관)

예고:91.12.31. 일반

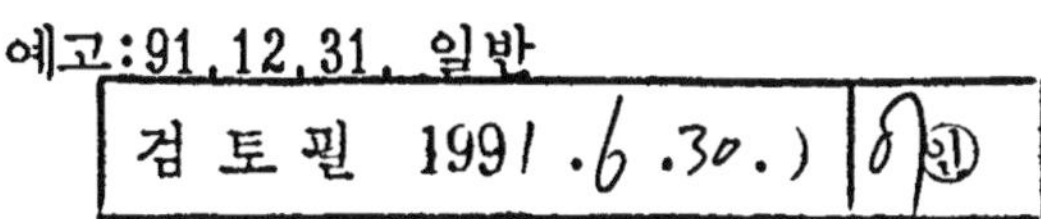

PAGE 2

0136

원 본

외 무 부

종 별 :

번 호 : FRW-0260 일 시 : 91 0125 1720

수 신 : 장 관 (중근동,구일,정일,해실,기정)

발 신 : 주 불 대사

제 목 : 걸프전 (주재국 참전상황)

(자료응신 22호)

연: FRW-203,183

1.쿠웨이트에만 한정 되었던 주재국의 걸프전 참전은 작 1.24,25 양일간 있은이락 정예병인 공화국 수비대 기계화 부대 밀집지역에 대한 공습작전을 계기로 전면 참전으로 양상을 달리하고 있음.

2.주재국 합참의장인 SCHMIDT 장군은 금 1.25. 회견을 통해, 다국적군의 우세한 공군력으로 이락의 원자무기 잠재력이 거의 파괴되었고 화학무기도 4분의 1을 제거하는데 성공하였다고 말함. 동 의장은 이어 현재로는 불군의 증원 또는 장비보강 계획이 없다고 밝힘.

3.한편 아테네 주재 불무관 관사가 작 1.24. 피격을 받아 일부 파손 되었으나, 인명 피해는 없었다함.

4.주재국은 상기 테러 위협에 대처, 당지 체제중인 이락인 3명, 알제리인 3명, 레바논 인등 7명을 작 1.24. 추가 추방 하였으며, 주재국 소재 미국시설 (대사관, 영사관등) 및 윳XAIAUQSLQTU 대한 특별경계를 실시하고 있다함.

끝.

(대사 노영찬-국장)

중아국 장관 차관 1차보 2차보 미주국 구주국 정문국 청와대
총리실 안기부 공보처 대책반

PAGE 1

91.01.26 04:12 DA

외신 1과 통제관

0137

원 본

외 무 부

종 별 :

번 호 : FRW-0274 일 시 : 91 0125 1900

수 신 : 장 관 (중근동,구일,미북,해신,기정동문)

발 신 : 주 불 대사

제 목 : 걸프 사태 관련 언론 기사

1. 걸프 전쟁 관련, 주재국 LE FIGARO 지 ALAINPEYREFITTE 논설위원장은 금 1.25 자 사설을 통해 전쟁이 시작된 현금 정부는 물론 경제계 정계 및 언론계등 모든 국민이 걸프전에 대한 이의와 논쟁은 전후를 위해 유보하고 모두가 일치된 입장을 보여야 한다는 주장을 한바, 동 요지 아래 보고함.

2. 걸프전에 대한 이의와 논쟁을 유보하고, 정부 및 국민의 일치된 견해와 입장이 필요한 사유

- 생명의 위협을 받고 있는 참전 불 군인들에게 온국민이 단결하여 동인들을 성원하고 있음을 보이기 위해

-정계 및 언론계로부터 불정부의 확신있고 일관된 걸프전 참전 사유와 입장을 기대하고있는 국민들을 위해

-참전 29 개 다국적군 연합의 결속감을 위해

0 특히 동 걸프전이 대회교전쟁이 아니고 독재자에 대한 전쟁임을 증명

0 국민들의 여론 및 감정과는 반대 입장을 보이고있는 일부 참전 아랍 제국 정부들에 대한 결속감 강화 필요

- 불란서내 400 만명에 상당하는 회교도 외국인이 주민들로 하여금, 국내 여론분열로 인해 동인들의 감정을 부추기는 것을 피하기 위해

- 이미 시작된 전쟁은 국민들의 일치된 입장이 확고하면 할수록 더욱 빨리 종식될것임.

끝

(대사 노영찬- 국장)

중아국	장관	차관	1차보	2차보	미주국	미주국	구주국	정문국
청와대	총리실	안기부	공보처	대책반				

PAGE 1 91.01.26 04:13 DA

외신 1과 통제관

0138

원 본

외 무 부

종 별 :

번 호 : FRW-0286 일 시 : 91 0126 1720

수 신 : 장 관 (중근동,구일,정일,기정동문)

발 신 : 주 불 대사

제 목 : 걸프사태 관련, 불.영 외상회담(자료응신 23호)

DUMAS 주재국 외상과 HURD 영국 외상은 1.24. 파리에서 양국 외상회담을 갖고, 걸프전쟁 종식이후 중동평화를 위한 국제회의 개최가능성을 협의한바, 동 결과 아래 보고함.

-전쟁이 어느정도 오래갈지 예측할수 없는 상황이나, 향후 상기 국제회의 개최가필요하다는데 인식을 같이하고, 동 국제회의 개최를 위한 사전 준비작업을 위해 양국이 공동 노력하기로 합의함.

-전후 해결해야 할 2개의 주요한 문제는 걸프지역내 안보를 위한 제도적 장치 문제와 이스라엘-아랍 분쟁해결 문제로서, 특히 이스라엘-아랍분쟁 해결방안 모색을위한 국제회의 개최에 불.영은 물론 여타 EC 회원국들도 찬성하고 있는 것으로 알려짐.끝.

(대사 노영찬-국장)

중아국	장관	차관	1차보	2차보	미주국	구주국	정문국	청와대
총리실	안기부	대책반						

PAGE 1

91.01.27 01:57 FC

외신 1과 통제관

0139

원 본

외 무 부

종 별 :

번 호 : FRW-0288 일 시 : 91 0127 1030

수 신 : 장 관 (중근동,구일,정일,해신,기정)

발 신 : 주 불 대사

제 목 : 걸프전(주재국 동정)(자료응신 25호)

연:FRW-0260

1.1.26. 새벽,주재국 주요일간지인 LIBERATION지 파리본사 사옥및 1.27. 오전 마르세이유시 소재''이민안내소''에 폭약사고가 각각 발생하였으나,건물파손 이외 인명피해는 없었음.

주재국 경찰당국은 상기 사고가 걸프전과 관련이 있는것으로 보고,수사에 착수함.

2.LIBERATION 지는 중도좌파계로 주로 국내정치전문지이나,외신보도,논평에 있어서는 이스라엘의 입장에 동조하는 경향이 있는 일간지로 알려짐.

3.한편 주재국은 GULF전 참전 불군의 의료지원을 위해,500명의 의무요원과 의료기구및 수송차량을 적재한 병원선 2척을 1.26. 사우디 YANBU 항으로 추가 파견하였다 함.

4.또한 공산당,환경주의자 및 인종차별 철폐운동협회는 1.26. 파리 중심가 일원서,대규모 반전시위를 개최함.끝.

(대사 노영찬-국장)

중아국	장관	차관	1차보	2차보	미주국	구주국	정문국	상황실
청와대	총리실	안기부	공보처					

PAGE 1 91.01.27 19:03 BX

외신 1과 통제관

0140

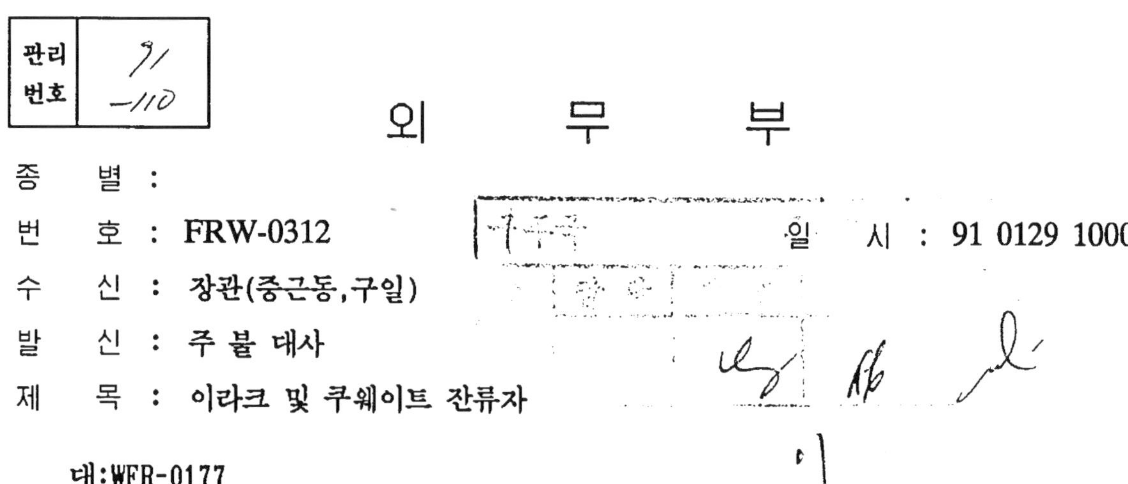

관리 번호	91 -110

외 무 부

종 별 :

번 호 : FRW-0312 일 시 : 91 0129 1000

수 신 : 장관(중근동,구일)

발 신 : 주 불 대사

제 목 : 이라크 및 쿠웨이트 잔류자

대:WFR-0177

1. 대호관련, 주재국 외무성 SASTOURNE 담당관에 확인한바, 이라크 및 쿠웨이트 잔류 불 교민은 약 10 여명이며, 정부차원의 동인들 철수계획은 현재 없다함.

2. 상기 불교민은 주로 이중국적자 또는 현지인과 결혼한 교민으로서, 주재국 정부의 철수 권유에도 불구, 자신들의 선택에 의해 현지에 잔류하고 있다함. 끝.

(대사 노영찬-국장)

예고:91.6.30. 까지

1991.6.20. 에 예고문에 의거 일반

중아국 구주국

PAGE 1

91.01.29 21:00

외신 2과 통제관 DO

0141

관리번호	91-199

원 본

외 무 부

종 별 : 지 급

번 호 : FRW-0323 일 시 : 91 0129 1620

수 신 : 장관(중근동,구일,정일,기정동문)

발 신 : 주 불 대사

제 목 : 걸프전(국방상 경질)

1. 걸프전의 제한적인 참전을 주장해온 CHEVENEMENT 국방상은 금 1.29 오전 미테당 대통령에게 사표를 제출, 사임함.

후임에 현 PIERRE JOXE 내무상이 임명됨 (내무상 후임에는 PHILIPPE MARCHAND 현 지방분권 담당 국무상이 임명됨)

2. 사임에 제해 CHEVENEMENT 전국방상은 현 GULF 전의 양상이 본연의 목적(쿠웨이트 해방)과는 점점 멀어지고 있다고 강조 하므로써 불란서가 미.영의 구상대로 유엔 결의의 기본정신을 초월한 이락 전쟁 확대에 참여함은 반대한다는 입장을 분명히 함.

3. 한편 주재국 대통령실 참모장인 LANXADE 제독은 TV 회견을 통해 다국적군의 지상전 개전은 현재 여건이 성숙되어 있지 않으므로 최소한 2 월 중순 이전에는 어려울 것으로 본다고 말함.

4. 상기 JOXE신임 및 MARCHAND 내무상의 약력 사항을 하기 보고함.

가. JOXE 내무상

- 성명: PIERRE JOXW(족스)

- 생년월일: 34.11.28. 파리 출생

- 학력

0 파리 법대

0 ENA (국립 행정대학원)졸

- 주요 경력

0 68 심계원 수습 판단관

0 C.I.R. (공화국체제 수호 연맹: 미테랑 창당, 사회당 전신) 사무총장

0 63- 73 SCIENCES PO(정치 대핵 전강

중아국	장관	차관	1차보	2차보	미주국	구주국	정문국	청와대
총리실	안기부							

PAGE 1 91.01.30 01:39

외신 2과 통제관 DO

0142

0 73-84, 86, 88 하원의원 당선(사회당)

0 81.5. 공업상

0 84-86 내무 , 지방 분권상

0 81-84, 86. 하원 사회당원내 총무

0 88- 내무상

- 저서

0 사회당(73)

0 사회당 계보(74)

- 특기 사항

0 미테랑 대통령의 친위계열인 FABIUS (현 하원의장)계 인물로, 다소 교조주의적이고 융통성이 없는 이론가라는 평이 있음.

나. MARCHAND 사무상

- 성명: PHILLIPPE MARCHAND(마르샹)

- 생년월일: 39. 9.1 ANGOULEME 출생

- 학력

0 POITIERS 법대졸

0 변호사 자격 시험 합격

- 주요 경력

0 65 SAINTES 시서 변호사 개업

0 76- CHARENTE- MARITIME 지역 의회 의원, 의장

0 77 SAINTES 시 부시장

0 82, 86 하원의원 피선(사회당)

0 85-86 국회 부의장

0 87 대법관

0 89 지방분권담당 국무상. 끝

(대사 노영찬-국장)

예고:91.6.30 까지 일반문서로 재분류됨.

검토필(1991.6.30.)

PAGE 2

0143

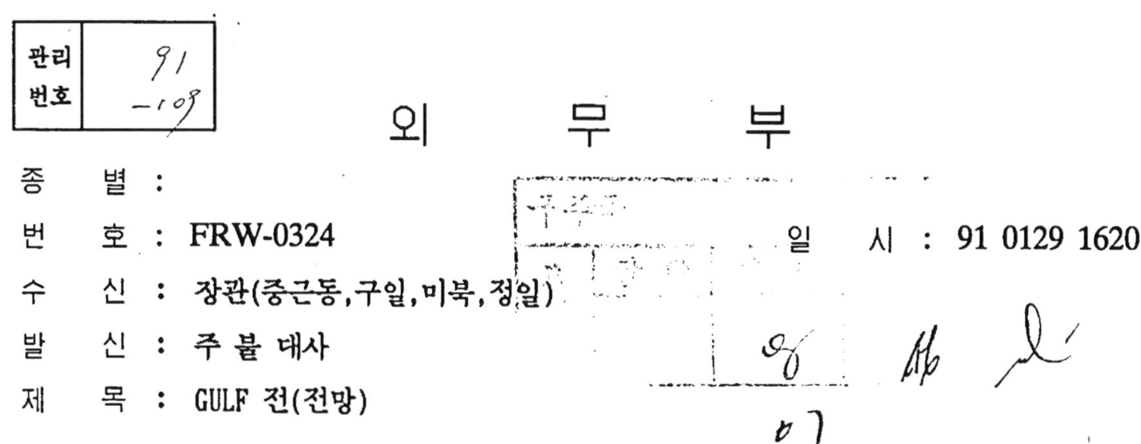

관리번호	91-109

외 무 부

종 별 :
번 호 : FRW-0324 일 시 : 91 0129 1620
수 신 : 장관(중근동,구일,미북,정일)
발 신 : 주 불 대사
제 목 : GULF 전(전망)

당지 EMMANUEL HAYMANN 교수(이스라엘 문제) 및 PIERRE LELLOUCHE 교수(ENA 출강: 국제문제) 양인은 표제건과 관련, 하기와 같이 분석함.

1. 미.영 진영의 입장

-그간의 공폭이 성과가 있었다고 판단, 많은 희생이 예상되는 지상전 개시전 제공권을 장악, 안전한 쿠웨이트 탈환작전을 구상하므로, 지상전 결행시기를 2-3 주일 정도 늦출것으로 보임.

-UN 결의의 기본정신인 쿠웨이트 해방과 주권회복외에 바그다드 진주까지를 념두에 두고있으나, 일단 쿠웨이트 탈환에 성공하면, 다국적군 참여국중 주재국 및 아랍, 아시아 국가들은 이락공격에 동조치 않을 가능성도 있음.

-미국은 자국의 인명 희생자가 많지않을 경우 전쟁의 장기화가 오히려 국익에 부합하다고 보고, 때로는 이락을 늦추어 주어 표면으로 유인, 때로는 강도있는 공격등 작전을 병행, 이락측의 탈진을 유도할 것으로 보임.

-영국은 금번 전쟁중 의외의 전의를 보이고 있는바, 이는 동국이 미국의 맹방으로서의 추종이란 의미도 있으나, 과거 이스라엘 건국, 이락. 쿠웨이트의 인위적인 국경선 분할을 위시한 현 분쟁지역 문제 전반을 주도하였으므로 이락의 도발이 자국의 중동식민지 정책에 대한 정면도전이란 면에서, ANGLO-SAXON 특유의 자존심을 회복키위한(과거 FALKLAND 전쟁의 경우와 같이) 감정적인 면도 있으므로, 영국은 미국과 최후까지 공동보조를 취할것으로 보임.

-미군이 이스라엘의 참전을 억제시키는 이유는

가) 전쟁이 아랍대 이스라엘의 대결로 변모 확대되는 위험성이란 기본적인 우려 외에

나)쿠웨이트 탈환 지상전시 최전선에 배치할 아랍권 다국적군이 와해되면, 사막전

중아국	장관	차관	1차보	2차보	미주국	구주국	정문국	청와대
총리실	안기부							

PAGE 1

91.01.30 01:44
외신 2과 통제관 DO
0144

무경험의 미군으로 일선을 담당키 어려운 작전상의 취약점도 념두에 두고있기 때문인 것으로 보임.

2. 이락 진영

-SADDAM HUSSEIN 은 자신의 거듭된 호언대로 미측의 공폭에 기대이상 견디고 있으며, 공중전은 승산이 없다고 판단, 지하 벙커에서 은신하다,3 월초를 기해 지상전으로 승부를 결하기 위해 현재는 다소 시간을 벌고있는 전략으로 대처하는 것으로 보임.

-과거 아랍세계의 영웅으로 추앙받던 NASSER 보다 우월한 인물임이 금번 전쟁시 29 개국과의 대전서 입증되었다고 보고, 비록 궁극적으로 패망할 망정, 아랍의 신화는 창조하였다고 자부하고 있을 것으로 보임.

-코란은 도덕성보다는 힘의 우위와 힘에대한 복종을 권유하고 있으므로, 마그레브, 애급, 시리아, 파키스탄등 회교국 국민의 지지를 얻는데 성공하였으며 또한 만성적인 분열을 보인 아랍권 결속에 실질적인 기여를 하였으므로, 비록 상기 국민들이 직접적인 도움은 되지 못하더라도, 이들이 자국의 약체 정권을 붕괴시켜, 금번 전쟁의 성격을 동서냉전을 대치한 남, 북대결의 양상으로 몰고 가려는 속셈도 있는것으로 보임.

-화학무기의 사용은 미측의 중성자탄등 신예무기로의 보복 명분을 주게되므로, SADDAM HUSSEIN 의 1.28. 발표에 불구, 생화학무기 사용은 절박한 상황까지 유보할 가능성이 있음.

3. 이스라엘의 기본전략

-금번 걸프전이 서방과 이락간의 대결임을 부각시키고 미국의 배후서 은신, 자국은 제 3 자로 처신, 자칫 SADDAM HUSSEIN 의 참전유혹에 빠지지 않도록 온건한 자세를 유지함.

-이락측의 7 차에 걸친 SCUD 미사일 도발에 대해서는 동 공격으로 치명적인 피해는 없었음에도, 서방 메디아를 동원, 과거와는 달리 이스라엘이 인내로써 자중하고 있는 것으로 인식시킴으로써, 국제여론의 동정을 얻고자 하고있음.

다만 이락의 화학무기 공격시는 참전의 명분이 정당화될 가능성이 많으며, 참전시 세계 최정예 지상군을 투입하면, 전부는 다국적군에 유리하게 전개될 것이나, 이스라엘의 참전은 다국적군 자체를 와해시킬 우려가 있으므로 득, 실 양면이 있을것임.

-이락의 패망은 기정사실로 간주, 국제여론화 되어있는 전후 "중동평화 국제회의"의 수락을 전제로, 이에대한 사전대응에 신경을 쓰고있음. 즉 점령지등 자국내 거주 팔인을 모두 현 요르단 영토로 이주시켜 팔인의 독립국가를 세우도록 하는 CARD 가 있는것으로 보이며, 이경우 현 HUSSEIN 왕의 요르단의 체제의 붕괴는 기정사실로 계산하고 있는 것으로 보임.

-이에 대비, 지난 90.6. 미.쏘 SAN FRANCISCO 정상회담시 미측으로 하여금 쏘 거주 유태인의 대량 이스라엘 이주를 쏘측에 지원토록 요청케하여, 쏘측은 이를 수락, 현재 약 20 만명의 쏘련계 유태인이 이 정부의 생활기반 제공으로 속속 점령지에 정착하고 있다함.

이하 4. 항 부터는 FRW-0325 PART II 로 계속됨

0146

관리번호	91-752

외 무 부

종 별 :

번 호 : FRW-0325 일 시 : 91 0129 1620

수 신 : 장관(중근동,구일,미북,정일)

발 신 : 주 불 대사

제 목 : FRW-0324 의 PART II

4. 이스라엘의 대 PLO 대책

-이스라엘은 과거부터 ARAFAT 의 주변 강경노선의 인물을 서서히 제거, 현재 ARAFAT 중심의 지도부는 극도로 약화되어 동인은 고립무원한 존재가 되고있음.

-더욱이 금번 GULF 전을 위요, 아랍 왕정체제의 적극적인 재정지원을 받던 PLO 가 초기에는 이락과 다국적군 참여 아랍국간 사이에서 입장을 결정치 못하다, 최근 SADDAM HUSSEIN 의 노선에 동조하는 것은 PLO 와 이락의 동시 패망의 징후로 보고, 전후 중동문제 해결에 보다 유리한 고지를 점한것으로 자족하고 있는 것으로 보임.

-국제회의시 팔인의 주체를 점령지 거주인으로 설정, 약화된 PLO 와의 직접대화는 기피코자 할것이 예상됨.

5. 이란

-걸프전이 정치, 경제면에서 현재까지 적지않은 실익을 가져왔으므로, 상금 공식적으로 엄정 중립입장을 견지하고 있으며,1.29. 현재 이란측이 접수한 69 기의 이락 공군기를 종전까지 압류한다고 발표함.

-그러나 국내 회교원리주의자의 압력등으로 인도적인 대이락 식량공급등은 계속하고 있으며, 이스라엘 참전 또는 별도 상황전개시, 이락 지원으로 방향을 선회할 가능성도 있고, 서방측이 망명임을 주장하는 이락 공군기도 귀환시켜, 이락측에 그간 피폭을 면할수있는 안전처를 제공한 것으로 인식시킬 가능성도 있음.

6. 시리아

-아사드 대통령은 9 프로선의 소수인 아라우위 출신으로, 현재까지 다수인 시아파 국민을 반 시오니즘 투쟁이란 기치로 지배해옴.

-금번 다국적군에의 참여로 동 대통령의 이미지는 변질 되었으므로, 이스라엘 참전시에도 다국적군에 잔류하면, 국민봉기의 위험성이 크게 대두되고 있음.

중아국 장관 차관 1차보 2차보 미주국 구주국 정문국 청와대
총리실 안기부

PAGE 1 91.01.30 02:40

외신 2과 통제관 DO

0147

7. 중동평화 국제회의

-전쟁이 다국적군의 승리로 종결되는 즉시 미국이나 이스라엘은 동 국제회의 원칙을 일단 수락, 동 회의를 용두사미화 시키는 전략을 모색할것임.

-주재국을 위시한 일부 EC 국은 동 회의형태를 90.11. 당지서 개최된 CSCE 방식을 도입할 것을 구상하나, 그 구체적인 면모는 상금 정하기가 어렵고 다만, 팔레스타인, 이스라엘, 미, 쏘, 불, 영 및 관련 아랍국(요르단, 이집트, 시리아, 레바논등)의 참여는 필수적인 것으로 보임.

8. 불란서의 대중동 정책

-주재국은 DE GAULLE 대통령 집권시부터 대중동 문제에 있어, 친 아랍적인 정책을 견지해옴.

-81 년 당선시 유태계열의 적극적인 지지를 받은 MITTERRAND 대통령도, 집권 초기에는 아랍, 이스라엘의 형평을 유지하다, 대이락 무기지원, ARAFAT 에대한 국가원수급의 예우등을 배려하므로써, 최근에는 이스라엘과의 관계가 소원해짐.

-주재국의 친 아랍정책에 대해 영, 미측은 이를, 전후 경제적 실리에 대비한 기회주의적인 정책으로 평가하고 있으며, 실상 여사한 고려가 전혀 없는 것은 아니나, 좀더 근원적인 사유는, 불란서, 이태리, 스페인, 폴투갈등 지중해권 국가는 역사적으로 회교권으로 부터 침략, 대결등을 통해 아랍문명과의 접촉이 많았으며, 때로는 이들과 문화교류등으로 상호 이해기반이 조성되어 있는 반면, 미국등 ANGLO-SAXON 국가는 청교도 중심의 사상에 입각, 생리적으로 용납이 안되는 이질적인 아랍권에 대한 이해를하고자 하는 자세조차 되어있지 않은데도 기인한다고 볼수있음.

-따라서 주재국은 전후 중동재편시 전과 동일한 영향력을 계속 행사코자 할것이고, 아랍 진영과의 정치, 경제등 교류도 서방 결속체제와는 별도로 더욱 강화할 것으로 보이며, 비록 미국의 대불 시각이 호의적인 것은 아니라해도 결정적인 시기에는 미국도 주재국의 역할을 인정, 필요한 협조를 요청케 될것으로 보임. 끝.

(대사 노영찬-국장)

예고:91.6.30. 까지

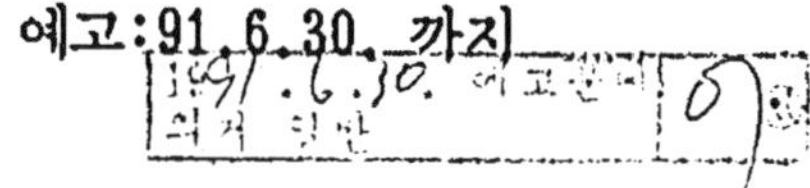

PAGE 2

0148

관리 번호	91-716

외 무 부

종 별 :

번 호 : FRW-0349 일 시 : 91 0130 1850

수 신 : 장관(구일,정일)

발 신 : 주 불 대사

제 목 : 국방상 경질(분석)

연:FRW-323

CHEVENEMENT 전 국방상의 1.28. 사임과 관련한 주재국 현 국내정세 평가를 하기 보고함.

1. 사임 배경

-88 년 국방상 취임후, 징병제 개선, 국방예산 증액 및 군장비 현대화등 많은 난제를 해결, 비교적 장수 국방상으로 재직중, GULF 전을 맞아, 자신의 평소 지론인 평화적 해결에 집착, 사태 초기에는 불 참전반대, 개전후에는 소극적 참전으로 인해 미.영, 주재국 야당및 사회당 내부의 반발을 야기함.

-동인은 친 제 3 세계 정책을 주창해온바, 금번 대이락전도 UN 안보리결의(쿠웨이트 주권회복)의 확전(이락 패망)은 전후 후유증등을 감안, 억제해야 한다고 강조하는 한편, 최소의 상징적인 작전 참여로 임하였으므로, GULF 전에 관한 국론통일에 지장을 주었음.

-또한 이러한 동인의 자세에 대해 주재국 TV 매체(유태계가 압도적)가 전쟁을 반대하고 친아랍적인 발언을 하는 동인에 대해 집중공격, 동인의 입지를 어렵게 만들자, 급기야 스스로 사표를 제출하는 분위기에 이르게 된것임.

2.CHEVENEMENT 의 인물상

-동인은 ENA 를 졸업할 무렵부터 MARXIST 이상사회 건설을 주창해온 학구적인 인물로 CERES(사회주의 경제연구소)를 창설, 지성층 동호인을 규합, 학구적인 연구를 하던중 71 년 제좌파를 동합, 발족한 사회당 창설시 합류, 현재까지 당 1 계파를 대표하고 있음.

-동인이 성향은 공산주의자에 가까웠으나 공산당에 가입치 않았는바, 이는 동인이 평화주의자고 폭력을 배격하므로, 프로레타리아 독재를 지지할수 없다는 점에서

구주국 장관 차관 1차보 2차보 중아국 정문국

91.01.31 18:57

외신 2과 통제관 BA

0149

기인된 것으로 보임.

-MITTERRAND 대통령과는 사회당 창건시 부터 정책적인 공감대는 없었으나, 상호 능력을 평가해주는 바탕에서 좋은 인간관계를 갖게 됨으로써 계속 중용되었으며, MITTERRAND 대통령도 사회당 제파를 장악키위해 때로는 CHEVENEMENT CARD 로 사용하므로써 상호 보완적인 관계를 유지할수 있었음.

-동인은 2000 년대 이후를 겨냥한 대권주자로서 정책적인 차이로 지도층과 마찰은 있었으나, 메디아와 영합, 주견없는 처신은 한바없으며 사생활도 지탄을 받을 행위를 기피하고, 처가가 대부호이므로 개인 정치자금도 자체조달할 능력이있어, 현재까지 정치경력중 커다란 물의는 없었음.

-이에따라 당지 각계는 1.28. 사임을 두고 이를 환영하는측(FABIUS 진영 및일부 우파)도 있고, 더욱이 영국 언론은 친 이락인사의 퇴진으로 다국적군 운용에 보다 효율성이 있을것이라는 혹평도 하곤하나, 당지 지성층에서는 동인의 사임을 아쉬워하는 인사도 많음.

-결국 1.28. 사임은 자신의 국내 정치상의 입지를 장기적으로 전망한,2 보 전진을 위한 1 보후퇴라는 성격도 있으며, 정책을 소신껏 추진하다 벽에 부딪치면 관직에 연연함이 없이 물러날수 있는 정객이란 점에서 긍정적인 평가가 있음.

3. 집권 사회담 구조개편

-대통령 재출마라는 부담서 해방된 MITTERRAND 대통령은 잔여 재임기간중 불 역사상 획기적인 업적을 남기고자 고심하므로, 차기 후계자 문제나 후진과의 정책적인 충돌은 걸림돌이 된다고 느끼고 있음. 과거와 같이 당내 중간 보스를 통한 지휘체계 보다는 FABIUS 같이 친위적인 계보를 중심으로 일사불란하게 당을인도해야 하므로, 정책소신이 확고한 중간 지도층은 차례로 약화될수 밖에 없으므로, CHEVENEMENT 도 이러한 맥락에서 퇴진한 것으로 보아야 하며, 이제 ROCARD 현수상이 차기 목표로 등장할 가능성이 농후해짐.

-따라서 MITTERRAND 대통령은, 효율성 제고만을 최대의 가치로 인정하는 FABIUS 계파를 중심으로, ENA(국립행정대학원), ECOLE NORMALE(고등사범대학원) 및 POLYTECHNIQOE(고등이공대학원)등 주재국 3 대 명문학원 출신의 TECHNOCRAT 인사를 중용, 일사불란하게 당과 행정부를 장악, 소기의 목적을 달성코자 할거이며, 자신의 후계자는 집권말기에나 구체화 시킬것으로 보임.

4.CHEVENEMENT 과 아국관계

-81 년 MITTERRAND 대통령 당선후, 북한 승인 저지사업의 일환으로 당관은 당시 사회당 좌파계열의 리더인 상기인을 방한 초청(83. 및 89. 등 2 회)하여 동인을 친한 인사로 확보함.

-동인은 과거 주인니 상무관을 역임한 적이 있으므로 아주 전반에 대한 좋은 인상을 갖고있고, 중국 문화와 일본, 한국의 경제발전에 대한 불인의 인식이 제고되어야 함을 항시 강조해옴.

-따라서 동인이 현재는 사직후 별다른 직책없이 일정기간 은둔할 것으로 보이는 바, 당관은 친한인사 관리라는 차원외에 미구에 불 정계에서 재차 중요한 역할을 담당할 인물과의 유대관계유지 발전이라는 면에서, 적절한 기회를 활용, 계속 접촉코자 함. 끝.

(대사 노영찬-국장)

예고: 91.6.30.

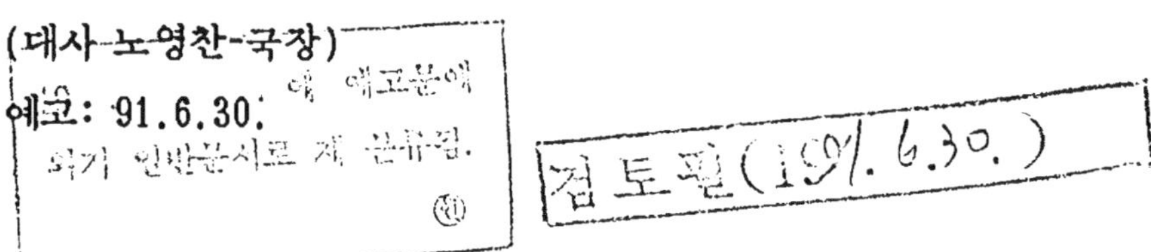

PAGE 3

0151

관리 번호	91-715

원 본

외 무 부

종 별 :

번 호 : FRW-0354 일 시 : 91 0131 1430

수 신 : 장관(중근동,구일,미북,정일,기정)

발 신 : 주 불 대사

제 목 : 걸프전(미.소 외상 공동성명)(자료응신 27호)

1. 표제건 관련, DANIEL BERNARD 주재국 외무성 대변인은 1.30. 있은 기자 간담회를 통해, 동 성명내용을 환영하며, 이는 사태 초기부터 개전 전일까지 불란서가 부단히 추진한 외교적 노력의 반복임을 강조함.

2. 한편 상기 미.소 공동성명 관련, 당지 주요언론은 하기와 같이 분석함.

가. 미국은 걸프전이 UN 안보리의 기본취지를 벗어나 이락 파괴까지 확산되는데 대한 국제여론의 우려를 우회시켜, 전쟁의 불행한 결과의 원천적인 책임이 이락측에 있을 재차 환기시키고자 하며, 국내문제로 고충이 많은 냉정체제의 강국인 소련을 끌어들여 소련의 발트 철군을 유도, 미 국내여론을 진정시키는 한편, 향후 전후에 있을 중동 질서재편의 주도적인 역할을 미.소가 계속 수행하겠다는 결의를 보인것임.더욱이 소련은 한동안 중동문제를 미국에 일임하고 국제 외교 무대에서 소외된 것으로 인식되었으나, 동 지역문제에 관한한 소련의 주도적인 위치가 상금 건재함을 과시할수 있는 호기를 마련했다는 점에서 미.소 양측의 이해가 일치함.

나. 이에불구, 소련의 대이락 영향력은 전과 동일하지 못할것이며, 미.소 성명 내용과 같이 이락측이 무조건 철군과 정전을 받아드리지 않을것으로 보임.상기 강대국의 회동은 3 월중순 라마단 및 작전지역의 불리하 기후조건등을 염두에 두고, 본격적인 지상전 이전, 커다란 기대없이 시도한 외교 심리전의 일환으로 보임.

다. 또한 미.소 성명 내용이 전후 중동 정세, 국제회의 개최 필요성을 명시하지 않고 묵시적으로만 시사한것에 대해 이스라엘이 신경질적인 반응을 보인것은 미측이 동 성명내용과 관련, 서구국이나 이스라엘과 사전 협의가 없었음을 반증한 것임.

3. 상기와 같이 주재국 조야는 미.소 외상 공동성명이 새로운것이 아닌 외교적인 시위이며, 동 내용도 과거 주재국이 수차 제의할때는 시기상조라고 일축한바 있던 미국이 돌연 유사한 제의를 하는데 대해 회의를 갖고있음. 외무성은 동 미.소의

중아국 차관 1차보 2차보 미주국 구주국 정문국 청와대 안기부

PAGE 1 91.02.01 01:17

외신 2과 통제관 CF

0152

외교적 이니시아티브를 아주 이르거나 또는 아주 늦은 조치라고 평함으로서, 양측이 주재국과 사전 협의치 않은데 대한 불만감도 표시함. 끝.

(대사 노영찬-국장)

예고:91.6.30. 까지

19 . . . 예고문에
의거 일반문서로 재 분류됨.

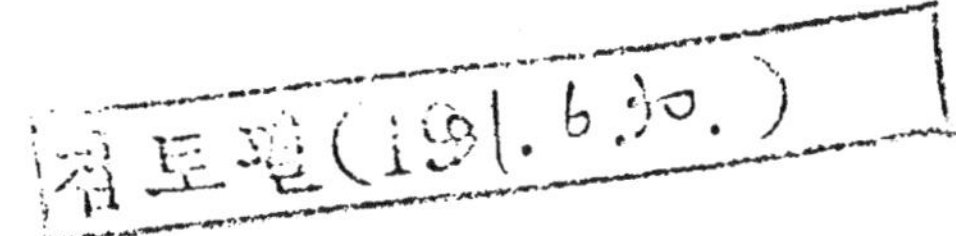

PAGE 2

0153

외 무 부

암 호 수 신

종 별 :
번 호 : FRW-0396 일 시 : 91 0202 1030
수 신 : 장관(중근동,구일,미북,정일,기정동문)
발 신 : 주 불 대사
제 목 : 걸프전(주재국동정)

1. JOXE 신임 불 국방상은 2.1 영국을 방문, 동국 KING 국방상과 회담을 갖고, 영국기지를 출발, 걸프전에 투입되는 B-52 미 전폭기의 불 영공 통과를 포함한 다국적군 운용을 위한 제반 협조 문제에 관해 협의함.

2. 동일 개최된 주재국 각의는 상기 B-52 기가 재래식 무기만 적재, 군사목표에 한해 공격토록 규정하고 민간인 밀집 지역에 대한 폭격은 배제함을 분명히 하는 단서를 첨부, 동 전폭기의 주재국 영공 통과를 잠정허가 한다고 의결함.

3. 한편 미테랑 대통령의 특명으로 이란을 방문중인 SCHEER 외무차관은 2.1. 이란 외무차관과 회담을 갖고, 걸프전에 관한 이란의 중립 견지 및 이락 공군기의 종전시까지 이란 압류 문제에 관한 이란측의 입장을 타진하였다함.

또한 동인 이란에 도착한 이락 외무성 대표단 및 알제리, 예멘 외상과의 접촉 여부와 관련 불 외무성은 성명을 발표, SCHEER 차관의 이란 방문과 이락 및 아랍국과의 대표단의 이란 체재는 우연의 일치일뿐 주재국이 이락을 접촉할 계획은 전혀 없음을 밝힘.끝

(대사 노영찬- 국장)

중아국 장관 차관 1차보 2차보 미주국 구주국 정문국 청와대
총리실 안기부

PAGE 1

91.02.02 23:14
외신 2과 통제관 DO
0154

외 무 부

암호수신

종 별 : 지 급

번 호 : FRW-0398 일 시 : 91 0202 1030

수 신 : 장관(중근동,구일,정일)

발 신 : 주 불 대사

제 목 : 걸프전 참여 다국적군

대:WFR-00211

1. 대호 걸프지역 주둔 다국적군(29 개국)현황 아래 보고함.

1) 미국

- 병력 43 만명

-전차 1000 대, 장갑차 2000 대, 전부기 1300 대, 전부헬기 1500 대, 전함 55 척(항공모함 6 척 포함)

2) 영국

-병력 35000

전차 170, 전부기 72

전함 16

3) 불란서

- 병력 15000 , 전차,40, 장갑차 300, 야포 18, 전부기 60, 전부헬기 120, 전함 14

4) 이태리

- 전부기 8, 전함 6

5)화란

- 전함 3

6) 스페인

- 전함 3

7) 벨지움

- 전함 3

8) 덴마크

중아국 장관 차관 1차보 2차보 구주국 정문국 청와대 종리실 안기부

PAGE 1

91.02.02 21:17

외신 2과 통제관 FI

0155

- 전함 1

9)폴부갈

- 전함 1

11) 그리스

- 전함 1

12) 카나다

- 병력 1700, 전투기 18, 전함 3

13) 호주

- 전함 3

14)알젠틴

- 병력 100, 전함 2

15) 소련

- 전함 2

16) 체코

- 병력 200

17) 폴란드

- 전함 2

18) 혼듀라스

- 병력 150

19) 사우디

- 병력 118000, 전차 550, 전투기 180, 전함 8

20) 시리아

- 병력 19000, 전차 300

21)이집트

- 병력 35000, 전차 및 장갑차 400, 전함 16

22) 쿠웨이트

병력 4000,

23) UAE

-병력 40000, 전차 200, 전투기 80, 헬기 203, 전함 24

24)모로코

PAGE 2

0156

- 병력 1700

25) 파키스탄

- 병력 5000

26) 방글라데쉬

- 병력 2500

27) 세네갈

- 병력 500

28)니제

- 병력 500

29) 바레인

- 병력 3300

2. 참고로 상기 통계중 병력 현황은 사우디 주둔 병력인바 별도로 UAE주둔 다국적군 병력 현황은 아래와 같음.

불란서 200, 이집트 600, 시리아 800, 모로코 5000. 끝

(대사 노영찬-국장)

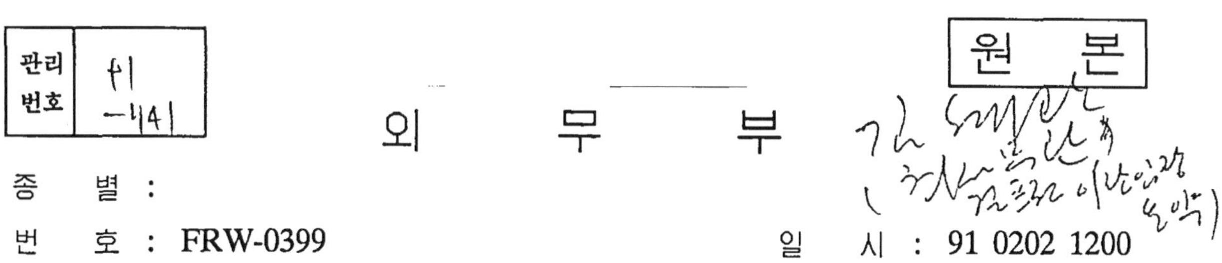

종 별 :

번 호 : FRW-0399 일 시 : 91 0202 1200

수 신 : 장관(중근동,구일,정일,미북,기정동문)

발 신 : 주 불 대사

제 목 : 걸프전(이란 동정)

1. VELAYATI 이란 외상은 걸프전 전 교전국의 선박 및 항공기가 이란 영토에 진입할시, 이를 모두 납포, 종전까지 압류하며, 백여기의 이락 전부, 민간기의 이란 영토 체재에 관해 이락과 사전 비밀 묵계가 없었다고 최근 밝혔다함.

2. 또한 이란은 이락의 쿠웨이트 철군, 외군의 걸프지역 철군과 다국적 회교군의 쿠웨이트 배치, 즉각 정전 및 평화적 해결 모색등을 제의, 이를 최근 동국을 방한문 알제리, 예멘 외상등과도 협의, 2.11 벨그라드 개최 예정인 비동맹 회의서 본격 논의 할것을 주장한것으로 알려짐.

3. 상기 제반 동정 및 걸프전과 관련한 이락의 정책에 대해 당지 LIBERATION 지의 JOSE GARCON 외신 차장은 하기와 같이 분석함.

가. 이.이전시 서방의 견제로 국제적인 고립을 감수한바 있는 이란으로써는 현 걸프전이 외교, 경제면에서 자국의 이익을 최대한 추구할수 있는 호기로 판단, 융통성 있는 정책으로 대응하고 있음.

나. 과거 8 년간의 대 이락 전쟁으로 SADDAM 후세인 개인에 대한 원한이 있는것은 사실이나, 만약 이락이 금번 전쟁서 전면 패망하면 서방이나 이스라엘의 차기 타도 목표가 이란이될 가능성이 있으며, 또한 역사적으로 숙적이었던 터키가 미국과 서구의 지원으로 직접적인 위협으로 대두될 가능성이 있으므로 현재 대 이락 자세에 있어 유연성을 보이고 있음.

다. 또한 이란은 걸프전이 종식되면 비 아랍국으로는 최대의 경제력 및 군사력을 갖인 회교국이 되므로, 향후 중근동 질서 재편시 강력한 영향력 행사가 가능할것으로 보고, 이에 대비 현재 외교적인 해결 방안등을 제시, 자국의 특별한 위치를 부각시키고 있음.

4. 이락 항공기의 이란 압류도 현재는 이란측이 이락과의 사전묵계설이나 자유로운

중아국 장관 차관 1차보 2차보 미주국 구주국 정문국 청와대
종리실 안기부

PAGE 1 91.02.02 23:13

외신 2과 통제관 DO

0158

왕래설을 부인하고는 있으나 이는 대미, 대터키, 대 이스라엘에대한 공고의 성격도 있으며, 이스라엘이 참전할시, 국내 회교원리주의자의 여론등을 구실로 중립 입장을 파기, 친 이락적인 자세로 전환할수 있는 가능성등에도 다각적으로 대처하는 방안의 일환으로 볼수 있음.

5. 따라서 이락내 성지 폭격등은 묵과할수 없는 일임을 수차 강조 하므로서, 현재의 중립적인 태도가 가변성이 있는것임을 암시하고 있음. 끝

(대사 노영찬-국장)

예고:91.6.30 까지

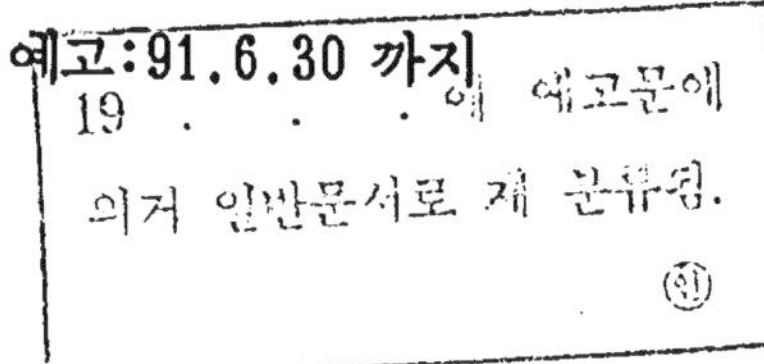

PAGE 2

0159

원 본

외 무 부

종 별 :

번 호 : FRW-0406 일 시 : 91 0202 1830

수 신 : 장관(구일, 중근동, 북미, 정일,해신, 기정동문)

발 신 : 주불 대사

제 목 : 걸프관련 기사 보고

주재국 FRANCOIS -PONCET 전 외상은 자 LE FIGARO 지 사설을 통해 걸프전쟁으로 말미암아 EC 정치 통합 장래가 불투명함을 지적하고 동 정치 통합 필요성을 역설한바, 동 사설 요지 아래 보고 함.

0 걸프전 결과 도출될 주요 국제 정세 변화로는 소련 쇠퇴, 미국세력 강화, 유엔 활성 및 서방과 아랍간 심각한 갈등 표출등이 예상됨.

0 걸프전 종식후 유럽 장래 전망은 불투명한바, 일부 영.미 언론은 걸프전으로말미암아 향후 EC정치 통합은 불가능할 것이라고 전망 보도하고 있음.

0 걸프위기 초반기에 정치 통합 원칙에 대한 EC 12 개국의 합의가 있었으나, 걸프전에 대한 확고한 EC 공동 정책은 수립치 못하고, 각회원국이 개별적으로 상이한 정책을 수립, 대처함.

- 영국: 걸프전에 적극 참여 미국과의 특수 관계재정립

- 독일: 나토 역외에 대한 자국의 군사 개입을 금지하고 있는 헌법을 구실로 소극적으로 대처

- 불란서: 과거 전통 노선에 충실, 대미 유대감을 과시하는 동시 외교적 독자성강조

- 기타 EC 제국: 상징적인 군사지원을 제공하는 국가와 불개입 입장을 견지하고 있는 국가로 양분

0 불.영은 걸프전에 참여한 반면 EC 는 개입하지 않고 있으며 분열되어 있는상황인바, 하기 2개의 상호 모순된 결론이 도출됨

- EC 의 불 협화음은 다양한 국민 감정과 전통에 기인하고 있는바, 외교 및 국방 분야의 EC 공동 정책 실시, 즉 정치 통합 실현은 이상에 불과함.

- 12개 회원국의 다양함은 각국내 반전.평화주의자와 참전주의자간의 대립과

구주국	장관	차관	1차보	2차보	미주국	중아국	정문국	청와대
총리실	안기부	공보처	대책반					

PAGE 1 91.02.03 07:25 DA

외신 1과 통제관

0160

비교할때 사소한 문제인바 EC 에 필요한것은 공동 정책결정 및 시행을 위한 구조, 즉정치 통합임.

0 미국은 현재 걸프에서 서방 진영을 위해 방어행위를 취해주고 있으나, 장래 유럽 문제는 미국에 맡길수도 없으며, 미국 또한 유럽 문제는 유럽인 자신의 책임하에 해결 하도록 할것임.

0정치 통합을 추진하지 않을경우 EC 는 국제사회에서 약소 세력권으로 남아, 동구 및 제 3 세계등의 요구에도 적극 대응치 못하게 될것인바 향후 상호 대립을 극복하고 유럽의 안보와 이익 보장을 위해 정치, 구사 통합을 추진해야 함. 끝.

(대사 노영찬- 국장)

외 무 부

종 별 :
번 호 : FRW-0411
수 신 : 장관(중근동,구일,미북,기정)
발 신 : 주 불 대사
제 목 : 걸프전(알제리 외상회견)(자료응신 28호)

구주국	과 19		
	일 시	91 0204 1600	

걸프전 해결을 위한 외교적 노력의 일환으로 최근 이란을 방문한 GHOZALI 알제리 외상은,2.3. 당지 도착, 불 TF1 TV, RTL 라디오및 일간지(LIBERATION)와 회견을 갖었는바, 동 주요요지를 하기 종합 보고함.

1. 이란측 정보에 의하면, 이락 민간인 사상자 숫자가 매우 많으며 전기, 식수등의 공급과 기초 경제생활 모두가 위축되어 있다함.

2. 이란에는 현재 약 100 여기의 이락 항공기가 있는 것으로 파악되고 있으며, 이중 민간 항공기에 관해서는 이란-이락간 사전협의가 있었으나, 군용기의 이동은 양측간 사전 협의가 없었던 것으로 보임.

3. 이락은 자국의 군사력이 다국적군의 장비나 화력에 비해 현저하게 열세임은 인식하고 있으나, 전쟁은 최후까지 계속하겠다는 확고한 결의가 있는 것으로 보이는바, 이는 동기여하에 불구, 금번 대서방전이 아랍세계의 숙제인 팔레스타인 문제를 포함한 중동문제 해결의 국제여론 환기를 위한 희생양이 될수 있다는 자부심 및 의무감도 개재되어 있는 것으로 보임. 따라서 전쟁양상이 격화되어이락이 더이상 저항할수 없는 막바지에 이르면, 화생무기를 포함한 모든 최후 수단을 동원할 가능성이 있을 것으로 보여짐.

4. 중동문제 해결을 위한 국제회의 개최 관련, 동 회의 개최가 SADDAM HUSSEIN 의 승리를 인정하는 것이므로 반대한다는 일부 서방국의 태도는, 이들이 개전전부터 이스라엘의 압력을 받아, 반대 입장을 분명히 해온 점에 비추어 납득이 가지 않음. 이락의 쿠웨이트 침공에 대한 UN 결의는 무력사용이란 강력한 수단으로 규제하고 있으면서도, 과거 제반 UN 결의를 준수치 않은 이스라엘에 대해서는 서방이 제재는 커녕, 이를 묵인, 동조하는 태도는 국제법이 약소국 또는 서방의 비우호국에만 선별적으로 적용되는 모순을 가져왔음을 인식해야 함.

중아국 차관 1차보 2차보 미주국 구주국 청와대 안기부

PAGE 1

91.02.05 03:58
외신 2과 통제관 CF

0162

5. 이란은 현재 교전국은 아니나 직, 간접으로 걸프전과 밀접한 관계에 있으므로, 이를 도외시 할수 없을것이고, 이에 따라 종전과 평화적 해결을 위한 외교적 노력을 경주하는 것이며, 또한 전쟁이 예기치 않은 방향으로 전개될 경우(이스라엘 참전등)에는 국내 회교원리주의자들의 압력을 감안, 불가피하게 이락측을 지원, 참전할 가능성이 많을 것으로 보이므로, 이란의 현 중립입장은 가변성이 많은 것으로 이해해야 할 것임.끝.

(대사 노영찬-국장)

0163

외 무 부

암호수신

종 별 :

번 호 : FRW-0430 일 시 : 91 0205 1700

수 신 : 장관(중근동,구일,미북,정일,기정동문)

발 신 : 주 불 대사

제 목 : 걸프전(이란 중재안)

1. RAFSNDJANI 이란 대통령의 중재안에 대해 알제리, 파키스탄, 예멘등 회교국과 쏘련 및 UN 사무총장은 이를 즉각 환영하였으나, 미국은 외교적 노력은 이미 실기하였으므로 기수립된 작전에 따라 전쟁을 계속할 것이라는 반응을 보였다함.

2. 이란의 외교적 중재 노력등 현 상황 관련 FRANCOIS-PONCET 전 외상 및 주재국 주요 언론은 하기와 같이 분석함.

가. 현재 불란서를 위시, 일부 아랍국(알제리, 예멘)및 회교국(파키스탄 수상)을 중심으로 종전을 위한 외교적 노력이 비 교전 회교강국 이란을 구심점으로 전개되고 있으나, 미.이락 양 교전국은 현재 전쟁이 본격화 되었으므로 정전 또는 종전을 논의할 시기가 아니라고 판단하고 있으며, 이란의 중립을 회의적인 시각으로 보고 있는 미국으로서는 이란의 중재를 염두에 두지 않을 것이므로 동 외교적 노력이 실효를 거둘 가능성은 희박함.

나. 이란이 중재안을 제의한 배경은

1) 현 중립태도에 대한 친이락 회교원리주의자의 반발 및

2) 비 아랍 회교강국으로서의 국제적 위치 부각을 통한 외교 고립 탈피등 대.내외적인 요인이 있으므로 , 동 제의의 성공 여부에 집착치는 않을것임.

다. 이란은 이락의 군사력과 사담 후세인의 약화는 환영하나, 종전후 이락이 분할(미국은 종전후 이락 남부 유전지역 일부를 쿠웨이트에 편입, GULF 지역 친미 정권 확대를 모색하는것으로 알려짐) 되고, 터키, 시리아등이 회교권의 강자로 등장하는것 또한 원치 않고 있음. 이란의 전후 목표는 현재 동국에 망명중인 바 SADDAM HUSSEIN 계 망명인사를 귀국케하여, 서바움이 후원하는 국내 잔류 세력(군부내 반 SADDAM 파) 등과 최소한 친 이란성향 연정을 구성시키는 것으로 전망되므로 , 이란을 전쟁에 끌어들여 후방 기지화하려는 SADDAM 의 기도에 현혹 되지 않고 있음.

중아국 장관 차관 1차보 2차보 미주국 구주국 정문국 청와대
총리실 안기부

PAGE 1

91.02.06 01:53
외신 2과 통제관 DO

0164

라. 이란은 전통적으로 2 중적인 외교정책을 견지하고 있는바, 현재 KHAMENEI 등 종교지도자와 RAFFSNDJANI 중심의 정부 사이에 입장에 처한것으로 비추어 질수 있으나, 이는 다분히 역할 분담성격이 있는것으로 보이며, 국익의 차원에서 시기적으로 필요할때 상호 입장을 활용 할수 있는 여지를 만드는것으로 이해 함이 좋을것임.끝

(대사 노영찬- 국장)

PAGE 2

0165

관리번호	91-POP

원 본

외 무 부

종 별 :

번 호 : FRW-0434 일 시 : 91 0205 1740

수 신 : 장관(중근동,경이,구일,기정동문)

발 신 : 주 불 대사

제 목 : KUWAIT 전후 복구사업 참여

표제관련, 당지 주요 언론의 보도내용 아래 종합보고함.

1. 전후 KUWAIT 경제전망

-민주화로 일반상인, 기업가, 지식인들이 보다 많은 권리와 부의 배분을 요구하게 될것임.

-전쟁의 참화로 KUWAIT 산업시설의 대부분이 파괴되더라도, 원유수출 대금 적립등 해외자산이 1,000 억불 수준(이에 따른 연간 수익이 90 억불)에 달하므로,전후 KUWAIT 복구에는 큰 문제가 없을것임.

-KUWAIT 가 자국이 지분을 갖고있는 MISLAND 은행, DAIMLER-BENZ, HOECHST 등에서 철수할 경우 국제 증권시장에 다소의 혼란이 예상되나, 동 사태의 발생 가능성은 희박함.

2. 전후 복구사업 관련 동향

-현재 KUWAIT 망명정부가 소재한 SAUDI 의 TAEF 에는 미국을 비롯한 서방제국의 기업인, 정부인사들이 쇄도하여 전후 복구사업 참여를 위한 교섭을 진행중임.(당초 복구사업 위원회는 워싱턴 소재 세계은행내에 위치하다가 TAEF 로 이전한 것으로 알려짐)

-동 복구사업 관련, KUWAIT 의 INFRASTRUCTURE (도로, 공항, 정유시설, 통신시설) 복구에만도 250-400 억불이 소요될 것이며, 여타 시설 복구까지 감안할 경우 복구비는 800 억불 수준까지 육박할수도 있을 것임.

3. 각국의 참여동향

검 토 필(1991. 6. 30.)

가. 미국

-전후 복구사업에서 가장 큰 몫을 차지하게될 미국은 "URGENT PROGRAM FOR THE RECONSTRUCTION OF KUWAIT"라는 이름으로 이미 수백만불에 달하는 계약을 체결했거나

중아국 장관 차관 1차보 2차보 미주국 구주국 경제국 청와대
종리실 안기부

PAGE 1 91.02.06 04:27

외신 2과 통제관 DO

0166

또는 교섭중임.

-이와관련, 최근 KUWAIT 가 135 억불의 자금을 미국에 전비명목으로 지원했다는 발표가 있었으나, 실제로 이를 지불하지 않고 전후 복구시 동 금액에 상당하는 혜택을 미국에 제공키로한 것으로 알려지고 있음.

나. 영국

-전후 복구사업에 대한 미국의 단독참여를 우려하고 있는 영국은 미국과의 합작을 통한 사업참여를 적극 추진중임.

-현재 영국의 TRAFALGAR HOUSE 는 미국의 KAISER 와, CLEVELAND BRIDGE MIDDLE EAST(TRAFALGAR HOUSE 의 자회사)는 미국의 BECHTEL 과 공동진출을 추진중이며, TAYLOR WOODROW 도 합작 참여를 교섭중임.

다. 프랑스

-현재 DJEDDAH 에 주쿠웨이트 임시 대사관을 설치중인 주재국은 미.영에 비해서 활동이 저조한 편인바, KUWAIT 측은 통신분야에 한해서만 주재국의 참여를 고려중이라는 설이 있음. 끝.

(대사 노영찬-국장)

예고:91.12.31. 까지

외 무 부

종 별 :

번 호 : FRW-0461 일 시 : 91 0207

수 신 : 장관(중근동, 구일, 미북,정일,기정동문)

발 신 : 주불 대사

제 목 : 걸프전(주재국 동정)

1.주재국 미테랑 대통령은 2.6 저녁,이란 RAFSANDJANI 대통령과 통화하고 걸프전해결 방안 협의를 위한 불. 이란 정상 회담 개최문제를 협의한 것으로 알려짐

2. 또한 동 대통령은 금 2.7 저녁 TV 기자와의 대담을 통해, 걸프전에 관한 주재국의 입장을 밝힐 예정임

3. 한편 R.P.R. 당수인 CHIRAC 파리시장은 최근 발생한 모로코내의 대규모 반불 시위와 관련 2.6 동국을 방문, 미테랑 대통령의 특사로 현재 동국에 체류중인 VAUZELLE 하원 외무 위원장과는 별도로 모로코 지도층을 접촉, 걸프전 파견에 불구,지중해권 국가간의 유대 강화를 위한 주재국의 입장에 변함이 없음을 설명할 것임.끝

(대사 노영찬- 국장)

중아국	장관	차관	1차보	2차보	미주국	구주국	정문국	청와대
총리실	안기부	상황실						

PAGE 1

91.02.07 21:27 DQ

외신 1과 통제관

0168

관리 번호	91-150

외 무 부

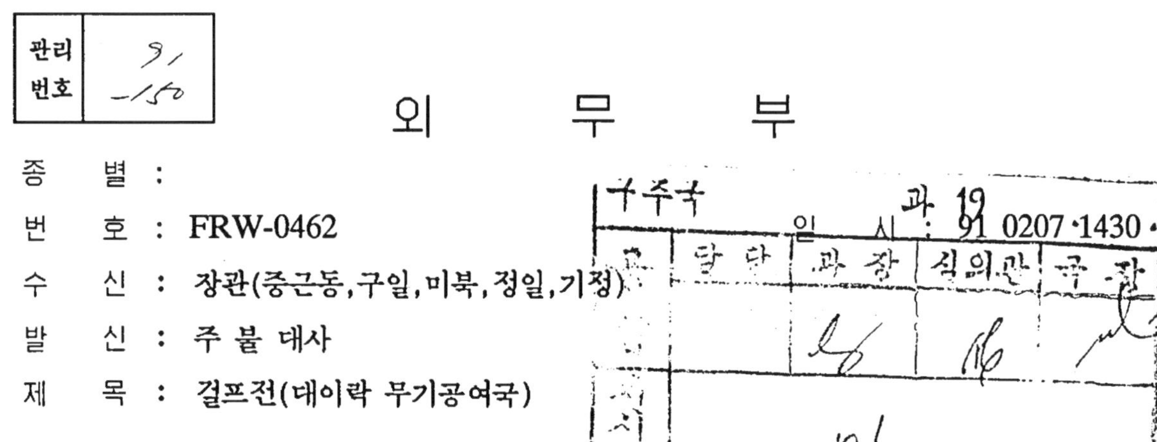

종 별 :

번 호 : FRW-0462

수 신 : 장관(중근동,구일,미북,정일,기정)

발 신 : 주 불 대사

제 목 : 걸프전(대이락 무기공여국)

대이락 무기공여국 현황을 하기 보고함.

1. 쏘련(200 억불):TUPOLEV 16-22 전투기,13 RDM 2 MOLOTOV 장갑차, 미사일등 이락무기의 65 프로 공여

2. 불란서(60 억불):MIRAGE F1 전투기, ROLAND 미사일 발사대, GAZELLE 헬기, VCR TH PANHARD HOT 장갑차, MILAN 대전차 미사일, THOMSON 레이다등

3. 브라질(12 억불):EE3 JARARACA 장갑차등

4. 애급(10 억불):SAKR 미사일 발사대등

5. 중국(20 억불):XIAN SHENYANG 전투기, NORINCO 59 전차,122-130-152 야포등

6. 체코(7 억불):OT6H SKOT 장갑차등

7. 영국:교량장비, 전차, 지뢰제거 장비등

8. 남아공:152-180 야포

9. 미국:REDEYE 미사일 발사대, SEA COBRA, CHINOCK, EAGLE 등 헬기, TOW EMERSON 대전차 미사일

10. 독일:화학무기

11. 이태리

해군장비(전함, 어뢰제거 장치등)

12. 오지리:155 야포등. 끝.

(대사 노영찬-국장)

예고:91.6.30. 까지

중아국 장관 차관 1차보 2차보 미주국 구주국 정문국 안기부

PAGE 1

91.02.07 23:13

외신 2과 통제관 CH

0169

외 무 부

종 별 :

번 호 : FRW-0474 일 시 : 91 0208 1030

수 신 : 장 관 (중근동,구일,미북,정일,기정)

발 신 : 주 불 대사

제 목 : 걸프전 (MITTERRAND 대통령 회견)

구주국	담 당	과 장	심의관	국 장
공람		8	16	
지시사항				

(자료응신 제 31호)

연:FRW-0461

1.MITTERRAND 대통령은 2.7. 20:00 당지 TV 시사논평가 4명과 회견을 갖고 표제건에 관해 하기와 같은 전망 및 입장을 밝혔음.

가.전쟁전망

-지상전이 수일내 또는 늦어도 2월중 개시될 것이므로, 걸프전은 가장 어려운국면에 돌입케 될것이나, 봄철을 지나 장기화될 것으로는 보지않음.

-지상전이 다소 잔혹한 양상을 띄게될 것이나, 불국민은 이에대한 심적인 준비가 있어야 하나, 동전쟁이 세계대전으로 확대될 것으로는 보지않음. 그러나 이락의 현 강력한 군사력을 이번 기회에 제압치 못하면 전쟁의 위협은 상존할 것임을 인식해야 할것임.

-이락의 화생무기 사용 가능성이 있다 하더라도, 이는 고성능 재래식 무기로도충분히 제어가 가능하므로, 핵무기 등으로의 보복이 있어서는 않될것임.

2.전후설계와 불입장

-불란서는 전쟁을 원하지 않았으나, 쿠웨이트 주권회복이란 UN 결의안의 명분을존중, 참전케된 것이므로, 대이락 공격으로의 확대는 원칙적으로 반대함. 그러나 이문제는 작전상황에 따라 다국적군 전체와 협의를 요하게 될것임.

-전후 처리를 위해, 각종 국제회의 개최가 절실하며, 동 회의를 통해

1)분쟁방지를 위한 국제적 보장,현 국경선존중및 지역균형 회복

2)고유 중동문제 (팔-이스라엘 문제, 레바논등) 및

3)복구사업을 위한 지역은행 또는 개발기금 창설, 석유로인한 부의 균형분배 및 현 국제무기 판매방식에 대한 제도적인 통제등 제반문제가 복합적으로 논의 되어야

중아국 장관 차관 1차보 2차보 미주국 구주국 정문국 정문국
청와대 총리실 안기부 대책반

PAGE 1 91.02.08 22:41 DA
외신 1과 통제관

0170

할것임.

-전쟁이 장기화 되지는 않을 것이므로, 불 경제의 일시적인 위축도 극복될 것이며, 이를 위해서는 국민 개개인이 심리적인 불안으로 부터 탈피하는것이 급선무가될것임.

-전쟁후 불란서를 비롯한 서방 각국은 테러의 표적이 될것이므로, 이에대한 효과적인 대책을 수립할 것임.

끝.

(대사 노영찬-국장)

PAGE 2

0171

관리 번호	91-118

외 무 부

종 별 :

번 호 : FRW-0482 일 시 : 91 0208 1550

수 신 : 장관(구일,중근동,경일,통이)

발 신 : 주 불 대사

제 목 : GULF 사태의 대주재국 영향

1. 일반적 영향 평가

.GULF 사태 관련, 전비를 포함한 정부 재정부담 추가분이 약 150 억프랑으로 추정되며, 이에따라 91 년도 예산(총액 1 조 2,800 억프랑) 중에서 120 억프랑의 절감을 추진중임.

-교육, 치안, 인건비등 제외한 여타 부문 예산절감

-GULF 사태 관련 새로운 세제도입은 불고려

. 전쟁으로 인해 부자의욕 감퇴, 수출감소(수출차질액만도 이미 250 억프랑에 달함)등 일부 경기후퇴 조짐이 나타나고 있으며, 특히 관광 및 항공운송 분야는 업체에 따라 심한경우 70-95 프로까지 영업활동이 위축되는등 경영이 극도로 악화되고 있음.

2. 세부 내용별 분석

가. 전비부담

. 수상실에 따르면,90.8 월부터 계산, 전쟁이 향후 2-3 개월 지속될 경우 순수한 전비부담이 50-70 억프랑에 이를 것으로 추정(91 년도 주재국 국방예산:2,384 억프랑)

-불란서 주둔군 유지비용만도 현재 일일 7 백만 프랑으로 추산

. 전선국가에 대한 EC 차원의 지원금액중 주재국에 할당되는 경비는 20-30 억프랑으로 예상

나. 수출 차질금액:약 250 억프랑

. 국영 수출 보험회사(COFACE)의 수출보증에 따른 손실:150 억프랑

-상환기간이 최장 10 년까지 다양하므로 단시일내 심각한 위협은 아님.

91 년도 COFACE 가용예산은 80-90 억프랑 수준임.

. 정부보증 없는 기업체 부담 미수금:40 억프랑

구주국 2차보 중아국 경제국 통상국

PAGE 1

91.02.09 00:55

외신 2과 통제관 CE

0172

. 일반 상업은행이 대여한 차관 미상환금:60 억프랑

다. 관광및 항공운송

1)관광

. 매년 2-3 월에 하기휴가를 위한 예약의 70 프로가 집중되는바,91.2. 월 현재 예약이 전년대비 1/4 로 격감

. 현재 관련업계의 60 프로 정도가 인원감축(일시휴직 포함), 사회보장비 축소등 경비절감을 계획하거나 시행중임.

2)항공운송(AIR FRANCE 의 경우)

. 경영악화에 직면(91.1 월중 전년대비 승객 22.5 프로, 화물 12.4 프로 감소), 신규채용 감축, 신규부자 축소등 계획

. 동사는 3 월까지 전체 운항회수(연간 4 만회)의 5 프로에 해당하는 2 천회의 운항을 감축 예정임.끝.

(대사 노영찬-국장)

예고:91.12.31. 까지

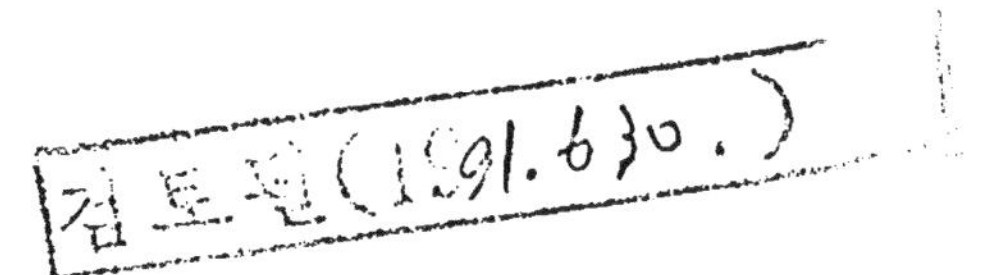

외 무 부

암호수신

종 별 :

번 호 : FRW-0496　　　　일 시 : 91.0209 1130

수 신 : 장관(중근동,구일,미북,정일)

발 신 : 주 불 대사

제 목 : 걸프전(지상전 전망)(자료응신 32호)

1. 사우디 기지서 불군을 총괄지휘하고 있는 SCHMITT 주재국 합참의장은 표제건 관련, 하기와 같이 전망함.

가. 전투는 상금 제공권 완전장악을 위한 제 1 단계 작전과, 지상장애물, 군수시설, 바그다드와 작전지역간 통신망등을 제거하는 제 2 단계작전을 병행하고 있음. 본격적인 지상전을 위해 5-6 주의 사전작전이 필요함.

나. 이락의 공화국 수비대는 KUWAIT CITY 와 RYAD 를 연결하는 지역및 쿠웨이트 서남해안선등 양개 축선에 집중 포진되어 있으며, 이들의 장비는 소제무기가 주종임. 공화국 수비대는 과거 이.이전부터 명성이 있는 최강의 정예지상군이고, 특히 사막전에는 특유의 전략을 터득한 특공대이므로, 이들과의 대적은 다국적군측의 많은 희생을 요하게됨. 더욱이 이들은 SADDAM HUSSEIN 에 대한 각별한 충성심을 갖고 있으므로, 쿠웨이트 탈환작전만도 최소한 3-4 주가 소요될 것임.

다. 1.17. 이후 현재까지 있은 다국적군의 맹폭에 불구, 이락의 군사력은 15 프로 정도 파괴된 것으로 보이므로, 지상전을 정식으로 시작하기전 가급적 많은 준비기간을 갖는것이 필요하며, 지상전의 시기를 정하는데는 기상조건이 가장 중요한 고려사항임.

라. 이락의 화생무기 사용은 자칫 자국민에도 피해를 줄것이므로 신중을 기할것으로 보이며, 이락측의 화학무기 공격이 있다해도 이를 제어할수 있는 충분한 준비가 되어있으므로, 유사한 방법으로의 보복등은 바람직하지 못함.

마. 이락측이 선공치 못하는 이유는 다국적군의 우세한 공군력때문이며, KAHFJI 기습은 이락군의 건재를 과시키위한 심리전이었음.

바. 쿠웨이트 탈환이 예정대로 수행된다면 이락군사력은 절반정도 소멸될 것이나, 작전을 이락진주로 확대하는 문제는 정치적인 고려에 속하므로 신중을 기해야 할것임.

2. 전쟁에 대한 장기전망 및 전후질서에 관한 주재국 각계의 예견은 관계인사

중아국 장관 차관 1차보 2차보 미주국 구주국 정문국 청와대
총리실 안기부

PAGE 1　　　　91.02.09 23:25

외신 2과 통제관 CW

0174

접촉후 추보할 것임.끝.

(대사 노영찬-국장)

외 무 부

길

종 별 :

번 호 : FRW-0497 　　　일 시 : 91 0209 1140

수 신 : 장 관 (중근동,구일,미북,정일,기정)

발 신 : 주 불 대사

제 목 : 걸프전(단교 공식화) (자료응신 33호)

1. HACHIMI 당지 이락대사는 2.8. 오후 주재국 외무성 LECLERCQ 중동국장을 방문, 불.이락 단교를 공식 통보했다 함.

2. HACHIMI 대사및 잔류직원 2명은 내주중 공관 폐쇄작업을 마치는대로 2.16.경당지 출발, 귀국예정이라 함.

3. 동 대사는 회견을 통해 전쟁이 이락국민 말살의 양상으로 변질되었으나, 이락은 이에 굴하지 않고 끝까지 부쟁할 것이라고 말함.끝.

(대사 노영찬-국장)

✓중아국 ✓장관 차관 ✓1차보 ✓2차보 미주국 구주국 정문국 청와대
총리실 안기부 ✓ 대책반

PAGE 1 　　　91.02.10 00:01 FC

외신 1과 통제관

0176

외 무 부

종 별 :

번 호 : FRW-0510 일 시 : 91 0211 1500

수 신 : 장 관(중근동,구일,미북,정일,기정)

발 신 : 주 불 대사

제 목 : 걸프전 (주재국 동정)

1.주재국은 지상전에 대비,RIMA(해병특공부대) 병력 670명을 2.10. 사우디에 급파 시켰다 함.

2.JOXE 국방상은 2.12. 방미,CHENEY 국방상과회담을 갖을 예정이라 함.

3.R.P.R. 당수인 CHIRAC 파리시장은 2.10.기자회견을 갖고,전후 중동문제 해결을위한 국제회의 보다는,불란서 주관으로 이스라엘과 전아랍국을 파리서 회동시키는 것 이 현실적인 방안이라고 주장함.끝.

(대사 노영찬-국장)

중아국 장관 차관 1차보 2차보 미주국 구주국 정문국 상황실
청와대 총리실 안기부

PAGE 1 91.02.11 23:14 BX

외신 1과 통제관

0177

원 본

암호수신

외 무 부

종 별 :

번 호 : FRW-0529 일 시 : 91 0212 1530

수 신 : 장관(구일,중근동,동구일,정일,기정)

발 신 : 주 불 대사

제 목 : 걸프전(불.소 접촉)(자료응신 38호)

1. 주재국 DUMAS 외상은 금 2.12 소련을 방문, GORBACHEV 대통령 및 BESSMERTNYKH 외상등과 걸프 및 발트문제에 관한 협의를 가질 예정임.

2. 걸프사태 발발이후 외교적인 해결과, 또한 전쟁의 이락 확대 반대등 공통 입장을 갖고있는 불.소의 접촉이 새로운 돌파구를 열 가능성은 희박할 것으로보이나, 양국은 전후 중동에 대한 주도권을 미국에 일임할수도 없으므로 이에 대비하는 사전 노력의 일환으로 접촉하는 것으로 당지 언론은 관측하고 있음. 끝.

(대사 노영찬-국장)

구주국 차관 1차보 2차보 구주국 중아국 정문국 청와대 안기부

PAGE 1 91.02.13 01:16

외신 2과 통제관 CF

0178

관리 번호	91-1380

원 본

외 무 부

종 별 :

번 호 : FRW-0538 　　　　일 시 : 91 0212 1900

수 신 : 장관(중근동,구일,미북,정일)

발 신 : 주 불 대사

제 목 : 걸프전(불.이락 단교 후속조치)

1. 외무성 중동국에 의하면, 이락은 작 2.11. 오후 NOTE VERBALE 로 단교를공식 통보해 왔으나, 외무성은 동 구상서 제출절차가 국제관례에 부합치 않는다는 이유로 NOTE 접수 자체를 거부 했다함.

2. 불 외무성은 이락의 이익 보호국으로 모리타니아등 친이락 아랍국을 지명할 것을 예상했으나, 이락측이 큐바를 지정함으로써, 이에 대한 동의여부를 현재 검토중이라 함.

3. 분석

가. 주재국은 전후 판도를 의식, 이락과의 단교 공식화를 회피하는 것으로 보이는바, 절차상의 문제를 이유로 금번 구상서 접수를 거부한것은 다분히 상기 고려가 작용한 것으로 보임.

나. 큐바의 이익보호국 지정 관련, 불측은 가급적 불어권 아랍국 지정을 기대하였으나, 이락이 모리타니아등 역내의 친이락 약소국의 지정보다는 역외권 국가중 친이락 성향을 공식 표명한 큐바를 지정, 분열된 아랍권에 대한 기대가 없음을 시사한 것으로 볼수있는바, 현 교전상태에서 이익보호국 자체가 의미가 없으므로 주재국은 이락의 요청에 동의치 않을수 없을 것으로 보임.끝.

(대사 노영찬-국장)

예고:91.12.31. 일반 　91. 6. 30.

중아국	장관	차관	1차보	2차보	미주국	구주국	정문국	청와대
안기부								

PAGE 1 　　91.02.13 07:47

외신 2과 통제관 FE

0179

관리번호	91-762

원 본

외 무 부

종 별 :

번 호 : FRW-0539 일 시 : 91 0212 1910

수 신 : 장관(중근동,구일,미북,동구일,정일)

발 신 : 주 불 대사

제 목 : 걸프전(관련국 입장)

THIERRY DE MONTBRIAL 블 국제문제 연구소(IFRI) 소장 및 소련 전략전문가인 BESANCON 교수는 현 단계에서의 각국 입장을 하기와 같이 분석함.(당관 박참사관 강연회 및 대담 참석)

1. 미국

가. 3 월중순 라마단 시작전 가급적 지상전을 종결시키고자 2.15-20 사이에 지상전을 결행한다는 1 차적인 작전계획을 수립하였으나 다국적군의 희생을 고려한 현지 지휘관들의 의견에 따라, 당분간 공폭을 계속하여, 이락 지상 군사력을 최대한으로 약화시킨후, 지상전을 수행한다는 것으로 기본전략을 수정한 것으로 보임.

나. 사막전은 기상조건으로 보아 다국적군에 불리한 요소가 있는바, 즉

1)고온으로 인한 고도의 정밀 전자무기의 오차 발생

2)사막풍으로 인한 공폭시 시계 장애 및 지형변화에 대한 적응력 미숙

3)이락 공화국 수비대의 강력한 화력, 제반장비 및 SADDAM 에 대한 충성심등이 가장 어려운 요소로 간주되고 있음.

다. 상륙작전 및 지상전의 제 1 선을 담당할 아랍 다국적군(애급, 시리아등) 사병은 막상 이락군과 접전이 벌어지면 이락측의 회교권 단결호소등 심리전에 휘말릴 가능성이 있으므로, 이들에 대한 신뢰도 기대키 어려우며, 아랍 다국적군의 1 선이 무너지면 부득이 미국의 해병이나 보병이 1 선을 맡게되면 희생이 클것이므로, 이는 미국내 여론의 동요를 초래할 위험성도 있음.

마. 미국은, 전쟁범위를 쿠웨이트 해방외에 이락의 파멸까지도 염두에 두고있을 것이나 이는 EC, 소련 및 전세계 회교권의 반발을 야기할것임. 일설에 의하면 미국은, 쿠웨이트 탈환후 이락 진주를 통해

1)이락 남부 분할, 쿠웨이트에 편입시켜 원유 자원의 균형분포 도모및 이락북부

중아국	장관	차관	1차보	2차보	미주국	구주국	구주국	정문국
청와대	총리실	안기부						

PAGE 1

91.02.13 23:56

외신 2과 통제관 DO

0180

쿠르드지역의 분할 또는 자치권 인정 및

2)전후 일단 사우디에서는 철수하는 대신 쿠웨이트에 합법정권 수립후, 동 정권과 양자간 안보협약 체결, GULF 에 장기주둔 함으로써, 원유수급의 조정권 장악및 이스라엘 보호등의 기본목적으로 달성코자할 가능성이 있다고 하나, 이는 이란, 시리아를 위시한 회교강국과 쏘련, 불란서등의 반대에 봉착할 것이므로 실현 가능성은 회의적임.

2. 소련

가. 90.9. 헬싱키 미.소 정상회담 및 안보리 결의안 동조등을 통해 개전전까지는 미국을 일선에 내세우고 배후서 미국을 지원하며 정세를 관망함.

나. 서방 정보기관 분석에 의하면, 소제 전차 400 대가 이란 경우, 이락에 제공되었으며, 지난 1.4. 소 화물선(무기류 적재)이 요르단 AQUABA 항에 진입, 이락으로 향하던중 다국적군에게 적발된 것이라던지 소측의 공식 부인에 불구 상금 상당수의 소 군사고문이 이락에 체류하고 있는등, 개전후 소련 태도에 있어 이중적인 면이 들어나고 있음.

다. 그실례로 GORBACHEV 는 개전후 이락을 비난하는 동시에, 개전 자체에 유감을 표명하였으며 소련이 그간 평화적 해결을 위해 전력했음을 수차 강조함. 또한 BESSMERTNYKH 신임 외상도 다국적군의 이락 전면파괴에 대해서는 유보를 표명한바 있음.

라. 더욱이 소련은 국내에 4700 만의 회교도가 있으며 특히 아제르바이잔의 550 만의 시아파 인구를 념두에 둘때, 대미 공동보조가 일정선을 넘으면 소연방 와해 우려도 있으므로 이에 신중을 기하게 되었으며, 따라서 이락의 파괴나 분할을 좌시할 입장이 안됨.

마. 미국은 소련이 시장경제 체제 구축을 위한 서방 원조의 필요성 증대 및 발트내 군사력 개입등을 활용가능한 소련의 약점으로 간주하고 있으나, GORBACHEV 도 미국의 걸프독점 및 장기주둔에 극력 반대하는 K.G.B., 군부 및 새로히 부상하는 수구세력(이락지원 필요성 주장)의 입장이 소 국익에 부합한다고 판단, 최근에는 직접적인 대미 지원 대신, 특사 파견등으로 최소한의 외교력이라도 행사, 전후에도 중동에 대한 영향력을 완전 포기치는 않으려고 부심하고 있음.

3. EC 국

가. EC(영국 제외)도 전후 미국이 걸프에 장기주둔, 동 지역의 주도권을 독점하는

것은 내심 바라지않고 있으므로, 불란서는 빈번한 아랍국과의 접촉, 독일은 통독안정을 핑계로 대미 협조에 미온적인 자세를 보이고 있음.

나. 더욱이 주재국은 UN 안보리 서방 상임이사국으로서의 서방결속의 핵이란 위치와 친 중동국이란 정반대되는 입장사이에서 표류하고 있으며 특히 불측이 기대하는 전후 대중동 영향력 유지라는 명제가 양측 모두로 부터 도전을 받게될 것이므로, 정책적인 위기에 처해있는 실정임.

4. 일본

가. 일본의 대중동 이해는 원유공급에 국한되었으나 금번 전쟁을 계기로 다국적군에 대한 적극적인 재정지원으로, 외교적 입지는 향상되었음.

나. 이에 불구, 전후처리에 있어서는 중동에 대한 전통적인 VOICE 가 없으므로 현 단계 이상의 적극적인 외교적 역할을 할수있는 위치에는 있지않음.

5. 회교권

가. 터키

-이락의 약화를 가장 환영하는 국가로서 미국의 지원을 받아 회교권의 강자로 등장할것이나, 이란과의 경쟁관계에 봉착할 것임.

나. 시리아

-ASSAD 는 다국적군 가담으로 전후 이에 상응하는 댓가를 염두에 두고 있으나, 오랜 장기집권과 걸프참전으로 인한 ARAB CAUSE 의 퇴색등으로 국내적으로 어려운 입지에 처할것임.

-미국은 상기 ASSAD 의 입장을 간파, ASSAD 가 계속 서방과 공동보조를 취하면 다행이고, 국민에 의해 실각하더라도 전후 부담스러운 인물을 자연스럽게 제거시킬수 있다는 관점에서 시리아의 전후 위치에 대해 특별한 고려를 배려치 않고, 오히려 터키 강화, 이란 회유등의 정책으로 대응할 것으로 보임.끝.

(대사 노영찬-국장)

예고:91.6.30. 까지 예고문에 의거 일반문서로 재분류됨.

PAGE 3

0182

관리번호	91-154

원 본

외 무 부

종 별 :

번 호 : FRW-0352 WSV-0663 910214 2003 DA 일 시 : 91 0213 1650

수 신 : 장관(중근동,동구일,구일,미북,정일,기정)

발 신 : 주 불 대사

제 목 : 걸프전(소련 동정)

1. PRIMAKOV 쏘 대통령 특사의 SADDAM HUSSEIN 면담후, 바그다드 방송은 이락이 쏘련을 위시한 수개국과 협의, 사태해결에 노력할 용의가 있으며 2.17. AZIA 외상을 쏘련에 파견할 것임을 밝혔다 함. 그러나 동 방송은 쿠웨이트 철군에 대한 시사는 없었다 함.

2. VAUZELLE 주재국 하원 외무위원장(1 월초 이락 방문, SADDAM HUSSEIN 과 회담)은 이락이 실상 사태해결의 의사는 전혀 없으나 시간을 벌거나 또는 별도의 목적으로 유화적인 제스츄어를 보이는 것이며, SADDAM HUSSEIN 은 최후까지 응전할 것으로 보인다고 말함.

3. 한편 PEREA DE CUELLAR 유엔 사무총장도 동 방송내용에 즉각 환영의 뜻은 표시하였으나, 이락의 쿠웨이트 철군이 사태해결의 제 1 단계 이므로 이에대한 명시가 없는한 진전이 없을 것이라는 반응을 보였다 함.

4. 2.12. 쏘련을 방문, GORBACHEV 대통령및 BESSMERTNYKH 외상과 회담을 가진 주재국 DUMAS 외상은, 회담후 회견을 통해 쏘측은, 자국이 다국적군 전렬서 이탈한 것이 아니라고 밝히고 현재 신원이 파악안되는 일부 쏘련국적 용병 유무는 명시치않고 쏘 군사고문단이 상금 이락을 지원한다는 설을 강력 부인했다고 말함.

5. 분석

-쏘련은 개전전까지 이락의 맹방이었으며, GORBACHEV 는 최근 친이락 수구세력의 압력을 받고 있다함.

-페레스트로이카 및 WARSAW 기구해체로 쏘련이 구주에서의 위치는 포기하는 대신, 전통적인 영향권인 중동에 대해서는 미국 단독의 세력권 구축을 방관할 입장도 아니므로, 비록 실현 가능성은 없더라도 금번 외교적인 시도를 통해 쏘련이 상금 중동에 대해서는 계속 영향력이 있음을 과시하는 효과를 기대할수 있을 것임.

중아국	장관	차관	1차보	2차보	미주국	구주국	구주국	정문국
청와대	총리실	안기부						

PAGE 1

91.02.14 03:10

외신 2과 통제관 DO

0183

-이락 또한, 개전후 외교적 고립에 직면, 과거 우방인 쏘련에게 외교적인 이니셔티브를 주도케하여, 발트 및 서방원조로 외교적인 입장이 약화된 쏘련을 간접 지원하는 대신, 이에대한 댓가로 쏘련 보수세력을 사주, 쏘련의 비공식적인 군사, 민수지원을 계속 받고자하는 의도가 있는 것으로 보임.

-따라서 쏘.이락간 협의에 의한 산발적인 협상 움직임은 상기 양국의 이해에 상호 부합하는 외교적 제스츄어에 불과하므로, 이락의 쿠웨이트 철군을 대전제로하지 않은 협상을 미측이 수락할 가능성은 전문할 것으로 보임.끝.

(대사 노영찬-국장)

예고:91.6.30. 까지 예고문에 의거 일반문서로 재 분류됨.

검토필(1991. 6.30.)

PAGE 2

0184

원 본

외 무 부

종 별 :

번 호 : FRW-0573 일 시 : 91 0215 1720

수 신 : 장 관 (중일,구일,미북,동구일,해신)

발 신 : 주 불 대사

제 목 : 걸프전 관련 일간지 사설 보고

걸프전 종식을 위한 최근 소련의 외교적 이니셔티브와 관련, 2.14. LE FIGARO 지사설 요지를 아래 보고함.

1. 걸프전 조기 종식을 위하여 소련이 외교 중재 이니셔티브를 취하는 사유

0 확전 우려

-0 아랍및 이스람 제국 국민들의 분노와 반서방 감정이 확산되고 있음을 인식, 동국가들과의 기존 우호관계 견지 희망

-0 이라크 대파괴로 인하여, 남부 접경국인 터키 및 이란이 장래 걸프지역내에서강력한 패권 세력화 되는 것을 불원

0 전후 신질서 구축과정에 소련의 참여 및 영향력 확보

2. 소련 중재역할의 한계

-0 후세인 이라크 대통령의 양보, 즉 쿠웨이트 철수조건이 선행되어야 함.

- 후세인의 양보에 대한 댓가로 향후 소련의 대이라크 지원 보장 가능

0 소련은 서방의 경제적 원조가 절실한 형편이므로, 서방진영 입장을 무시할 수없는 상황임.

3. 소련 중재노력의 성공 가능성은 불확실하나, 금번 소련의 외교적 이니셔티브가 주목되고 있음.

0 이라크가 양보하는 경우 단기적 관점에서는 후세인의 패배라 할 수 있으나, 쿠웨이트 포기 댓가로 소련과의 기존 우호관계를 재정립, 장래 동 지역내에서 소-이라크의 영향력을 견지 시킬 수 있을 것임.

끝.

(대사 노영찬-국장)

중아국	장관	차관	1차보	2차보	미주국	구주국	구주국	상황실
청와대	총리실	안기부	공보처	대책반				

PAGE 1

91.02.16 03:18 FK

외신 1과 통제관

0185

원 본

외 무 부

암호수신

종 별 : 지 급

번 호 : FRW-0574 일 시 : 91 0215 1740

수 신 : 장관(중일,구일,미북,정일,기정)

발 신 : 주 불 대사

제 목 : 걸프전(이락 성명)

대:WFR-0306

1. 이락 최고 군사혁명위는 금 2.15. 모든 외군의 걸프지역 철수, 이스라엘의 점령지 철수 및 시리아의 레바논 철수를 전제로 쿠웨이트에서 철군할 용의가 있으며, 이는 기존 모든 유엔결의(660 호등)을 말소시키는 효과를 가져오는 동시에 정전을 위한 획기적인 조치가 될것이라고 발표했다함.

2. 이에 대해 미측은 동 발표가 유엔결의에 명시된 무조건 철수가 아니므로,이에 응할수 없으며 따라서 기 계획된 군사작전을 계속 수행할 것이라고 밝혔다 함.

3.DANIEL BERNARD 주재국 외무성 대변인은 상기 이락발표의 진의에 대해 신중히 검토, 대응할 필요가 있다고 말함.

4. 주재국 언론은 이락의 제의는 그간 다국적군의 맹공으로 파괴된 군사시설의 복구및 군전렬 재정비를 위한 시간을 벌고자하는 제스츄어일 가능성이 많은것으로 보고있음.

5. 한편 PRIMAKOV 소 특사의 이락방문, 소련 GORBACHEV 대통령의 MITTERRAND 불 대통령 및 ANDREOTI 이태리 수상앞 서신이나, AZIZ 이락 외상 방소를 계기로한 EC TROICA 국 외상의 소련방문등 일련의 움직임으로 보아, 최근 이락태도에다소 변화가 있는 것은 사실인 것으로 보고있음. 끝.

(대사 노영찬-국장)

중아국	장관	차관	1차보	2차보	미주국	구주국	정문국	청와대
안기부								

PAGE 1 91.02.16 02:38

외신 2과 통제관 CW

0186

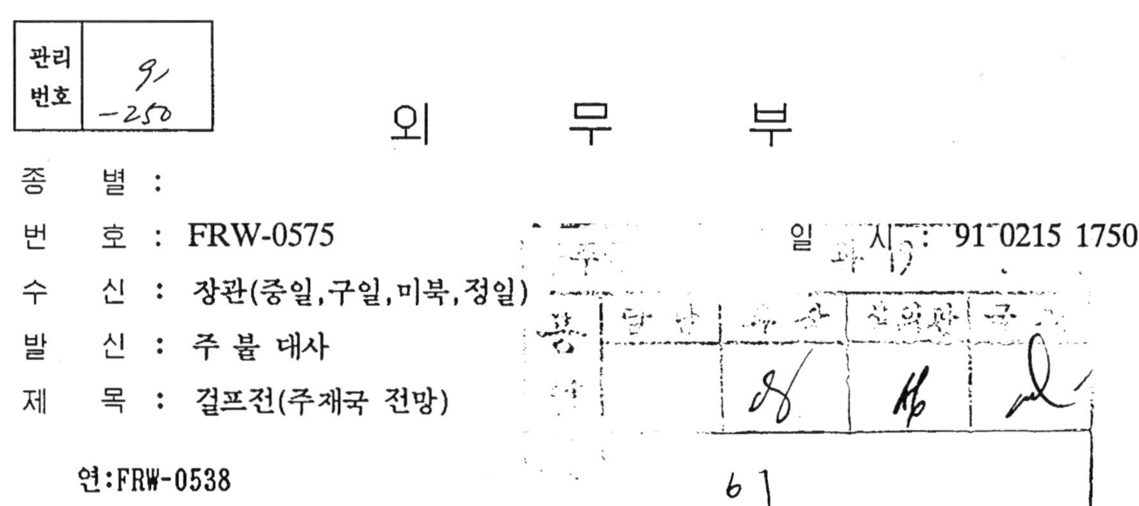

관리 번호	91-250

외 무 부

종 별 :

번 호 : FRW-0575 일 시 : 91 0215 1750

수 신 : 장관(중일,구일,미북,정일)

발 신 : 주 불 대사

제 목 : 걸프전(주재국 전망)

연:FRW-0538

대:WFR-0248

당관 박참사관은 2.14. 불 국제관계연구소(IFRI) KODMANI-DARWISH 중동 연구부장과의 면담 및 동 2.15. 외무성 SASTOURNE 걸프전 전담과장과 오찬을 갖고,주재국 정부 및 학계의 사태전망을 청취하였는바, 동 주요 요지를 하기 보고함.

1. 전쟁추이

-미국은 막강한 이락의 지상군사력, 기상조건 및 최근 있은 이락 민간인 살상공개등 예기치 않은 상황에 불구, 지상전을 속히 결행하고자 할 가능성이 많아졌음.

-라마단은 전쟁에 크게 우려되는 요소는 아니나, 작전지역의 기상(고온) 및사막지형 적응 미숙 또는 6 월 성지순례 기간까지 전쟁이 장기화 되면 사우디 주둔 명분이 퇴색되고, 아랍권 및 회교권의 반미 감정만 고조시킬 것이므로, 미측은 이를 염두에 두지 않을수 없음.

-이락은, 미측이 핵무기를 사용치 않는한, 현대전에서도 지상군이 가장 중요한 위력을 지닌다고 판단, 가급적 조속한 시일내 지상전 대결을 기다리고 있으나, 선도발은 삼가고 소련을 통한 외교적 노력 및 이락 민간인 살상을 서방 언론에 PLAY UP 시켜, 서방의 감상적인 인권중시 여론에 호소, 미국을 정책적인 혼란에 빠트려, 상황과 국제여론을 자국에 다소 유리하게 전개되도록 심리전을 계속할 것으로 보임.

-이락의 쿠웨이트 철군이 선행되지 않는한 소련을 중심으로한 외교적 중재노력의 성공 가능성은 많지 않음. 또한 그간 일개월여에 걸쳐 있은 서방의 공폭등 맹공으로 인해, 이락측의 저항이 무너지기 시작하였으며, 계속 전쟁을 하려면전력을 재정비키 위한 시간을 벌 필요가 있으므로 이락은 소련등을 통해 종전과는 달리 협상해결의

중아국 장관 차관 1차보 2차보 미주국 구주국 정문국 청와대
안기부

PAGE 1 91.02.16 07:52
외신 2과 통제관 CW

0187

자세가 있음을 시사하는 것으로 보임.

2. 전후 판도

가. 전쟁이 가열되어 양측 민간 희생자가 속출하면, 이락의 파괴나 분할은 국제사회및 회교권의 반발을 야기시킬 것이므로, 현 이스라엘 리쿠드 정부의 강력한 압력에 불구, 미국이 전쟁을 이락까지 확대시키기는 어려울 것임.

나. 이를 토대로 볼때, 하기와 같은 가정이 가능한바

1)회교권의 반발을 의식, 미국은 일단 사우디 철수, 쿠웨이트에 합법 친미정권 수립, 동국과 양자 안보조약 체결로 쿠웨이트에 잔류

2)재건된 쿠웨이트, SADDAM 이 없어진 이락등을 현 유명무실한 G.C.C. 에 편입, 미국과 G.C.C. 간 집단 안보조약 체결로 GULF 지역의 미 군사력 유지 및

3)전후 주요한 역할이 기대되는 애급, 시리아 및 G.C.C. 전체를 총망라한 광범위한 집단안보 체제 구축등이 있음.

다. 이를 위한 미국은, 단기적으로는 이란의 친이락 참전 방지, 장기적으로는 이란의 미국 걸프잔류 묵인등을 위해, 대이란 관계개선 및 제반 회유책을 강구할수 있으나, 이란이 전후 미국 중심의 아랍권 집단 안보체제가 구축되는 것은극력반대할 것이므로 미국도 이에대한 별도 대책을 수립해야 할것임.

라. 중동 재편 관련, 이스라엘과 시리아는 요르단 붕괴, 레바논 분할 및 팔레스타인 약화등 일맥 이해가 일치하는 면이 있으므로, 시리아는 조만간 대이스라엘 관계개선 작업(과거에도 비밀교섭이 있었다 함)에 박차를 가할것임.시리아가 기대하는 골란고원의 반환은 이스라엘측이 응하지 않을 것이나, 대미 관계개선에 있어 이스라엘의 도움은 필수적이므로 쏘 지원상실후 다국적군에 합류한 시리아로 볼때는 대이스라엘 관계개선은 필요 불가결한 현실임.

마. 이스라엘은 전후 중동평화 국제회의 수락에 계속 냉담할 것으로 보이는바, 이는

1)이스라엘의 대화 상대는 약화된 PLO 가 아닌, 점령지 팔인이란 기본입장 고수 및

2)BUSH 대통령의 재선에 필요한 미국내 유태인 로비의 제반 지원 필요성등을 감안할때 93 년 이전까지 미국이 이스라엘에게 국제회의 수락을 강력히 권고할 입장이 못됨을 잘알고 있기 때문임.

바. 쏘련은 더이상 중동문제를 방관하면, 미국이 걸프지역에 계속 주둔, 쏘련과 국경을 같이하는 4 국(터키, 시리아, 이락, 이란등)을 조정, 쏘련을 포위, 위협하는

사태가 발생할 것에 대비, 현재 발트와 서방의 경제원조라는 불리한 입장에도 불구, 향후 걸프전 문제에 있어 보다 적극적인 외교적 역할을 모색할 것임. 끝.

(대사 노영찬-국장)

예고:91.12.31. 일반

검 토 필 1991.6.30	07

PAGE 3

0189

외 무 부

종 별 : 지 급

번 호 : FRW-0581 일 시 : 91 0215 1830

수 신 : 장 관 (중일,구일,미북,정일,기정)

발 신 : 주 불 대사

제 목 : 걸프전 (이락제의-주재국 반응)

대: WFR-0306

주재국 MITTERRAND 대통령은 금 2.15. 당지서 개최된 불.독 정상회담 폐막 회견서 표제건에 관해 하기와 같이 논평함.

1. 이락측의 제의는 새로운 사항이 없는 과거입장의 반복이며, 전제조건이 있는쿠웨이트 철군은 UN 결의 660호의 정신에도 부합치않으므로, 실현성이 없음.

2. 따라서 금번 이락의 제의는 진실성이 결여된 외교선전 전략의 일환으로 보임.

끝.

(대사 노영찬-국장)

√중아국	장관	차관	1차보	2차보	미주국	구주국	√상황실	청와대
총리실	안기부	문화부	√대책반					

PAGE 1 91.02.16 03:28 FK

외신 1과 통제관

0190

외 무 부

종 별 :
번 호 : FRW-0589 일 시 : 191 0218 1600
수 신 : 장 관 (중일,구일,미북,정일,기정)
발 신 : 주 불 대사
제 목 : 걸프전 (주재국 동정)

1.주재국 DUMAS 외상은 2.17. 당지 주간지 EXPRESS 와 회견을 갖고 하기와 같이언급 함.

가.조속한 시일내 지상전이 개시될 것이며 동 일자도 이미 결정된 것으로 알고 있으며(사에일자 발표 회피),이락이 무조건 쿠웨이트에서 즉각 철군해야만, 다국적군의 총공격을 면할수 있을 것임.

나.AZIZ 이락 외상이 방소중 기적적인 새로운방안을 제시할 것으로는 보이지 않으며 GORBACHEV 도 UN 결의를 이탈,기본정책을 변경치는 않을것으로 보임.

다.현재 ARAFAT 가 SADDAM HUSSEIN 을 지원하고 있으므로, 전후 PLO 의 위치가 약화될 가능성은 있으나, 종전과 함께 국제회의를 개최, 팔레스타인인의 독립국가 창설을 본격적으로 협의하는 것은 필요불가결 할것임.

2.상기 발언은 이락 외상의 방소에 앞선 최후통첩의 의미를 지니는 것으로 평가되고 있음.

3.한편 주재국 JOXE 국방상은 상기 DUMAS외상의 지상전 개시일자 결정시사에 대해직접적인 부인은 하지않고, 지상전이 적절한시기에 결정될 것이라고만 말함.끝.

(대사 노영찬-국장)

중아국	장관	차관	1차보	2차보	미주국	구주국	정문국	청와대
총리실	안기부	대책반						

PAGE 1

91.02.19 06:50 DN
외신 1과 통제관

0191

관리 번호	91-196

외 무 부

종 별 :

번 호 : FRW-0615 일 시 : 91 0219 1850

수 신 : 장관(중일,구일,동구일,정일)

발 신 : 주 불 대사

제 목 : 걸프전(쏘 평화안)

1.BILD ZEITUNG 지(함부르그 발간 독 일간지)가 보도한 4 개항의 쏘 중재안은 하기와 같음.

가. 이락의 즉각적이고도 조건없는 쿠웨이트 철수

나. 이락의 현 국가구조 및 국경선 유지 보장

다. 이락 및 SADDAM HUSSEIN 에 대한 보복금지 보장

라. 팔레스타인 문제를 포함한 제반 중동문제 해결을 위한 국제회의 개최

2. 상기 쏘련 중심의 외교적인 움직임에 대한 당지 분석은 하기와 같음.(BESANCON 파리 1 대학 쏘련 연구실장외)

가. 미측은 최근 쏘련의 외교적 노력에 대해 부정적인 시각으로 보고있으나,58 년 이락 왕정붕괴 후부터 동국에 영향력있는 쏘련의 국제적 위치를 완전히 무시할수도 없으므로 이를 일단 방관하는 자세임.

나. 다국적군의 공폭등 맹공으로 인한 현 이락의 방어가 한계에 이른 시점서 이락이 쏘련제의를 무시하지는 못할것으로 보이며, 쏘 제안 수락시 2-3 개의 조건을 첨가할 가능성이 많으므로, 미국이 이를 거부함은 예정된 수순임.

다. 전쟁 전개 상황으로 볼때 미측은 자신감을 얻었으므로 향후 있을 지상전서 미군의 희생이 크지 않는한 전쟁을 현 유리한 고지에서 포기할 이유가 없으며, 만약 쏘 제의가 성립되어 정전이 실현되는 동시에 SADDAM HUSSEIN 이 계속 건재하고, 복구사업 및 군비 재정비에 착수한다면, 지금까지 막대한 전비와 아랍권의 반발을 극복하고 수행한 전쟁의 명분이 퇴색하므로, 미국으로서는 이락이 쏘 제의를 막상 수락해도 난감한 입장이 될것임.

라.GORBACHEV 가 금번 외교적 노력을 경주하는 이유는:

1)중동에 관한 쏘련의 영향력이 건재함을 미측에 과시함으로써 전후 미국의

중아국 장관 차관 1차보 2차보 구주국 구주국 정문국 청와대 안기부

PAGE 1 91.02.20 07:46

외신 2과 통제관 FE

0192

중동지역 잔류를 견제

2)이락과 미국을 동일한 위치에 놓고 자신은 최고의 심판관으로 처신함으로써 국내, 외적인 개인입지 강화

3)냉전을 종식시키고, 걸프전 또한 종식시키는 평화 창조자로써의 위치 부각

4)이락의 현 체제파괴를 예방, 전후 국경을 같이하는 이락, 이란과 3 각체제 구축 모색등임.

마. 한편, 걸프전을 위요, 국내 수구세력의 재부상과 관련, GORBACHEV 로서도 이를 감안하여야 하며, 더욱이 2.8. 자 프라우다지가 서방의 걸프전 작전이 신제국주의의 서곡이라고 평을 한것이라던지, 지난주 PAVLOV 수상이, 쏘 경제와 GORBACHEV 를 붕괴시키기 위해 서방이 음모를 꾸미고 있다고 발언한것 등은, 상기 쏘련국내 상황변화를 반증하는 단적인 예로 간주할수 있음.

바. 결국 쏘련의 노력은 현 단계에서는 미측의 계속적 거부반응으로 성공 가능성이 희박하나, 쏘련으로서는 현 외교적 노력이 전후 중동에 대한 영향력 견지를 위해 도움이 된다고 판단한 것으로 보이므로, 지상전이 개시되어도 쏘련 단독 또는 EC 등과 제휴한 중재노력은 계속될 것으로 보임.끝.

(대사 노영찬-국장)

예고:91.6.30. 까지

1991.6.30. 예고문에 의거 일반

PAGE 2

0193

관리번호	91-91

원 본

외 무 부

종 별 :

번 호 : FRW-0613 일 시 : 91 0219 1750

수 신 : 장관(중근동,봉이,경일,구일)

발 신 : 주 불 대사

제 목 : 주재국 항공사 긴축정책

연:FRW-0482

1.GULF 사태의 장기화로 경영악화에 직면한 주재국 국영항공사 AIR FRANCE 는 91.2.18. 특별이사회를 개최, 향후 1 년간 6 억 1,000 만 프랑의 예산 절감을내용으로하는 긴축정책 추진 계획을 발표한바, 주요 내용 아래 보고함.

. 전체 고용인원 39,000 명을 대상으로한 일시 휴직 시행

-노동시간 축소에 따른 봉급 지불 6 프로 감소

.53-58 세 간부(약 200 명으로 추산)들의 자발적인 퇴직 권고

.91 년도 급여를 90.12. 월 수준으로 동결

. 각분야의 업무 성격및 업무량을 고려, PART-TIME 작업제 도입

. 외국 항공기 용선계약 축소 및 외국인 조종사 귀국 권고

상기 조치와 함께 시내소재 본사를 DE GAULLE 공항으로 이전 추진(3 년 6 개월 소요)

2. 이와관련, 노조측은 연호 기 시행중인 긴축정책(운항회수 5 프로 축소, 신규채용 중단, 무보수 휴가 장려등) 이외에 상기와 같은 새로운 긴축정책의 도입에 반대하고 있으며, 특히 GULF 사태의 부정적 파급효과는 봉급 생활자가 아닌국가가 부담해야 한다고 주장하고 있음.

3.AIR FRANCE 영업 실적

.90 년도 총 매출액

-승객:223 억프랑(89 년:228 억프랑)

-화물:48 억프랑(89 년:56 억프랑)

. 최근 경영실적

-89 년:6 억 8,500 만 프랑 흑자

검토필(1991. . .)

중아국 2차보 구주국 경제국 통상국

PAGE 1

91.02.20 07:25

외신 2과 통제관 BW

0194

-90 년:8 억프랑 적자

.90 년도중 유가상승에 따른 추가부담:7 억프랑. 끝.

(대사 노영찬-국장)

예고:91.12.31. 까지

91.12.31.

PAGE 2

0195

외 무 부

암호수신

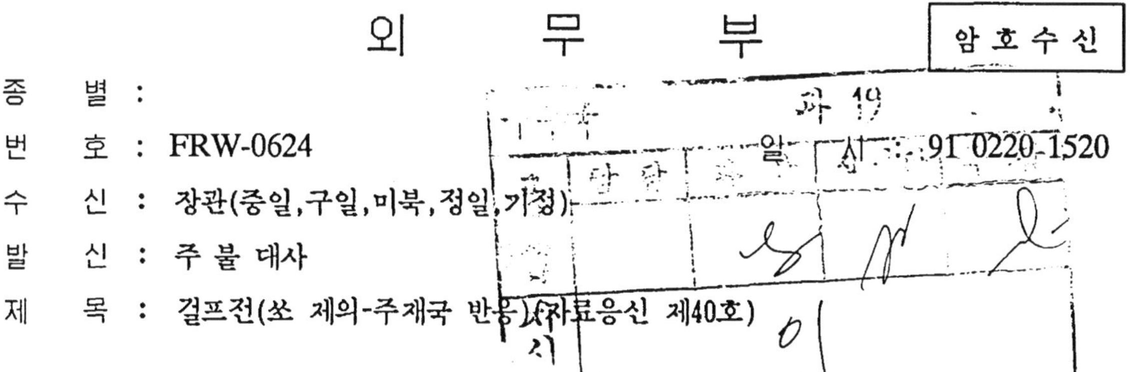

종 별 :

번 호 : FRW-0624 일 시 : 91 0220 1520

수 신 : 장관(중일,구일,미북,정일,기정)

발 신 : 주 불 대사

제 목 : 걸프전(쏘 제의-주재국 반응)(자료응신 제40호)

1. 미국이 이락의 공식답변전 거부한 쏘 제의 평화안에 대해 주재국 DUMAS 외상은, SADDAM HUSSEIN 이 즉각적이고 조건없는 철군과 동 구체일정등을 조속 발표하는 것만이 현 상황에서 필요할 것이라고 말함.

2. 한편 BERNARD 외무성 대변인은 금 2.20. 이락의 쿠웨이트 철수선행을 촉구하는 내용의 성명을 발표함. 끝.

(대사 노영찬-국장)

중아국 차관 1차보 2차보 미주국 구주국 정문국 청와대 안기부

PAGE 1

91.02.21 03:06

외신 2과 통제관 CF

0196

가

외 무 부

종 별 : 지 급

번 호 : FRW-0653 일 시 : 91 0222 1000

수 신 : 장 관 (중동일,동구일,구일,미북,정일,기정)

발 신 : 주 불 대사

제 목 : 걸프전(소 제의 수락-주재국 반응 1)

1. 이락의 쏘 평화안 수락과 관련,주재국 DUMAS외상은 금 2.22 오전 하기내용의 성명을 발표함.

''이락의 쏘 제안 수락은 전쟁의 평화적 해결을 위한 희망적인 조치로 평가되나,철군을 비롯한 쏘안의 구체적인 시행을 위해서는 불명확한 부분이 많으므로,불란서는 미국을 위시한 서방과 계속 긴밀히 협의,대처할 것임.''

2. 이락의 쏘 제의 수락과 관련한 당지 분석은 별전 보고할 것임.끝.

(대사 노영찬-국장)

√중아국	장관	차관	1차보	2차보	미주국	구주국	구주국	정문국
청와대	총리실	안기부	대책반					

PAGE 1

91.02.22 20:46 DQ

외신 1과 통제관

0197

관리번호	91-77

외 무 부

종 별 : 지 급

번 호 : FRW-0633　　　　일 시 : 91 0222 1630

수 신 : 장관(중일,동구일,구일,미북,정일)

발 신 : 주 불 대사

제 목 : 걸프전(쏘 제의 수락-주재국 반응 II)

연:FRW-0653

이락의 쏘 평화안 제의 수락과 관련한 당지 언론및 학계의 분석을 하기 보고함.

1. 이락

-AZIZ 외상을 파견, 쏘 제의를 수락케 하기 수신간전, SADDAM HUSSEIN 이 계속 항전을 내용으로 한 격렬한 대아랍권 라디오 방송을 한것은, 자신이 쏘 제의를 수락하는 것이 약세를 보이는 것으로 간주, 이를 엄호하는 성격의 심리전으로 볼수 있음.

-다국적군의 1 개월여에 걸친 집중공폭이 이락의 군사력을 완전 파괴치는 못하였으나, 이는 이락군의 사기저하 및 국민생활 전반에 걸친 위축을 초래함. SADDAM 은 여사한 상황이 계속되면 대서방 응전의 어려움보다, 국내적인 반발과 군부내 분열 및 자신에 대한 도전등 위협이 있다고 판단, 일단 쏘 제의를 수락, 군사적 재정비 및 민심수습을 위한 시간을 벌고자 하는 것으로 보임.

2. 쏘련

-개전전까지 유엔 결의를 지원하고 다국적군 29 개국에 속해 있으면서도 직접적인 군사적 역할은 없이 사태를 관망하던 소련은, 전쟁양상이 쿠웨이트 해방만을 규정한 유엔 결의의 범위를 넘어갈 우려가 있다고 판단, 외교적 노력을 중심으로 사태에 본격 개입함.

-쏘련이 서방의 증오대상인 SADDAM HUSSEIN 을 구제하고, 결정적인 순간에 외교력을 행사하는 이유는

1)SADDAM 이 패망하고, 전후 이락이 재편되어 미국의 영향권에 들어가면, 쏘련의 대중동 영향력은 소멸될 것이라는 우려

2)58 년 이락 와정붕괴후 계속 유지된 쏘.이락관 특수 유대관계 및 역대 이락

중아국 장관 차관 1차보 2차보 미주국 구주국 구주국 정문국
청와대 총리실 안기부

PAGE 1　　　　91.02.23 03:20

외신 2과 통제관 DO

0198

정권중 가장 친쏘 노선을 취하던 SADDAM 과의 개인적인 의리관계 고려

3)미, 영, 이스라엘을 제외한 모든 국제사회가 다국적군의 이락파괴등의 전쟁확대에 반대 또는 회의적일 것이라는 확신

4)이락의 쿠웨이트 철수로 미국의 걸프지역에서의 계속적인 군사력 유지에 대한 명분 박탈

5)국내 시장경제체제 구축을 위한 서방의 경제지원과 발트문제로 인한 인권차원의 서방여론의 압력등 불리한 여건에 불구, 쏘련이 군사강국으로 있는한 구주지역 이외(중동 및 아. 태지역)의 이해와 영향력은 포기할수 없다는 결의 시사및

6)걸프전을 계기로 국내적으로 재부상하는 수구파의 압력등임.

3. 미국

-전쟁의 궁극적인 목적이 이락 군사력의 완전무력화 및 SADDAM 의 제거이므로, 이락의 쏘 제의 수락에 내심 당황하고 있을 것임.

-또한 많은 약점으로 인해 미국의 전쟁주도를 방관할 것으로 보이던 쏘련이 결정적인 시기에 영향력을 발휘, 많은 전비, 장비, 인력을 집중시켜 다국적군의 선봉에서 일사불란하게 전쟁을 주도한 미국의 위치로 볼때, 쏘.이락간의 외교적인 타결을 수락하기 어려우므로 이를 거부할수 있는 명분색출이 필요하게 됨.

-따라서 미국은 금일 개최되는 유엔협의, 이락의 철군 구체안 제시(명일중 쏘련을 통해 미측에 전달될 것이라 함) 등에 불구, 철군이 가시화될때 까지 일단 강도 높은 대이락 공폭등을 계속할 것으로 보임.

4. 이스라엘

-금번 전쟁의 실질적인 당사자이면서도, 자국의 개입이 부정적인 결과를 가져온다는 판단하에, 배후에서 미국을 움직이는 방향으로 대처해 옴.

-이락의 쏘 평화안 수락으로 이스라엘이 가장 우려하는 요소는

1)다국적군의 와해

2)쏘.이락. 이란의 3 각 체제 구축으로 인한 새로운 위협

3)이락의 군사적 재정비 또는 신무기(핵등) 무장 가능성

4)팔레스타인 문제 해결을 위한 국제회의 개최에 대한 국제여론의 압력 가중등임.

-역사적으로 민족주의의 희생물이 되었던 유태민족은 동구개방 이후 재현기미가 보이는 신 민족주의의 태동, 회교 아랍권의 경직화등에 대해 우려를 갖고 있던중, 금번 전쟁을 통해 기독교권과 회교권이 대결함을 내심 만족하게 느끼고 있었음.

그러나 금번 쏘.이락간의 타결로 정전이 실현되면, 이스라엘로서는 전쟁전의 양상에 비해 얻는것이 없음을 물론, 국제적으로 오히려 더욱 어려운 입장에 처하게 될것이므로, 금번 타결의 허구성을 서방언론을 통해 선전, 이의 백지화를 위한 노력을 경주할 것으로 보임.

5.EC 권

가. 불란서

-개전전에는 적극적인 외교적 시도를 통해 개전예방을 위해 노력하는 동시에, 중동국과의 긴밀한 전통적인 관계를 활용, 서방권과 아랍권 사이에서 자국의 외교적 위치 부각을 위해 부심함.

-개전 초기에도 미온적인 작전 참여등으로 미, 영측의 회의적인 시각을 초래하였으나, CHEVENEMENT 국방상 퇴진을 계기로 다국적군에 적극적으로 참여하는 자세로 전환하였으므로, 이는 또한 아랍권의 반발을 야기시켜 난처한 입장에 처함.

-결국 외교적인 양면정책이 평화시에만 통용될수 있으며, 또한 자국이 유엔안보리 서방 3 대 상임이사국이라는 부담감등을 인식, 현재는 미측에 다소 밀착되었으나, 쏘.이락 타결에 이은 쿠웨이트에서의 즉각 철수가 가시화되면, 종전의 양면정책으로 전환할 가능성이 많음.

나. 독일

-통독 안정을 이유로 다국적군에 대한 부담에 미온적이었으며, 대미 협조라는 기본자세는 견지하되, 구주대륙의 주축국 쏘련의 노력도 간접지원하는 자세를 보이고 있으나, 독일 자체가 중동에 대한 역사적 인연이 없고 GULF 지역에 관한 직접적인 이해도 없으므로 불란서나 EC 의 공동입장에 동조할 것으로 보임.

다. 지중해권

-이태리, 스페인등은 쏘련의 외교노력에 환영의 뜻을 표하므로서, 유엔결의 범주를 벗어난 전쟁확대는 반대한다는 입장을 시사함. 끝.

(대사 노영찬-국장)

예고:91.6.30 까지

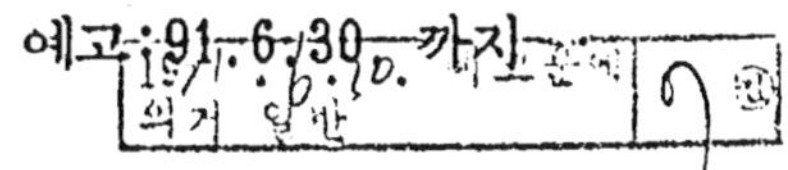

PAGE 3

0200

외 무 부

종 별 :

번 호 : FRW-0670 일 시 : 91 0223 1130

수 신 : 장 관(중동일,구일,미북,정일,기정)

발 신 : 주 불 대사

제 목 : 걸프전(이락정권 핵심인사)

2.23.자 당지 LE FIGARO지가 밝힌 현 SADDAM HUSSEIN정권의 실력자 5명의 인적사항을 하기 보고함.

1.IZZAT IBRAHIM AL-DURRI

-60세

-전직교사

-바쓰당 원로

-SADDAM 의 전사시 승계 가능하나,건강에 문제점이 있음.

2.TAHA YASSIN AL DJIZRAWI

-전직 택시기사

-현 인민군(약 50만 추산) 사령관 겸공업상(화학,원전등 관장)

-집념이 강하며 매우 절도있음.

-상황 변경시,SADDAM을 암살할수 있는 인물

3.TAREK AZIZ

-외상

-당 이론가로 온건 성향

-관료층의 지지

-기독교도 이므로 독자적인 정권장악은 불가능하며,유력자와 제휴해야 함.

4.SADDUN HAMMADI-현 부수상(전 외상)-바쓰당 온건파이며 당내 지성층에 인기

-시아파

5.HASSAN ABDUL-MADJID

-SADDAM 의 인척(사위)

-48세

중아국 장관 차관 1차보 2차보 미주국 구주국 정문국 청와대
종리실 안기부

PAGE 1

91.02.23 20:56 BX

외신 1과 통제관

0201

-군부장악

-초 강경노선.끝.

(대사 노영찬-국장)

외 무 부

암 호 수 신

종 별 :
번 호 : FRW-0672 　　일 시 : 91 0224 1130
수 신 : 장관(중동일,구일,미북,정일,기정)
발 신 : 주 불 대사
제 목 : 걸프전(주재국 입장)

연:FRW-0669

1. 주재국 MITTERRAND 대통령은 2.23. 저녁 BUSH 대통령과 1 시간에 걸친 전화통화를 갖고, 이락의 철군기간을 1 주일에서 2 주일로 연장시키는 방안을 제의하였으나, BUSH 대통령의 거부로 합의치 못했다 함.

2. 상기 통화후 개최된 야간 비상각의서 주재국 정부는, 미국의 최후통첩시한 까지 이락측의 응답이 없으므로 지상전이 불가피하며, 불란서도 이에 적극 참전할 것이라고 발표함.

3.MITTERRAND 대통령은 2.24. 새벽 사우디 주둔 ROQUEJEOFFRE 불군사령관에게 지상전 개시를 알리고, 미, 영군과 협의, 필요한 작전참여를 지시함. 끝.

(대사 노영찬-국장)

중아국 장관 차관 1차보 2차보 미주국 구주국 정문국 청와대
총리실 안기부 국방부

PAGE 1 　　91.02.24 20:40
외신 2과 통제관 CA

0203

관리번호	91-225

외 무 부

종 별 :

번 호 : FRW-0673 일 시 : 91 0224 1130

수 신 : 장관(중동일,구일,동구일,미북,정일)

발 신 : 주 불 대사

제 목 : 걸프전(지상전 개시-분석)

파리시간 2.24 02:30 에 시작된 지상전과 관련한 당지 언론및 전문가의 분석을 하기 보고함.(상황전개에 따라 계속 추보할것임)

1. 미국은 지상전 결행이 시급하였는바, 동 주요 이유는

가. 쏘-이락-유엔간 3 각 외교노력이 주효할 경우, 동 결정을 승복케되면, 전쟁재개가 어려울 것이라는 판단

나. 현지 기상조건이 악화되기전, 속전 및 수륙공 총력전으로 3 월중반까지 지상전을 종결시킨다는 작전면의 고려 및

다. 쏘 제의를 수락한 이락의 최근 자세가 SADDAM 이 약세를 보인것으로 판단

라. 그간의 쏘 중재노력에 대해 이를 전면 무시할수 없으므로 표면적으로는이를 방관하였으나, 결국 냉전종식후 쏘련의 국제적 위치가 종전과 같이 우려할것이 못된다는 자신감 및

마. 이스라엘의 압력등임.

2. 미국은 2.22. 최후통첩을 이락측이 수락치 않을 것이라는 계산하에 발표한것으로 볼수 있는바, 이는 미국이 1.16. 개전명분은 유엔결의에 둔데비해,24 시간 철군통첩은 유엔이 아닌 거의 독자적인 결정에 의한 통보형식을 취한데서도나타남.

3. 지상전의 1 단계인 국경돌파는 3 개축선(사우디-쿠웨입희망 국경, 이락영토 우회 및 해상선)을 이용, 총공세로 작전할 것이며, 이락의 주축군인 공화국수비대가 이락 남부 BASSORA 를 중심으로 해안선에 밀집된 것으로 알려져 있으므로, 당분간은 파죽지세로 쿠웨이트에 진입할수 있을 것으로 보임.

4. 이락은 현 체제 유지에 절실한 공화국수비대가 전면 괴멸되는 것은 예방해야 하므로 대다국적군과의 대전시 사태가 불리하면, 본국으로 후퇴, 다국적군의 이락진주

중아국 장관 차관 1차보 2차보 미주국 구주국 구주국 정문국
청와대 총리실 안기부 국방부

PAGE 1 91.02.24 20:42

외신 2과 통제관 CA

0204

가능성에 대비할 것으로 봄.

5. 서방군의 1 차단계작전이 비교적 공개리에 시행된데 비해, 피아간 많은 인명피해가 예상되는 지상전은 전과등 상세사항을 발표치 않을것이라 하므로 전황파악에 문제가 있을 것으로 보임.

6. 미국은 KUWAIT CITY 탈환과 함께 쿠웨이트 왕정을 일단 복귀시키는 동시에, 필요시 일정기간 잠정군정 실시를 구상하고 있다함.

7. 다국 적군 참여 아랍국인 애급, 사우디, 시리아등은 금번 지상전으로 SADDAM 의 패망, 이락의 군사력이 무력화되는 것은 환영하나, 이락이 전면 파괴되는 것은, 전후 타아랍국가와의 관계를 고려, 반대한다는 입장을 표명한 것으로 알려짐.

8. 전원 직업군인으로 구성된 12,000 여명의 주재국 지상군중 최정예 특공대 4,000 여명은 사우디-이락 국경을 우회, 여타 다국적군과 KUWAIT CITY 를 중심으로 적을 포위하는 임무를 맡은것으로 알려짐.

9. 이락이 화생무기를 사용하면 미군은 A-BOMB(산소 제거탄)등 핵무기에 버금가는 위력을 지닌 신예무기를 사용할 것으로 보임.끝.

(대사 노영찬-국장)

예고:91.6.30. 까지까

1991.6.30. 에 고문에 의거 일반

PAGE 2

0205

외 무 부

종 별 :

번 호 : FRW-0678 일 시 : 91 0225 1150

수 신 : 장 관 (중동일,구일,정일,기정)

발 신 : 주 불 대사

제 목 : 걸프전 (MITTERRAND 대통령 회견)

주재국 MITTERRAND 대통령은 2.24. 20:00 TV 해설가 4명과 회견을 갖고 표제건에 관해 하기와 같은 주재국 입장을 설명함.

1.불군의 지상전 참전

- 불군은 국경선을 중심으로 이락영토 50KM 지점까지 진입, KUWAIT CITY 를 향해 미, 영군 및 아랍 다국적군과 함께 전선을 압축하고 있으며 현재까지 이락측의 커다란 저항을 받지 않고있음.

- 속단은 어려우나 다국적군의 지상전 전개가 예상보다 순조롭게 진행되고 있으며, 이는 그간 1개월 여에 걸친 공폭에 의한 제공권 장악에 힘입은바 큼.

2.전쟁목표

- 유엔결의에 따른 쿠웨이트 해방이 전쟁의 기본목표이므로 이락 파괴를 위한바그다드 진주는 불가하다는 기본정책에 변화없음.

- 또한 이락의 패배와 함께 야기되는 각종 경제, 사회문제 등으로 인해 SADDAM 이 오래 정권을 유지하지는 못할 것으로 보임.

3.소련의 외교적 노력

- 소련은 유엔의 제 결의를 찬성한 국가이나 군사적인 역할은 수행치 않다가,전쟁 중지를 위해 외교적인 노력을 경주 하였으며, 본인도 이러한 평화노력을 지지, GORBACHEV 와 항상 긴밀한 협의를 갖었음.

- 1주일내 철군시한은 현실적인 제의 였음에도 SADDAM 이 이에 응하지 않았으므로 불행한 지상전이 불가피 하였음.

- 소련 및 유엔 역할의 실패로, 유엔이 아닌 미국의 전쟁으로 변모하고 있는 것이 아니고, 다만 미국이 유엔결의 수호에 주도적인 역할을 담당하고 있다고 이해함이 좋을 것임.

중아국	장관	차관	1차보	2차보	미주국	구주국	정문국	상황실
정와대	총리실	안기부	대책반					

PAGE 1

91.02.26 05:46 DA

외신 1과 통제관

0206

4.미.불 협조

- 개전전 양측간 이견이 있었으나, 전쟁시는 동맹군간의 전적인 협조가 목표달성에 긴요함.

- 평화 회복후 파생되는 문제에 대해서는 공동보조를 취할수도 있고, 또는 독자적인 입장이 개진될수도 있을것임.

5.전후문제

- 전쟁이 조기 종결되면, 불란서는 중동의 현안문제 (팔레스타인- 이스라엘, 레바논등) 해결을 위해 전통적인 외교노력을 재경주할 것임.

끝.

(대사 노영찬-국장)

외 무 부

암호수신

종 별 : 지 급

번 호 : FRW-0689 일 시 : 91 0226 1040

수 신 : 장관(중일,구일,동구일,미북,정일,기정동문)

발 신 : 주 불 대사

제 목 : 걸프전(이락 철군 발표)

파리시간 2.25 23:30 RADIO BAGDAD 를 통해 발표된 이락의 쿠웨이트 철군에관한 당지 반응을 하기 보고함.

1. DUMAS 외상은 금 2.26 08:00 철군과 교전중지는 원칙적으로 환영하나, 이락은 사태와 관련된 유엔 결의안 모두를 수락해야 할것이라는 내용의 논평을 함.

2. 표제건 관련 당지 주요 언론의 분석은 아래와 같음.

가. 동 발표 수시간전 SCUD 미사일로 다란 소재 미 병영을 공격, 많은 사상자를 낸것으로 보아, 미국은 상기 이락 제의의 진의 및 성실성에 의심을 갖고 있음.

따라서 UN 안보리를 중심으로한 외교적 해결 논의가 성사될때까지는 현 지상전의 유리한 상황을 포기함이 없이 공격을 계속할 것으로 보임.

나. 미국이 사담 후세인으로 하여금 직접 공개적으로 12 개의 유엔 결의안 전부를 수락토록 촉구한것은 사담 에게 패배를 자인시켜, 향후 동인의 국내적 또는 아랍권내의 위치를 실추시키려는 의도가 있는것으로 보임.

다. 이락이 쏘 제의를 수락하는 시점서 사담은 항전의 한계를 느껴 철군을 결정한것으로 보이며, 이는 다국적군이 지상전 2 일안에 커다란 저항없이 쿠웨이트를 거의 회복한데서도 잘 나타남.

전선 1 선에는 쿠웨이트 침공시 부항병과 민병대 일부만 배치 무기, 보급 지원도 없는 상태에서 부항케 하여, 오히려 다국적군의 부담만 안기고, 정예병은BASSORA 를 중심으로 해안선으로 후퇴시킨것은 , 쿠웨이트는 이미 포기 하되 다국적군의 이락 본토 공격에는 대비한것으로 볼수 있음. 끝

(대사 노영찬-국장)

중아국	장관	차관	1차보	2차보	미주국	구주국	구주국	정문국
청와대	총리실	안기부						

PAGE 1

91.02.26 19:11

외신 2과 통제관 BA

0208

관리 번호	91 -237

외 무 부

종 별 :

번 호 : FRW-0701 일 시 : 91 0227 0900

수 신 : 장관(중근동,경이,구일,사본:건설부)

발 신 : 주 불 대사

제 목 : 주재국의 대 IRAQ 미수금

이라크는 GULF 사태 이전, 주재국의 제 3 위 원유공급 국가였고, 주재국은 무기수출 및 토목건설 분야에서 IRAQ 의 제 2 위 협력대상국으로서 긴밀한 경제관계를 유지하여 왔는바, 표제관련 주재국 정부기관 및 업계등의 분석내용 아래 종합 보고함.

1. 미수금 현황

가.74 년 이래 누적된 대이라크 미수금 총액은 원리금 합계 290 억프랑에 달하며, 현재로서는 동 미수금 회수가 거의 불가능한 상태인바, 전후 주재국이 이라크 복구사업에 참여키 위해서는 당분간 미수금 지불을 이라크측에 종용할수도 없는 실정임.

나. 동 미수금의 대부분은 국영수출 보험공사에 대한 재정지원등 정부차원에서 해결할수 밖에 없어, 결국 국민의 부담으로 귀착될것임.

-특히, 불란서 국민은 이라크에 판매한 무기대금 및 동 무기파괴를 위한 전비를 동시에 부담하는 결과를 초래함.

2. 미수금 내역

0 총액:290 억프랑

-원금:250 억프랑(군사분야:140 억프랑, 민간분야 대형 PROJECT:110 억프랑)

-이자:40 억프랑

0 중수금 정부보증 현황

-COFACE(국영 수출보험공사) 보증액:190 억프랑

-COFACE 보증이 없는 기업체 또는 상업은행 부담액:100 억프랑

0 현재 대이라크 보증액이 전체 COFACE 보증액의 25 프로 점유

3. 정부보증 미수금 누적배경

0 74 년 CHIRAC 수상의 이라크 방문및 75 년 HUSSEIN 대통령의 방불시 BAGDAB

중아국	장관	차관	1차보	2차보	구주국	경제국	청와대	안기부
건설부								

PAGE 1

91.02.27 22:50

외신 2과 통제관 CH

0209

공항건설(현재까지 20 억프랑 미회수)등 대형 PROJECT 추진 합의

0 80 년 IRAN-IRAQ 전 발발시 165 억프랑 수준에 도달하였으나, 불 정부는 이라크의 지불능력에 대한 신뢰를 견지하여 83 년 227 억프랑으로 확대

0 86 년 187 억프랑으로 축소(무기대금 일부를 원유로 상환) 되었으나, COFACE 보증 중단

0 88 년 215 억프랑으로 확대(86 년 CHIRAC 수상 재집권 이래 무기수출에 대해서도 정부보증 개시)

0 88.6. IRAN-IRAQ 전 종료이후 주재국의 이라크 복구사업 불참 및 이라크 측의 소극적 태도로 사실상 미수금 회수 불능사태 초래

0 91 년 190 억프랑 도달. 끝.

(대사 노영찬-국장)

예고:91.12.31. 까지

검 토 필 1:91.6.30..	(서명)

PAGE 2

0210

관리 번호	91 -249

외 무 부

종 별 :

번 호 : FRW-0721　　　　일 시 : 91 0227 1840

수 신 : 장관(경이,중동일,구일,사본:건설부)

발 신 : 주 불 대사

제 목 : 쿠웨이트 전후 복구

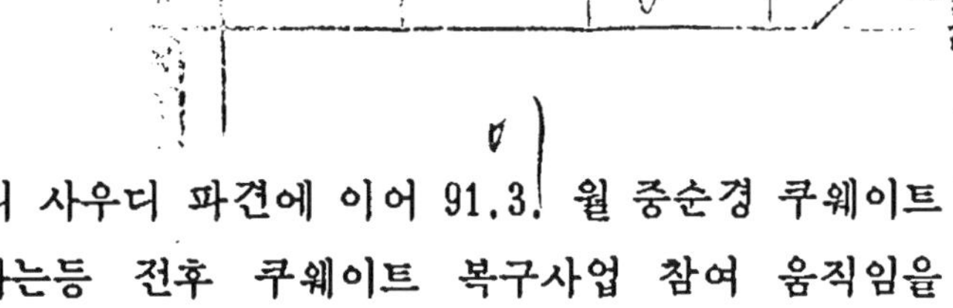

대:WFR-0062

연:FRW-0703

주재국은 연호, 관민 혼성사절단의 사우디 파견에 이어 91.3. 월 중순경 쿠웨이트 복구위원회 대표단의 방불을 협의하는등 전후 쿠웨이트 복구사업 참여 움직임을 구체화하고 있는바, 표제관련 당관 파악내용 아래 보고함.

1. 피해현황 및 복구사업 참여동향 일반

가. 피해현황

0 유정 및 정유시설을 비롯, 일반건물과 교량등이 엄청난 피해를 입은것으로 보이나, 구체적인 피해범위와 규모 파악에는 수주일 이상이 소요될 것임.

나. 각국의 복구사업

0 프랑스: 지난 10 년간 2 회에 걸쳐 쿠웨이트공항 건설 및 현대화사업 타당성 조사를 수행한 PARIS AIRPORT 와 쿠웨이트에 송전시설을 공급한바 있는 EDF(국영전력공사), ALCATEL, FRANCE TELECOM 을 중심으로 공항, 전력 및 통신분야 참여를 추진중임.

0 미국:BECHTEL 은 정유시설 복구(1,000 억프랑으로 추산)의 최우선 PARTNER 로 지정되어 이미 담수화시설, 발전설비등을 입찰에 부친것으로 알려짐.

0 영국:BECHTEL 의 현지법인인 BECHTEL UK 를 통해 미국과 공동으로 복구사업 참여를 모색중이며,1 차로 미공병대 주관 90 일 긴급 복구작업에 46 백만불 규모 하청사업을 추진중임.

0 사우디:주로 파괴된 민간건물의 제거 또는 임시수리 및 건축자재 공급 참여 예상

2. 분야별 피해 및 복구사업 예상

가. 일반건축물 및 토목공사

경제국 장관 차관 1차보 구주국 중아국 청와대 안기부 건설부

PAGE 1　　　　91.02.28 22:39

외신 2과 통제관 CA

0211

0 가장 시급한 교량복구는 교각 또는 교량파괴 양상에 따라 복구방법이 달라질 것이나 우선적으로 2 차대전 직후 프랑스가 사용한 철강재를 이용한 임시교량 구축 예상.

0 도로시설은 파괴된 부분만 보수하면 되나, 일반 건축물은 파괴정도에 따라 새로 건축하는 편이 나을경우도 있으므로 X-RAY 투시등 정밀조사후 복구 규모결정

나. 공항

0 활주로 복구는 비교적 손쉬우나 상. 하부 공항 시설물이 모두 파괴되었을경우, 신공항을 건설하는 편이 경제적임.

다. 전기시설

0 전기공사는 발전소와 송전시설이 70 프로 이상을 차질할 것임.

0 쿠웨이트는 인구 규모에 비해 상당수준(15 TERA WATT)의 전력 소비국이었는바, 전기시설 복구에 5-10 년에 걸쳐 200 억프랑이 소요될 것으로 추산됨.

라. 정유시설

0 전후복구의 가장 중요한 분야로서, 쿠웨이트측은 GCC 회원국에도 정유시설 복구를 위한 협조를 요청한바 있음.

0 현재 600 여개 이상의 유정이 파괴되어 시설복구에 앞서 진화작업이 약 1-2 년 정도 소요될 것으로 보임.(1 개 유정진화에 최대 6 주소요 예상)

0 원유의 재수출은 유정 복구와는 별도로 송유관, 항만, 해안 저장시설 복구 진척에 따라 결정될 것이나 최소 9 개월 정도 소요될 것임.

3. 쿠웨이트의 복구경비 조달문제

0 전문가들은 복구경비를 약 500 억불로 추산하나 피해범위가 확인되면 이보다 확대될 가능성이 있음.

0 쿠웨이트는 현재 약 1,000 억불의 해외자산을 보유한 것으로 알려지고 있으며, 복구사업 충당을 위하여는 자산매각 보다는 국제금융시장 또는 금융기구로부터의 차입 가능성이 크며 이와관련 주재국 CREDIT LYANNAIS 은행은 이미 쿠웨이트에 1 억 6 천만불 차관을 제공키로 함. 끝.

(대사 노영찬-국장)

예고:91.6.30. 까지

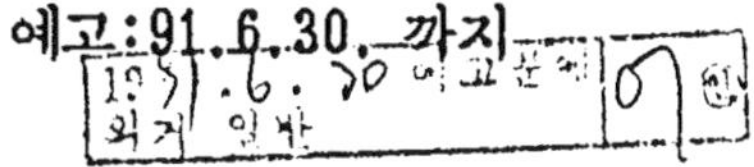

PAGE 2

0212

외 무 부

종 별 :

번 호 : FRW-0718 일 시 : 91 0227

수 신 : 장 관 (중일,구일,미북,정일,기정동문)

발 신 : 주 불 대사

제 목 : 걸프전 (주재국 각의)

1. 금 2.27 개최된 주재국 각의서 미테랑 대통령은 다국적군의 진주가 이락 보토까지 확대 되어서는 안될 것이라 고 말함.

2. 동 대통령은 이어 사담 후세인이 걸프 사태 관련 12개 결의안 전체를 수락하는 공식 문서를 유엔에 제출하면 안보리 협의를 거쳐 교전을 중지 해야할것이라 고부언함.끝

중아국 1차보 2차보 미주국 구주국 정문국 청와대 총리실 안기부

장관 차관

PAGE 1

91.02.28 09:12 WG

외신 1과 통제관

0213

관리번호	91-247

외 무 부

종 별 :

번 호 : FRW-0725 일 시 : 91 0228 1630

수 신 : 장관(중일,구일,정일,기정동문)

발 신 : 주 불 대사

제 목 : 걸프전(정전-주재국반응)

당지시간 2.28 06:00 를 기해 발효된 정전과 관련한 주재국 반응 하기 보고함(분석, 전망은 추후 종합보고할것임)

1. 주재국 외무성 BERNARD 대변인은 금 2.28 오전 기자 간담회를 통해 동정전을 환영하며, 각 관련국은 전후처리에 중지를 모아야 할것이라고 말함.

동 대변인은 이어 각국은 팔레스타인 문제 해결을 위해 노력에 박차를 가해야 할것이며, 이를 과거부터 초지일관되게 주장한 불란서는 국제사회와 합심, 필요한 노력을 아끼지 않을것을 말함.

2. 쿠웨이트의 완전 탈환을 계기로 주재국은 JEAN BRESSOT 본부 대사를 쿠웨이트 대사로 임명, 직원 2 명과 함께 금일자로 현지 부임토록 하여, 공관 복구작업에 착수함. BRESSOT 대사는 과거 82-86 간 주쿠웨이트 대사를 기 역임하고아랍어를 구사하는 외무성 중동 전문가 인바, 동 약력은 하기와 같음.

약력

-1933 년생

-모로코연구 대학원 및 캠브리지 대학원 수료

- 경력

- 5-56 모로코(당지 불보호령)근무

60-62 주리비아 2 등

62-63 주챠드대사대리

64-66 주사우디 1 등

69-71 주 소말리아 참사관

77-79 주 알제리 참사관

80-82 홍보부국장(외무성 부대변인)

중아국 장관 차관 1차보 2차보 기획실 구주국 정문국 정와대 안기부

PAGE 1

91.03.01 09:25

외신 2과 통제관 DG

0214

82-86 주쿠웨이트 대사
86-90 주뉘니지 대사. 끝
(대사 노영찬-국장)
예고:91.6.30 까지

19?1 의거	.6.30 예고문에 일반	

PAGE 2

0215

외 무 부

종 별 :

번 호 : FRW-0731 일 시 : 91 0302 1130

수 신 : 장관(중동일,구일,동구일, 정일,기정동문)

발 신 : 주불 대사

제 목 : 걸프전(주재국 반응)

1. 미테랑 대통령 3.1. 지방 TV 와의 회견서,현재는 유엔중심의 정전과 평정 작업을 하는것이 급선무이며, 이후 제반 중동 문제(팔레스타인,레바논등) 해결을 위한국제적인 노력을 적극화해야 할것이라고 말함.

2. 한편 2.27-28 간 방미, PEREZ DE CUELLAR 유엔사무총장 및 미 BAKER 국무장관, 부시 대통령과 차례로 회담을 갖인 주재국 DUMAS 외상은 3.1 불 기자와 간담 회를 갖고 하기 내용으로 불 정책을 밝힘.

가. 대 이락 무기 공여에 관한 제재는 계속 유지하되 전쟁의 책임이 이락 국민에게 있는것이 아니므로 경제 제재는 인도적인 부문부터 단계적으로 해제하는 융통성이 필요할것임

전쟁 배상 및 전화 복구에 필요한 이락 원유의 수출에 대한 제재 해제 문제도 향후 구체적으로 협의 되어야 함.

나. 불군은 가급적 빠른 시일내 철수할것이나,이는 유엔을 중심으로 다국군 모두가 협의, 결정케될것임

다. 중동 평화 정착을 위해 팔레스타인 문제해결은 더 이상 지연시킬수 없는 명제이므로 각관련국은 배전의 노력을 경주해야 할것이며, 레바논문제도 TAEB 결정(레바논 합법 정부의 군위,권능 강화및 전 외국군의 철수)원칙에 입각,해결의 실마리를찾아야 할것임.

3. 미테랑 대통령의 요청에 의해 주재국 상,하원은 3.26 합동 회의를 갖고, 걸프전 결산, 전후 체제와 불란서의 역할등에 관한 국론 통일 성격의 논의를 갖일것이라함.

4. 불. 이락간 단교로 인한 이락내 이의 보호국으로 주재국은 소련을, 이락 또한불란서내 이익 보호국으로 소련을 지정하는데 상호 합의함.끝

(대사 노영찬- 국장)

중아국	장관	차관	1차보	2차보	미주국	구주국	구주국	정문국
청와대	총리실	안기부						

PAGE 1

91.03.02 21:38 DQ

외신 1과 통제관

0216

외 무 부

종 별 :

번 호 : FRW-0739　　　　　　　일 시 : 91 0304 1200

수 신 : 장 관 (중동일,구일,정일,기정)

발 신 : 주 불대사

제 목 : 걸프전 정전 (MITTERRAND 대통령 담화)

주재국 MITTERRAND 대통령은 2.3. 20:00 표제건 관련, 하기 요지의 대국민 담화를 발표함.

1.국론통일

- 참전에 대해 군,민,의회 모두 혼연일체가되어 정부를 성원해준데 대해 사의를표함.

- 더욱이 불참전이 아랍국의 오해를 야기, 이에 따른테러의 위협도 있었으나 국내적으로 회교도나 유태인 모두 감정을 자제, 불행한 사태없이 전쟁을 수행할 수 있었음은 경하할 일임.

2.불군 철수 및 불 국방정책

- 4-5월중 주력군이 철수하고 늦어도 가을 이전까지는 중동서 완전 철수할 것임.

- 과학기술의 혁신을 통한 군비 현대화는 자주국방 및 구주안보를 위해 긴요하므로, 방어적 개념의 독자 핵 개발을 위시한 기존의 국방정책을 계속 견지할 것임.

3.중동 평화

- 금번 쿠웨이트 해방은 산적한 중동문제의 부분적 해결에 지나지 않음.

- 불란서가 과거부터 초지일관되게 주창한 중동평화 국제회의 개최는 시급한 명제이며,이는 하기핵심 중동문제 해결에 긴요함.

1) 팔레스타인의 독립국가 건설

2)이스라엘의 안전한 국경선 보장

3)레바논의 주권 회복

4)이락 현 영토의 보존등임.

- 금번 전쟁을 통해 새로히 권위가 인정된 유엔을 주도로한 평화노력은 바람직

중아국　차관　1차보　2차보　구주국　정문국　안기부　대책반　장관　(handwritten)

PAGE 1　　　　　　　　　　91.03.05　00:37 CT

외신 1과　통제관

0217

하며, 1차단계로 유엔안보리국 정상회담 개최를 제의코자 함.

4.기타 문제

- 불란서를 포함한 무기 생산국 및 이락 양측 모두 책임이 있는 국제적인 무기수급 체제는 재검토 되어야 하며, 이를 위해 유엔안보리를 중심으로한 협의등은 바람직함.

- 금번 전쟁으로 소수민족 문제(쿠루드등), 빈부격차 및 환경문제등에 대한 인식이제 고되었음.끝.

(대사 노영찬-국장)

PAGE 2

0218

관리번호	91-260

외 무 부

종 별 :

번 호 : FRW-0749 일 시 : 91.0304 1920

수 신 : 장관(중동일,미북,동구일,정일)

발 신 : 주 불 대사

제 목 : 걸프전 정전(분석,전망)

연:FRW-0725

표제건과 관련한 당지 전문가(국제관계연구소 KODMANI-DARWISH 중동연구부장, BALTA 중동연구소 소장등)의 분석, 전망(당관 박참사관 접촉) 및 기타 전문학술지의 평가 내용을 하기 종합 보고함.

1. 미국의 득실

가. 미국은 단기간의 물량적 전투와 최소한의 인명피해로 전쟁에 완승하였으며, 하기 전쟁의 기본목표도 대부분 달성하였음.

1)월남전의 치욕서 탈피, 미국의 국제적 지위 재확인

2)군사, 경제적인 중동진출 기반 구축및 중동질서 재편에 대한 주도권 확보

3)국제 원유시장 주도권 장악

4)재고무기 일소에 따른 군사산업의 활성화로 인한 침체경제 탈피 및 중동전화 복구사업 독점 가능성에 힘입은 호경기 모색

5)동구개혁후 생성된 신 질서하에서 대두되던 다극화 현상(EC 의 발전적 통합 및 일본경제력의 국제경제무대 석권등)에 대한 경고로, 미국만이 패권을 행사할수 있는 국가임을 인식시킴등 임.

나. 다국적군의 BAGDAD 진주 포기에 불구, 금번 전쟁중 아랍권과 제 3 세계의 반미 감정은 고조되었으므로, 이를 완화시키기 위해서는 현재 비타협적인 이스라엘의 리쿠드 정부의 압력과 로비에서 과감히 탈피, 중동문제의 핵심인 팔레스타인 문제해결에 적극적인 자세로 전환함은 시급한 과제임.

다. 또한 미국은 전통적으로 전쟁(개전, 군사작전 및 정전등 일사불란한 주도) 이나 제반 국제위기 관리에는 행동력을 바탕으로한 탁월한 역량을 보였으나,평화구축 작업에는 미숙한 약점을 이번기회에 보완치 않으면, 전쟁중 근신한 소련이나

중아국	장관	차관	1차보	2차보	미주국	구주국	정문국	청와대
총리실	안기부	국방부						

PAGE 1

91.03.05 20:21

외신 2과 통제관 CA

0219

불란서등에 평화외교를 위한 이니셔티브를 양보해야 할 가능성이 있음.

2. 이락의 향배

가. 안보리 결의안 686 호(3.3. 채택) 수락은 실질적인 항복을 의미하며, SADDAM 의 국내적인 왜곡선전에 불구, 동인의 정권기반 몰락은 시간문제가 됨.

나. 중동 최고의 지성, 문화수준을 자부하던 이락 국민이 지난 10 년간의 양차전쟁(이.이전, 걸프전)을 통해 정치, 경제적 하등국민으로 전락한 책임소재가 SADDAM HUSSEIN 으로 귀결될 것이므로, SADDAM 제거와 국가경제 재건은 가장 시급한 명제로 대두됨.

다.SADDAM 은 그간의 철권통치로 도전세력을 제거하였으므로 현재 국내적으로 조직적인 저항세력은 없음. 또한 3 개 망명세력(이란: 시아파 지도자, 영국:진보, 자유주의자, 사우디:전 국방상등 온건세력)도 체계화 되지못하고, 상호 분열되어, 단기적 대체세력으로 등장키 어려울 것임으로 현재로는 하기 2 개 가정이 가능함.

1)현 정권 핵심인사중 실정의 공동책임을 지기보다는 솔선 SADDAM 을 제거,현 체제를 다소 완화, 유지하는 방법(바쓰당과 군부의 제휴)

2)유일한 조직력이 있는 종교(시아파 60 프로) 지도자를 중심으로한 봉기(BASSORA 소요등) 및

3)SADDAM 의 망명(LE MONDE 지, 알제리 망명 가능성 보도)

라.SADDAM 은 금번 패전과 60 프로의 군사력 손실에 불구, 일정수준의 친위군부만 장악하면 당분간 정권유지가 가능할 것으로 볼것이나, 전쟁중

1)KHAFJI 전투를 제외하고는 전투다운 응전을 못하고 심리전만 일관하므로써 아랍인 일반의 기대인 "행동력의 지도자"란 이미지 고양에 실패하였고

2)소련 정전안을 수락하는 시점서 팔레스타인 문제에 대한 관심 불표명등의ARAB CAUSE 퇴색은 그간 맹목적인 아랍 일반대중의 지지를 약화시켰으므로, 아랍권 지지에 의한 계속 집권도 어려워질 것임.

마. 이락 시아파의 집권에 대해 이란은 이를 환영할 것이나, 사우디를 위시한 걸프국은 극력반대할 것이므로 회교공화국 수립 전망도 밝지못한, 현재 상태에서의 유일한 가능성은 상기 집권핵심세력과 군부의 제휴를 통한 SADDAM 축출이될것으로 보임.

3. 소련 및 불란서

가. 역사적으로 중동에 이해관계가 많은 상기 양국은 전후 미국주도의 중동평화

PAGE 2

0220

노력이 아랍인의 반감을 야기시킬 것이라는 우려와 미국의 중동본격진출 견제라는 관점에서 상호 제휴, 평화회의 개최등에 있어 적극적인 노력을 전개할 것임. 특히 주재국은 전쟁중에도 소련과 대화채널을 유지, 외교적인 공동노력에 관심을 표명하고, 정전직전 2.27. VAUZELLE 하원 외무위원장을 특사자격으로 방소시켜 전후 공동보조에 관한 원칙적인 소련측의 합의를 얻은 것으로 알려짐.

나.MITTERRAND 대통령이 3.3 대국민 담화에서 중동문제 해결사항중 이락의 영토 보전을 강조한 것은 년 170 억불의 원유생산국인 이락이 경제재건에 착수하면, 과거의 인연을 살려 복구사업에 적극 참여코자 하는 의향이 반영된 것으로 볼수 있음.

다. 소련 또한, 국내 군부를 위시한 수구세력이 그간의 돈독한 소.이락 관계를 활용, 중동판도의 핵심국인 이락에 대한 소련의 영향력은 계속 유지토록 GORBACHEV 에게 압력을 행사할 것이므로, 소련 및 블란서는 제반관점에서 공통이해를 갖고있다고 볼수 있으며, 이에따른 양국의 보완적인 협조가 두드러질 것임.

이하 4. 항부터 FRW-0750 PART II 로 계속됨.

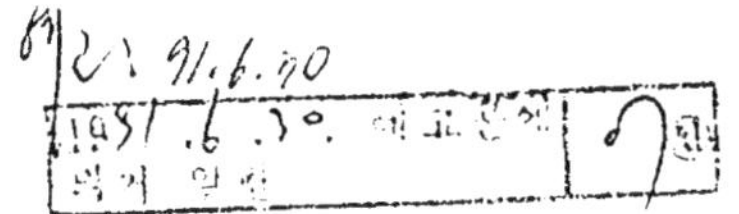

PAGE 3

0221

관리 번호	91 -259

외 무 부

종 별 :

번 호 : FRW-0750 일 시 : 91 0304 1950

수 신 : 장관(중동일,미북,동구일,정일)

발 신 : 주 불 대사

제 목 : FRW-749 의 PART II

4. 신 중, 근동 판도 및 열강의 동향

가. 미국은 다국군에 파병하여 지원한 애급, 시리아등을 포함, GULF 국을 주축으로한 친미 아랍권을 형성하여, 외곽 터키를 보완적인 연결고리로 하는 새로운 체제를 모색할 것으로 보이며, 내주중 있을 BAKER 국무의 중동순방도 이를 위한 정지작업이 될것임.

나. 소련은 미국의 군사, 정치, 경제적인 중동정착마저 방관하면 자국의 국제적 영향력은 완전 실추되므로, 외교 우선목표를 중동에 집중, 불란서와 함께 평화작업주도, 이란, 이락등 국경선을 같이 하는 국가와의 3 각체제 결성등으로 대처할 것으로 보임.

다. 불란서, 독일을 주축으로한 서구 EC 진영도 중동에 관한한 미국의 독주는 바람직하지 않으므로, 소련과 적절히 제휴, 외교는 불란서, 이태리 중심, 경협은 독일 중심으로 구주의 대중동 영향력을 견지하고자 할것임.

라. 경제대국인 일본은 걸프전을 통해 막대한 전비만 부담했지, 순발력있는외교대응은 무능만을 노출시켰으므로, 전쟁 복구사업 참여를 위해 미, 소, 불,영등이 각급 특사 및 관, 민 혼성사절단등을 파견, 국익을 위해 순발력 있게 대처하는데 비해 괄목할 만한 움직임을 보이지 못하고 있는바, 이는 일본의 그간대중동 이해가 원유수급에만 국한된다는 점도 있으나, 정치, 외교력이 없는 경제만의 강국이 세계판도를 좌우하는데는 한계가 있음을 여실히 들어낸 것으로 볼수 있음.

마. 중동 재편을 위시해서 제 3 세계 문제등에 있어 안보리 상임이사국중 소련이나 중국 또는 불란서의 입장은 그런대로 강화될 여지가 있으나, 미, 영은 당분간 중동부흥에 필요한 중동재건은행 창설등 기술적인 문제외에는 표면에 나서 적극적인

중아국	장관	차관	1차보	2차보	미주국	구주국	정문국	청와대
총리실	안기부	국방부						

PAGE 1

91.03.06 05:49

외신 2과 통제관 CA

0222

영향력을 행사하는데 제약이 있을 것임.

5. 중동평화

가. 이스라엘의 리쿠드 정부도 팔레스타인 문제 해결 관련, 더이상 배타적인 자세를 견지하기가 어려워 졌으므로, 미국이나 서구의 권유에 순응, 협상에 임하는 자세를 보이게 될것임.

나. 팔레스타인과의 협상을 양자관계(PLO 가 아닌 점령지 팔인)로 한정시킨이스라엘의 입장도, 금번 걸프전을 통해 비록 위치가 약화는 되었으나, 상금 팔인의 대의기구로 존속되고 있는 PLO 를 무시할수는 없을것임.

다. 또한 전쟁와중서 묵인되었던 시리아의 레바논 강점 및 이스라엘의 레바논 팔인기지 공격등에 대한 최소한의 경고와 함께, 레바논의 진정한 주권회복을 위한 노력도 구체화 될것으로 보임.

라. 전쟁중 아랍대중이 SADDAM 을 성원한것은 SADDAM 개인에 대한 존경이라기 보다는, 부의 편재를 가져온 아랍 각국의 전근대적인 지도체제에 대한 반발 및 열강의 이스라엘 지원에 대한 반감이 복합적으로 작용한 것이므로, 전후 아랍각국의 군주체제나 독재체제도 점진적으로 민주화 되어야 할것임.모로코의 최근 정치범 석방 발표등은 이에 대비하는 자체적 조치로 평가됨.

6. 전쟁과 메디아

-금번 걸프전을 통해 20 세기의 총아이며 강력한 비정치 주체세력인 서방(미, 불, 영) 메디아(특히 TV 매체)는 언론의 기본사명을 도외시한 오류를 범했는바, 즉

1) 사태발발 부터 전쟁 예방보다는 개전방향으로 여론 유도

2) 이락의 군사력 및 화학무기 사용 가능성에 대한 과장보도로, 다국적군의물량공폭 정당성 지원 및 이락 또는 SADDAM 의 잔학상 선전등으로, 이락측의 인명피해(12-15 만명 추산)가 불가피 했음을 강변

3) 신예무기 집중홍보로 국제무기 수급 제한 분위기에 역행

4) 유엔결의안 적용이 쿠웨이트에만 국한되는 인상을 주고, 레바논, 이스라엘 관련 유엔결의안 준수 촉구는 의식적으로 회피

5) 아랍국민의 반응보다는, 이락의 SCUD 미사일 공격피해가 경미했던 이스라엘의 안위만을 집중보도, 언론의 평형감각 상실 및

6) 동구개혁후, 언론이 극화(DRAMATIZE) 할수 있는 새로운 호재가 없던 차에 발생한 걸프사태를 분쟁의 원인, 전후 중동평화등에 촛점을 맞추는 대신, 각종

전파신장비를 동원한 전쟁의 중계방송화에 집중, 비참한 전쟁을 TV 의 오락프로그램화 하는 실책을 범했으므로, 서방 수개국의 국제 COMMUNICATION 독점에 대한 경각심으로 고조시켜 향후 이문제가 과거 UNESCO 차원이 아닌 국제적인 ISSUE로 재차 부각될 소지를 남김.

7. 후속조치

- 당관은 중동평화, 중동질서 재편, 전후 복구사업 관련 후속사항을 각별히주시 파악, 계속 보고토록 할것임.끝.

(대사 노영찬-국장)

예고:91.6.30. 까지

1991.6.30 예고문에 의거 일반

PAGE 3

0224

관리 번호	91-262

외 무 부

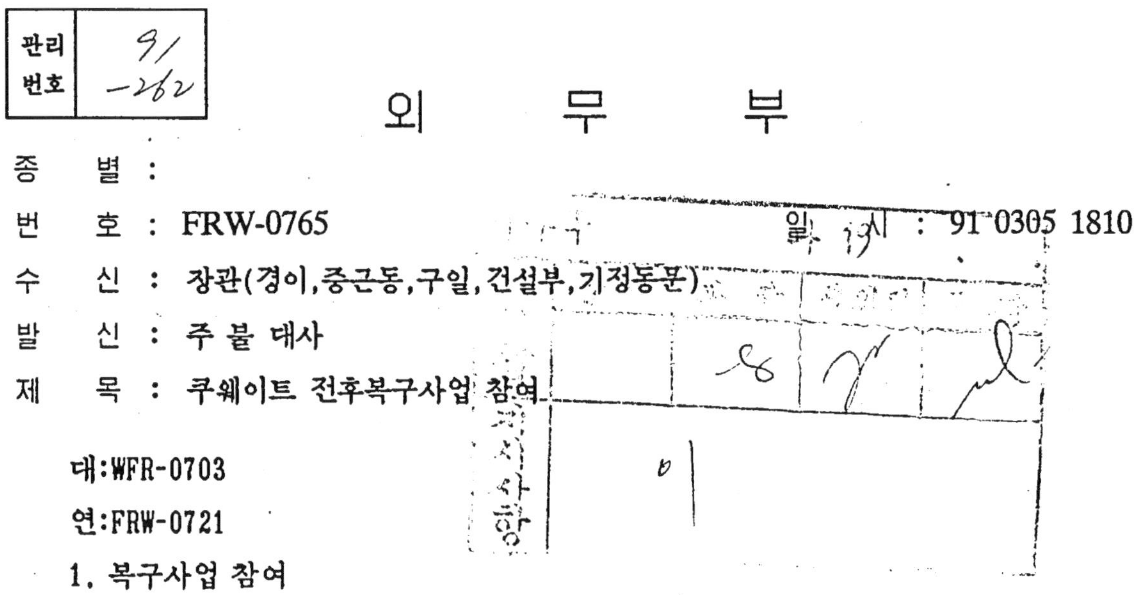

종 별 :

번 호 : FRW-0765 일 시 : 91 0305 1810

수 신 : 장관(경이,중근동,구일,건설부,기정동문)

발 신 : 주 불 대사

제 목 : 쿠웨이트 전후복구사업 참여

대:WFR-0703

연:FRW-0721

1. 복구사업 참여

0 전후 긴급 복구사업 1 차참여대상 36 개 기업에는 주재국의 BOUYGUES(토목, 건축)와 SOGEA(상수도) 2 개회사가 포함 되었으나, 미 공병대는 우선 1 차로미국 3 개사, 사우디 1 개사와 15 백만불 규모 복구계약을 체결 하였으며 2 차계약도 영국 및 쿠웨이트 회사에 내정된 것으로 알려짐.

0 주재국 기업은 1 단계 복구사업 참여 가능성은 적은 것으로 보고, 약 500 억불 이상에 달할 것으로 보이는 본격적인 제 2 단계사업 참여를 위해 단독 또는미국기업과의 공동진출을 적극 모색하는 한편 COFACE(국영수출보험공사) 보증등 정부차원의 지원 확대를 요구하고 있음.

0 현재 까지는 약 12.5 억불 상당 총 170 개 계약이 체결된 것으로 알려진 가운데, 주재국 기업으로는 최초로 GEC-ALSTHOM 사가 이동식 발전용 가스터빈 4 개조의 공급계약(약 60 백만프랑)을 체결한데 이어, THOMSON-CSF 사도 3.1. 쿠웨이트 공보성이 긴급 사용할 이동식 TV 시스템(보도용차, TV 스튜디오,5KW 송신기로 구성)의 공급계약을 체결하였다고 발표함.

2. 주요인사 쿠웨이트 방문

0 현재 중동지역을 순방중인 CHARASSE 예산담당 장관은 UAE 에 이어 3.4 쿠웨이트를 방문하였으며, JEAN-MARIE RAUSCH 대외 무역상도 이집트 방문에 이어 내주중 쿠웨이트를 방문, 불기업의 복구사업 참여를 적극 요청할 계획임.

0 또한 FRANCOIS PERIGOT 주재국 전경련(CNPF) 대표단은 2 월말 이미 쿠웨이트 망명정부 소재지인 사우디 TAEF 를 방문한 바 있음.

경제국 건설부	장관	차관	1차보	2차보	구주국	중아국	정와대	안기부

PAGE 1

91.03.06 13:07

외신 2과 통제관 FE

0225

3. 쿠웨이트 자산동결 해제

0 주재국 정부는 91.3.3 자로 총액 75 억프랑에 달하는 주재국내 쿠웨이트 예금동결을 해제 키로 결정 하였으며, 동 조치로 인해 주재국내 쿠웨이트가 부자한 자산(특히 PARIBAS 등 금융기관 및 각종 기업지분)에 대한 동결도 해제됨.

4. 기타

0 BEREGOVY 경제재무장관은 3.3 걸프만 지역의 경제재건 특별계획 수립에 호의적 반응을 보이면서, IMF, 세계은행 또는 EC 의 유럽부자은행(EIB)등 기존 국제금융기구 주관하에 동 계획을 수립할 것을 제의함.

0 주재국 AIR FRANCE, UTA 등 항공사는 이미 이스라엘, 오만, 바레인에 대한 재취항을 시작 하였으며 사우디 운행은 내주 재개 예정임.

0 한편 불정부 및 기업은 전후 현재의 시기를 중동 경제진출의 호기로 보고 쿠웨이트 복구사업 참여는 물론, 각종 사회간접시설을 확충하고 있는 이란에 대한 진출도 적극 도모하고 있으며, 이와관련 TECHNIP 사는 이란 TABRIZ 에 대규모 석유화학단지(약 45 억불 규모) 건설계약을 체결함. 끝.

(대사 노영찬-국장)

예고:91.12.31. 까지

검토필 1991.6.30.

0226

외 무 부

암호수신

종 별 :

번 호 : FRW-0772　　　　일 시 : 91 0306 1700

수 신 : 장관(중동일,구일,정일,기정)

발 신 : 주 불 대사

제 목 : 이락 소요사태

이락 남부소요사태 관련사항 및 당지 분석을 아래 보고함.

1. 걸프전 정전을 계기로 태동된 반 SADDAM 움직임이, 최근 HAKXIM 이락 회교혁명평의회 지도자(현재 이란 망명중)를 중심으로 대규모 소요사태로 발전하오,3.5 에는 이락 제 2 의 도시 바스라및 NADJAF, KERBELA 2 개성지를 포함한 8 개 남부도시를 반란군이 장악한 것으로 알려짐.

2. 또한, SADDAM 의 탄압을 받아왔던 쿠르드족도 북부 수개도시를 장악한 것으로 보도되고 있고, 수도 일부에서도 교도소를 습격하는등 소요사태가 전국 규모로 확대되고 있음.

3.SADDAM 이 이를 진압키 위해 공화국 수비대, 정부군을 동원하여, 바스라를 위시한 수개도시를 탈환하고 있다는 바, 현재로서는 정부측과 반란군측의 상호 상반된 주장으로 정확한 상황파악이 어려운 실정임.

4. 상기 사태로 이락 남부점령 다국적군의 철수가 지연될 것이며, 전후문제처리도 다소 지체될 것으로 보인다 함. 한편, 동사태를 주시하고 있는 주변 4 국, 즉 이란(시아파혁명 중동지역 확산 기도), 터키(NATO 회원국으로 군사력 강화 모색), 사우디 및 시리아(다국적군 가담)가 SADDAM 의 붕괴를 지지하면서, 전후 지역강국으로서의 영향력 행사를 노리고 있는 가운데, 그간 이락 바씨스트 정부에 의해 봉쇄되었던 종파 및 종족대립이 이락내에서 복합적으로 표출됨으로써 레바논화 내지 시아파에 의한 회교원리주의화 운동 확대의 우려가 있어, 동 사태가 복잡한 양상으로 발전될 가능성도 배제할 수 없음.

5. 주재국은 미테랑 대통령이 3.3 자 TV 회견에서 이락 영토보존원칙을 밝힌바 있으며, 미국도 이락 국내문제 불간섭 원칙으로 천명하고 있어 미국을 위시한 서방국은 이락의 시아파 혁명정권 수립 보다는, 약화된 SADDAM 의 독재체제가존속되는

중아국 장관 차관 1차보 2차보 미주국 구주국 정문국 청와대
안기부

PAGE 1　　　　91.03.07 07:37

외신 2과 통제관 BW

0227

것을 내심 기대하는 것으로 보인다 함. 끝.

(대사 노영찬-국장)

PAGE 2

0228

외 무 부

종 별 :

번 호 : FRW-0781 일 시 : 91 0307 1730

수 신 : 장 관 (경이,중동일,경일,구일,기정동문)

발 신 : 주 불 대사

제 목 : 걸프 사태를 위요한 경제동향

1. 걸프사태를 위요한 최근 주재국 경제동향관련, 3.6. FRANCOIS PERIGOT 전경련회장의 기자회견 내용 요지 아래 보고함.

가. 걸프사태 영향

0 세계경제 침체와 걸프사태의 파급효과로 90년1/4분기 이후 국내 경제활동이 둔화되고있으며, 특히 전쟁에 따른 심리적인 불안감이 경제활동 침체에 큰 영향을 주었음.

0 수송, 호텔, 부동산 업계는 걸프사태로 직접적인 피해를 입었으며, 특히 제조업중 자동차 산업은 90년초반 부터 시작된 현상이 걸프사태로 인해 더욱 가속화되어 90.12. 월 자동차 생산은 전년 동기대비 17프로나 감소하였음.

나. 불란서 경기전망

0 비록 제조업 중심으로 경기후퇴 징후가 두드러지고 있으나, 불란서의 대내외 경제여건은 물가, 금리, 저축율등에서 여타국에 비해 비교적 양호한 편이므로, 정부가 기업의 사회보장 부담경감, 중소기업 지원등 경제활성화 정책을 적극 추진한다면 경기회복에 큰 문제는 없을것임.

0 연이나, 미국 경제의 회복전망과 독일경제의 통일흡수 능력은 상당히 불부명하며, 특히 구동독지역을 흡수, 통합하기 위한 독일경제의 능력을 과대평가해서는 안됨.

다. 불기업의 중근동 및 마그레브 진출

0 불란서 전경련은 동 지역 진출강화를 위한 단계별 행동계획을 작성 이를 구체적으로 시행할 예정임.

0 우선, 모든 쿠웨이트 진출업체가 참가하는 회의를 소집, 피해현황 및 복구사업 참여 여건을 검토한후 (동 회의에는 쿠웨이트측 대표도참석), 희망 업체를 대상을 AD

경제국 2차보 구주국 ~~중아국~~ 경제국 중아국 안기부 1차보 차관 장관 외연원

PAGE 1 91.03.08 09:59 WG

외신 1과 통제관

0229

HOC COMMITTEE 를 구성하여 사우디, 쿠웨이트, 모로코, 튀니지 등지에 전경련 대표단을 수시 파견 계획임.

2.한편, 주재국의 걸프전 참여 전비를 도웁기 위한 각국의 지원금액이 밝혀지고 있는바, 3.7.현재발표된 내역은 아래와 같음.

0 쿠웨이트:10억불(50억프랑)

0 독일:3억마르크(약 10억프랑)

0 벨기에:10억 벨기에프랑 (약 135백만 프랑상당으로 이를 영국과 불란서에 배분).끝.

(대사 노영찬-국장)

PAGE 2

0230

원 본

암호수신

외 무 부

종 별 :

번 호 : FRW-0802 일 시 : 91 0309 0900

수 신 : 장관(중동일,미북,정일)

발 신 : 주 불 대사

제 목 : 팔.이스라엘 문제

1. 3.5 부쉬 대통령이 이스라엘 인정 및 팔레스타인의 정치적 권리 부여를 골자로한 팔. 이 분쟁 종결 방침을 밝힌데 대해 이스라엘 집권 디쿠드당과 야당인 노동당간 각기 다른 반응을 보이고 있는 반면 PLO 는 긍정적 반응을 보였다함.

2. 이스라엘내 상호 이견은 이락 패전으로 이스라엘이 당분간 이락의 위협으로부터 벗어난 동시에 PLO 약화에 따라 점령지구의 진정된 국면을 맞은데서 비롯된 것으로 이스라엘 정부는 부쉬 대통령의 " 평화와 점령 지역의 교환" 정책에반대 89 년 평화안을 고수하여 팔측과의 직접 대화를 원하는 반면, 노동당에서는 SHALA 전 동력상을 중심으로 , WEST BANK 및 가자지구에 무장 해제된 팔인 국가를 허용하자는 현실적인 방법을 주장하는것으로 알려짐.

3. 베이커 국무가 팔레스타인측 접촉 용의를 표명한것은 아랍권에서 고무적으로 받아드리고 있으나 중동 평화 국제회의는 상금 고려치 않고 있다고 발언한것은 팔 문제에 관해 이스라엘측의 로비를 일단 염두에 둔것으로 해석되고 있음. 끝

(대사 노영찬-국장)

중아국	장관	차관	1차보	2차보	미주국	정문국	청와대	안기부

PAGE 1

91.03.09 20:26
외신 2과 통제관 CH
0231

원 본

외 무 부

종 별 :

번 호 : FRW-0816 일 시 : 91 0312 0900

수 신 : 장 관 (중동일,정일,기정)

발 신 : 주불대사

제 목 : 이락 사태

1.반 SADDAM 봉기사태 관련,정부군과 반란군의 대치가 특히 성지 KERBALA 와 NADJAF 북부 KURDISTAN 을 위요하여 격화되고 있는 바,KERBALA에서의 500여명 사망을 비롯,수천명의 사상자가 발생한 것으로 보도되고 있음.

2.반 SADDAM 운동이 이락군부및 SADDAM 측근에까지 확산되고 있다는 보도와 아울러,반정부 17개단체(시아파,수니파,사회주의파,자유주의파,공산파,크루드등) 약 250명이 베이루트에서 금 3.11-13간 예정으로,시리아 및 이란의 후원하에 반 SADDAM연합전선 구축을 위한 1차회의를 개최함.

3.상기 관련,그간 중립을 표방하던 이란이 SADDAM으로 하여금 퇴진(이락국민에 대해 승복)토록 요구하고 있는 한편,미국은 SADDAM 이 소요사태진압에 화학무기를 사용 할 경우,공폭을 경고하면서도,이락의 공동화 현상 출현은 걸프지역 균형및 미국이해에 바람직스럽지 않다는 입장을 보이고 있으며,국내외적으로 SADDAM 을 승계할 만한인물이 희소한 것도 문제라고함.끝.

(대사 노영찬-국장)

중아국	장관	차관	1차보	2차보	정문국	청와대	안기부	국기국

PAGE 1 91.03.12 23:47 BX

외신 1과 통제관

0232

원 본

외 무 부

종 별 :

번 호 : FRW-0817 일 시 : 91 0312 0900

수 신 : 장 관 (중동일,정일,기정)

발 신 : 주 불 대사

제 목 : 베이커 국무 중동순방

1.3.10. 베이커국무의 SAOUD AL-FAYCAL 사우디외상 및FAHD 국왕과의 면담결과,사우디는 아랍-이스라엘 문제 해결 및 점령지역 팔인 지위향상을 기반으로 한 미국의이중해 결안을 지지한것으로 알려짐.

2. 3.11 베이커 국무의 이스라엘 방문관련,4명의 이스라엘인 피살 및 요르단 소재 팔인특공대 이스라엘 침부 기도등 팔.이스라엘간 긴장이 고조되고 있는 가운데,점령지역팔인 대표단은,PLO 동의하에,베이커 국무와의 면담수락을 결정하였음.

3.이스라엘에서는,집권 샤미르 정부가 평화대점령 영토 반환은 불가하다는 입장과 점령지역에대한 논의 이전에 시리아,사우디,쿠웨이트등 아랍국과의 직접협상이 선행되어야 한다는 주장을 고수하면서,89.5월 연립정부안에 의한 선거절차를 생략,PLO가 아닌 팔인과의 직접논의 가능성 및 아랍국과 이스라엘간 평화조약 체결을 위한 지역회의 개최 가능성도 비추고 있음.

4.한편,페레즈 노동당(야당) 당수등 온건파는 팔레스타인,요르단을 망라한 불가침 협정체결등을 제의하고,점령지역 KIKW에 대한 국민투표 실시를 주장하고 있어,이스라엘내에서의 강.온 분열상도 향후 중동판도에 커다란 영향을미칠 것으로 보여짐.특히 베이커 국무의 이스라엘 방문시,노동당 대표들과의 면담도 예정하고있어,그 귀추가 주목됨.

5.지역회의 개최 문제 관련,베이커 국무가 적절한시기에 국제회의 개최는 검토할수 있으나,조기국제회의 개최는 바람직하지 않다고 발언한 사실도 간과할수 없을것으 로 보임.수일전 CHIRAC파리시장이 미테랑 대통령의 국제회의 개최에 반대,지역회의개최입장을 취한바 있음).끝.

(대사 노영찬-국장)P

중아국	장관	차관	1차보	2차보	정문국	정와대	~~총리실~~ 국기국	안기부

PAGE 1

91.03.12 23:51 BX

외신 1과 통제관

0233

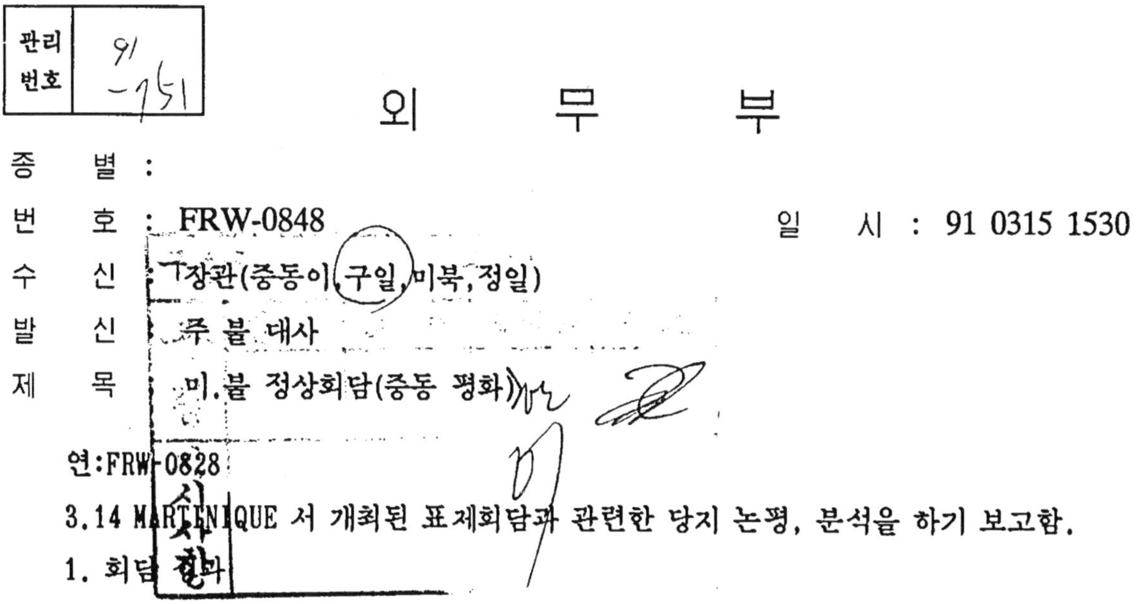

관리 번호	91 -751

외 무 부

종 별 :

번 호 : FRW-0848 일 시 : 91 0315 1530

수 신 : 장관(중동이,구일,미북,정일)

발 신 : 주 불 대사

제 목 : 미.불 정상회담(중동 평화)

연:FRW-0828

3.14 MARTINIQUE 서 개최된 표제회담과 관련한 당지 논평, 분석을 하기 보고함.

1. 회담 결과

- 67 년 이후부터 양국간 있은 중동 문제에 관한 입장차이의 부분적 해소 및 중동 평화 정착 작업을 위한 보완적 협조 관계 재정립 원칙 확인

-중동 분쟁의 핵심인 팔레스타인 문제 우선 해결 필요성에 관한 의견 일치

2. 양국간 이견

가. 팔레스타인 국가 건설

-불측은 47 년 UN 결의를 상기시켜, 팔 주권국가 수립 필요성을 강조한데 대해, 미측은 이스라엘의 안전보장에 우선 순위를 부여함.

나.PLO 의 국제적 지위

- 미테랑 대통령은 ARAFAT 이 전쟁중 사담 에 동조한것은 유감이나, 현재 PLO 를 대체할수 있는 팔인의 대의기구가 없으므로, PLO 의 대표성을 계속 인정한데 대해, 부시 대통령은 PLO 가 친 사담 태도를 보이므로 국제적 지위가 격하 되었다고 주장하였으나, PLO 의 존재를 완전 부정치는 않았음.

- 미테랑 대통령 또한 ALRAFAT 의 대표성은 인정하는 동시에 점령지 팔인간대표자를 선정하는 가정도 언급하므로서 동 문제에 대한 유연성을 보임.

다. 중동 평화 국제회의 개최 및 안보리 정상회담

- 불란서의 일괄된 주장에 대해 미측은" 적절한 시기에 동 회의를 개최함은유익할것" 이란 반응을 보이므로서 전보다는 다소 완화된 태도를 보였으나, 국제회의 개최에 대한 회의적인 시각은 견지함.

- 미측은 미테랑 대통령의 안보리 정상회담 개최 제의에 대해서 냉담한 반응을

중아국 장관 차관 1차보 2차보 미주국 구주국 정문국 청와대
안기부

PAGE 1

91.03.16 00:22
외신 2과 통제관 CE

0234

보임.

라. 다국적군의 역할 종결

- 미테랑 대통령이 GULF 전에 관한 불란서의 역할은 종료되었다고 선언한데대해 부시 대통령은 완전 종전협정 체결까지는 사담의 잔학한 국내 탄압을 견제해야 하므로, 이락 남부 다국적군의 철수가 시기 상조임을 주장함.

3. 분석

가. 미국은 정전후 중.근동 전체에 장기적인 영향력을 행사키 위해서는 팔레스타인 문제를 포함한 중동 평화 작업에도 주도적인 노력이 필요함을 인식, BAKER 국무의 예비적 성격의 순방 및 부시 대통령의 중동 방문등으로 이를 가시화시키는 새로운 이니시아티브를 취하고 있음.

나. 그러나 BAKER 국무의 중동 순방시 나타난바와 같이, 이스라엘과 반 이락 성향 중동 각국간의 양자 성격의 의견조정은 그 실현성이 점증된 반면, 팔 문제해결의 가장 핵심인 이스라엘의 양보에 대해서는 뚜렷한 방안을 상금 제시치 못하고 있으므로 미국이 이스라엘로 부터의 부담을 과감히 탈피, 획기적인 방안을 도출해야 하는 명제가 남아 있음.

따라서 친미 아랍국가 모두가 반대하는 이스라엘과 점령지 팔인과의 양자 대화안이나, 요르단을 팔레스타인 연방국화하는 이스라엘 안등은 필히 수정되어야 할것이며, 미국도 이를 위한 진일보한 자세로 보임이 필요함.

다. 중동 문제에 관한한 서방 진영 국가중 가장 정통하다고 자부하고 있는 주재국은 전후 미국이 모처럼 시도하는 평화작업을 견제함이 없이, 일단 배후에서 관망하면서 동 미국의 노력이 6 개월등 단기간에 효과가 없을경우, 개입한다는 기본 입장을 세운것으로 보임. 이와관련 주재국은 상금 국제회의 개최나 유엔안보리 정상 회담이 팔. 이간의 양자 협상 보다는 더욱 성공 가능성에 근접한 방안이라고 확신하는것으로 보임.

라. 다국적군의 이락 남부 잔류와 관련한 미국 입장에 대해 불 전문가들은 동 미국의 의도가 사담의 가혹한 국민탄압을 통한 정권유지를 견제한다는 명분도있겠으나, 이보다는 정전후 급속한 신장세를 보인 이락 시아파에 의한 집권 가능성에 대한 묵시적 경고역할도 념두에 둔것으로 보고 있음. 끝

(대사 노영찬-국장)

예고 :91.6.30 까지

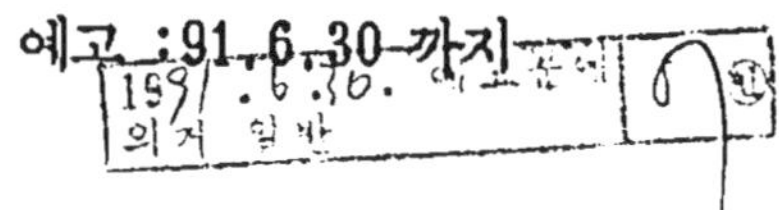

PAGE 2

0235

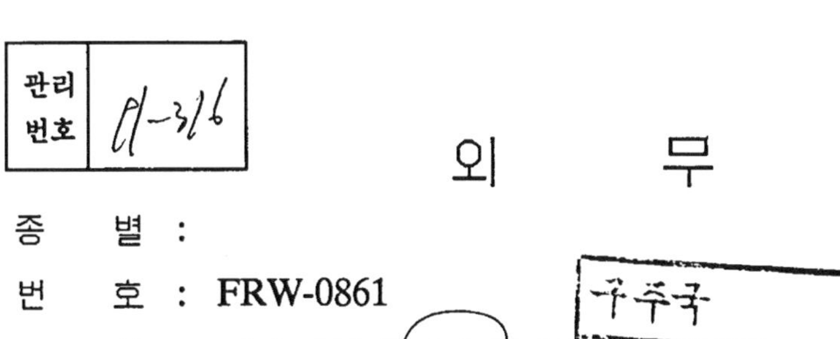

관리 번호 91-316

외 무 부

종 별 :

번 호 : FRW-0861 일 시 : 91 0318 1040

수 신 : 장관(중동이,구일,정일)

발 신 : 주 불 대사

제 목 : 중동 평화(ARAFAT회견)

1. ARAFAT PLO 의장은 당지 LE FIGARO 지(3.18)와 회견을 갖고 표제건과 관련한 입장을 밝혔는바, 동 요지는 하기와 같음.

가. 유엔 결의안(안보리 상임이사국 주도)을 모체로 이스라엘과 직접대화에응할 용의가 있음.

나. 동 대화 개시를 위해서는 팔레스타인 독립국가 건설이 대전제가 되지 않아도 무방함.

다. PLO 가 팔인의 유일 합법기구로 엄연히 존속하므로 점령지 팔인이 대화및 협상에 있어 대표권을 행사함은 불가함.

2. 분석

가. ARAFAT 와 PLO 는 걸프전중 SADDAM 을 지원, 아랍권 및 국제무대에서의지지를 상실하였으므로 향후 팔문제 협상이 있을경우, 대화 주체로서의 위치를상실할 가능성이 대두됨.

나. 최근 부시 대통령을 위시, 미국 조야가 팔문제 해결에 있어 이스라엘의입장 완화 유도등 긍정적인 발전이 있을것을 시사하였으므로 PLO 도 이기회에 노선을 현실적으로 수정치 않으면 더 이상의 존립이 어려울것이라는 판단이 있은것으로 보임.

다. 또한 이스라엘의 수차에 걸친 ARAFAT 측근 강경 인사 제거로, 현재 동인 주위에는 온건노(155)의 보좌진으로 구성된 것으로 알려져 있는바, 금번 ARAFAT 의 새로운 제안은 SASSAM ABOU CHARIF (영국 언론을 통해 팔레스타인 영토 양보 가능성 시사)등에 영향을 받은 것으로 보임.

라. ARAFAT 가 유엔 및 안보리 5 국의 역할을 거론한것은 , 불 미테랑 대통령의 제의와 맥을 같이 하는것으로 이는 초지일관 PLO 를 팔인의 주체로 인정해온 불란서의 국제적 입장을 지원하는 성격도 있는것으로 보임.

중아국 장관 차관 1차보 구주국 정문국 청와대

PAGE 1

91.03.19 01:06

외신 2과 통제관 CA

0236

마. 상기 ARAFAT 의 새로운 제안에 대해 미국 및 이스라엘 은 상금 반응을 보이지 않고 있는바 , 이스라엘은 동 제의를 일단 거부하고 내주중으로 예정된 부시 대통령의 이스라엘 방문시 동 문제를 논의할 것으로 보임.끝

(대사 노영찬-국장)

예고:91.6.30 까지

1991.6.30. 예고문에 의거 일반

0237

외 무 부

암호수신

종 별 :
번 호 : FRW-1017
수 신 : 장관(중동일,구일,정일)
발 신 : 주 불 대사
제 목 : 유엔 안보리결의안 688호

일 시 : 91 0408 1900

지난 4.5. 유엔 안보리에서 통과한 쿠르드족을 비롯한 이라크 난민원조 결의안(688호) 관련, 당지 분석을 하기 보고함.

1. 불란서의 주도로 이루어진 상기 결의안은 인도적인 차원에서의 조력권(DROIT DASSISTANCE)을 인정함으로써 국내간섭을 시사하는 것으로 국내문제 불간섭 원칙을 명시한 유엔헌장에 비추어 유엔역사상 유례없는 예외를 기록한 것으로평가됨.

2. 또한 상당수의 상임이사국 특히 주저했던 소련을 비롯 루마니아등 반대국을 설득시키는데 성공했다는 점에서 불란서가 유엔무대에서의 입지를 강화한 것이 주목될 뿐 아니라, 소련이 어려운 국내문제에도 불구, 다시한번 서방진입에협력했다는 사실도 간과할수 없음.

3. 이러한 선례는 루마니아의 국내 소수민족에대한 압력을 비롯, 현재 동요하고 있는 동구제국, 기아문제를 안고 있는 아프리카의 수단에 이르기까지, 앞으로도 적용될 가능성을 배제할 수 없고, 따라서 중공을 비롯한 제 3 세계권에 영향이 확대될 것으로 봄.

4. 불란서는 동 결의안 통과를 계기로 향후 국제무대에서의 외교력 강화를 지속적으로 추진할 것으로 전망됨. 끝.

(대사 노영찬-국장)

중아국	차관	1차보	2차보	구주국	국기국	정문국	외연원	청와대
안기부								

PAGE 1

91.04.09 09:17
외신 2과 통제관 BW

0238

외 무 부

종 별 :

번 호 : FRW-1041 일 시 : 91 0410 1820

수 신 : 장 관 (경일,중동일,구일)(사본:건설부)

발 신 : 주 불 대사

제 목 : 쿠웨이트 전후 복구사업

연:FRW-0904

쿠웨이트 전후복구사업 소요경비가 당초 예상했던 1,000억불 수준을 훨씬 밑도는 200-350억불 규모로 추정되는 가운데, 주재국 정부는 4.6 RAUSCH 대외무역성장관을 쿠웨이트에 파견하는등 복구사업 참여노력을 계속중인바, 최근주요 동향 아래보고함.

1.복구사업 규모

- 현재 상당수의 쿠웨이트 국민이 귀환하지 않은상태에서 정확한 피해 및 복구규모를 산정키는 어려우나, 쿠웨이트 정부는 사회 간접시설 복구에 50-100억불, 석유시설 복구에 200억불등이 소요될것으로 추정함.

- 사회 간접시설 피해는 예상보다 적어, 최근 전기공급이 재개된데 이어 3주내상수공급도 재개될 예정이어, 현재 쿠웨이트에는 대규모 복구공사 (RECONSTRUCTION) 보다 기능공 (REPARATION)이 필요한 실정임.

- 전반적인 유정복구에는 1년이상 소요될것이나, 금년 9월부터는 국내수요를 충당할수있는 일산 10만배럴 정도의 원유는 생산가능할 것으로 보임.

2.불기업 참여

- 미.영은 물론 독일, 일본까지 경쟁을 하고있어 불란서 지분이 그리 크지않을 것이나 현재 아래와같은 기업들이 참여 방안 모색중

. ALCATEL: 통신시설

. FORASOL:굴착공사

. TOTAL CFP:유전개발

. TECHNIP:정유시설 복구

. SPIE-BATIGNOLLES:파이프라인 건설,공해방지

- 한편, COGELEX ALATHOM 은 1.5억불 상당의 전기시설 복구사업을 쿠웨이트

경제국 1차보 구주국 중아국 안기부 건설부 2차보

PAGE 1 91.04.11 09:32 WG

외신 1과 통제관

0239

전기성으로 부터 직접수주한 것으로 알려지고 있으며, GEC-ALSTHOM 사도걸프만 사태로 인해 공정의 60프로까지 진척후 중단된 약 7천만불 규모의 배전시설 공사속개문제를 추진중임.

3. 향후 추진계획

- 불란서는 90년도 쿠웨이트 교역상대국인바, 복구사업에 있어서도 최소한 걸프만 이전의 시장점유율 (3.8프로) 확보 목표

- 복구사업 참여의 중심기관인 전경련 (CNPF)에는 약 450개이상의 복구사업참여 희망기업 리스트가 준비되어 있으며, 91.4월말 40개 주요 기업체 대표로 구성된 사절단 (단장:PERIGOT 전경련 회장)을 쿠웨이트에 파견 예정임.

- CNPF 는 산업기술 협력청 (ACTIM) 과협의, 복구 전문가 4명을 쿠웨이트에 파견예정

- 91.5월초 PARIS 에서 불-쿠웨이트 혼성위개최 (불측 수석대표:BEREGOVOY 경제.재무상)

- 쿠웨이트와 장기협력 방안의 일환으로 카이로 지하철 건설사업등 제3국 프로젝트에 공동 진출방안도 모색.끝.

(대사 노영찬-국장)

관리번호 91-395

외 무 부

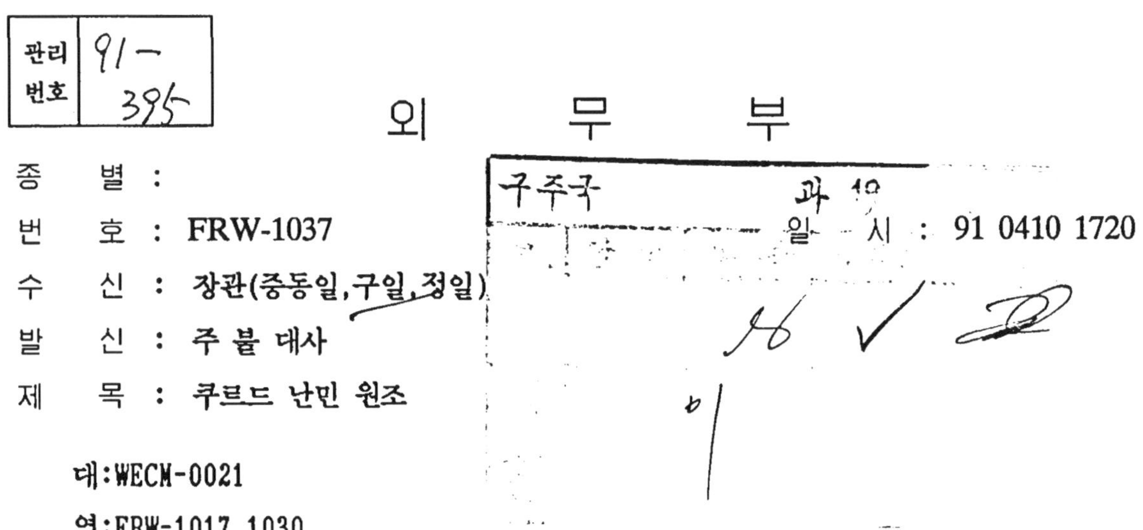

종 별 :

번 호 : FRW-1037 일 시 : 91 0410 1720

수 신 : 장관(중동일,구일,정일)

발 신 : 주 불 대사

제 목 : 쿠르드 난민 원조

대:WECM-0021

연:FRW-1017,1030

1. 쿠르드 난민 원조에 대해, 주재국을 비롯한 EC 제국은 적극적인 자세를 취하고 있는바, 연호 보고와 같이 조력권을 인정한 688 호 유엔 안보리 결의안은 불란서의 주도로, 쿠르드 난민 특구 설치 제의는 영국의 주장으로 이두어진것이며, 특히 동 지역 설치 문제는 미국이 기피하여 EC 와 미국이 의견차를 드러낸것이 주목되며, 이에 따라 유엔 안보리가 사전 유엔 조사단을 현지에 파견키로 결정함으로써 인도적 차원에서 상호 이견을 조정한 것으로 평가됨.

2. 연호 EC 정상회담에서 EC 가 기원조액 4 천만 ECU 외에 1 억 5 천만 ECU 를 원조키로 결정할 것과 관련, 주재국은 EC 재원에서의 충당금 (1 억 ECU)을 제외한 각 회원국 부담금 전체액의 20% 수준으로, 기원조액 7 백만 ECU 외에 1 천만 ECU (7 천만 프랑) 를 지원할것이라 함.

3. 주재국은 EC 원조와는 별도로 BERVARD KOUCHNER 구호담당 국무상을 현지에 파견 200 만여명의 쿠르드 난민 원조 활동에 참여하고 있는바, 지금까지 100 여톤의 식량, 텐트, 의약품을 공수 하였으며, , 4.9 에는 이란과 800 톤의 이란산 식량 구매계획에 합의하는 한편, 터키에도 곧 200 톤의 식량을 수송할것이라함.

4. 또한 주재국은 외무성에 구호 전담실을 설치, 민간차원의 구호지원을 접수하고 있음을 첨언함. 끝

(대사 노영찬-국장)

예고:91.12.31 까지

검 토 필 1991.6.30.

중아국 장관 차관 1차보 2차보 구주국 정문국

PAGE 1

91.04.11 02:01

외신 2과 통제관 DO

0241

관리번호	91-463

외 무 부

종 별 :

번 호 : FRW-1116 일 시 : 91 0419 0930

수 신 : 장관(중동일,미북,구일,정일,사본:주불대사)

발 신 : 주 불 대사대리

제 목 : 쿠르드난민 특구

4.16 BUSH 대통령의 쿠르드난민 특구설치 결정과 관련, 당지 관측을 아래 보고함.

1. 그간 영국이 제의한 안전지대 설치를 회피해온 미국이 국내여론과 의회의 압력에 따라, 동 지대 설치안 및 불란서의 집결소(CENTRE DE REGROUPEMENT) 보다 적극적인 난민보호특구(ZONE DE SECURITE) 설치를 위해 영, 불과의 공동작전을 주도키로 결정하고 4.17. 5,000 내지 10,000 명의 미국이 이락북부에 침투를 개시한 것은 미국 태도의 급격한 진전으로 평가됨.

2. 그러나 미국이 상기 작전은 일시적인 인도적 조치이며, 이락북부에 설치될 특구는 UN 관장하에 둘것을 강조하고 있어, 이락내분에 대한 불간섭주의에 근본적인 변화를 의미하는 것은 아님.

3. 또한, SADDAM 정권의 붕괴를 은근히 우려해온 미국은 SADDAM 추방도 불사한다는 입장으로 변화, 각 분파간 화합을 통한 이락존속을 희망하는 한편, 동국에 미군 주둔의사가 없음을 표명함으로써 이란과의 관계개선 의향을 시사하고 있는 것으로 알려짐.

4. 한편, 이락이 상기 서방측의 공동작전을 반대하고 있는 가운데, 불란서도 금주말에 100 여명의 군인을 이락북부에 침투시킬 것이라 함.

5. 미국의 주도적인 역할에 따라, 이스라엘의 부분적 태도변경을 도출하고 있는 현 중동평화작업에 주재국의 참여여지가 축소되고 있는 현 상화에서, 주재국은 쿠르드 문제에 소위 인도적인 개입 명분으로 본격적인 중동문제 참여재개를도모하고 있는 것으로 관측됨. 끝.

(대사대리 김성식-국장)

예고:91.6.30. 까지

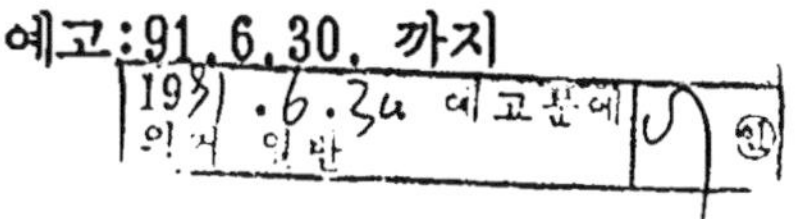
1991.6.30 예고문에 의거 일반

중아국 장관 차관 1차보 2차보 미주국 구주국 구주국 정문국
청와대 안기부

PAGE 1

91.04.19 19:05

외신 2과 통제관 FE

0242

관리 번호	91-476

외 무 부

종 별 :

번 호 : FRW-1151 일 시 : 91 0423 1830

수 신 : 장관(중동일,구일,정일,사본:노영찬 주불대사)

발 신 : 주 불 대사대리

제 목 : DUMAS 외상 ARAFAT 면담

DUMAS 외상이 4.22-23 간 리비아 방문기회에 트리폴리에서 ARAFAT 를 면담하였는바, 당지 분석을 하기 보고함.

1. 불란서는 PLO 의 대표성을 재확인하였으며, ARAFAT 는 아랍, 이스라엘 분쟁해결을 위해 미국이 추진중인 지역회의 개최를 반대하는 한편, 이미 이스라엘과 미국에 의해 거부된 바 있는 협상 파트너로서의 점령지 팔인 대표권 인정은 교착상태 타개책이 될수 있음을 상호 동감함.

2. 동 면담은 최근 EC 제국이 PLO 와의 관계동결을 합의한 시기에 이루어진 점이 주목되는바, 주재국이 중동문제 만큼은 중개자로서의 역할을 고수한다는 독자 외교노선을 견지하고 있는 것으로 분석됨.

3. 그간 미국주도의 중동문제 해결노력을 관망해 오면서도, 그 성공 가능성에 회의를 품어오던 주재국은, 당초 미.소 후원하 지역회의 개최에 있어 주재국은 물론 EC 제국이 제외되어 있는 상황하에, UN 안보리 상임이사국으로서는 걸프전 이후 최초로 어려운 입지의 ARAFAT 를 면담, 기존의 유대관계를 과시함으로써 중동질서 재편에 적극 참여한다는 기존정책으로의 환원을 시사하고 있음.

4. 미국이 이스라엘의 입장에서 벗어날수 없는 한계가 있는데 반해, PLO 가 중동 평화해결에 있어 주역의 하나임을 확신하고 있는 불란서는, 미국과는 달리, 이스라엘 안보를 팔인 국가건설과 연계시키면서 국제회의 개최를 강조하고 있음.

5. 금번 불란서의 개입시사로 지역회의 개최 성사가 더욱 희박해질 우려가 있으며, 개최되더라도 불란서의 중재자 역할이 필연적으로 부각될 것으로 전망되어, 중동문제는 새로운 양상을 띌것으로 보임.끝.

(대사대리 김성식-국장)

예고:91.6.30. 까지

1991.6.30. 예고문에

중아국	장관	차관	1차보	2차보	구주국	구주국	정문국	청와대
안기부								

PAGE 1

91.04.24 07:27

외신 2과 통제관 DO

0243

외 무 부

종 별 :
번 호 : ECW-0383 일 시 : 91 0429 1700
수 신 : 장 관 (구일,중동일,정일) 사본: 주 EC대자,회원국주재대사-직송필
발 신 : 주 EC 대사대리
제 목 : EC 외무장관 비공식회의 (자료응신 제91-61호)

1. EC 12개국 외무장관들은 4.27-28 룩셈부르그에서 GYMNICH TYPE 의 비공식 회의를갖고, EC 정치동맹에서의 공동외교안보 정책,쿠르드 난민문제, 중동평화교섭, 무기수출 통제,EPC 사무국장 교체문제등을 협의하였음

2. 동 회의에서 영국은 현재 북부 이락에서 쿠르드 난민보호를 위해 배치된 약 9,000명의 미.영.불.화란 군대를 경무장 UN 경찰력으로 교체할 것을 제의하였으며, 여타 EC회원국들은 동 제의를 전폭적으로 지지하였음. 영국은 금주초 유엔안보리에 동제의를 제출할 예정인바, 이와관련 이락정부도 쿠르드 난민보호를 위한 현재의 다국적군 보다는 유엔경찰력을 선호할 것으로 보고있음. JACQUESPOOS 룩셈부르그 외무장관에 따르면 UN경찰력 배치계획은 새로운 안보리 결의를 필요로 하지 않으며, 기채택된 안보리 결의 688조하에서 시행될수 있을 것으로 보고있으나, 일부 EC회원국들은 이에 회의적 견해를 표지한 것으로 알려짐

3. 또한 EC 외무장관들은 공동외교 안보정책과 관련, EC 정무총국장들이 작성한 EC 와 WEU, WEU 와 NATO 간의 관계설정에 관한 보고서를 검토후 장차 구라파 안보문제는 NATO 동맹내에서 미국과 함께 협의되어야 하며, 이러한 협의는 EC 에 보다 긴밀히 연계된 WEU 를 중심으로 추진되어야 한다는데 합의함. 이러한 합의는 최근 정치동맹정부간 회의를 통하여 EC 회원국들이 구라파 안보방위 문제에서 미국을 배제하고 EC 를중핵으로 한 새로운 PILLAR 형성 가능성에 대한 미측의 우려를 불식하기 위한 것으로 보임. POOS룩셈부르그 외무장관에 의하면 BAKER 미국무장관은 지난주 EC 회원국들에 WEU강화과정에서 NATO 군사조직을 약화시키거나,NATO 와의 협의없이 NATO 이외지역군사행동 을 취하지 않도록 경고하고, 또한 EC에 속하지 않은 구라파 국가 (예:놀웨이, 터키)들도 WEU 에 가입되어야 함을 밝힌바 있다 함

4. 한편, EC 외무장관들은 91.6. 월로 임기만료되는 GIOVANNI JANNUZZI 현 EPC

장관 차관 1차보 2차보 구주국 구주국 중아국 정문국 청와대
안기부

PAGE 1 91.04.30 01:06 FD
외신 1과 통제관
0244

사무국장(이태리 외무성 파견) 후임으로 PIERRE CHAMPENOIS 벨기에 외무성 정치군사국장을 내정함. 끝.

(대사대리 강신성-국장)

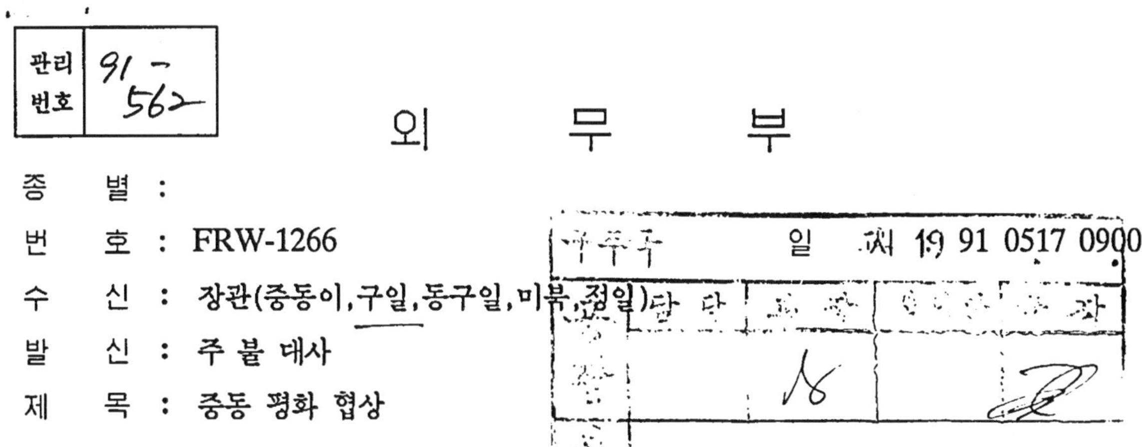

관리 번호	91-562

외 무 부

종 별 :
번 호 : FRW-1266 일 시 : 19 91 0517 0900
수 신 : 장관(중동이,구일,동구일,미북,정일)
발 신 : 주 불 대사
제 목 : 중동 평화 협상

최근 BAKER 미 국무 및 BESSMERTNYKH 소 외상이 중동 순방과 관련한 당지 논평을 아래 보고함.

1. 그간 한계에 부딪힌 미국 일변도의 중동 평화 협상이 미.소 공동 협력 전선 형성으로 본격화 되었는바, 요르단, 사우디등 비교적 온건국 및 이스라엘은미국이, 강경 입장인 시리아 및 PLO 는 소련이 각각 협상 창구가 되어, 중동 평화회의 개최를 위한 근본적인 이견 조정작업에 나선것으로 평가됨.

2. 그러나 이러한 미.소의 노력에도 불구, 중동 평화 회의 개최 절차문제에있어, 강경국인 시리아는 골란고원을 포함한 점령 지역 반환이 선행 되어야 하며 동회의에 유엔의 지속적인 참여를 주장하는데 반해, 이스라엘은 LEVY 외상이 다소 유보적인 태도를 보이고는 있으나 점령지역 반환 거부 입장은 고수하는 동시에 유엔 및 시리아는 물론 동부 예루살렘 팔인의 회의 참가를 거절하는 강경한입장을 보이고 있는 상황임.

3. PLO 의 경우 ARAFAT 가 BESSMERTNYTH 소 외상과의 제네바 협상 결과에 대해 긍정적인 반응을 보이고 이스라엘이 계속 반대하고는 있으나, 점령 지역 내외의 팔인 대표단 구성에 착수함으로써, 회의 참가 대상으로 기정 사실화 시켜려하고 있음.

4. 미국으로서는 중동 평화의 관건인 영토 반환 및 팔인 자결문제에 대해 이스라엘 설득 작업의 한계점에 도달 소련으로부터의 유태계이민의 이슬아엘 정착 재정 원조라는 카드를 활용하고 있는바, 이스라엘은 평화회의가 실현되지 않을경우에 대한 책임을 아랍측 특히 시리아에 전가함으로써 미국과의 불화 관계를피하고자 하고 있음.

5. 소련의 경우 PLO 와 미국간 메신저 역할등 평화 협상 카드를 그간 입지가 약화되어 왔던 아랍국과의 전통적인 관계 강화를 위해 이용 하고 있음.

6. 상기 관련 불란서는 중동 평화작업에 대한 유엔 및 EC 의 상호 보완적 역할을 강조하고 있는바, 평화회의에 시리아의 참가를 지지하면서, EC 의 참가자격을

중아국 장관 차관 1차보 2차보 미주국 구주국 구주국 정문국
외연원 청와대 안기부

PAGE 1 91.05.17 17:12
외신 2과 통제관 BN

0246

주장하고 있음.

한편 이미 합의된것으로 알려진 EC 대표의 점령지역 상주문제에 있어, 동 대표의 정치적 역할 수행을 희망하고 있다는 설은 EC 입지 강화에 대한 불란서의노력을 시사함. 끝

(대사 노영찬-국장)

예고:1991.12.31 일반

검토필 1991 6.30

PAGE 2

0247

정 리 보 존 문 서 목 록

기록물종류	일반공문서철	등록번호	2013040001	등록일자	2013-04-01
분류번호	772	국가코드	XF	보존기간	영구
명 칭	걸프사태 동향 : 구주지역, 1990-91. 전5권				
생 산 과	서구1과/동구1과/중근동과	생산년도	1990~1991	담당그룹	
권 차 명	V.4 소련				
내용목차					

0001

원 본

외 무 부

종 별 :

번 호 : SVW-0592 일 시 : 90 0813 2130

수 신 : 장 관(중근동)

발 신 : 주 쏘 영사처장

제 목 : 이라크,쿠웨이트 사태

1.고르바쵸프 대통령은 8.12 외무성등을 중심으로한 정부내 위원회를 구성, 쿠웨이트, 이라크에 거주하고 있는 소련시민의 철수 문제등을 포함한 다각적인 대응책을강구할 것을 지시하였음 (쿠웨이트에는 880 명의 소련시민이, 이라크에는 1,200 명의 군사 고문단을 포함 7,830명의 소련인이 거주하고 있다고함)

2.한편, 이라크 정부는 자동차편으로 쿠웨이트 거주 소련인이 철수하는데는 동의했으나 이라크 거주 소련인의 경우는, 부녀자등의 가족철수만을 인정한다는 입장이라고 함.

3.또한 고르바쵸프 대통령은 카이로에서 개최된 아랍 정상회담 관련 무바라크 대통령에게 멧세지를 타전, 동 회담에서 결정된 제반 조치를 환영한다고 언급하고 이라크군의 즉각적인 철군을 요청함과 아울러 이라크에 의한 쿠에이트 영토 획득은 용인할 수 없다고 강조함.끝

(처장-국 장)

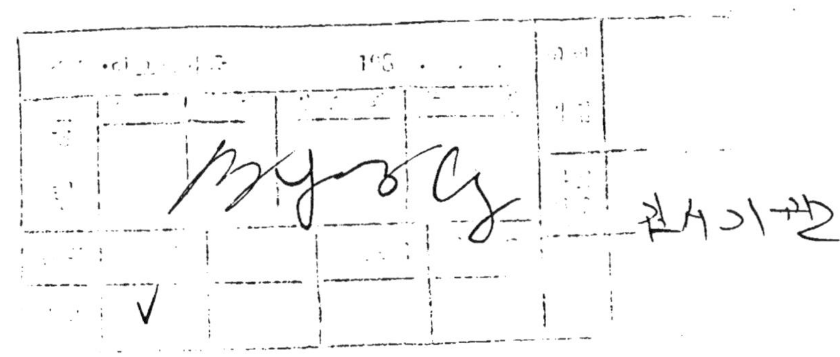

중아국 1차보 정문국 안기부 통상국 미책반 2차보 차관

PAGE 1

90.08.14 09:16 WG

외신 1과 통제관

0002

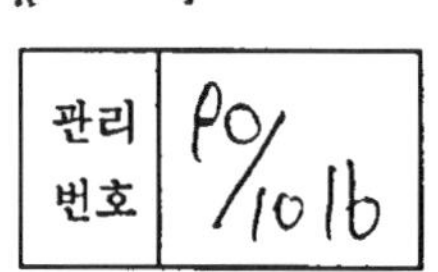

외 무 부

종 별 :

번 호 : SVW-0628 일 시 : 90 0821 2205

수 신 : 장관(동구일,정이,중동,국련,기정,)사본:청와대 외교안보보좌관,주유엔

발 신 : 주 쏘 영사처장

제 목 : 아사국장면담

본직은 8.20(월) KIRIYEV 외무성 아사국장과 오찬, 면담한바, 동결과 아래보고 함.

1. 한, 쏘외상회담

-본직은 금년봄 양국외무차관이 유엔에서 이미 회담을 가진바 있음을 상기시키면서 금번 유엔총회시 양국외상회담을 가질 것을 제의한 바, 동국장은 쉐외상이 한국측 요망을 알고 있으며 아직 결정한 바가 없다고만 하고있었음.

-이에 7.31. 미.쏘 외상회담에 관해 언급, 베이커 장관이 쏘측에 제기한 여부를 타진했던 바, 동외상회담시 베이커 장관이 한. 쏘 외상회담을 갖기를 아측 희망함을 쏘 외상에게 전달한 바, 쉐 외상은 한국측의 요망을 알고 있다고만 답하였다함

-참고로 주재국외상은 예년 유엔총회 개막후 2.3 일부터 10 월 3-5 일까지 체류해 왔다 함

-본건은 유엔에서도 쏘측에 제기하여 양쪽에서 거론케 함이 좋을 것 같음

2. 한. 쏘 정책협의회

-작 8.3 아측 칵테일에서 동인이 거론한 대호 한. 쏘 정책협의회와 관련 아측이 동의함을 통보하고 9 월중에 서울에서 개최할 것을 제의하였던 바, 동인은 자신이 9 월 및 10 월초순까지는 중국과의 군비 축소회담에 참가하기 때문에 그 이후에나 동협의회 개최가 가능할 것이라 하며 동인이 편리한 시기를 추후 알려줄 것을 요청했음

3. 쉐 바르드나제 외상 방북

-동국장은 남쪽 총리회담이 예정대로 개최될 것인지를 본직에게 묻기에 그 시기 바로 후에 쉐 외상이 방북하는 것은 동회담 성사에 일조가 되지 않겠느냐고했던 바, 동국장은 누가 쉐 외상이 방북한다고 하드냐면서 그러한 결정은 아직없다고 함. 이에 본직은 재차 모든 사람들이 외상방북을 기정사실로 얘기하던데 아직 미정인가

구주국	장관	차관	1차보	2차보	중아국	국기국	정문국	청와대
안기부								

PAGE 1 90.08.22 07:33

외신 2과 통제관 EZ

0003

되물었더니 동인은 아주 곤혹스런 표정으로 아직 결정된 바 없다고 부인하고 있었음

4. 남. 북 민족대교류

-본직은 금 18 일 발표된 범민족 대회에 관한 쏘 외무성 대표의 성명에 언급 동 성명에서 한국정부의 불참이 지적된 것이 주목되나 이는 쏘련정부의 남북한간의 건설적인 교류가 진행되기를 희망한다는 기본적인 입장을 표시한 것으로 이해한다고 했던바 동국장은 대회가 성사되지 못한 이유를 본직에게 문의함

-이에 대해 본직은 북한이 남한측의참가 대표명단을 거부한 사실을 지적, 상대방의 대표단을 지정하여 접수하겠다는 북한측의 태도는 상식밖의 일이며, 기본적으로 북한측이 진정으로 대화를 추구코자 하는 의사가 없음을 반영하는 것이라고 했던바 동인은 동감을 표시함

5. 이락사태

-소련은 이락사태 관련, 미국이 단독적으로 무력개입할 가능성에 우려를 표시하면서 이럴경우 아랍의 민족적 자존심을 부추겨 분쟁이 확대될 가능성을 지적하면서 쏘련은 유엔 안보이사회 산하의 군사위원회 결정에 따라 군사행동하는 방안을 생각하고 잇으며 이에 미측도 동의하고 있다함

-소련이 알고 있기로는아랍국가(정부) 중 50 프로가 친 이락적 태도를 보이고 있으나 일반대중의 태반은 이락 지지로 파악하고 있다면서 그러한 국가로 레바논, 리비아, 튜니시아 등을 들고 시리아는 반반으로 평가하고 있어 주목되었음

-분쟁지역내의 소련국민수와 근황을 물었던바 쿠웨이트내 소련국민(200 명 전후)을 철수했으며 이라크 체재 소련인(7.800 명정도)중 군인 및 특수기술자등을 제외한 민간인과 가족의 철수가 개시되었다 함. 끝

(처장-장관)

예고:90.12.31 일반

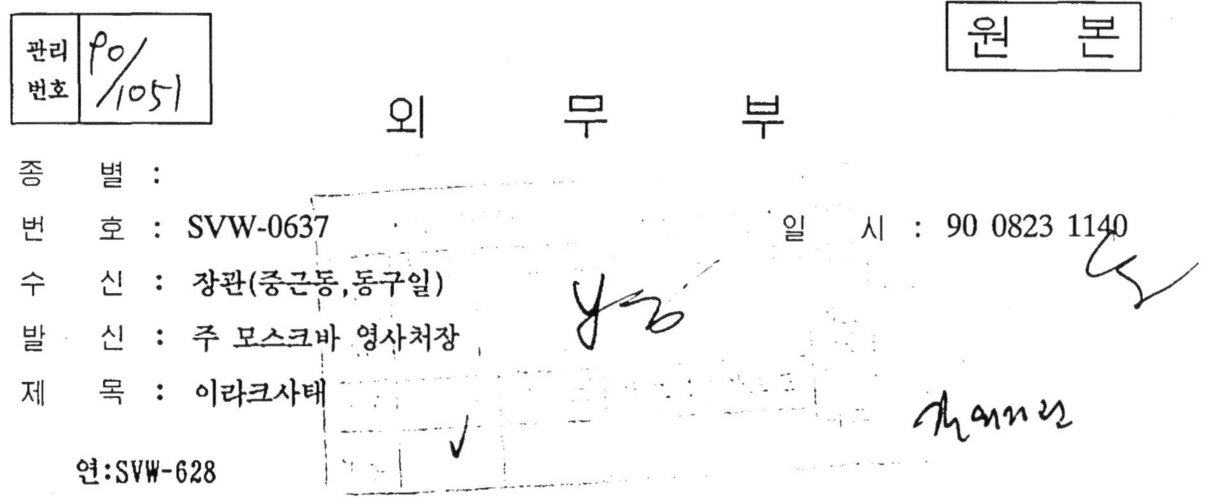
관리번호 90/1051

원 본

외 무 부

종 별 :

번 호 : SVW-0637 일 시 : 90 0823 1140

수 신 : 장관(중근동,동구일)

발 신 : 주 모스크바 영사처장

제 목 : 이라크사태

연:SVW-628

본직은 8.22(수) 당국제부 BRUTENTS 부부장을 면담하는 기회에 표제 관련 소측 입장등을 탐문한바, 동요지 아래 보고함.

1. 동인은 이라크의 쿠웨이트 침공은 최근의 냉전종식을 지향하고 있는 국제적 추세에 모순되는 것으로서 경제적 문제른 차치하고라도 정치적으로 볼때도 우려되는 바가 만타고 하고 아랍지역 뿐만아니라 세계 어타지역의 평화와 안정을 저해시키는 행위라고 언급함

2. 동인은 이어 이라크 사태에 대해 소련측 입장은 (가) 조속한 시일내의 사태수습, (나) 쿠웨이트의 주권회복, (다) 분쟁의 정치적 해결 지지, (라) 아랍권의 안정 확보이며 사태 수습을 위한 모든 조치는 유엔테두리 내에서 취해져야 한다는 것이라고 함.

3. 본직이 소련의 이라크 사태 중재 가능성을 물었던바, 현단계로서는 이라크와 가까운 알제리아, 이집트등의 아랍국가의 노력이 유용하다(USEFUL)고 언급하면서도 중재 가능성을 배제하지는 안음

4. 미국측이 이라크의 대화제의 거부에 대해, 동인은 인질이 잡혀 있는 현상황에서 미국측의 거부는 "UNDERSTANDABLE" 하다는 반응을 보임.

5. 아측이 이라크측의 도발 저의를 물은데 대해 동인은 개인적 의견임을 전제로 하고 인의장막에 둘러싸인 독재자의 "MISCALCUTION" 에 기인한 것으로 종래의 냉전하에서 운영할 수 있을 것으로 오산했음 것으로 본다는 견해를 피력함. 끝

(처장-국장)

90.12.31 일반

중아국	장관	차관	1차보	2차보	구주국	통상국	정문국	청와대
안기부								

PAGE 1

90.08.23 18:41

외신 2과 통제관 DO

0005

: USW(F)- 1916

: 장 관 (미북, 중동, 구주) 발신 : 주미대사

: 걸프 중동 사태 관련 소련의 입장 (3 매)

Soviets Resist Using Force

Moscow Presses U.S. to Try Diplomacy First

By David Hoffman and David Remnick
Washington Post Staff Writers

The Soviet leadership, wary of a strictly military solution to the Persian Gulf crisis, is playing a growing role in urging the Bush administration to give diplomacy time to work before using force to back up United Nations sanctions against Iraq, according to Soviet and U.S. officials.

In a series of almost daily messages, Soviet Foreign Minister Eduard Shevardnadze has told Secretary of State James A. Baker III that while Moscow supports the U.N. embargo against Iraq, Soviet officials do not believe the time has come to use naval force to enforce it, the officials said yesterday. Moscow so far has declined to support a U.S. push for a U.N. Security Council resolution authorizing "minimum use of force" to block Iraqi shipping.

Moreover, the Soviets appear to want to preserve their position as potential mediators between the United States and Iraq, with which they have a longstanding relationship. After meeting Iraq's Deputy Prime Minister Saadoun Hammadi this week, Shevardnadze sent a letter to Baker yesterday reporting on his conversations and outlining some suggestions for handling the crisis, one official said. The two ministers, who have engaged in unprecedented cooperation since the Iraqi invasion of Kuwait, also spoke by telephone, officials said.

Saudi Arabia's ambassador to the United States, Prince Bandar Bin Sultan, said after meeting in Moscow yesterday with Shevardnadze, "We greatly appreciate the Soviet position at the U.N.—the condemnation of brazen aggression and the Soviet Union's insistence that Iraqi troops be withdrawn from Kuwait and that the country's legal government be restored." The ambassador appeared to view the Soviet Union's economic and political relationship

See SOVIET, A38, Col. 1

1916-1

August 23, 1990
WP

AUG.23 '90 10:42 KOREAN EMBASSY WASHINGTON DC P.003

0006

SOVIET, From A1

ith Iraq as a kind of alternative ieans to resolving the crisis. The oviet Union, he said, "could play a ig role in one way or another to ersuade President Saddam Hus-ein that he acted improperly and iust return everything to its prop-r place."

The Soviet Union and Saudi Ara-a do not have official ties, but the oviet news agency Tass said that e two sides discussed "raising the vel" of diplomatic relations.

In Washington, U.S. officials said ey remain satisfied with Soviet ooperation in the crisis, and that forts are being made to persuade oscow that some military force ay be required to stop Iraqi oil om slipping through the interna-nal economic and trade embargo.

particular, U.S. officials were inting to a tanker carrying Iraqi that was docked in Yemen, say-g that a military response might called for if Yemen agrees to ow the oil to be unloaded. How-er, officials said they were uncer-in of Yemen's intentions.

"What the Soviets were looking r is real, clear evidence that the nctions are being violated," said e U.S. official.

A second administration policy ker said the Soviets had balked tially at the U.S.-backed resolu-n at the United Nations autho-ng the minimum use of force ause "they thought we were ving too far, too fast . . . . We y be moving more quickly than y can keep up with." In addition, official said, the Soviets have l the United States "they don't nt to burn all their bridges with Iraqis."

The policy maker added, "It's a stion of timing. Having joined international consensus, they the sanctions are necessary, should be enforced, but they t to give it time."

oviet Foreign Ministry spokes-Yuri Gremitskikh said, "We eve that when such a serious g as the use of force is at stake, natter how limited, we cannot hasty actions."

nother Soviet official said in an view that while Moscow did want to appear to be acting as an official mediator in the crisis, it did want to make clear "to all parties" that a military confrontation would "benefit no one at all."

U.S. officials said that one reason the Soviets had been hesitant about the U.N. resolution this week was that they wanted to let "a decent interval" pass so that Hammadi could return to Baghdad with his message from Moscow. The officials said Shevardnadze reassured Baker, who is vacationing in Wyoming, that he had made a strong appeal to Hammadi to release the foreign nationals there and to withdraw from Kuwait. "They told us they were quite firm," said the policy maker.

Meanwhile, a senior official in the Soviet Defense Ministry, Col. Valentin Ogurtsov, said yesterday that 193 Soviet military experts are left in Iraq, although he insisted that none of them knew in advance, or participated in, the Aug. 2 invasion of Kuwait.

Ogurtsov said the advisers teach Iraqi soldiers how to use, repair and maintain Soviet-made weapons and have helped build test ranges. He said the advisers would leave Iraq "after they have reached their contractual obligations," but was not specific. He said no more would be sent to Iraq.

Another Soviet military official, Lt. Col. V. Nikityuk, told the government newspaper Izvestia in an interview published last Thursday that these Soviet "specialists" are not military advisers and that they "have never, ever appeared in areas of combat operations."

Some Soviet specialists on the region said they are skeptical that military force would be effective, either politically or militarily.

"Really massive military pressure in the gulf could aggravate the popular fundamentalist movements throughout the region, and how would that serve either U.S. or Soviet interests?" asked Vitali Naumkin, deputy director of Moscow's Oriental Institute. "Although we may have entered a new stage of good East-West relations, there is great fear in political circles here that the use of military force would start a series of North-South conflicts."

A prolonged military presence in the gulf, Naumkin said, could end up undermining anti-fundamentalist regimes in Saudi Arabia, Jordan and elsewhere in the region.

Naumkin also said that considering the grave state of the Soviet economy, coupled with Moscow's reluctance to get involved in military actions abroad following the war in Afghanistan, it was unlikely that the Soviet leadership would participate in even a U.N.-sponsored military action except "in the most nominal way."

Soviet economist Vladimir Isayev told a conference in Moscow that Moscow's reluctance to use military pressure in the Persian Gulf was not a matter of protecting its considerable financial interests in Iraq. Although the crisis has increased the price of oil—a boon to the cash-poor, oil-rich Soviet Union—Moscow stands to lose more than it gains in the end, he said.

Isayev said that Iraq, which reportedly owes the Soviet Union close to $6 billion, has stopped payments to Moscow. In a complicated payment scheme, Iraq ordinarily sends oil to Bulgaria and India in the Soviet Union's name to help pay off Moscow's debts for consumer goods from those two countries. Now that those oil shipments have been halted, Moscow will have to make up the shortfall to India and Bulgaria.

The Soviet Union has been able to evacuate its nationals from Kuwait. It has about 8,000 citizens in Iraq, mainly military and economic advisers and their families. Officials said that spouses and children would return home. Gremitskikh, unlike U.S. officials, has used the term "detainees," rather than hostages, to describe the status of U.S. and British citizens in Kuwait and Iraq. Both Shevardnadze and Prime Minister Nikolai Ryzhkov emphasized to the Iraqi deputy foreign minister in meetings in Moscow that all foreign nationals must be allowed to leave the region.

The Soviet Union has evacuated its embassy personnel from Kuwait, but a well-placed official said, "The Soviet Union does not in any way assume that Kuwait is lost. We have evacuated the Soviet staff there, but we maintain relations with the Kuwaiti government and with the

Aug. 23, 1990 WP

1916-2

0007

44 KOREAN EMBASSY WASHINGTON DC P.00

보안 통제	

발신 : 주미대사

(매)

Kuwaiti Embassy here in Moscow. Our diplomatic relations continue."

A Foreign Ministry source said there was "some indecision at first" in the leadership about how to react to Iraq's invasion of Kuwait. "After all," he said, "Iraq was supposed to be our friend, and we have a great many economic interests there. But it is impossible to reformulate an entire policy in one day." And yet the day after the invasion, Shevardnadze and Baker stood side by side at Moscow's Vnukovo Airport and issued a joint statement denouncing the "crude" invasion of Kuwait.

Although the Soviet Union has been a key military supplier and trading partner with Iraq for three decades, Soviet President Mikhail Gorbachev and countless Soviet commentators have expressed embarrassment that Saddam has carried out aggression with Soviet arms. Gorbachev called the invasion "perfidious" and a "blatant violation of international law."

Ogurtsov, however, said that some Soviet military leaders were reluctant to end Moscow's relationship with Saddam. "My colleagues and I are also concerned that it is more difficult to build a relationship with a country than to break it up," he said. "The Iraqi actions have been condemned by the international community and the United Nations. But it is not easy for us to move from full-fledged relations to zero."

Hoffman reported from Washington and Remnick from Moscow.

August 23, 1990 WP

1916-3

0008

관리번호	90/1510

원 본

외 무 부

종 별 :

번 호 : SVW-0673 일 시 : 90 0829 0930

수 신 : 장관(중동,동구일,기협,가정)

발 신 : 주 쏘영사처장

제 목 : 이락크사태

대: WSV-628,673

당처 서참사관은 8.28 외무성 중동국 ALEXANDER HOVOZILOV 참사관을 면담, 표제관련 쏘측 입장등을 타진한바, 동인의 발언요지 아래 보고함.

-아 래-

1. 사태 해결위한 노력

-쏘측은 사태의 평화적 해결을 위한 다각적 노력을 하고 있으며 특히 이라크 지도자들에게 여러가지 채널을 통해 사태의 평화적 해결을 촉구하고 있으나 아직까지 이라크측으로 부터 긍정적인 반응이 없음.

-쏘측은 사태 해결에 있어서 유엔 안보리가 이라크에 대해 제한적인 무력개입을 하는 경우 쏘련은 이에 참여해야 하는 것을 의무(OBLIGATORZ) 적인 것으로 간주하고 있음.

2. 외국인 억류 문제

-쏘측은 이라크측에 이라크의 국제적 이미지가 더이상 훼손되는 것을 막기위해 외국인을 억류하지 말 것을 강력하게 종용하고 있음.

-쿠웨이트 거주 소련인들은 전부 귀국하였으며 이라크 주재 소련 기술자등의 가족(주로 부녀자) 950 명이 이달말까지 쏘련 특별기편으로 3 차례에 걸쳐 귀국 예정이며 제 1 진 250 명이 금 8.28 도착하였음.

3. 원유 증산문제

-쏘련은 이라크에서 '상당한 양' 의 원유를 수입해온 관계로 금번사태로 인해 새로운 경제적 문제가 야기되고 있음.

-(이라크의 물량 감산에 따른 대책을 문의한데 대해) 쏘련의 연간 원유생산은 약 6 억톤 정도이나 근년에 들어와서 시설부자등에 문제가 있어 생산이 줄어들고 있는

중아국 대책반	장관	차관	1차보	2차보	구주국	경제국	청와대	안기부

PAGE 1 90.08.29 16:16

외신 2과 통제관 BT

0009

추세로서 갑작스러운 증산은 용이하지 안을 것으로 봄.끝

(처장-국장)

90.12.31 까지

중앙 12-26 4면

脫冷戰…中東외교판도 재편

—蘇・이스라엘 관계개선 배경과 波長

蘇聯과 이스라엘이 25일 영사관계수립을 마무리지음에 따라 지난 67년 中東戰이래 23년간이나 단절되었던 양국간 외교관계는 정상궤도에 들어갔다。

양국간 영사관계 수립은 과거 美國・이스라엘 對蘇聯・강경아랍國이라는 中東의 기본세력구도의 한 축이 무너지는 것을 시사하고 있어 세계적 脫冷戰분위기에 힘입은 中東의 기본구도 재편이라는 측면에서 주목을 끌고있다。

특히 최근의 페르시아灣사태에서 蘇聯이 과거 동맹국이었던 이라크에 대해 美國이 주도하는 反이라크 진영에 가담하고 있기 때문에 中東에서의 역학관계 변화는 이번 영사관계 수립으로 더욱 가속화될 전망이다。

국내적으로 보아 蘇聯과 이스라엘의 관계정상화를 촉진시킨 것은 蘇聯系 유대인들의 대규모 이스라엘 유입으로 볼수 있다。

올해만도 이미 17만2천명에 달하는 유대인들이 이스라엘로 이주했으며 앞으로도 이러한 이주속도는 계속될 것으로 예상되고있기 때문에 양국은 이같은 현실을 감안하지 않을수 없었을 것이라는 분석이다。蘇聯과 이스라엘의 외교관계가 단절된 것은 지난 67년 中東戰 당시 이스라엘이 蘇聯 동맹아랍국의 영토를 차지한데 대해 蘇聯의 국제평화회담 제의를 이스라엘이 거부한데서 비롯되었다。

그후 고르바초프 蘇聯대통령의 개혁・개방정책 추진에 따라 지난 87년 蘇聯은 첫 외교사절단을 이스라엘에 파견했으며 다음해에는 이스라엘이 영사단을 모스크바에 파견함으로써 양국관계는 점차 가까워지기 시작했다。

蘇聯은 이제 페르시아灣사태의 평화적 해결을 위한 주도적 역할을 해온 것과 함께 이번의 영사관계수립으로 中東에서 보다 유연한 입장을 견지할 것으로 예상되고 있다。

<朴泳秀기자>

0011

세계 12·26 1면

한국 「滋氣열차」개발 蘇聯방송서 보도

蘇聯관영 모스크바방송은 22일 한국에서 자기부상열차를 개발하는데 성공한 사실을 관심있게 보도했다.

이 방송은 韓國전기연구소에서 한국형 자기부상열차 「코마」(KOMA G)1호의 시승식이 21일 열린 사실을 전하면서 『2백여명의 연구진들이 자체의 기술로 자기부상열차를 개발, 시험운행에 성공했다』고 소개했다. 〈外〉

동아 12·26 4면

蘇-이스라엘 領事관계격상

【예루살렘AP聯合】蘇聯과 이스라엘은 지난 67년이후 단절되었던 양국관계를 25일 영사관계로 격상했다.

알렉세이 키스티야코프 이스라엘주재 소련 총영사는 이날 예루살렘에서 다비드 레비 이스라엘 외무장관에게 신임장을 제정했으며 아리에 레빈 소련주재 이스라엘 총영사도 모스크바에서 예두아르트 셰바르드나제 소련외무장관에게 신임장을 제정했다. 이스라엘과 소련의 외교관계는 지난 67년 중동전쟁당시 이스라엘이 소련의 아랍동맹국 영토를 차지한이후 단절됐다가 지난 87년 상호 외교사절단을 교환하는 수준으로 발전되어 왔다.

0012

외 무 부

종 별 :

번 호 : SVW-0112 일 시 : 91 0111 2400

수 신 : 장 관(동구일,중동,사본:주쏘대사)

발 신 : 주 쏘 대사대리

제 목 : 걸프만사태

주재국 외무성은 금 1.11(금)베이커 미국무장관과 타레크 이락크 외무장관 회담결과 관련 아래요지의 성명을 발표하였음

- 1.9 제네바에서 개최된 미.이락크 외상회담이 결실없이 끝난 것은 유감이며 동 회담에 기대를 걸었던 많은 사람들을 실망시켰음

- 쏘련은 사태발생 이래 대규모의 무력 충돌을 회피하고 정치적 해결을 위해 후세인 대통령등 이락크 지도자들과 계속 접촉을 해오고 있음. 이와같은 노력의 일환으로 1.8 이라크 주재 쏘련대사가 고르바쵸프 대통령의 친서를 후세인 대통령에게 전달한바 있음.

- 쏘련은 동 지역에서 무력 충들을 막기 위한 모든노력이 경주되어야 한다고 믿으며 PEREZ DE CUELLAR유엔 사무총장의 이락크 방문을 환영함

- 쏘련은 모든 유관국측에 특히 이라크측이 현사태의 심각성을 충분히 인식하고 책임감을 발휘해 줄 것을 촉구하는 바임.끝

(대사대리-국장)

구주국 1차보 구주국 중아국 정문국 안기부

PAGE 1

91.01.12 09:45 WH

외신 1과 통제관

0013

원 본

외 무 부

종 별 :

번 호 : SVW-0132 일 시 : 91 0114 1000

수 신 : 장관(중근동,동구일)

발 신 : 주 쏘 대사대리

제 목 : 페르시아만 사태

1. 1.12(토) 저녁 종합뉴스 '브레먀' 는 페르시아만 사태가 미.이라크간 외상회담의 실패에 따라 위기로 치닫고 있다고 보도하면서 케야르 사무총장과 후세인 대통령과의 회담이 동 사태의 평화적 해결에 기여할 것을 기대한다고 논평함. 또한 동 프로그램은 미국, 서독등 전 세계 각지역에서 광범위하게 벌어지고 있는 반전시위 장면을 약 5분간 방영, 동 사태가 무력 충돌로 발전하는 것에대한 깊은 우려를 표명하고 있음.

2. 한편 1.12(토) 이라크에 도착한 케야를 사무총장은 1.13(일) 후세인 대통령을 만날 예정이라고 보도

3. 미국 상.하의원은 1.12(토) 이라크가 쿠웨이트로부터 철군하지 않을 경우 '부쉬' 대통령이 무력을 사용할 수 있는 권한을 부여하는 결의안을 통과시킴. 부쉬대통령은 아직도 동 사태를 평화적으로 해결할 수 있다고 언급함.끝

(대사대리-국장)

중아국 1차보 구주국 중아국 정문국 안기부

PAGE 1

91.01.14 16:57 CG

외신 1과 통제관

0014

관리 번호	91/1081

분류번호	보존기간

발 신 전 보

번 호 : WUS-0131 910114 1646 FC 종별 : 긴급

수 신 : 주 수신처 참조 대사. ~~총영사~~

WJA -0173 WUK -0087
WSV -0117 WFR -0062
WUN -0071 WIT -0079
WSB -0084 WCA -0043

발 신 : 장 관 (중근동)

제 목 : 페만사태 비상 대책

연 : WUS-0107

연호~~와 같이 페만사태 비상 대책 수립에 참고코자 하니~~ 1.13. 케야르 유엔 사무총장의 사담 후세인 대통령 회담, 안보리소집, ~~결과 및~~ 1.14. 이라크 비상의회 소집, 기타 관련국가의 중재노력등 ~~유엔이 정한 이라크의 철군 시한을 앞두고 일련의 움직임에 주재국 정부, 언론계, 학계등의 관찰, 정세전망, 입장등을~~ 파악 지급 보고 바람. 끝.

유엔이 정한 철군시한을 앞두고, 중동문제해결을 위한 국제적노력이 금후 48시간이내에 적극화 될것으로 보이는바, 귀주재국 ~~이러한~~

당국, 연구소등의 긴밀히 접촉, 이러한 동향을 수시로 지급 보고바람.

1991. 6. 30. 에 예고문에 의거 일반문서로 재분류됨

(차 관 유 종 하)

예 고 : 91.6.30. 까지

수신처 :

주미, 일, 영, 소, 불, 유엔, 이태리 사우디, 이집트 대사

보 안 통 제	

앙 고 재	91년 1월 14일	중근동과	기안자 성명		과 장		국 장		차 관	장 관

외신과통제

0015

관리번호	91/1085

원 본

외 무 부

종 별 : 지 급

번 호 : SVW-0140 일 시 : 91 0114 2300

수 신 : 장관(중근동,동구일,사본:주쏘대사)

발 신 : 주 쏘 대사대리

제 목 : 페르샤만 사태

대:WSV-117

1.14(월)당관 서현섭 참사관은 외무성 중동국 EFENDIEV 참사관(90.8 이라크의 쿠웨이트 침공시 주쿠웨이트 대사관 참사관으로 근무)을 면담, 페르시야만 사태에 관해 의견을 나눈바, 요지 하기 보고함(아측 백주현 3 등서기관, 쏘측 OLEYNIK 서기관 배석)

1. 페만 사태에 대한 아국 정책 설명

-아측은 아국 정부가 의료지원팀을 파견하기로 한 사실을 설명하고 동조치는 한국전쟁 당시 유엔의 도움을 받았던 것가 관련 유엔헌장에 따라 인도적인 도움을 제공코자 취해진 것이라고 강조하였음.

-또한 아국정부는 유엔안보리의 결의를 지지하고 동 사태가 평화적으로 해결되기를 희망한다고 언급

2. 이에대해 동 참사관은 아래요지로 언급함

가. 유엔의 입장및 노력

-이에 동 참사관은 케야르 유엔 사무총장의 후세인 대통령과의 회담이 아무런 성과없이 끝났으며, 금일 유엔안보리는 동 사무총장으로부터 동 회담에 대한 결과를 청취할 것이나, 이에 따른 새로운 결의안의 채택등은 없을 것으로 예측됨

-유엔 결의안 678 호 명기된 시한이 명일(1.15)로 다가오고 있으나 동 시한의 도래가 바로 자동적으로 전쟁의 발발을 의미하는 것은 아닐 것임. 동 사태 해결을 위한 당사자간의 모든 협상이 결렬되는 최악의 경우라도 전쟁의 발발은 상당 기간이 지난후까지 없을 것으로 보임.

나. 미국의 입장

-동 사태 진전에 따라 미국의 입장은 종전보다 유리해지고 있는 것으로 보여짐.

중아국	장관	차관	1차보	구주국	구주국	청와대	안기부

PAGE 1 91.01.15 08:46

외신 2과 통제관 BT

0016

종전에는 미국의 무력사용에 대해 유럽 각국이 강한 반대 입장을 표명해왔으나, 점차 무력사용 불가피성을 이해하는 쪽으로 선회하고 있음

-그러나, 미국측도 이미 이라크가 쿠웨이트로부터 철수할 경우 무력공격을 하지 않는다는 보장책을 제안한 입장이고 마지막까지 가능한한 정치적 해결책을 강구할 것으로 보임.

-이하 SVW-0141 호로 계속됨-

관리번호	91/10

원 본

외 무 부

종 별 : 지 급

번 호 : SVW-0141 일 시 : 91 0114 2300

수 신 : 장관(동구일,-)

발 신 : 주 쏘 대사대리

제 목 : SVW-0140 호의 계속분

다.EC 국가의 입장

-후세인 대통령은 동 사태 해결책을 논의하기 위하여 EC 내표를 이라크로 방문 초청하였으나 EC 대표는 이를 거부한바 있음.

-동 사태에 관한 이라크측의 입장은 대통령에 의해서 전적으로 좌우되고 있으므로 협상 대표간 이라크를 방문하든지 아니면 제 3 국에서 협상을 개최하여야할 것이나 후세인 대통령의 제 3 국 여행은 기대할 수 없음.

라. 쏘측입장

-쏘측은 유엔 결의안을 전적으로 지지하는 입장이나 현재 유엔 다국적군에 참가한는 문제는 고려하지 않고 있음. 또한 쏘련 정부가 다국적군에 참가하기 위해서는 1.12(토) 최고회의의 결의안에도 명시된 바와같이 반드시 최고회의의 승인을 받아야 함.(최고회의 결의내용은 별도 보고함)

-쉐 외상 경질과는 상관없이 쏘련의 입장은 변하지 않을 것이며, 아프간 신드롬때문에 파병문제는 고려하지 않을 것임

-주이라크 쏘련 대사관의 인원은 필요 최소한으로 유지할 계획이며 150 여명의 기술자가 잔류중인바, 이라크측은 경제협력 프로젝트 지원을 위해 동 기술자가 남아있기를 요청하고 있다함.

마. 향후 전문

-쿠웨이트로부터의 철군을 위해서는 이라크측이 체면을 살릴수 있는 명분이있어야 한다고 생각되나 후세인 대통령은 오랜 경험이 있는 정치가 이므로 그런 문제는 능히 해결할 수 있으리라 봄(예컨대 철군하라는 신의 계시가 있었다고해도 될것이라고 함)

- 동 사건의 해결을 위한 방안의 하나로는 동 사태의 직접 원인이 되었던 양국 국경에 위치한 유전지대 개발 및 사용에 대한 쿠웨이트측이 상당한 양보를 하는 방법,

중아국	장관	차관	1차보	구주국	구주국	청와대	안기부

PAGE 1

91.01.15 10:29

외신 2과 통제관 BT

0018

즉 동 지역을 쿠웨이트가 이라크측에 장기간 조차해 주는 방안 모색등 동 사태의평화적 해결을 위한 여러가지 방안이 있을 수 있을 것임

-동 참사관은 개인적 의견임을 전제하면서 이라크측이 이란과의 오랜 전쟁끝에 전쟁으로 부터 얻은 여러가지 이익을 이란에게 반환하고 평화협정을 타결한예를 상기시키면서 동사태의 평화적 해결이 가능할 것이라는 낙관적 견해를 표명함. 끝

(대사대리-국장)

91.6.30 일반

19 91 . 6 . 30 에 예고
의거 일반문서로 재분류

PAGE 2

0019

관리번호	91-814

원 본

외 무 부

종 별 :

번 호 : SVW-0142 일 시 : 91 0114 2300

수 신 : 장관(중근동,동구일,사본:주쏘대사)

발 신 : 주 쏘 대사대리

제 목 : 페만사태

1. 1.12(토)최고회의는 페르시아만 사태에 관한 하기 결의안을 채택하였음

가. 의회는 동 사태 해결을 위해 국제 규범과 유엔의 결의안에 입각하여 취해지는 쏘련 정부의 정책을 지지하고

나. 동 사건 관련 모든 당사자가 위기를 평화적으로 신중하게 해결 할수 있도록 노력하고 있는 유엔사무총장의 노력을 지지노력하고 있는 유엔사무총장의 노력을 지지하며

다. 쏘 외무성과 국방성이 동 사태에 관련된 쏘련 정부의 조치들을 정기적으로 의회에 신속히 보고하고 모든 중요한 결정을 헌법에 따라 내리되, 의회의 승인을 받아서만 행하도록 한다.

2. 한편 케야르 유엔사무총장은 후세인 대통령과의 회담후 동 사태 해결을 위한 아무런 성과도 얻지 못했다고 언급함. 끝

(대사대리-국장)

91.6.30 까지

중아국	차관	1차보	구주국	구주국	청와대	안기부

PAGE 1

91.01.15 08:53

외신 2과 통제관 BT

0020

관리번호	91-66

	분류번호	보존기간

발 신 전 보

번 호 : WJA-0203 외 별지참조　　종별 : WSV-0137 910115 1927

수 신 : 주 수신처 참조 ~~대사, 총영사~~

발 신 : 장 관 (미북)

제 목 : UN 안보리 철군 시한 경과 관련 성명 발표

1. 페만 사태와 관련 UN 안보리가 설정한 1.15. 이라크군 철수 시한이 임박함에 따라 독일 정부는 상기 시한전 이라크군의 철군을 촉구하는 수상실 명의 성명을 1.14. 발표하였음.

2. 본부 조치 결정에 참고코자 하니, 1.15. 시한을 전후하여 주재국 정부의 여사한 입장 표명이 있을 경우 발표 즉시 지급 보고 바람. 끝.

(미주국장 반기문)

검토필 (1991. 6. 30.)

예고 : 91.12.31. 일반

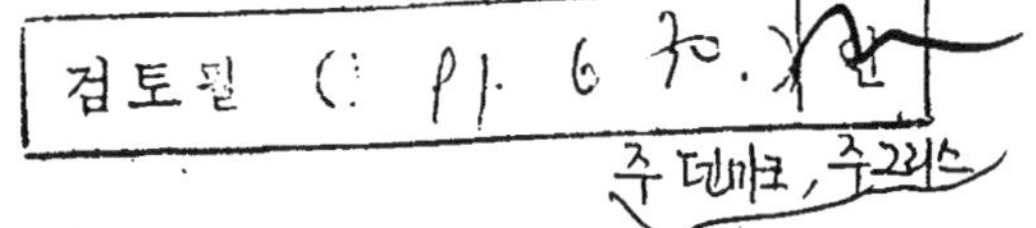

일반문서로 재분류(1991.12.31.)

수신처 : 주일, 주영, 주불, 주카나다, 주이태리, 주벨지움, 주터어키, 주호주대사, 주덴마크, 주그리스, 주카이로총영사, 주파키스탄, 주사우디, 주방글라데시, 주모로코, 주세네갈, 주체코, 주쏘대사

(사본 : 주미대사)

중동아국장 대변인

보안통제	

앙고재	91년 1월 15일	북미과	기안자 성명		과 장	심의관	국 장		차 관	장 관
							전결			

외신과통제

0021

유엔 안보리 철군 시한 경과후

~~대한민국 정부~~ 외무부 대변인 성명(안)

1991. 1. 16.

1. 대한민국 정부는 유엔 안보리 결의가 설정한 1.15. 철수 시한이 지났음에도 불구하고 이라크 정부가 쿠웨이트에 불법 주둔중인 이라크군을 아직 철수치 않고 있음을 유감스럽게 생각합니다.

2. 이에 따라 페르시아만 지역정세가 전쟁 발발 일보 직전으로 치닫고 있어 페르시아만 인근지역 전체는 물론 전세계인들을 공포와 불안에 떨게하고 있는 데 대해 우리는 깊은 우려를 갖고 있습니다.

3. 우리 정부는 이라크 정부가 지금이라도 전세계 평화 애호인의 염원에 부응하여 유엔 안보리 결의가 요구하고 있는 바와 같이 쿠웨이트로부터 즉각 철군할 것을 거듭 촉구하는 바입니다.

4. 대한민국 정부는 이 기회를 빌어 페르시아만 지역에 파견된 미국을 비롯한 다국적군의 헌신적인 평화유지 노력에 깊은 경의와 찬사를 보내고자 합니다.

끝.

중동아국장 대변인

안 고 재	북미과	91년 1월 15일	담 당	과 장	심의관	국 장	차관보	차 관	장 관

0022

관리 번호	91/595

원 본

외 무 부

종 별 :

번 호 : SVW-0172 일 시 : 91 0116 2100

수 신 : 장관(중근동,동구일,사본:주쏘대사)

발 신 : 주 쏘 대사대리

제 목 : 페만사태

연:SVW-0140

1. 금 1.16 외무성 ALEXANDER BELONOGOV 차관은 쏘련 최고 소비에트에 표제관련 보고한바, 동인의언급 요지 아래 보고함.

가. 페만사태관련 쏘측의 기본목표는 이라크 지도자로 하여금 상식(COMMON SENSE)을 발휘, 평화적 해결을 모색하여 파국을 면할 수 있게 하는 것임

나. 페만 사태 해결의 관건은 이라크측의 철군 의중에 달려 있으나 현재 이라크측의 완고한 자세로 인해 쿠웨이트 위기의 정치적 해결의 실마리가 보이지 않고 있음.

다. 지금까지 외무성측이 입수한 정보를 종합해볼때, 후세인 대통령은 미행정부와 여타 국가의 무력사용에 대한 결의를 단순히 이라크측에 대한 심리적 압력의 수단정도로 과소평가하고 있는 인상이나 이는 극히 위험스러운 오산이라고 지적하지 않을 수 없음.

라. 그간 쏘련측은 솔직하고도 건설적인 입장을 견지하면서 이라크측과의 다양한 접촉 과정을 통해 사태의 심각성을 깨닫도록 모든 노력을 다했음.

마. 특히 쏘측은 후세인 대통령에게 1.15 일 이후 하시라도 미국측이 무력을 행사할 수 있는 만반의 준비가 되어있음을 강조하고 이와 같은 무력행사는 일차적으로 이라크측에엄청난 참사를 초래할 것이므로 동 지역에서 평화 유지를 위한 기회를 놓치지 않도록 요청했음.

바. 쏘측은 또한 이라크군이 철수하는 경우, 이라크에 대한 어떠한 공격도 없을 것임과 이라크측이 어떤 경제적 이권을 확보할 수 있을 수 있을 것이라는 것을 설명하고 동시에 중동사태 해결의 새로운 메카니즘을 강구할 수 있는 계기가 마련될 것이라고 하였음.

중아국	장관	차관	1차보	2차보	구주국	구주국	청와대	총리실
안기부								

PAGE 1

91.01.17 06:05

외신 2과 통제관 DO

0023

사. 이와 같은 쏘련측 입장에 대해 이라크측은 충분히 인식하고 있을 것을 봄.

2. 3일 외무성 및 중동 전문가와 재접촉, 추보 위계임.끝

(대사대리-국장)

19 91.6.30 까지 예고문에 의거 일반문서로 재 분류됨.

검토필(1991.6.30.)

PAGE 2

0024

원 본

외 무 부

종 별 :

번 호 : SVW-0183 일 시 : 91 0117 1150

수 신 : 장관(중근동,동구일,사본:주쏘대사)

발 신 : 주 쏘 대사대리

제 목 : 페만사태

1.쏘련 언론매체들은 FIAZWORTER 백악관 대변인 발표를 인용, 미공군이 모스크바 시간으로 1.17(목) 03:00 이라크에 대한 공격을 개시했다고 보도함.

2.이에대해 쏘정부는 11 시현재 공식적인 논평을 유보해왔으나 12:00 경 '고' 대통령이 동 사태에 대한 연설을 할 예정인바, 동 내용 입수되는대로 추보위계임.끝

중아국	장관	차관	1차보	2차보	구주국	중아국	정와대	총리실
안기부								

PAGE 1

91.01.17 20:43 CG

외신 1과 통제관

0025

관리번호	91/278

원 본

외 무 부

종 별 : 지 급

번 호 : SVW-0186 　　　　일 시 : 91 0117 1300

수 신 : 장관(중근동,동구일,기정,사본:주쏘대사)

발 신 : 주 쏘 대사대리

제 목 : 페만사태

고르바쵸프 대통령은 1.17(목) 12:40 TV 방송을 통해 페르시아만 사태에 관한 설명을 발표한바 요지하기보고함

-이라크의 쿠웨이트 침공이후 미국, 쏘련 , 영국, 프랑스 및 유엔등은 동 사태의 평화적 해결을 위해 모든 노력을 해왔음에도 불구하고 이라크측이 이러한 노력에 긍정적으로 응해오지 않으로로서 비극적인 무력충돌 사태가 초래된 것은 유감이라하지 않을 수 없음

-이와같은 사태의 발생은 이라크 국민에게뿐만아니라 중동지역의 국가들 그리고 평화를 사랑하는 전세계모든 국민들에게 깊은 우려와 실망을 안겨 주었음.

-쏘련정부는 이라크정부가 신속히 동 사태해결을 위한 조치에 응하므로서 더 이상의 불행을 막고 조속한 사태해결이 가능할 수 있기를 진심으로 바라는 바임. 끝

(대사대리-국장)

91.12.31 일반

재토필(1991.6.30.)

중아국	장관	차관	1차보	2차보	구주국	구주국	청와대	안기부

PAGE 1 　　　　91.01.17 20:08

외신 2과 통제관 CF

0026

김

미북
서방(사)

외 무 부

종 별 : 지 급

번 호 : SVW-0199 일 시 : 91 0119 2400

수 신 : 장관(중근동,동구일,사본:주쏘대사)

발 신 : 주 쏘대사대리

제 목 : 걸프사태

1.이라크의 대이스라엘 미사일 공격

가.이스라엘 반응

이라크는 1.18(금)에 이어 1.19(토)에도 이스라엘에 대하여 미사일 공격을 계속한바, 이스라엘 외무성은 이라크 공격이 또다시 반복된다면 이에대하여 대응조치를취하지 않을수 없을 것이라고 언급함

나.주재국 반응

1)'고'대통령은 부시 미대통령, 콜 독일수상, 미테랑 프랑스 대통령과의 전화 통화를 통해 폐만 사태의 조기 종결을 위한 방안을 협의함. (브레먀, 라디오 모스크바, 프차우다, 이스베스챠지등 보도)

2)1.18(금) ALEXANDER BELONOGOV 주재국 외무성 중동담당 차관은 이라크의 대이스라엘 미사일 공격관련 하기 내용의 성명을 발표함

. 이라크의 대이스라엘 미사일 공격은 쿠웨이트 사태를 중동 전체의 분쟁으로 확대하려는 의도라고 규정

. 이러한 행위는 이라크측에게 더 커다란 희생을 불러올뿐이며 이스라엘측도 전쟁의 확대 방지를위해 보복조치를 자제해야 할 것임.

. 또한 동인은 '고'대통령이 아랍국가 지도자들에게 보낸 멧세지를 통해 금번 사태가 아랍권과 이스라엘간의 민감한 문제를 자극 불행을 초래할 가능성이 있음을지적하였다고 언급

. 쏘련은 걸프사태를 국지전으로 한정하고 이의 조기 종결을 위해 노력할 것임

. 걸프사태가 신속히 해결될수록, 산적한 중동문제도 해결가능성이 높아질 것임

. 또한 동 차관은 미.쏘. 이스라엘간에 재쏘 유대인의 이민에 관한 합의가 이루어졌다는 일부 보도를 부인함

중아국	장관	차관	1차보	2차보	미주국	구주국	중아국	정문국
청와대	총리실	안기부	대책반					

상황실

PAGE 1 91.01.20 08:04 DA

외신 1과 통제관

0027

2. 당지 주재 이라크 대사관은 ,쏘련이 전통적으로 이라크의 우방국으로서 자신들을 지지해 왔음에도 불구하고 쏘련 언론들이 자신들의 입장을 곤란케하는 보도를계속하고 있음에 유감표명.

끝

(대사대리-국장)

PAGE 2

0028

긴

외 무 부

종 별 :

번 호 : SVW-0216 일 시 : 91 0121 1820

수 신 : 장 관(중근동,미북, 사본:주쏘대사)

발 신 : 주 쏘 대사대리

제 목 : 걸프사태

대: SVW-0199

대호, 이라크의 이스라엘 미사일 공격에 대한 쏘정부의 성명서 전문(영문번역)을아래 보고함

- 아 래 -

SOVIET STATEMENT ON IRAQI MISSILE ATTACKS ON ISRAEL

'ON THE NIGHT OF JANUARY 17-18 IRAQ STAGED MISSILE ATTACKS ON THE SUBURBS OF TELAVIV, HAIFA AND SOME OTHER POPULATED LOCALITIES OF ISRAEL.

BOVIOUSLY, THE PURPOSE OF THAT ACTION WAS TO TRANSFORM THE KUWAITI PROBLEM INTO A REGIONAL CONFLICT AND TO KINDLE MILITARY CONFLAGRATION THROUGHOUT THE MIDDLE EAST.

THE SOVIET UNION HAS FIRMLY OPPOSED THIS DEVELOPMENT OF EVENTS AND EXPRESSED THIS VIEW DURING CONTACTS WITH THE IRAQI LEADERSHIP. WEBELIEVE THAT IT IS NOTDESIRABLE TO RESOLVE ONE PROBLEM BY CREATING ANOTHER. IF ONE CONFLICT DEVELOPED INTO ANOTHER, EVEN MORE EXTENSIVE AND COMPLICATED, THIS WOULD BE DANGEROUS, PRIMARILY FOR PROPLES OF THAT REGION.

IN THIS CRUCIAL MOMENT WE AGAIN URGE THE IRAQI LEADERSHIP TO DISPLAYA SENSE OF REALISM AND TO UNDERSTAND THAT ITS ACTIONS, STARTING WITH THE INVASION OF KUWAIT, BRING ABOUT NOTHING BUT MORE CASUALTIES AND DESTRUCTION TO THE IRAQI PEOPLE AND MORE SUFFERING TO THE WHOLE OF THE REGION, ARAB LEADERS, WHO ARE RESPONSIBLE FOR THE WELL-BEING OF THEIR NATIONS, CANNOT FAIL TO UNDERSTAND IT. WE HOPE THAT ARABS WILL NOT YIELD TO EMOTIONS AND WILL NOT PERMIT THEMSELVES TO BE DRAWN IN TOPROMOTING ANOTHER OUT BREAK OF MILITARY CONFRONTATION WITH

중아국 장관 차관 1차보 2차보 미주국 구주국 안기부
청와대 총리실 상황실

PAGE 1

91.01.22 07:50 DN

외신 1과 통제관

0029

ISRAEL.

THE SOVIET UNION HOPES THAT THE ISRAELI GOVERNMENT WILL ALSO DISPLAY THE NEEDED RESTRAINT AND WILL NOT TAKE THE PATH LEADING TO FURTHERHEIGHTENING OF TENSION IN THE MIDDLE EAST.

THE SOVIET UNION AGAIN FIRMLY SUPPORTS THE SETTLEMENT OF THE KUWAIT CRISIS ON THE BASIS OF WELL-KNOWN RESOLUTIONS OF THE UN SECURITY COUNCIL, AS WELL AS THE EARLY SETTLEMENT OF OTHER CONFLICT SITUATION SIN THE MIDDLE EAST. THE PEOPLES OF THE REGION SHOULD FINALLY BE GIVEN PEACE AND TRANQUIL LIFE.

(대사대리-국장)

관리번호	91-118

외 무 부

종 별 :

번 호 : SVW-0235 일 시 : 91 0122 2250

수 신 : 장관(동구일,사본:주쏘대사)

발 신 : 주 쏘 대사대리

제 목 : 걸프사태

1. 쏘련 외무성 대변인은 쏘련 군사 고문단 요원이 이락크내에 잔류하고 있다는 산케이 신문의 주장을 부인하고 43 명의 대사관 직원만이 이라크내에 잔류하고 있다고 언급함

2.BARD 쿠웨이트 공보장관은 이라크측이 쿠웨이트인 포로들을, 국제법에 반하여, 유엔다국적군의 공격 목표인 전략군사시설에 수용하고 있다고 비난함.

3. 유럽의회(EUROPEAN PARLIAMENT)는 정기회의에서 걸프사태를 논의한바 주요 내용 하기와 같음

-이스라엘 및 기타 국가의 전쟁 개입 자제요청, 제 2 전선 형성방지

-지역안보체제 형성으로 중동문제의 근본적 해결책 강구

-쿠웨이트로부터의 이라크군 철수완료시, 즉시 무력사용중지

-전후 중동문제 해결을 위한 국제회의 개최하여, 팔레스타인, 레바논 및 이라크, 쿠웨이트등 중동문제 협의.끝

(대사대리-국장)

91.12.31 까지

검 토 필 (1991.6.30.)

예고문에 의거 일반문서로 재분류 1991.12.31.

구주국	장관	차관	1차보	2차보	청와대	총리실	안기부

PAGE 1

91.01.23 06:31

외신 2과 통제관 CA

0031

관리번호	91-1477

외 무 부

종 별 :

번 호 : SVW-0276 일 시 : 91 0125 2400

수 신 : 장관(아일,동구일,중근동)

발 신 : 주 쏘 대사대리

제 목 : 일 외상 방쏘

대:WSV-0243

1. 당관 서참사관은 금 1.25(금)당지 일본대사관 타니자키 정무참사관을 접촉, 나카야마 외상의 방쏘 결과를 탐문한바, 요지 아래 보고함

가. 전체적 평가

-고르바쵸프 대통령의 방일 추진에 관한 각서에 서명하고 특히 방일 일정을91.4.16-19 로 잠정적으로 정하고 구체적 협의를 위해 91.3 월중 BESSMERTNYKH외상의 방일을 합의한 점에서, 금번 나카야마 외상의 방쏘는 긍정적으로 평가된다 함

-한편, 쏘 외무성 태평양 동남아국 이반노프 부국장은 금번 방문은 양국의 협력 분위기를 조성했다는 점에서 의의가 있었으나 기대이상도 이하도 아니었다고 함

나. 외상회담

-1.22 약 5 시간 반에 걸쳐 국제정세(오전) 및 양자문제(오후)를 협의했으며 회의도중 BESSMERTNYKH 외상이 발틱 사태관련 약간 자리를 비웠다 함

- 양국외상은 걸프만 사태, 발틱사태 및 양자관계를 중점 논의 했으며 쏘측은 걸프사태관련 미,쏘 협조와 전쟁 불확대를 강조하는 한편 일측은 발틱사태의 평화적 수습을 요망했다함

다. 고대통령 면담,-나까야마 외상은 1.23 약 100 분간 고 대통령과 면담한바, 고대통령은 북방도서 문제 관련 쏘련과 여타 동구 제국간의 기존 국경선에 미칠 영향과 국내정치 상황등을 고려하면서 신중히 대처하여야 한다 하고 최근 상황은 더욱 어려워지고 있다고 언급했다함. 또한 동 대통령은 자신의 방일관련 일측에서는 북방도서문제에 초점을 마추고 있으나 이와 같은 태도는 자신의 방일에 전제 조건을 부여하는 것과 다름 없다고 전제하고 북방 도서 문제는 양국관계의 장기적이고

91.6.30. 일반

아주국	장관	차관	1차보	2차보	구주국	중아국	청와대	안기부

PAGE 1

91.01.26 08:45

외신 2과 통제관 BT

0032

포괄적인 차원에서 다루어질 사안임을 강조했다 함.

-이에 대해 일측은 고대통령이 방일 전제 조건 없다 하고 방일 초청은 폭넓은 양국관계증진을 위한 것이라 했다 함.

라. 한반도 문제

-한반도 문제에 대해서는 간단히 언급되었다고 한바, 양측은 최근 남북고위회담 진전이 한반도 긴장완화에 기여할 것이라는데 의견을 같이하고, 일측은 한. 쏘 외교관계 수립을 긍정적으로 평가하고 쏘측은 일.북한 관계 정상화에 대한 일측의 의도에 대해 환영의 뜻을 표명했다 함.

-한편, 방일문제 협의 과정에서 아국 방문연계 가능성을 시사하는 발언은 없었다 함.

마. 일.쏘 양측은 방쏘 결과를 정리하는 과정에서 일측은 페만사태에 관한 발표문과 일, 쏘관계에 관한 발표문을 각각 따로 작성할 것을 주장한데 반해, 쏘측은 이에 반대하고 '공동신문발표문' 하나만을 작성하되 동 문안에 걸프만 전쟁불확대에 관한 내용을 삽입시킬 것을 주장하였다 함. 이에 일측은 미국관계 및 이스라엘을 고려하여 반대하고 결국은 신문발표문 하나만 작성하고 페만사태 관련해서는 유엔안보리 결의를 존중한다는 선에서 절충하였다 함.

2. 금번 알. 쏘 외상회담 관련 일측은 고대통령의 방일 일정을 가시화시킨 점에서 성과가 있었다고 평가하고 있는데 반해 쏘측은 영토 문제는 다른 현안중의 하나라는 점과 고대통령의 방일과 영토 문제 해결은 별개라는 인식을 일측에 분명히 전했다고 보고 있는 점이 주목됨. 끝

(대사대리-국장)

91.12.31 일반

PAGE 2

0033

관리번호	91-1149

원 본

외 무 부

종 별 : 지 급

번 호 : SVW-0414 일 시 : 91 0205 1800

수 신 : 장관(중근동,동구일)

발 신 : 주 쏘 대사

제 목 : 걸프사태

2.4(월) VITALY CHURKIN 외무성 대변인은 걸프사태관련, 남북한 정부가 취하고 있는 조치에 대한 쏘측의 우려 를 표명한바 동 요지는 아래와같음

1. 걸프만에서의 전쟁 상태가 확대 발전됨에따라 우려되는 북한의 남치에 대비 한국정부가 전쟁대비 비상경계령을 표고 있고, 북한도 금년들어 4 회에 걸쳐 등화관제훈련을 실시하고 있음. 북한측에 의하면 작 2.2 비무장 지대에서 북한측에 대한 남한측의 기관총 공격이 발생했다고 함.

2. 이러한 조치는 한반도에 있어서 남. 북한간 총리회담을 통해 군사, 정치적 데당트를 추구하고 있는 분위기에 배치되는 일이며, 남. 북한 모두 차분하게 자제심을 발휘하여 양자간 신뢰 분위기 조성을 위해 노력해야 할 것이라고 언급함. 끝

(대사-국장)

91.12.31 까지

검토필(1991.6.30.)

중아국 장관 차관 1차보 2차보 미주국 구주국 청와대 총리실
안기부

PAGE 1 91.02.06 01:02
외신 2과 통제관 DO

0034

관리 번호	91 -460

원 본

외 무 부

종 별 :

번 호 : SVW-0429　　　　일 시 : 91 0206 2100

수 신 : 장관(중근동,동구일)

발 신 : 주 쏘 대사

제 목 : 걸프사태(쏘외무차관 이란방문)

1. 2.6(수) ALEXANDER BELONOGOV 쏘외무차관은 이란 정부와의 걸프사태 해결방안 논의위해 이란을 방문함. 동 차관은 출국에 앞서 기자회견을 통해 걸프사태가 통제할 수 없는 위험한 방향으로 발전되고 있으며, 이라크 국민들이 회복 불가능한 피해를 당하고 있다고 강조하고 이라크 정부는 이러한 현실을 인정하여쿠웨이트 정부의 독립 요구에 즉각 응해야 할 것이라고 언급함

2. 2.6(수) 라디오 모스크바는 금번 BELONOGOV 차관의 이란 방문은 작 1.31(목)-2.1(금)간 개최된바 있는 공산당 중앙위가 '정치선언'을 통해 정부가 걸프사태 해결을 위한 추가적 조치를 취하라고 요구한데 대한 조치의 일환으로 이루어진 것이라고 논평하였음.

3. 본건은 계속 진전있는대로 보고위계임.끝

(대사-국장)

91.12.31 까지

일반문서로 재분류(1991.6.30.)

중아국 장관 차관 1차보 2차보 구주국 청와대 총리실 안기부

PAGE 1　　　　91.02.07 06:02

외신 2과 통제관 BW

0035

관리 번호	91-1473

원 본

외 무 부

종 별 :

번 호 : SVW-0470 일 시 : 91 0208 2300

수 신 : 장관(중근동,동구일)

발 신 : 주 쏘 대사

제 목 : 걸프만 사태

대:WSV-0379,0506

1. 당관 서참사관은 금 2.8(금)외무성 중동국 EFENDIEV 참사관을 면담, 대호 관련 탐문한바, 동인의 언급요지 아래보고함.

가. 이라크의 단교

-이라크의 단교 대상국은 다국적군에 참가하고 있는 유엔안보리 상임이사국및 이집트, 사우디등 중동의 주요 국가에 제한되고 있음.

-사담 후세인 입장은 다국적군에 직접, 간접적으로 지원하고 있는 모든 국가와 단교를 할수 있는 것은 아님. 따라서 당분간은 여사한 단교조치가 여타국으로 확대될 것으로 보지는 않음.

나. 쏘련측 동향

-쏘련은 다국적군의 이라크 공습은 쿠웨이트의 해방차원을 넘는 것으로 간주하고 있음.

-쏘측은 동 사태의 정치적 해결을 위한 노력의 일환으로 BELONGOV 외무성 차관은 이란 및 터키를 방문, 동국 지도자들과 협의한바, 이란측의 중재노력에 기대를 걸고 있음.

-일부 일본 언론에서 쏘련이 이라크에 PRIMAKOV 전 대통령위원회 위원을 이라크에 파견할 계획이라고 보도하고 있으나, 현재로서 이와같은 계획은 없음.

다. 지상전 개시 전망

-다국적군의 공습 성과에 대해서는 평가가 엇갈리고 있어 단적으로 말하기 곤란하나 이라크에 대한 손상은 광범위한 것으로 보임. 그러나 이라크 육군의 사기는 규율을 잃지않고 있음.

-미국측은 조만간 지상전을 전개할 것으로 보이는바, 이와같은 지상전 전개는

중아국 장관 차관 1차보 2차보 구주국 정문국 청와대 안기부

PAGE 1 91.02.09 07:23

외신 2과 통제관 BT

0036

막대한 인명희생을 초래할 뿐 아니라 미국측을 정치적으로 어려운 입지에 빠지게 하고 전쟁의 양상을 변화시킬 것임. 따라서 쏘련은 지상군에 의한 공격을 자제하고 유엔결의에 입각한 해결을 모색하도록 촉구하고 있음.

-사담 후세인은 전쟁이 발발하면 쏘련이 이라크측을 지원할 것으로 판단했던 것 같으나 이는 오산임

2. 쏘측은 BELONOGOV 차관의 이란방문을 시의 적절했다고 판단하고 있으며 이란측의 INITIATIVE 에 후세인이 긍정적으로 응하도록 이라크측과 접촉하고 있는 것으로 보임.끝

(대사-국장)

91.12.31 일반

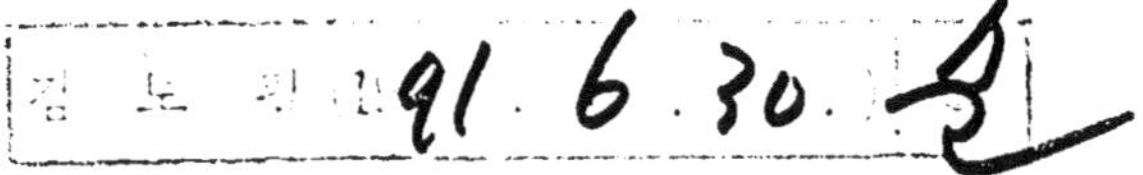

PAGE 2

0037

관리 번호	91-735

원 본

외 무 부

종 별 :

번 호 : SVW-0498 일 시 : 91 0211 1920

수 신 : 장관(중근동,동구일)

발 신 : 주 쏘 대사

제 목 : 걸프만 사태

1. 고르바쵸프 대통령은 2.9(토) 오후 표제 관련 성명을 발표한바 요지 아래와 같음

-쏘련의 유엔안보리 결의 존중 입장은 변함없으나 최근 전부 양상은 유엔의MANDATE 를 일탈한 것으로 생각됨

-이스라엘과 여타 국을 전쟁으로 끌어들여 전쟁의 성격을 이스라엘대 아랍전으로 변모시키려는 것은 위험스러운 의도임

-쏘련은 후세인 대통령에게 이라크가 처한 상황을 냉정히 분석하고 사태의 평화적 해결이 가능하도록 현실적인 어프로치를 하기를 권하는 바임.

-평화를 위한 돌파구를 마련키 위해서 조속히 전쟁을 중지하는 것이 급선무임

-이라크에 대통령 특사를 급히 파견 예정임

2. 상기 대통령 특사로는 중동문제 전문가이며 전대통령 위원회 위원이었던프리마코프 박사가 금 2.11(월) 이라크 향발 예정임.끝

(대사-국장)

91.12.31 까지

검토필(1991.6.30.)

중아국	장관	1차보	2차보	미주국	구주국	청와대	총리실	안기부

PAGE 1 91.02.12 04:59

외신 2과 통제관 EE

0038

관리 번호	91-1388

원 본

외 무 부

종 별 : 지 급

번 호 : SVW-0510 일 시 : 91 0212 2130

수 신 : 장관(중근동,동구일)

발 신 : 주 쏘 대사

제 목 : 걸프사태(쏘사절방문)

연:SVW-429,498

당관 서현섭 참사관은 금 2.12(화) 외무성 중동국 EFENDIEV 참사관을 면담,연호 쏘련 사절의 걸프지역 방문 결과를 탐문한바 요지 아래보고함.

1.BELONOGOV 외무차관의 이란, 터키 방문(2.6-9)

-쏘측은 이란측의 중재 노력을 평가하고 전후 동 지역에서의 협력체제구축에 관한 의견을 교환하였음.

-이란측의 제의에 대해 사담 후세인의 반응은 긍정도 부정도 아니었다함.

-터키측은 이라크가 공격해오지 않는한 중립적인 태도를 견지하겠다는 입장을 재확인했다함.

- 동차관은 금번 양국 방문에서 (가)이라크의 쿠웨이트 철군과 더불어 전쟁행위 중지,(나) 이라크 영토 보전,(다)이라크의 화학무기 사용반대,(라)이스라엘참전유도기도반대,(마)전후 안보 협력체 구성 필요등에 관해 의견을 같이 했다고 함.

2. 프리마코프 특사의 이라크 방문

-고대통령은 걸프전의 조속한 해결 노력의 일환으로 프리마코프 특사를 파견한바, 동 특사는 금일 후세인과 제 1 차 회담을 가질 예정이라함.'프' 특사는90.8 이라크의 쿠웨이트 침공이래 3 번째의 방문이라고 함.

-'프' 특사는 후세인에게 전투를 중지하고 전쟁후의걸프지역 문제를 유관국과 협의하도록 권고 예정임

- 동 특사는 2.13 귀국 예정이나 회담 여하에 따라서는 체류일정을 1-2 일 연기할 것이라 함. 끝

(대사-국장)

중아국 장관 차관 1차보 2차보 구주국 청와대

PAGE 1 91.02.13 05:29

외신 2과 통제관 CA

0039

91.12.31 일반

검 토 필(1991.12.31.) 심

PAGE 2

0040

관리 번호	91 -1391

원 본

외 무 부

종 별 :

번 호 : SVW-0524 일 시 : 91 0213 2130

수 신 : 장관(중동일,동구일)

발 신 : 주 쏘 대사

제 목 : 걸프만 사태

연:SVW-510

1. 금 2.13 외무성 프레스센타의 기자회견에서 이그나텐코 대통령 대변인과 추루킨 외무성 대변인은 걸프만사태 관련 언급한바 요지 아래 보고함

가. 이그나텐코 언급사항

프리마코프 특사의 방문은 '고무적'이었으며 금일밤 테헤란을 경유 귀국 예정임

나. 이라크 TAREQ AZIZ 부총리겸 외무장관이 쏘측과 걸프만 사태를 계속 협의키 위해 2.17(일) 방쏘, 2.18(월) 고대통령등와 일련의 회담을 가질 예정임

다. 추르킨 언급 요지

-쿠웨이트 알 아흐메트 부총리가 금 2.13 저녁 모스크바 도착, 명 2.14(목) 고르바쵸프 대통령과 표제 관련 협의예정임.

-(폴란드 특파원의 페만사태 관련 쏘련의 중재 역할 배경에 대한 질문에)쏘련은 중재 요청을 받은바 없으나 조속한 시일내의 전투해위 중지를 위해 중재 역할을 자청하고 나섯다 함.

2. 동 특사 방문상세는 외무성 접촉후 추보하겠음. 끝

(대사-국장)

91.12.31 일반

91. 6. 30. 검토필 (인)

중아국	장관	차관	1차보	2차보	미주국	구주국	청와대	총리실
안기부								

PAGE 1

91.02.14 06:38

외신 2과 통제관 DO

0041

관리 번호	91 — 758

원 본

외 무 부

종 별 :

번 호 : SVW-0536 일 시 : 91 0214 2100

수 신 : 장관(중동일,동구일)

발 신 : 주 쏘 대사

제 목 : 걸프만사태

1. 금 2.14(목) 방쏘중인 쿠웨이트 '아흐메드'외무장관은 외무성 프레스 센타에서 회견을 갖고 아래요지로 언급함

-쿠웨이트측은 쏘련의 유엔결의 존중입장에 대해 만족하고 있으며 쏘측이 프리마코프 특사의 이라크 방문결과를 설명해준데 대해 기쁘게 생각함

-이라크의 입장에 신축성이 엿보임

-전후 복구사업에 쏘련의 참여를 기대함

2. 한편 외무성 추루킨 대변인은 상기 쿠웨이트 외상의 회견직후, 이란 VELAYATI 외상이 걸프만 사태협의위해 금일 긴급 방쏘 예정이라고 밝히고 다음요지언급함.

-2.13 다국적군에 의한 폭격으로 이라크 민간인 희상자가 다수 발생한 것은유감임. 이와같은 참사에 접한 쏘측은 사태의 정치적, 외교적 해결의 필요성을절감함.

-쏘측은 이라크 TARIQ AZIZ 외상의 쏘련 방문에 대해 기대를 갖고 있으며, 금번 방문에도 사태해결의 실마리를 찾지 못하면 쏘련으로서 더이상 취할 조치가없다고 생각함. 끝

(대사-국장)

예고:91.12.31 까지

검토필(1991.6.30.)

중아국	장관	차관	1차보	2차보	미주국	구주국	청와대	안기부

PAGE 1

91.02.15 06:17

외신 2과 통제관 CE

0042

관리 번호	91-102

원 본

외 무 부

종 별 : 지 급

번 호 : SVW-0551 일 시 : 91 0215 2100

수 신 : 장관(중일,동구일)

발 신 : 주 쏘 대사

제 목 : 이라크 쿠웨이트로부터 철수

대:WSV-0465

1. 대호관련 CHURKIN 외무성 대변인은 금일 기자회견도중 전달받은 멧세지내용을 외신기자에게 공개한바, 이라크 혁명군본부는 유엔결의안 제 660 조를 받아들여 다국적군이 모든 전부행위를 중단하는 것을 조건으로 쿠웨이트로부터 철수키로 결정하였다함.

2. 한편 당관은 동 건관련 주재국 외무성 중동국을 접촉하였던바, 아직 동건에 관해 공식적으로 아무런 보고도 받지못하였다 하고, 언급을 회피한바, 주재국 반응 입수되는대로 추보위계임.끝

(대사-국장)

예고:91.12.31 까지 91. 6. 30.

중아국	장관	차관	1차보	2차보	구주국	청와대	안기부

PAGE 1

91.02.16 09:29

외신 2과 통제관 CW

0043

관리 번호	91-367

원 본

외 무 부

종 별 : 지 급

번 호 : SVW-0575 일 시 : 91 0219 0930

수 신 : 장관(중동일,동구일)

발 신 : 주 쏘 대사

제 목 : 걸프사태

1.2.18(월) 고르바쵸프 대통령은 방쏘중인 TAREG AZIZ 이라크 외무장관을 만나, 걸프사태 해결을 위한 제안을 이라크측에 제시하였다고 함. 동 회담후 가진 기자회견을 통해 IGNATENKO 대통령실 대변인은 동제안의 구체적인 내용은 발힐수 없다고 하면서, 다만 금번 제안은 걸프전의 확대를 방지하고 유엔안보리 결의안에 입각, 이라크의 쿼웨이트로부터의 무조건 철수가 이루어져야 한다는 쏘련의 입장을 반영하는 '정치적 방안'(POLITICAL MEASURES) 이라고 말하였음. 또한 동인은 금번 제안에 관해 미국등과는 사전 협의한바 없으며, 금일오후 미국, 프랑스, 이태리, 이란 등에는 동제안내용을 통보할 것이라 함

2.AZIZ 외무장관은 동 쏘측제안을 갖고 이란 요르단을 경유 급거 귀국중인것으로 알려졌으며 후세인 대통령의 쏘측안에 대한 긍정적 회신이 있을경우 재차방쏘계획중인것으로 알려지고 있음

3. 당관은 동건관련 외무성 중동국 EFENDIEV 참사관을 접촉한바, 동인은 쏘측제안을 아직 공개할수 없다는 반응을 보였음. 동 내용 파악 추후 보고위계임.끝

(대사-국장)

예고:91.12.31 까지

검토필(1991.6.30.)

중아국	장관	차관	1차보	2차보	미주국	구주국	청와대	총리실
안기부								

PAGE 1

91.02.19 19:03

외신 2과 통제관 BA

0044

관리 번호	91-888

외 무 부

종 별 :

번 호 : SVW-0606 일 시 : 91 0220 2340

수 신 : 장관(동구일,중동일)

발 신 : 주 쏘 대사

제 목 : 외상동정

1. 주재국 BESSMERTNYKH 외상은 2.21 일 스페인 마드리드에서 개최예정인 구주각료이사회 참석 예정으로 금 2.20 출발예정이라고 추루킨 외무성 대변인이 발표했음.

2. 한편 동 대변인은 BESSMERTNYKH 외상이 마드리드 방문 직후 걸프만 사태관련 미국을 방문할 것이라는 일부 보도는 사실이 아니라고 부인함. 끝

(대사-국장)

예고:91.6.30 까지

1991. 6. 30. 에 예고문에 의거 일반문서로 재 분류됨.

구주국 차관 1차보 중아국 정문국 청와대 안기부

PAGE 1

91.02.21 10:01

외신 2과 통제관 CW

0045

관리 번호	91-887

원 본

외 무 부

종 별 :

번 호 : SVW-0607 일 시 : 91 0220 2340

수 신 : 장관(중동일,동구일)

발 신 : 주 쏘 대사

제 목 : 걸프만사태

연:SVW-588

1. 금 2.20(수) 아침 모스크바 방송은 이라크 AZIZ 외상이 쏘련측 제안에 대한 후세인 대통령의 회답을 휴대코 쏘련을 재차 방문예정이라고 보도하였음.

2. 한편 추루킨 외무성 대변인은 금 2.20 15:00 외무성 프레스 센터에서 기자들로부터 AZIZ 외상 방쏘에 대한 질문을 받고 현재 이라크측은 쏘측 제안을 협의중에 있는 것으로 안다.'고 답변함으로서 금일 중동 외상의 도착 가능성을 부인했음.

3. 서참사관은 명 2.21(목) 외무성측과 접촉, 표제관련 탐문예정임을 첨기함. 끝

(대사-국장)

예고:91.6.30 까지

1991. 6. 30. 에 예고문에 의거 일반문서로 재 분류됨.

중아국 차관 1차보 2차보 구주국 청와대 안기부

PAGE 1

91.02.21 10:01

외신 2과 통제관 CW

0046

報告畢

長官報告事項

1991. 2.21.
歐洲局
東歐 1 課 (12)

題 目 : Gulf 事態關聯 蘇聯의 最近 外交努力

1. Gulf 사태에 대한 소련의 기본입장(2.18 소측제의 평화중재안의 골간임)
   - o 유엔 안보리 결의안에 따른 쿠웨이트로부터 이라크군의 무조건 철수
   - o 다국적군의 완승으로 인한 이라크의 무력화 방지
     - 다국적군의 이라크 민간인 및 산업시설에 대한 공습은 쿠웨이트 해방이라는 유엔 결의안의 범위를 넘어서는 것이라고 수차 경고
   - o 종전후 이라크에 대한 제재나 후세인에 대한 처벌 불원
     - 전후 중동질서 재편 과정에서 이라크의 참여 보장 필요
   - o 중동문제의 정치적 해결을 위해서는 아랍-이스라엘간 분쟁이 해결 되어야 하며 이를 위한 포괄적 국제회의 개최

2. 소측의 평화 중재안 제의 배경
   - o 소련의 전통적 영향권인 중동에서 전후 미국의 지배적 영향력 행사 방지 및 신질서 구축과정에의 소련의 참여 지분 확보
     - 전후 ~~미국의 걸프 지역 및~~ 미군의 장기 주둔을 통한 미국의 원유 수급 조정권 장악 방지
   - o 동맹국인 이라크의 완패로 남부 접경국인 이란과 친서방 터키의 걸프지역내 패권세력화 불원
   - o 군사적 해결이 아닌 정치적 해결의 중재자로서의 평화적 이미지 구축
   - o 최근 발언권을 강화하고 있는 국내 보수세력의 입장 배려
     - 소군부, 공산당등 보수세력, 고르바쵸프 대통령의 대중동 정책에 대한 비난과 수정압력 가중
       - · 소련의 대중동 정책으로 소련이 강대국으로서의 지위를 상실하고 이라크등 전통 동맹국과 친소 제 3세계 국가에 대한 소련의 영향력을 상실하였다고 비난

계 속/...

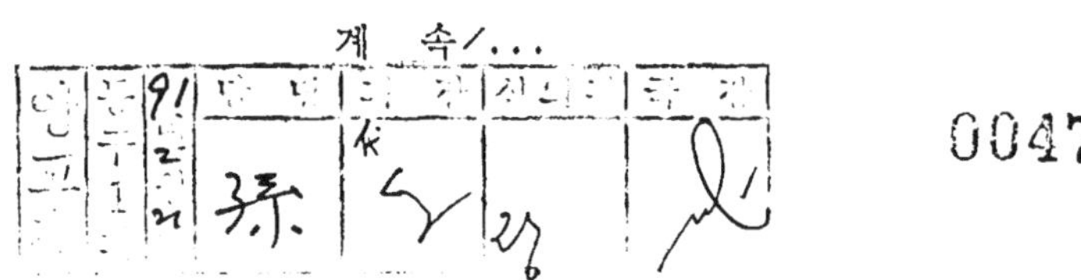

0047

· 미측의 전후 중동내 미군 잔류 시사에 대하여 산유 부국을 통제하기 위한 신제국주의적 기도라고 맹비난하는등 과거 냉전시대의 이념대결 용어 구사

o 중앙아시아 공화국의 이라크와의 연대감 감안, 무한정 대미 공동 보조시 공화국의 반발 우려

- 소련내 회교도는 4,700만명에 달하며 이라크와 근접한 아제르바이잔 공화국은 시아파의 인구가 550만명임.

- 기타 우즈벡 공화국등내 회교도, 이라크 지원 성전 참가 용의 표명하고 종전을 위한 대정부 압력 가중

3. 주요 서방국가 반응

o 미 국

- 소측 제의를 거부하되 대화 가능성은 불배제

· 부시대통령, 소측 제의가 종전을 위한 요구 수준에 미흡하나 하나의 제의로 인정

o 독 일

- 겐셔 외무장관, 소련 제의 평화안 지지

o 이태리

- 정부대변인, 소측 제안이 이라크의 철수를 요구하고 있는 유엔 결의와 완벽하게 일치한다고 논평

o E C

- EC 외무장관 회담에서 소련의 평화노력을 환영

o 일 본

- 나까야마 외상, 걸프전쟁을 외교적으로 해결하려는 소측 평화안 환영

4. 전 망

가. 소련의 대서방 관계

o 소련은 중재자로서의 전후 영향력 확보를 도모하되 서방의 경제적 원조가 절실한 사정 감안, 미국과의 화해기조 훼손은 불원

o 그러나 미국이 지상전을 개시하고 후세인 제거를 시도할 경우 양국 관계는 다소 경색 예상

계 속/...

0048

나. 종전 및 중동질서 재편 관련 소련 정책

o 소측 제의에 호의적 반응을 보이는 일부 EC국가와 이란등 중동국가와 연대, 미국에 대한 조기 종전 압력 가중

o 전후 미국주도 세력재편 견제를 위하여 중동문제의 포괄적 해결 목적의 국제회의 개최가 가능토록 여건 조성 주력 전망. 끝.

0049

報告畢
[signature]

長 官 報 告 事 項

1991. 2.21.
歐 洲 局
東 歐 1 課 (12)

題 目 : Gulf 事態關聯 蘇聯의 最近 外交努力

1. Gulf 사태에 대한 소련의 기본입장(2.18 소측제의 평화중재안의 골간임)
   - o 유엔 안보리 결의안에 따른 쿠웨이트로부터 이라크군의 무조건 철수
   - o 다국적군의 완승으로 인한 이라크의 무력화 방지
     - \- 다국적군의 이라크 민간인 및 산업시설에 대한 공습은 쿠웨이트 해방이라는 유엔 결의안의 범위를 넘어서는 것이라고 수차 경고
   - o 종전후 이라크에 대한 제재나 후세인에 대한 처벌 불원
     - \- 전후 중동질서 재편 과정에서 이라크의 참여 보장 필요
   - o 중동문제의 정치적 해결을 위해서는 아랍-이스라엘간 분쟁이 해결 되어야 하며 이를 위한 포괄적 국제회의 개최

2. 소측의 평화 중재안 제의 배경
   - o 소련의 전통적 영향권인 중동에서 전후 미국의 지배적 영향력 행사 방지 및 신질서 구축과정에의 소련의 참여 지분 확보
     - \- 전후 미군의 장기 주둔을 통한 미국의 원유 수급 조정권 장악 방지
   - o 동맹국인 이라크의 완패로 남부 접경국인 이란과 친서방 터키의 걸프지역내 패권세력화 불원
   - o 군사적 해결이 아닌 정치적 해결의 중재자로서의 평화적 이미지 구축
   - o 최근 발언권을 강화하고 있는 국내 보수세력의 입장 배려
     - \- 소군부, 공산당등 보수세력, 고르바쵸프 대통령의 대중동 정책에 대한 비난과 수정압력 가중
       - · 소련의 대중동 정책으로 소련이 강대국으로서의 지위를 상실하고 이라크등 전통 동맹국과 친소 제 3세계 국가에 대한 소련의 영향력을 상실하였다고 비난

계 속/...

0050

· 미측의 전후 중동내 미군 잔류 시사에 대하여 산유 부국을 통제하기 위한 신제국주의적 기도라고 맹비난하는등 과거 냉전시대의 이념대결 용어 구사

o 중앙아시아 공화국의 이라크와의 연대감 감안, 무한정 대미 공동 보조시 공화국의 반발 우려

- 소련내 회교도는 4,700만명에 달하며 이라크와 근접한 아제르바이잔 공화국은 시아파의 인구가 550만명임.
- 기타 우즈벡 공화국등내 회교도, 이라크 지원 성전 참가 용의 표명하고 종전을 위한 대정부 압력 가중

3. 주요 서방국가 반응

o 미 국

- 소측 제의를 거부하되 대화 가능성은 불배제
  · 부시대통령, 소측 제의가 종전을 위한 요구 수준에 미흡하나 하나의 제의로 인정

o 독 일

- 겐셔 외무장관, 소련 제의 평화안 지지

o 이태리

- 정부대변인, 소측 제안이 이라크의 철수를 요구하고 있는 유엔 결의와 완벽하게 일치한다고 논평

o E C

- EC 외무장관 회담에서 소련의 평화노력을 환영

o 일 본

- 나까야마 외상, 걸프전쟁을 외교적으로 해결하려는 소측 평화안 환영

4. 전 망

가. 소련의 대서방 관계

o 소련은 중재자로서의 전후 영향력 확보를 도모하되 서방의 경제적 원조가 절실한 사정 감안, 미국과의 화해기조 훼손은 불원

o 그러나 미국이 지상전을 개시하고 후세인 제거를 시도할 경우 양국 관계는 다소 경색 예상

계 속/...

0051

나. 종전 및 중동질서 재편 관련 소련 정책

o 소측 제의에 호의적 반응을 보이는 일부 EC국가와 이란등 중동국가와 연대, 미국에 대한 조기 종전 압력 가중

o 전후 미국주도 세력재편 견제를 위하여 중동문제의 포괄적 해결 목적의 국제회의 개최가 가능토록 여건 조성 주력 전망. 끝.

0052

통 화 요 록

1. 송 화 자 : 주소 대사관 백주현 2등서기관

2. 수 화 자 : 동구1과 위성락 서기관

3. 통화일시 : 91.2.22(금) 09:25

4. 통화내용

o 백서기관

- 2.21(목) 23:45 아지즈 이락 외상이 모스크바에 도착후 바로 크레믈린으로 가서 "고"대통령과 2시간 20분간 회담함.
- 이그나텐코 소련 대통령 대변인은 아래사항을 합의내용으로 발표함.
  - 쿠웨이트로부터 이락군의 무조건 철수에 합의함.
  - 철수는 연합군측의 전쟁행위가 중단되는 익일부터 시작됨.
  - 이라크군의 철수가 완료되면 UN에 의한 경제제재는 바로 해제되어야 함.
  - 철수후에 양측의 전쟁포로는 즉각 석방함.
  - UN 다국적군에 참가하지 않은 국가들이 감시단을 형성, 철수과정을 감시함.
  - 철수가 완료되면 동 사태와 관한 12개의 유엔결의안은 즉각 실효함.
- 아지즈 외상은 금일 소련 외상과 회담 예정임.

0053

o 위서기관

- 질의응답은 없었는가 ?

- 종래 소측 중재안에 포함되어 있었던 조건(후세인의 장래, 국제 회의 소집등)에 대한 언급은 ?

o 백서기관

- 질문은 한가지만 있었는데 미측에 어떻게 통보했느냐 하는 것이었으며, 이그나텐코는 자신이 나올때 "고" 대통령이 부쉬 대통령에게 전화를 걸고 있었다고 답변함.

- 여타 조건에 대한 언급은 일체 없었음.

- 공전은 외신관을 수배하여 타전하겠음. 끝.

0054

관리 번호	91-854

원 본

외 무 부

종 별 : 지 급

번 호 : SVW-0626 일 시 : 91 0222 1100

수 신 : 장관(중일,동구일,기정)

발 신 : 주 쏘 대사

제 목 : 걸프사태

1.TAREG AZIZ 이라크 외무장관은 2.21(목) 밤 11:45 모스크바에 도착 12:00부터 2 시간 20 분간 크렘린궁에서 '고'대통령과 걸프사태 해결을 위한 협의를갖었음.

2. 회담이 끝난 02:30 분 IGNATENKO 대통령실 대변인은 외무성 프레스센터에서 가진 브리핑을 통해 이라크측이 하기 8 개항의 절차에 따라 쿠웨이트로부터철수하는데 동의하였다고 발표하였음

가. 이라크군의 쿠웨이트로부터 무조건 완전철수

나. 유엔 다국적군이 대이라크 공격을 중단하면 익일보부터 이라크군은 쿠웨이트로부터의 철군을 개시

다. 철군은 일정한 시한을 정해 시행

라. 철군과정은 무력행위에 직접적으로 참가하지 않은 국가들로 구성된 감시단의 감독하 진행

마. 이라크군의 2/3 가 철수를 완료하면, 유엔에 의한 대이라크 경제제제조치를 철회

바. 철군완료시 양측은 즉시 전쟁포로를 석방

사. 철군 완료시 걸프사태관련 12 개의 유엔 안보리 결의안의 즉시 효력 상실

아. 기타 상세한 절차는 양측간 협의를 통해 금일오후 확정될 예정임

3. 한편 A.BELONOGOV 외무차관은 이라크측이 걸프사태 해결을 위한 쏘측 제안에 긍정적으로 응함으로써 걸프사태를 평화적으로 해결할 근거가 마련되었다 하였으며, 양국외상은 금일 회담을 갖고, 철군에 관한 구체적 문제에 관한 협의를 할 예정이라고 함. 끝

(대사-국장)

예고:91.12.31 까지

91.6.30.

중아국	장관	차관	1차보	2차보	미주국	구주국	청와대	안기부
안기부								

PAGE 1

91.02.22 17:50

외신 2과 통제관 CH

0055

관리 번호 91-1776

원 본

외 무 부

종 별 : 지 급

번 호 : SVW-0635 일 시 : 91 0222 2130

수 신 : 장관(중일,동구일,기정)

발 신 : 주 쏘 대사

제 목 : 걸프만사태(쏘측 평화안)

연:SVW-0626

91. 6. 30. 전도결

당관 서현선 참사관은 당관 서현섭 참사관은 2.22(금) 당 국제부 A.VAVILOV 이라크 담당관을 면담, 표제 관련 탐문한바 동인의 발언요지 아래 보고함(동인은 이라크등 중동지역에 장기간 근무했으며 중동역사학 박사 학위 소지 자임)

1. 쏘측안의 이행방안 협의

-고대통령 및 BESSMERTNYKH 외상은 방쏘중인 이라크 AZIZ 외상과 작 2.21 저녁 1 차 회담을 가진데 이어 금일 두번째의 회담을 갖고 쏘측은의 구체적 이행방안등을 협의함.

-미국측은 쏘측에에 대해 회의적 반응을 보이면서 정전을 위한 추가 조건제시를 검토하고 있으며 아직도 후세인 제거를 위한 기도를 포기치 않고 있어 유감임. 특히 미국은 과거 10 여년동안 후세인 제거 기회포착을 위해 부심해오던중 금번 후세인의 오산으로 인해 미국은 'GOLDEN CHANCE' 를 잡았다고 판단하고 있음.

2. 이라크의 피해상황

-후세인은 강인하고 결단력있는 인물이나 금번 전쟁으로 지쳐있고 좌절감을 느끼고 있는 것으로 보임

-이라크는 금번 전쟁으로 인해 최소한 1,500 억불의 재산손실을 입었으며 전후 복구에는 약 20 년간의 시일이 소요될 것임

-바그다드내 5 개 주요 교량중 3 개는 완전히 파괴되었고 제 2 의 도시인 바슬라시의 피해는 심각한 정도임

0056

3. 전후 정세전망등

-후세인의 오판에 기인한 금번 정쟁으로 인해 이라크는 경제적으로 파국적인 상황에 직면하게 되었으며 동인의 인기는 떨어지고 정치적 장래는 'DIM AND DARK'

중아국	장관	차관	1차보	2차보	구주국	청와대	총리실	안기부

PAGE 1 91.02.23. 06:41

외신 2과 통제관 DO

하게 됨.

-미국은 사우디등에 파병한 군부대를 서둘러 철수시키지 않을 것이나 그렇다고하여 엄청난 주둔 경비가 소요되는 병력을 장기간 주류시킬수는 없을 것으로 보임(일부 병력주둔 그능성은 있음). 따라서 조만간 병력을 철수시키고 이집트, 사우디등 온건 아랍국가를 중심으로한 안보체제 구축을 모색할 것임.

-쏘측안이 수락될경우, 고 대통령의 국제적 이미지는 더욱 고양되고 쏘련의 국내정치에도 어느정도 유리하게 작용할 것임. 한편 쏘련, 이라크간의 전통적 우호관계는 지속될 것이나 쏘련의 이라크의 전후복구사업 지원은 쏘련 자체내의 경제난국때문에 기대할 수 없고 결국 미국등 서방측 지원에 의존할 수 밖에 없을 것임(종건의 쏘련의 대이라크 군사협력은 련이 무기를 공급하고 이라크측이 동 대금을 석유와 달러화로 결제하는 형태이었으나 양측의 경제형편에 비추어 볼때 종전 수준의 협력유지는 어려울 것임)

4. 기타

-현재 이라크에는 VIKTOR POSUVALYUK 대사를 포함 13 명의 외교관이 잔류하고 있으며 동 대사는 전쟁중 계속 후세인 대통령과 긴밀한 접촉을 유지하는 등 활약이 컸음. 동 대사는 예멘, 요르단, 이집트, 시리아등에서 근무한 직업외교관으로서 이라크 근무는 두번째임

-(아측은 아국의 의료팀 파견등의 배경을 설명한 다음 아국의 이라크의 전후 복구사업 참여에 대한 전망을 문의한데 대해) 동인은 이라크측이 중동건설 경험이 풍부한 한국을 받아들이지 않을수 없을 것이라는 견해를 표명함. 끝

(대사-국장)

91.12.31 일반

0057

PAGE 2

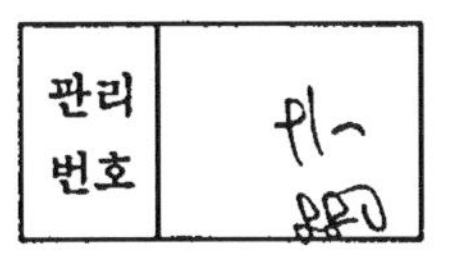

원 본

외 무 부

종 별 : 지 급

번 호 : SVW-0643　　　　일 시 : 91 0223 1230

수 신 : 장관(중일,동구일)

발 신 : 주 쏘 대사

제 목 : 걸프사태

1. IGNATENKO 대통령실 대변인은 2.22(금) 21:30 기자회견을 통해 연호, 쏘측 제안을 일부 수정, 이라크측의 전쟁 책임을 강조한, 새로운 안을 발표하였음.

가. 유엔결의안 660 의 즉각 실행, 90.8.1 이전 상태로 즉각 복귀

나. 전투행위 중지후 익일부터 철군개시

다. 쿠웨이트시로부터 4 일이내, 쿠웨이트 전체로부터 21 일내 철수 완료

라. 철군 완료시 유엔결의안 무효

마. 휴전후 3 일내 포로 석방

바. 유엔안보리가 결정하는 평화감시군의 감독

2. 이와 관련 부시 미대통령과 1 시간 30 분간의 걸프사태 관련 협의후 발표한 '7 일 철수계획'을 통해 이라크는 2.23(토) 12:00(워싱톤시간)이전에 즉각 쿠웨이트로부터의 철수를 개시해야할 것이라고 언명하였는바, 미측안 요지 하기와 같음

가. 2.23(토) 12:00 이전 철수개시, 7 일이내 완료

나. 쿠웨이트시로부터 48 시간이내, 쿠웨이트 전체로부터 1 주일이내 철군완료

다. 48 시간 이내 포로 석방

라. 부비트랩 및 지뢰 철거

마. 쿠웨이트에 대한 적대행위 중지 및 모든 쿠웨이트인 석방

3. 아지즈 외상은 금일(2.23 토) '고'대통령과 재차 면담, 걸프사태 해결방안에 대한 협의를 계속할 것으로 예상되고 있으며, 미측이 제시한 철군 개시 시한이 당지 20:00 인바, 쏘측 정부의 입장 및 '고'대통령-아지즈 외상 회담결과 파악 계속 보고위계임.끝

(대사-국장)

91.6.30. 검토필

중아국 장관 차관 1차보 2차보 미주국 구주국 청와대 안기부

PAGE 1　　　　91.02.23 20:56

외신 2과 통제관 CH

0058

예고:91.12.31 까지

PAGE 2

0059

관리번호	91-879

원 본

외 무 부

종 별 : 지 급

번 호 : SVW-0646 일 시 : 91 0223 1230

수 신 : 장관(중일,동구일)

발 신 : 주 쏘 대사

제 목 : 걸프사태

연:SVW-643

1. TAREG AZIZ 이라크 외상은 2.23(토) 12:00 외무성 프레스 센터에서 가진브리핑을 통해 전일 IGNATENKO 대변인에 의해 발표된바 있는 연호 쏘측안을 반복하고 이라크정부는 쏘측제안에 전적으로 동의하며 '고'대통령의 걸프사태 해결을 위한 노력에 감사한다고 하였으며, 이라크위한 노력에 감사한다고 하였으며, 이라크의 입장에 대해서는 어떠한 언급도 하지 않았음.

2. 다만, 동외상은 미측이 문제삼은 이라크 측의 쿠웨이트 유전 공격으로 인한 생태계 파괴현상에 대하여는 유엔 진상 조사단을 구성하자고 주장하였음.

3. 동 외상은 브리핑후 일체 기자들의 질문을 받지 않고 바로 퇴장하였음. 끝

(대사-국장)

예고:91.12.31 까지

91.6.30.

중아국 장관 차관 1차보 2차보 구주국 청와대 안기부

PAGE 1

91.02.23 20:57

외신 2과 통제관 CH

0060

관리 번호	91-881

원 본

외 무 부

종 별 :

번 호 : SVW-0649 일 시 : 91 0223 1930

수 신 : 장관(중일,동구일)

발 신 : 주 쏘 대사

제 목 : 걸프사태

1.2.23(토) 아자즈 이라크 외상은 쏘련방문을 마치고 귀환하였음. 한편 크렘린궁에서 '고' 대통령, 베스베르트늑 외무장관, 체르냐예프 외교보좌관등이 회동, 걸프사태 해결을 위한 쏘측안과 미측안을 재검토하고 있다함.

2. 한편 금일 16:30 이그나텐코 대통령 대변인은 외무성 프레스센터 기자회견을 통해 아래 요지 언급함

-쏘련은 사태의 평화적 해결을 위해 미국, 프랑스, 독일, 영국, 일본등과 긴밀히 협의하면서 모든 노력을 다 했음. 따라서 금후의 사태진전은 다국적군과 유엔 안보리의행동에 달려있다고 함

-쏘련은 미측안을 면밀히 분석, 충분히 이해하고있으나 문제는 미.쏘 양측안을 여하히 통합(INTEGRATION)할수 있느냐에 달려있다고 말하고 부쉬 대통령과의 전화 협의가능성을 시사함

-이라크와의 추가 협의 가능성 및 후세인의 쏘련 망명 가능성에 대한 질문에대해, 동인은 이라크측과 이미 충분히 협의했다고 언급함으로써 특사 추가 방문가능성을 배제하는 한편 망명신청은 이라크측으로 없었다고 웃으면서 간단히 응수함.

3. 당지 주재언론은 걸프사태 해결을 위한 막바지 협상을 통해 미.쏘 양측이 전후 중동에서 유리한 입지를 차지하기 위한 신경전을 벌리고 있는 것으로보고 있으며 지상전이 발발할경우 이차대전이래 가장 치열하고 많은 희생자를 발생케 할 것이라고 유려하고 있음. 끝

(대사-국장)

예고:91.12.31 까지

91.6.30. 검토필

중아국	장관	차관	1차보	2차보	구주국	청와대	안기부

PAGE 1

91.02.24 03:12

외신 2과 통제관 CW

0061

관리번호	91-860

원 본

외 무 부

종 별 :

번 호 : SVW-0655 일 시 : 91 0225 0045

수 신 : 장관(중일,동구일)

발 신 : 주 쏘 대사

제 목 : 걸프전쟁

2.24(일)외무성 추트킨 대변인은 지상전 개시관련 쏘련정부 성명을 발표한바 요지 아래보고함.

-미국 부시대통령은 2.24 새벽에 이라크에대한 지상전 개시를 명령하였음

- 이라크측이 유엔결의 660 호에 따라 쿠웨이트로부터 철수에 동의하였는데불구하고 군사적 해결에의 의존심이 평화적 해결의 기초를 없애버리고 말았음.

-주지하는바와 같이 이라크 아지즈 외상은 2.23 모스크바 기자회견에서 이라크지도부가 쿠웨이트로부터 이라크 군대를 즉시 그리고 무조건 철수할 준비가 되어있음을 천명하였음.

91.6.30. 검토필

-이라크의 쿠에이트로부터 철군 추진을 위해 진력해온 쏘련은 국제사회에 동지역분쟁이 더욱 격화되고 참혹해지는 단계로 확대되는 것을 막기위하여 상기와 같은 이라크측의 철군용의를 적절히 활용할 것을 촉구했음

-2.23 고대통령은 전화를 통해 미, 영, 불, 이, 독, 일 시리아, 이집트 및 이란 수뇌와 협의를 가졌음

-상기 조치 이전에도 고대통령은 유엔 안보리 이사회의 국가원수와 유엔사무총장에게 개인 메세지를 보내어 이라크 입장에 질적인 변화를 가져온 아지즈 이라크 외상과의 회담결과를 설명하였음.

아랍제국에도 쏘련측이 취한 조치를 통보하였음. 주유엔 쏘련대사는 긴급안보리 이사회를 소집, 사태파악과 이라크의 철군개시 일자 확정, 정전 및 철군의 확인, 검증등의 제문제를 협의할것을 제의하였음

-쏘련은 걸프 사태의 평화적 해결을 확보하고 더이상의 희상과 파괴없이 유엔 안보리 결의에 표명된 목적을 달성할 수 있는 가장 현실적인 기회가 사라지게된것에

중아국	장관	차관	1차보	2차보	구주국	정문국	청와대	총리실
안기부								

PAGE 1

91.02.25 08:28

외신 2과 통제관 BW

0062

유감을 표명함

-이라크측이 수락한 방안(FORMULA)과 여타국의 제안간에는 현격한 차이가 없어서 1-2 일내에 유엔안보리의 테두리내에서 조정될 수 있었으며 아직도 늦지않았음. 따라서 현재 개회중인 안보리는 상황을 면밀히 분석하여 지체없이 구체적인안을 강구해야함. 끝

(대사-국장)

91.12.31 까지

PAGE 2

0063

관리 번호	91 -200

원 본

외 무 부

소

종 별 :

번 호 : FRW-0686 일 시 : 91 0225 1720

수 신 : 장관(동구일,중일,미북,정일,기정동문)

발 신 : 주 불 대사

제 목 : 걸프전(소련입장)

자료응신 41 호)

당지 중동 전략 전문가인 ERIC LAURENT, LE FIGARO 지 논설위원이 표제건에관한 분석한 바를 하기 보고함.

1. 90.8.2 쿠웨이트 침공시 사담 후세인은 그간의 미.소 관계 변화를 인식치 못하고 전통적인 맹방인 소련이 최소한 중립입장을 취할것을 확신하는 오판을하였으며 미국은 소련이 미국주도의 유엔 결의를 유보없이 지지하므로서 국제관계에 있어서 제 2 선으로 완전 후퇴한것으로 판단했을 가능성이 있음.

2. 그러나 세바르나제 전 외상의 대미 밀착, 고르바쵸프의 대서방 저자세등에 대해, 비록 경제력은 약화되었으나 상금 막강한 군사력을 보유하고 있는 소련이 국제 문제에 있어 영향력을 포기함은 불가하다는 국내의 비판적인 여론에 따라 1.16 개전을 계기로 정책을 전환하기 시작함.

더욱이 고르바쵸프에게 개전 사실을 통보한것등은 소 국내 수구파의 발언권을 강화시키는 간접적인 촉진제가 되었음.

3. 소련은 걸프전 개전후 미국의 궁극적인 목표가 쿠웨이트 해방을 구실로이락 정권과 군사력을 무력화시켜 GULF 에 군사적으로 장기적으로 안주한다는 것으로 이해, 급기야 친이락 인사인 PRIMAKOV 로 하여금 외교적 노력을 전개케 하여, 현 이락 체제와 국경선의 수호를 위해 진력함.

4. 걸프전을 위요, 과거의 숙적인 소.이란 관계는 개선되었는바, 이는 이란의 우려(전후 이락의 파괴, 분할후 미 영향권에 편입, NATO 회원국인 터키와, 이란과 국경을 갑이 하는 핵보유 회교강국 파키스탄을 강화시켜, 이스라엘과 함께 이란 포위등) 와 소련의 이해가 일치하기 때문이므로, 전후 양국은 군사, 정치면에서 동맹에 준하는 관계를 설정하게 될것임.

구주국 장관 차관 1차보 2차보 미주국 중아국 정문국 청와대
안기부

PAGE 1 91.02.26 04:34

일반문서로 재분류(1991 . 6 .30 .)

외신 2과 통제관 FE

0064

5. 미국이 소련의 마지막 외교 노력을 묵살하고 본래의 목표대로 지상전을 결행하여 소련의 모멸감은 증폭되었으므로 전후, 그간의 밀월 관계가 재차 불신관계로 회귀할가능성이 농후해짐.

6. 또한 금번 전쟁을 통해 고르바쵸프는 소련만이 아랍권을 포함한 제 3 세계의 진정한 후견인이며 평화 지향적이라는 이미지를 구축하는데 성공 하였으며,이는 전쟁을 통해 고조된 제 3 세계의 전반적인 반미 감정과 함께 전후 군사강국인 소련의 국제적 입지의 쇠퇴를 막을수 있는 하나의 새로운 강점으로 부각될 것으로 보임.끝

(대사 노영찬-국장)

예고:91.6.30 까지

외 무 부

암호수신

종 별 : 지 급

번 호 : FRW-0689 일 시 : 91 0226 1040

수 신 : 장관(중일,구일,동구일,미북,정일,기정동문)

발 신 : 주 불 대사

제 목 : 걸프전(이락 철군 발표)

파리시간 2.25 23:30 RADIO BAGDAD 를 통해 발표된 이락의 쿠웨이트 철군에관한 당지 반응을 하기 보고함.

1. DUMAS 외상은 금 2.26 08:00 철군과 교전중지는 원칙적으로 환영하나, 이락은 사태와 관련된 유엔 결의안 모두를 수락해야 할것이라는 내용의 논평을 함.

2. 표제건 관련 당지 주요 언론의 분석은 아래와 같음.

가. 동 발표 수시간전 SCUD 미사일로 다란 소재 미 병영을 공격, 많은 사상자를 낸것으로 보아, 미국은 상기 이락 제의의 진의 및 성실성에 의심을 갖고 있음.

따라서 UN 안보리를 중심으로한 외교적 해결 논의가 성사될때까지는 현 지상전의 유리한 상황을 포기함이 없이 공격을 계속할 것으로 보임.

나. 미국이 사담 후세인으로 하여금 직접 공개적으로 12 개의 유엔 결의안 전부를 수락토록 촉구한것은 사담 에게 패배를 자인시켜, 향후 동인의 국내적 또는 아랍권내의 위치를 실추시키려는 의도가 있는것으로 보임.

다. 이락이 쏘 제의를 수락하는 시점서 사담은 항전의 한계를 느껴 철군을 결정한것으로 보이며, 이는 다국적군이 지상전 2 일안에 커다란 저항없이 쿠웨이트를 거의 회복한데서도 잘 나타남.

전선 1 선에는 쿠웨이트 침공시 부항병과 민병대 일부만 배치 무기, 보급 지원도 없는 상태에서 부항케 하여, 오히려 다국적군의 부담만 안기고, 정예병은BASSORA 를 중심으로 해안선으로 후퇴시킨것은 , 쿠웨이트는 이미 포기 하되 다국적군의 이락 보토 공격에는 대비한것으로 볼수 있음. 끝

(대사 노영찬-국장)

중아국	장관	차관	1차보	2차보	미주국	구주국	구주국	정문국
청와대	총리실	안기부						

PAGE 1

91.02.26 19:11

외신 2과 통제관 BA

0066

蘇聯의 걸프戰 關聯 動向

1. 소련은 걸프戰 관련

가. 戰爭勃發(1.17)시 「戰爭勃發 책임을 이락측에 전가하면서 戰爭 擴大防止를 위한 國際的 努力을 촉구」(1.22 고르바초프)하는 등 對美 協力關係를 유지해 왔으나

나. 戰爭이 長期化 趨勢를 보이게 되자

○ 미국측의 이락 破滅 가능성을 우려(1.28 「베스메르트니흐」外相)하면서

○ 걸프戰 仲裁案 提示(1.29 美·蘇外相 共同聲明)에 이어 「틀라스」시리아 국방상 訪蘇(2.2) 초청, 「벨로노고프」副外相 이란 방문(2.5)등을 통해 早期終戰 努力을 적극화 하고 있음.

2. 걸프事態에 대한 蘇聯 態度

가. 걸프戰 勃發前

○ 이락의 쿠웨이트侵攻(90.8.2)直後 이락군의 쿠웨이트 즉각 철수 및 쿠웨이트 합법정부의 原狀復舊를 주장(90.8.3 美·蘇外相 共同聲明)하고

○ 美國과 협력하에 UN안보리의 對이락 제재 決議案 적극 지지등 UN주도하의 事態解決 노력을 지지하는 한편

43 - 7

0067

○ 美國主導의 군사행동에는 反對立場을 취하면서 수차에 걸친 中東·西歐地域에 대한 特使派遣 등을 통해 사태의 平和的 해결을 위한 外交努力을 경주

나. 걸프戰 勃發後

○ 戰爭勃發 책임은 美·蘇·英·佛 등의 평화적 노력에도 불구하고 이락이 이에 응하지 않은데 있음(1.17 고르바초프)

○ 이락이 撤軍에 同意할 경우 敵對行爲 중단을 보장하도록 부시大統領과 의견을 調整할 것임(1.18 「후세인」앞 친서)

※「후세인」은 동 提案을 拒否(1.20)

○ 日·蘇(1.21 - 24), 美·蘇(1.26 - 28) 外相會談 등을 통해 걸프戰의 擴大防止를 위한 국제적 노력을 촉구

다. 걸프戰 長期化 추세 이후

○ 걸프戰의 군사행동은 UN안전보장 이사회의 決議案들이 설정한 한도를 超過해서는 안됨(1.26「베스메르트니흐」外相)

○ 걸프戰은 쿠웨이트 해방보다 이락의 破壞와 양측의 사상자 增加쪽으로 발전(1.28「베스메르트니흐」外相)

○ 고르바초프는 걸프事態의 平和的 解決을 위해 조만간 중대결정 발표예정(1.29「이그나텐코」大統領 代辯人)

○ 이락이 쿠웨이트에서 撤收한다는 분명한 약속을 하고 구체적인 조치를 취한다면 戰爭은 終熄될 수 있으며, 美·蘇兩國은 종전후 아랍·이스라엘간 平和와 地域安定을 위해 共同努力 경주(1.29 美·蘇外相共同聲明).

43 - 8

0068

3. 評價 및 展望

가. 蘇聯이 美國의 전쟁수행 목적에 우려를 表明하면서 早期終戰 努力을 적극화 하고 있는 것은

○ 多國籍軍의 공습으로 이락의 軍事·經濟的 잠재력이 壞滅될 위기에 있는 데다가 英國등 일부 多國籍軍 내부에서 이락 進攻 주장마저 대두, 戰爭 長期化 추세를 보임에 따라

○ 걸프戰의 長期化 趨勢 자체가 결코 經濟難 타개를 위한 西方측의 支援獲得에 유익하지 못한다고 판단하고 있는 데다가

○ 특히 「후세인」沒落으로 야기될 域內에서의 對美影響力 劣勢를 우려한점 등에 기인된 것임

나. 이와같은 蘇聯의 態度는

○ 소련이 걸프戰 勃發前부터 「협상을 통한 戰爭防止」, 「多國籍軍에 대한 군대파견 拒否」등 平和的 해결입장을 고수해 온 가운데

○ 美·蘇 頂上會談 연기에도 불구하고 外相會談을 통해 戰爭終熄을 위한 仲裁案을 제시(1.29)하고 있다는 점에서 對美協力 관계의 後退를 의미하는 것은 아니나

○ 그간 소련이 中東地域의 이락·시리아·이집트·예멘 등 4개국과 友好協力協定을 체결하고 막대한 量의 軍事武器를 販賣하는 등 교두보를 구축해온 점등을 감안할 때

※ 소련은 80 - 89年간 이락에 132억 5,000만불의 武器를 販賣

43 - 9

0039

○ 美國에 대해 한정된 선에서의 終戰을 유도, 「후세인」정권의 몰락을 防止함으로써

- 域內에서의 美國 影響力 확대를 牽制하는 한편
- 親「후세인」 아랍권의 지지를 획득, 전후 中東秩序 再編 과정에서 立地를 확보해 보려는 戰略意圖가 내포된 것으로 評價됨

다. 앞으로 고르바초프政權은

○ 美國 등 西方측에 대해서는 多國籍軍의 쿠웨이트 탈환선에서 終戰을 모색하고

○ 이락측에 대해서는 國家存續을 위해 소련측의 戰爭終熄을 위한 仲裁案을 受諾할 것을 설득하는 등

○ 전쟁의 早期終熄 유도를 통해 對外的으로 평화이미지를 부각시키면서 과거 中東地域에서 구축한 교두보를 유지하기 위한 外交的 努力을 적극화 해 나갈 것으로 전망됨.

43-10

0070

관리번호	91-196

외 무 부

종 별 :

번 호 : SVW-0673　　　　　일 시 : 91 0225 2040

수 신 : 장관(중동일,동구일,기정)

발 신 : 주 쏘 대사

제 목 : 걸프사태

당관 서현섭 참사관은 2.25(월) 외무성 중동국 에핀디에프 참사관을 면담, 지상전 개시 이래의 표제 관련 쏘측동향등을 탐문한 바, 요지 아래보고함

1. 지상전 전황 및 미.쏘관계

-쏘측은 다국적군이 압도적으로 우세한 병기등으로 전과를 올리고 있고 이라크군의 부항병이 속출하고 있는 등 쿠웨이트 회복은 임박한 상태로 봄

-지상전 개시 이후에도 쏘측은 희생 극소화등을 위해 미국등과 다각적인 접촉을 계속하고 있음

-일부에서 걸프만 사태로 인해 미. 쏘 협조체제에 불협화음이 생길 것이라는 우려도 하고 있으나, 쏘련은 미.쏘 협조관계는 비단 양국 관계뿐만 아니라 세계평화와 안정에 긴요하다는 인식을 갖고 신사고에 입각한 대미 외교정책을 계속추진할 것임

2. 전후 신질서 모색

- 쏘련은 전후 질서 모색에 있어서는 친미 아랍국가 뿐만아니라 여타 관계제국이전부 참여하는 형식이 되어야 한다고 보고 있음.

-쏘.이라크 협의시, 당초 이라크측은 팔레스타인 문제와 이라크 철수안을 연계시킬 것을 주장했으나 쏘측이 그와 같은 연계는 문제해결을 더욱 복잡하게하고 전쟁을 장기화 시킬 것이라는 점을 설득하였음. 따라서 전후 새질서 모색에 있어서는 '팔'문제도 충분히 고려되어야 한다고 봄.

-전후에 이라크 북부에 거주하는 쿠르드인, 시리아, 터키 등이 이라크 영토분할을 요구할 것이라는 서방측 보도가 있으나, 쏘련으로서는 이와 같은 분리주의 움직임은 수락할 수 없음.

3. 기타

-아측 이 아지즈 이라크외상 방쏘시 쏘측은 후세인의 정치적 장래를 보장했다는

중아국 장관 차관 1차보 2차보 구주국 청와대 안기부

PAGE 1

91.02.26 07:49

외신 2과 통제관 CW

0071

보도가 있다고 지적하자 동인은 쏘련으로서는 후세인의 운명에 대해서보다는 이라크 양민의 장래에 더욱 큰 비중을 두고 있다고 언급함. 끝

(대사-국장)

예고:91.12.31 까지

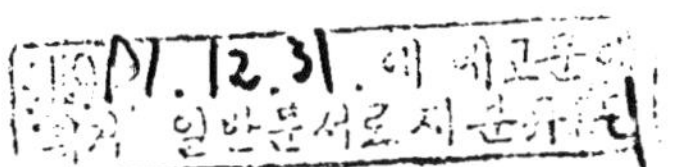

0072

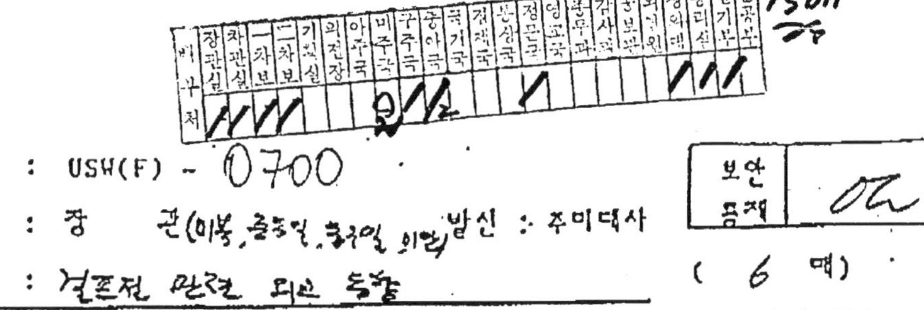

: USW(F) - 0700

: 장 관(미북, 중동일, 국기일 외연) 발신 : 주미대사

: 걸프전 관련 외신 동향

보안 통제 (6 매)

Gorbachev Warns of Danger

Moscow's Spokesmen See Saddam Surrendering, Call on Washington to Accept Gulf Cease-Fire Soon

to U.S.-Soviet Relations

By David Remnick
Washington Post Foreign Service

MOSCOW, Feb. 26—President Mikhail Gorbachev said today that U.S.-Soviet relations are still "fragile" and hinted broadly that they could deteriorate if the Bush administration did not soon accept a cease-fire in the Persian Gulf War.

As his spokesman in Moscow said that Iraqi leader Saddam Hussein "has practically put up the white flag" of surrender, Gorbachev told factory workers in the Byelorussian city of Minsk that "a great sense of responsibility" is required not to destroy the progress in relations between Moscow and Washington, according to the official news agency Tass.

Gorbachev's message was subtle but clear. Although his aides were quick to reiterate that Moscow remains a member of the anti-Iraq alliance, Gorbachev's comments in Minsk were the strongest indication yet of his anxiety and growing impatience with President Bush's apparent insistence on waging war until Saddam has been thoroughly defeated on the battlefield and discredited at home.

Speaking of the region in general, Gorbachev said, "Without solving [the conflicts throughout the Middle East], we will have a powder keg there that can blow up the entire world. What has happened in the Middle East shows how pressing the issue is."

Although he is evidently frustrated with Washington after his repeated attempts to broker an end to the war failed, Gorbachev does not seem ready to follow in the footsteps of his predecessor Leonid Brezhnev, who threatened to intervene in the 1973 Middle East war when Israeli Gen. Ariel Sharon was in pursuit of a total victory over the Egyptian army.

The Soviet Union, according to diplomats and Middle East experts here, is trying to achieve a delicate balance, maintaining a working relationship with Washington while trying to gain a postwar diplomatic advantage in the region. For domestic consumption, Gorbachev is also eager to assert Moscow's place in the world at a time when the Soviet Union has steadily lost its status as a superpower.

Deputy Foreign Minister Alexander Belonogov, who had been among the Soviet diplomats trying to forge an eleventh-hour peace plan to avert the ground war, told reporters that Saddam now can be trusted to withdraw from Kuwait and that Washington has no reason to block a United Nations-backed cease-fire.

Belonogov said that Saddam on Monday sent Gorbachev an overnight letter through Moscow's embassy in Baghdad stating his intention to withdraw from Kuwait.

"It is clear to us that it would respond to the interests of all countries to stop the hostilities at once. There is no real reason to continue them," Belonogov said. "We proceed from the assumption that this new step will satisfy all interested parties."

Asked about Saddam's trustworthiness, Belonogov said, "Yes, I believe he is sincere when he tells his own people he will withdraw."

Gorbachev's spokesman, Vitaly Ignatenko, told a news conference that while the Soviet Union and the other countries in the anti-Iraq alliance have a degree of "individuality" in their policies, Moscow agrees that Baghdad must fulfill all 12 U.N. resolutions passed during the crisis, and not only the call to leave Kuwait. But unlike U.S. officials, he did not demand that Saddam agree to the entire package of resolutions immediately.

Gorbachev's range of actions in the gulf crisis—his initial readiness to join the alliance after the Aug. 2 invasion of Iraq and now his clear dissatisfaction with American policy—has baffled and irritated some officials and observers in the West.

Since mid-October, when he rejected a radical plan for economic reform that he had initially endorsed, Gorbachev has clearly moved into an alliance with the institutions of traditional order and power in the Soviet Union: the army, the KGB security police and the Communist Party. Within those institutions, there are many officials who regard Moscow's policy in the gulf as the ultimate capitulation to the West.

The war has been especially difficult for military leaders who have watched as the U.S.-led alliance has utterly destroyed an army trained and primarily outfitted by Moscow.

Col. Gen. R. Akchurin told Tass, "For the United States, Iraq has become a testing ground for its military hardware and command and control systems. . . . This peculiarity makes us think: Won't our own country find itself in a similar position if we begin to cut our defenses sharply?"

Sergei Ishchenko, deputy editor of the hard-line Military-Historical Journal, said in an interview that while Iraq had Soviet-made T-72 tanks and other armaments, "they didn't have enough of them to combat" the allies' superiority in the air. Ishchenko said Washington was also waging a successful propaganda

0073

Feb. 27, 1991 WP

FEB.27 '91 14:59 KOREAN EMBASSY WASHINGTON DC P.025

: USW(F) -

: 장 관 발신 : 주미대사

:

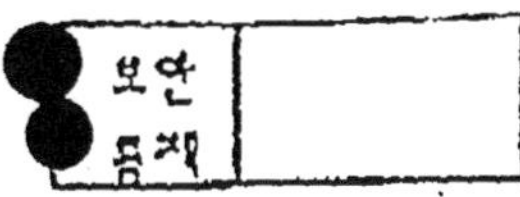

(매)

war, "persuading the world" that civilian casualties have been kept at a minimum and that it has no long-term territorial interest in the Persian Gulf region.

The evening news program "Vremya," which is tightly controlled by state broadcast authorities, gave a fairly straightforward account of the events in the gulf tonight, but added in a commentary that "Americans themselves" are now saying the imminent victory would do much to erase the "Vietnam syndrome" of hesitation before potential military engagements abroad. "But at what price?" the commentator asked, indicating a degree of anger at Washington's insistence on total military victory.

A new liberal daily, Nezavisimaya Gazeta, said in a long article today that Saddam had been aware of the Soviet hard-liners' increasing pressure on Gorbachev and believed that at the opportune moment he "could play the Soviet card" to escape total defeat and remain in power.

"In other words, Saddam's diplomacy relied on certain realities, and it is highly possible that the Iraqi leadership was constantly reminded of those realities by the considerable number of Soviet experts, including military advisers," the newspaper said.

Feb. 27, 1991
WP

0700-2

0074

FEB.27 '91 1[illegible] KOREAN EMBASSY WASHINGTON DC P.026

: USW(F) -

: 장 관 발신 : 주미대사

:

(매)

U.N. Efforts At Cease-Fire Accord Stalled

Council Wants Iraqis To Accept All Resolutions

By John M. Goshko
Washington Post Staff Writer

UNITED NATIONS, Feb. 26—Efforts to turn Iraq's offer to withdraw from Kuwait into a cease-fire remained stalled today in the face of Iraqi refusal to accept demands by the United States and its allies that Baghdad accept all 12 resolutions adopted against it by the Security Council.

The Iraqi stance left it unclear whether the council will be able to take effective action to end the Persian Gulf War before the U.S.-led military coalition completes the devastating ground offensive that began Sunday morning and left in doubt what role the council might play when the fighting is over.

Even the Soviet Union, whose alliance with the United States has been strained by Moscow's advocacy of a cease-fire, agreed today that Iraq's offer by itself was insufficient to halt the fighting.

"We need two things at one and the same time," Soviet Ambassador Yuli Vorontsov said. "We need a cease-fire and compliance with all the resolutions."

However, Iraqi Ambassador Abdul Amir Anbari told a closed session of the council that his government was unwilling to go beyond acceptance of U.N. Resolution 660, adopted by the council last Aug. 2 within hours of Iraq's invasion of its neighbor. It calls for immediate and unconditional withdrawal from the emirate.

Before going into the meeting, Anbari told reporters that the other 11 resolutions, voted by the council in succeeding months to increase pressure on Iraq, would have to be considered "one at a time" after a cease-fire is in effect. "Some of them may be illegal under international law, and some are ambiguous in their meaning," he said.

However, the council's current president, Zimbabwean Ambassador Simbarashe Mumbengegwi, said a "large majority" of the 15 council members agreed that Iraq must clearly and publicly accede to all 12 resolutions. Mumbengegwi said he would confer separately with Anbari and other council members before deciding if and when to seek a new council meeting.

In addition to authorizing the use of force to expel Iraqi troops from Kuwait, these resolutions impose economic sanctions against Iraq, declare its annexation of Kuwait null and void and open the way for possible war crimes charges and reparations claims against Iraqi President Saddam Hussein and officials of his government.

The United States and other members of the coalition insist Iraq must notify the council that it accepts these resolutions unequivocally before the war can end.

Delegates from several of these countries said they were even more united in that view after a speech by Saddam today in which he refused to concede that Kuwait has not been legally a part of Iraq since last August. That was seen here as an attempt to preserve future Iraqi claims against Kuwait.

President Bush has made clear that the United States will not relax its stance. As a result, even Cuba and Yemen, two council members sympathetic to Iraq, acknowledge that a draft resolution on a cease-fire that they are circulating has no chance of passage because the United States, as a permanent council member, can veto it.

A Soviet effort last week to work out a withdrawal and cease-fire agreement was rejected by Bush as giving Iraq too many opportunities to save its major weaponry and possibly regroup for further fighting. During the day Monday, the Soviets proposed a new plan that reportedly came closer to U.S. insistence on a rapid pullout, but it was overrun by Saddam's unexpected withdrawal offer Monday night.

Vorontsov's statements today about the need for both a cease-fire and compliance with the resolutions left unclear whether the Soviets will try again for a cease-fire accord. He sought to minimize the idea that the issue has caused discord between Moscow and the council's other permanent members—the United States, Britain, France and China.

"The five have a common approach, as before, and they will have a common approach in the future," he said.

0700-3 Feb. 27, 1991 WP

0075

FEB.27 '91 15:00 KOREAN EMBASSY WASHINGTON DC P.027

: USW(F) -

: 장 관

발신 : 주미대사

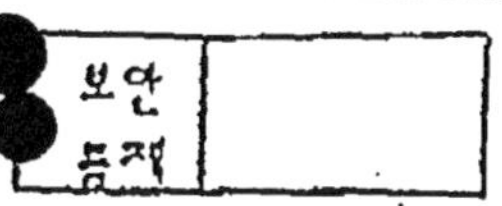

(매)

Allies Must Now Win the Peace

Destruction of Iraqi Political Fabric Could Leave Region in Chaos

By Glenn Frankel
Washington Post Foreign Service

LONDON, Feb. 26—For the allied coalition, swift victory in the gulf war will no doubt leave a sweet aftertaste but also a delicate and perhaps divisive problem—what to do about the future of Iraq.

President Bush's insistence on what amounts to unconditional surrender by Iraqi armed forces encircled inside Kuwait and southern Iraq is designed to deny Iraqi President Saddam Hussein any chance of claiming victory and to speed the demise of his regime. But Western and Arab analysts warn that allied destruction of the entrenched, heavily armed Republican Guard units that prop up the current government could complete the process begun by the allied air campaign of wiping out the foundations of the modern Iraqi state and leave a chaotic swirl of violent, competing forces not unlike those in Lebanon.

NEWS ANALYSIS

Some analysts believe there is another chilling Lebanon parallel. Just as Israeli forces entering southern Lebanon in 1982 were transformed from liberators to hated occupiers in the eyes of the Shiite Muslim population over the course of a few months, so, too, could allied forces in Shiite-dominated southern Iraq come to be seen if they are perceived as interfering in internal Iraqi affairs.

"The allies have got to be very careful how they maneuver in the next few days," said John Moberly, a former British ambassador to Baghdad. "We need to be sure the Republican Guard does not pose a military threat to our troops. But we don't want to be drawn into circumstances of trying to be arbiters of the future of Iraq." Already there is some evidence that the allies are trying to do just that. President Bush's call for Saddam's overthrow is one example. "I'm afraid that actually strengthened Saddam, because anyone who wants to remove him may be seen as acting on America's behalf," Moberly said.

Another example can be seen at the Riyadh Sheraton in Saudi Arabia, where the Saudi government has gathered more than two dozen Iraqi opposition figures to discuss forming a government in exile. Arab sources say Saudi officials are considering granting this disparate group of Shiite clerics, political exiles and former military men control over allied-occupied southern Iraq with an army composed of disgruntled Iraqi prisoners of war. Critics warn that such a move would be viewed with deep suspicion by many Iraqis and that any allied suggestion of a triumphal march to Baghdad to depose Saddam and place him on trial for war crimes might only increase support for a weakened, desperate ruler.

"It is very important for the future that whatever happens to Saddam, it is done by Iraqis themselves, not by foreigners," said an Iraqi political scientist in exile here.

Iraq's future boils down to several interrelated questions. Will Saddam Hussein survive what appears to be a fatal blow to his power and prestige? What kind of government might succeed him? How will the new rulers of Iraq deal with the competing forces that collapse of the regime would surely unleash? How can Iraq begin to rebuild itself after the devastation wrought by the six-week air campaign?

With American policy makers concentrating on planning and fighting the military campaign, critics contend that few of these questions have even been posed, let alone answered. "After all these months, U.S. policy toward Iraq is still missing the political component," said Ahmed Chalabi, a key Iraqi opposition figure. "They're still thinking only in military terms of defeating Saddam and getting rid of Saddam, with no thought at all about what comes next."

Few analysts believe Saddam can long survive in office despite the huge security apparatus he has constructed to protect his regime. A popular uprising is thought unlikely, but many say it will be those closest to Saddam—fellow members of the Arab Socialist Baath Party elite, or senior army commanders—who bring him down.

"My reckoning is that Colonel X will come along, like he always does in Iraq," said Anthony Parsons, a retired British diplomat and longtime Middle East hand. "In the end, he may look a lot like Saddam, but less bloody. He'll be a nationalist; he'll clean up the mess and try to heal the wounds with the neighbors. That's the normal way of changing things in Iraq."

Others believe that those who overthrow Saddam may not themselves be able to hold onto power for very long. They warn that the destruction of the Iraqi army by the allies may undermine that traditional source of power in Iraq and open the door to a much more turbulent period. "There is a paradox for the allies," said Ahmad Khalidi, editor of an Arab strategic review here. "You want to hurt the army enough to undermine Saddam and cause the generals to overthrow him. But if you hurt it too much, it can't run a

0700-4

Feb. 27, 1991
WP

0076

FEB.27 '91 1 KOREAN EMBASSY WASHINGTON DC P.028

: USW(F) - 보안 통제

: 장 관 발신 : 주미대사

(매)

centralized Iraq. Then you're in deep trouble."

Since its birth in 1922, modern Iraq has been dominated by Sunni Muslims, who comprise about 35 percent of a population that is 60 percent Shiite and also includes large Kurdish and Turkic ethnic minorities. Critics contend that the collapse of the regime would mean the collapse of Sunni power—and with it, the prospect of another Shiite-dominated state alongside Shiite-ruled Iran. Such a prospect would not be acceptable to the conservative Sunni regimes of Saudi Arabia or Kuwait.

The allied coalition has committed itself to maintaining Iraq's territorial integrity, but some analysts have expressed concern that the urge to punish Saddam and the political disorder that could follow might lead to formation of a Saudi-dominated ministate in southern Iraq or an autonomous Kurdish state in the north. Neighbors such as Turkey, Syria and Iran might also seek to establish control over areas near their borders if Baghdad's administration collapsed.

Most Iraqi men are members of the military reserve, most keep guns in their homes, and many nourish deep grievances against apparatchiks of the Baathist regime for abuses and atrocities committed during Saddam's rule, according to the expatriate Iraqi political scientist. He added that collapse of the regime after more than two decades of rule could unleash a period of bloody retribution by those who have been repressed by it.

The opposition forces gathering in Riyadh insist they are committed to making Iraq a federal state and the first Arab democracy, but critics contend that these forces are too weak and divided to take or hold power on their own. Their external sponsors, both Saudi and Syrian, are likely to prefer a military ruler who would not pose a threat to their own governments, some analysts contend.

Even Israeli officials, who have welcomed Iraq's defeat and the prospect of Saddam's demise, say privately that they are worried by the prospect of a bloodbath in post-Saddam Iraq. Official sources in Jerusalem predict that Iraq's neighbors will in the end decide to prop up the Baathist regime if it takes the initiative in removing Saddam from power.

Feb. 27, 1991
WP

0700-5

0077

FEB.27 '91 15:■ KOREAN EMBASSY WASHINGTON DC P.029

: USW(F) -

: 장 관 발신 : 주미대사

보안 통제

(매)

European, Arab Allies Back U.S. Pursuit of War

Coalition Asks Iraqi Guarantees in Writing

By William Drozdiak
Washington Post Foreign Service

PARIS, Feb. 26—The United States' allies joined it in seeking to prevent Iraqi President Saddam Hussein from escaping a humiliating defeat today, rejecting his avowed retreat until he accepts the terms of all United Nations resolutions passed against Baghdad.

Allied governments in Europe backed the United States in its insistence that Iraq must comply with all 12 U.N. resolutions, including the renunciation of future territorial claims on Kuwait and the payment of reparations for damages caused during the occupation. Officials in Britain and France, the principal Western allies participating in the land war, said until formal consent was given by Iraq's leadership, the coalition would continue its military offensive against retreating Iraqi troops who were still armed.

After some hesitation, the Soviet Union also adopted the position taken by the international coalition and declared that a cease-fire could take effect only after Iraq provides written acceptance of all U.N. resolutions to the Security Council.

Britain's War Council, consisting of Prime Minister John Major and his most senior cabinet officials, said Saddam must make a "public and authoritative statement" agreeing to all relevant U.N. resolutions.

Major, speaking in the House of Commons, said the Iraqi soldiers leaving Kuwait or must lay down their arms or "be treated as hostile."

Referring to ambiguities about Saddam's intentions in his radio address, Major said the Iraqi leader left open the threat of returning to vanquish Kuwait. "We have a duty and an obligation to remove that threat using all necessary means," Major said. "We simply cannot and do not trust him."

France's defense minister, Pierre Joxe, said a cease-fire can only be declared when Iraq officially notifies the Security Council that it will embrace the 12 U.N. resolutions. "Iraq must announce its peaceful intentions, for the eyes of the world to see, before the Security Council," Joxe said. "But until now, that has not happened."

The rejection by the allies of Saddam's promised withdrawal raised speculation about goals beyond the liberation of all Kuwaiti territory that might be achieved through the encirclement of Iraqi forces. Britain's defense secretary, Tom King, said allied troops were seeking to block the escape of Iraqi soldiers who carried out atrocities against civilians in the last few days.

In his radio address, Saddam said Iraqi troops would pull out of Kuwait by late today in an unconditional withdrawal as called for by U.N. Resolution 660. But he made no mention of other resolutions that call for Iraq to renounce its annexation of Kuwait, along with all future territorial claims, and to pay reparations.

Egypt and Saudi Arabia, which sent the largest Arab contingents to the allied vanguard, echoed the demands of the United States and other allies, saying Saddam cannot be trusted with anything less than total capitulation.

"While Baghdad radio was announcing today [Iraq's] agreement to withdraw, Iraq was firing missiles at Saudi Arabia and Qatar," Egyptian Foreign Minister Esmat Abdel-Meguid told parliament, special correspondent John Arundel reported from Cairo. "Such contradictions do not inspire confidence and lead us to question his objectives," Abdel-Meguid said.

Israeli Prime Minister Yitzhak Shamir said Israel's security would only be ensured when Saddam will "disappear from the international arena." Shamir added: "I do not want to discuss the means and ways. It is not in our hands. We do not determine when the campaign ends."

Chancellor Helmut Kohl of Germany, which dispatched no troops to the region but gave economic and logistical aid to the allied effort, expressed understanding "without any reserve" of the demands made by the United States and its allies for the respect of all U.N. resolutions.

Turkey's President Turgut Ozal, whose country has permitted U.S. bombing raids to be launched from its soil against neighboring Iraq, said he was pleased that "Iraq now seems defeated" but he cautioned that the war is not yet finished.

Syria, which also sent troops to join the multinational coalition based in Saudi Arabia, blamed the rival Baathist leadership in Iraq for the "catastrophe" that has befallen the country. Foreign Minister Farouk Charaa said Saddam "is not trying to save the Iraqi people and its economic [and] military potential. It is trying to save its regime and its own face."

Saddam's decision to withdraw from Kuwait prompted expressions of shock and despair from the large Palestinian population in Jordan. "This is a trick. Someone is imitating the voice of Saddam. It can't be him saying he wants to withdraw," said Mohammed Sairouti, a Jordanian who telephoned Reuters seeking confirmation of the news.

Jordan's information minister, Ibrahim Izzedine, called for "an immediate cease-fire" in order "to give the Iraqi troops the time to retreat in an orderly manner." King Hussein, conscious of Saddam's popularity among the Palestinian majority in Jordan, angered the United States and his other traditional allies in the West by his expressions of sympathy for Iraq throughout the gulf crisis. But today, with Iraqi forces in full retreat, Izzedine emphasized that "Jordan has always advocated an Iraqi withdrawal from Kuwait."

In Tehran, where the Islamic government has proclaimed strict neutrality in the conflict, a senior Iranian Foreign Ministry official said "the more that Iraq moves ahead with the retreat from Kuwait, the more conditions will call for a pullout of all foreign forces from the region."

Across North Africa, where some of Saddam's staunchest supporters can be found, there was condemnation of the coalition's determination to persist with its military offensive against the retreating Iraqi forces. In Morocco, opposition parties denounced the allies' "ground aggression" and called on the five Maghreb governments to "stop the genocide."

Feb. 27, 1991 WP

0700-6

(END)

0078

걸프戰爭 展開動向(25)

1. 戰況 槪要(開戰 34일)

가. 多國籍軍은

○ 바스라·주바일등 이락南東部 戰略據點을 목표로 대대적 空襲을 계속 하면서 이락 前方 觀測所와 地雷밭, 탱크, 砲臺에 집중 砲擊을 감행

○ 美軍은 이락·쿠웨이트 접경지대 偵察·搜索活動과 연료·탄약등 보급물자의 戰線輸送을 강화, 地上戰 준비에 박차

○ 쿠웨이트海岸 상륙작전을 위해 31대의 艦艇 집결

나. 이락軍은

○ 多國籍軍의 戰線地域 陣地 및 兵力 集結地에 미사일 攻擊을 감행

○ 軍司令部는 코뮤니케 54호를 통해 多國籍軍이 민간거주 및 산업지역에 24시간동안 65회 爆擊을 가했다고 발표.

2. 蘇聯의 걸프戰 解決 平和案 關聯動向

가. 蘇　　聯

○ 고르바초프 大統領은「아지즈」이락外相과의 회담(2.18)에서 4개항의 平和案 提議(2.18 獨逸 빌트紙 보도)

※ 平和案 內容 : 1) 이락軍의 무조건 쿠웨이트 철수, 2) 이락의 國家構造 및 國境 維持, 3)「후세인」處罰 및 이락에 대한 制裁 反對, 4) 팔레스타인 問題 協議

○「그레고리예프」政府 副代辯人은 英 TV와의 회견에서 고르바초프의 平和提議 내용에 대한 獨逸 빌트紙 보도를 시인하면서「후세인」이락 大統領 체면을 살리는 계획이 필요하다고 言及(2.18)

○「프리마코프」大統領 特使는 이락이 蘇聯의 平和案을 檢討할 시간적 여유를 갖도록 多國籍軍의 地上戰 開始를 2 - 3일간 延期할 것을 촉구(2.18)

○「그라초프」大統領顧問은「아지즈」이락外相이 고르바초프大統領과 회담시 무조건 撤收에 同意한다고 언급했음을 공개(2.19)

○「시슬린」共産黨理念部 宣傳小部 副部長은 蘇聯의 平和案에 대해 3일 이내에 이락의 答辯이 있을 것으로 기대하고 있다고 언급(2.19)

나. 美　國

○ 부시 大統領은 2.18 蘇聯으로부터 平和案을 통보받고 보좌관들과 2시간에 걸쳐 協議한 후

- 戰爭을 中斷시킬 어떤 내용도 없으나 면밀히 검토후 蘇聯에 回信할 것이라고 언급하고
- 多國籍軍의 戰鬪計劃은 예정대로 수행하도록 指示(2.18)

○「피츠워터」白堊館 代辯人은

- 蘇聯이 平和案에 대해 論評을 삼가해달라는 요구이외에 地上戰과 관련 어떤 要請도 없었다고 밝히면서

41 - 2　　0080

- 蘇聯의 平和努力에도 불구 多國籍軍의 對이라크 戰鬪作戰에 아무런 변화가 없으며 地上戰이 지연될 것으로 생각해서는 안될 것이라고 警告(2.18)

○「체니」國防長官은「쿠웨이트에서 이라크軍이 무조건 撤收하지 않는 한 軍事行動 中止는 없다」는 기본입장 強調(2.18)

다. 이라크「아지즈」外相은「라프산자니」이란 大統領과의 會談(2.19)에서 쿠웨이트에서 이라크軍의 撤收協商을 진지하게 推進할 방침이라고 언급 (2.19 테헤란 라디오放送)

라. 多國籍軍 參加國

○ EC는 蘇聯의 平和案과 戰後 복구문제 논의를 위한 緊急 外相會議 개막(2.19 룩셈부르크)

○ 獨逸「콜」總理는 부시 및 고르바초프 大統領과 電話會談을 갖고 걸프戰 진행 상황과 고르바초프 大統領의 平和案에 대해 의견 교환 (2.18)

○ 카나다「클라크」外相은 蘇聯의 平和案이 UN決議案과 일치된다고 긍정적으로 評價(2.18)

마. 其他 國家

○ 이스라엘「아비 파즈너」公報官은 蘇聯 平和案이「후세인」을 權座에 남겨놓고 이라크의 戰爭遂行 能力을 존속시키는 두가지 위험성을 지니고 있다고 憂慮 표명(2.19)

41 - 3 0081

○ 요르단 「이브라힘」 公報相은 蘇聯의 平和提議가 무시할 수 없는 진지한 提案이라고 評價(2.19)

○ 日本 「나까야마」 外相은 걸프戰의 平和的 解決을 모색키 위한 蘇聯의 外交的 노력에 환영 표명(2.19).

3. 其他 關聯動向

가. 이　　락

○ 國防部는 聲明을 통해 多國籍軍과 地上戰을 치룰 각오가 되어 있으며 地上戰 돌입시 이락의 강력한 무기들이 多國籍軍 면전에서 爆發하게 될 것이라고 경고(2.19)

○ 「할리파」 共和國 守備隊 司令官은 多國籍軍의 대규모 空襲에도 불구그 被害는 輕微하며 多國籍軍의 전투경험 부족, 빈약한 作戰計劃 등으로 공격에 실패했다고 主張(2.18)

나. 獨逸을 방문중인 「벨라야티」 이란 外相은 「겐셔」 外相과 회담, 이락의 무조건 쿠웨이트 撤收에 합의하고 이락의 領土 保障을 촉구(2.18)

※ 「콜」總理는 이란 外相에게 이락이 무조건 즉각 撤收하도록 說得할 것을 권고

다. 中東·아시아·아프리카등 20여개국 回教指導者들은 2.18 파키스탄 라호르에서 회동, 對이락 정신·물질적 支援을 다짐하고 3.15 全 回教國家들이 걸프戰爭 항의·규탄시위를 전개하도록 촉구

41－4　　0082

라. 中國의 新華社통신은 아랍소식통을 인용, 이락軍에 대한 多國籍軍 地上戰 攻擊開始 일자는 2.21이라고 보도하면서 이경우 이락軍은 희생을 피하기 위해 바스라港으로 撤收할 것으로 展望(2.18)

4. 테러 關聯動向

가. 걸프戰 발발이래 발생한 國際 테러事件은 총 125건으로 人命被害는 268명(死亡 41명, 負傷 227명)임

나. 2.18 베이루트駐在 佛·伊大使館 부근에서 爆發事故 발생(민간인 2명 부상, 차량 1대 파손).

5. 評 價

가. 고르바초프의 平和案 提示후 이락의 대응에 國際的 關心이 集中되고 있는 가운데

○ 蘇聯 고위 당국자들이 이락의 撤收 가능성을 강력히 시사하면서 地上戰 開始 연기를 촉구하는 등 外交努力을 強化하고 있고

○ 이에 대해 日本·카나다등 西方國家들의 肯定的 反應이 나오고 있어

○ 걸프戰 向方의 새로운 변수로 浮刻되는 趨勢

나. 蘇聯의 平和案은

○ 多國籍軍의 立場을 受容하면서 이락의 現 體制 持續을 동시에 追求하고 있어 주목되는 바

○ 이는 親蘇「후세인」政權의 崩壞를 방지, 戰後 이락을 통한 對中東 影響力을 계속 行使하려는 底意로 평가

다. 그러나 蘇聯의 平和提議에 대한 美·英의 反應이 극히 냉담한 가운데 多國籍軍의 地上戰 開戰 準備가 완료 단계에 있어 이락軍의 즉각적인 쿠웨이트 撤收가 可視的으로 나타나지 않는 한 美國의 作戰 持續 예상.

41 - 6

0084

세계 2.23. 4면

戰後 中東지역 持分확보 속셈

平和案 제의 蘇聯이 노리는 것

國內반발세력 무마·이미지 쇄신도

對美共助 이탈…「제2冷戰」불씨안아

소련은 22일 미국의 예상되는 반대에도 불구, 이라크와의 합의형식을 통한 걸프중재안을 독자적으로 발표함으로써 美주도의 終戰및 戰後 中東질서재편구도에 제동을 걸면서 소련의 입장을 분명히 제시했다.

다국적軍의 지상공격을 앞둔 시점에서 전격 제기된 이번 평화중재안은 우선 미국의 걸프戰 수행방식을 강력히 비판해온 軍部등 보수진영의 주장을 대폭 수용한 것으로 분석된다.

이같은 진단은 소련軍 지도부의 최근 일련의 강경발언에서 뒷받침되고 있다. 고르바초프대통령의 군사고문 세르게이 아흐로메예프 前참모총장은 지난20일 「다국적軍의 공습은 이라크국민과 경제전반에 대해 가해지고 있다. 필요하다면 유엔安保理를 소집, 안보리결의의 범위내 전쟁수행을 보장하든지 아니면 전투중지를 선언해야 한다」고 주장했다.

또 블라디미르 로보프 副참모총장도 「미국이 걸프戰을 순항미사일이나 스텔스폭격기등 新병기의 시험장으로 이용하고 있다」면서 「이는(美·蘇간) 무기분야에서의 量的 균형을 저해하는 것으로 미래에 중대한 결과를 초래할 것」이라고 경고한 바 있다.

소련지도부는 더 나아가 이라크의 완전파괴가 터키系와 회교도가 다수 거주하는 중앙아시아 공화국들의 안정을 저해할 수 있다는 점을 중시하고 있다.

소련의 걸프중재노력은 이같은 국내적 요인이외에도 아랍세계에 대한 기존 蘇이익 확보와 戰後 中東질서개편과정에서의 지분요구, 그리고 이라크와 쿠웨이트內 석유시설보존을 전제로한 中東원유확보등 기본전략을 배경으로 하고 있다.

소련은 그간 고르바초프의 新思考외교의 연장선상에서 외견상 美國의 걸프사태처리방식에 동조하면서도 여전히 이라크에 대한 영향력을 유지해 온 것으로 관측되고 있다.

아직 美·蘇양국이 부인하고는 있지만 美정보전문가들은 소련이 東歐포기이후 新국제질서구축에 있어 美國과의 협력을 강조하면서 사실상 이중전략을 구사해 오고 있는 것으로 보고 있다.

소련이 걸프사태 이후에도 이란과 요르단을 통해 이라크에 주요 부품공급을 계속해 왔으나 美國은 蘇聯이 유엔안보리의 對이라크제재결의를 지지해 왔고 걸프戰의 정치적 해결을 요구하고 있음을 감안, 이를 묵인해 왔다는 지적이다.

이라크에 대한 소련의 「프리마코프 커넥션」이 유효한 것은 바로 이때문이며 고르바초프는 후세인의 권좌를 유지시키면서 아랍내 급진세력의 계속 포용을 위한 평화중재역을 자임하고 있다는 시각인 것이다.

우선 고르바초프는 걸프戰 중재를 계기로 발트지역 독립운동에 대한 유혈탄압으로 실추된 평화중재자로서의 자신의 이미지를 쇄신하면서 국내적으로는 保·革 양진영의 압력을 진정시킬 수 있기를 기대하고 있다.

더욱이 최대정적 보리스 옐친 러시아공화국 최고회의의장으로부터 공개적인 사임압력에 직면한 그는 걸프戰의 해결을 통한 자신의 국내입지강화를 노리고 있는 것으로 보인다.

그러나 소련이 脫냉전의 새로운 對美협력관계를 훼손하면서 까지 걸프전략을 추진할 지에 대해선 엇갈린 견해가 제기되고 있다.

신중론자들은 소련이 유엔의 對이라크무력사용결의를 지지할 때부터 이미 걸프지상戰의 가능성과 그 결과를 예측했던 만큼, 美國의 정면거부를 무릅쓰고 이 지역에서 독자전략을 구사하진 않을 것으로 전망하고 있다.

반면 비관론자들은 고르바초프가 걸프중재에 실패할 경우 조만간 강경파들에 의해 실각될 가능성이 있으며 따라서 소련의 최근 입장변화는 이라크의 완패저지와 전후 소련의 영향력 확대를 겨냥한 것으로 사실상 對美공조체제에서의 이탈로 간주하고 있다.

이와 관련, 美보수진영 일부에선 美·蘇군축, 소련의 최근 개혁정책후퇴, 그리고 이번 걸프戰에서의 소련의 이중적 행동을 들어 「제2의 냉전」도래를 거론하고 있다.

그럼에도 불구, 소련의 이번 중재안에 팔레스타인문제가 포함되지 않은 점, 그리고 이라크軍의 철수시한 및 舊쿠웨이트정부복귀등이 언급되지 않은 사실은 일단 추후 협상여지를 남겨 두기 위한 것으로 분석된다.

어쨌든 걸프戰을 계기로 美·蘇간 시각차는 가시화되고 있으며, 소련은 이번 중재안의 성공여부에 관계없이 이라크의 중재안수용에서 나타나듯 對中東영향력을 강화했다는 평가를 받고 있다.

〈禹東星기자〉

0085

한국 2.23. 4면

蘇·이 평화案과 유엔결의 對比

平和案, 이라크의 賠償책임 언급없어

撤軍후 安保理결의 무효화…문제소지

【유엔본부=聯】 다음은 소련과 이라크가 22일 합의한 걸프평화안과 이라크의 쿠웨이트 침공후 채택된 유엔결의들의 주요 골자를 대비한 것이다. (고딕은 蘇·이라크평화안)

①이라크는 병력을 쿠웨이트로부터 무조건 완전 철수시킬것을 선언한다.

—지난해 8월2일 유엔결의 660호는 이라크軍의 쿠웨이트 침공을 규탄하고 이라크軍의 즉각 무조건 철수를 요구했다. 유엔결의는 이와함께 이라크와 쿠웨이트가 양국간 견해차를 해소토록 집중적 협상을 즉각 시작할 것을 촉구하고 있으나 이부분은 蘇—이라크 평화안에 들어있지 않다.

소련 평화안은 또 8월9일의 유엔결의 6백62호에 언급된 이라크의 쿠웨이트 합병무효화 부분도 빠져있다.

②이라크軍의 철수는 휴전 다음날부터 시작된다.

—유엔결의는 휴전과 철수일정에 관한 언급이 없으나 미국을 비롯한 다국적군은 최소한 이라크軍이 확실성 있는 철수에 들어가기전에는 휴전은 있을수 없다고 누차에 걸쳐 천명해왔다.

③이라크軍의 철수는 정해진 일정에따라 진행된다.

—유엔결의는 철수일정에 관한 부분이 없다.

④이라크軍이 쿠웨이트로부터 전병력의 3분의2이상 철수하면 유엔의 對이라크 경제제재는 효력을 잃는다.

—지난해 8월6일의 安保理 결의 6백61호는 이라크의 쿠웨이트 즉각 무조건 완전철수및 쿠웨이트 합법정부 복원을 이라크측이 실행에 옮길 것을 촉구하고 이를 감제하기 위해 이라크에 대한 경제제재를 승인했다. 소련측 평화안은 이라크軍이 3분의2만 철수해도 제재를 해제할 것을 내용토로 하고 있으며 쿠웨이트 합법정부 복원 부분에도 언급이 없다.

소련측 평화안은 또 이라크측이 쿠웨이트 침공으로 쿠웨이트및 제3국, 그 국민들과 기업들에 끼친 손해에 대해 국제법상 책임이 있다는 점을 명시한 유엔 결의 6백74호 (8월29일) 에 대해서도 아무런 언급이 없다.

⑤이라크軍의 쿠웨이트철수가 완료되면 유엔 安保理 결의들이 내려진 목적들은 존재이유를 잃으며 따라서 그 결의사항들도 효력을 상실한다.

—지난해 11월29일의 유엔安保理결의 6백78호는 이라크軍이올1월15일까지 쿠웨이트에서 철수하지않으면 모든 필요한수단—군사력—을사용할수있도록허용했다.

이 합의사항은 너무 개괄적으로 서술되어 있는 잠재적 문제항목이며 安保理 회원국들은 이소련평화안의내용과적용범위에대해서 저마다의견이갈릴가능성이있다.

—미국등은 이라크가 생화학무기를 보유하고 있는 사실을 우려, 주변국들을 위협할 능력을 가지지않도록 다짐을 받을 필요에대해 자주 언급해왔다.

⑥휴전후 즉시 전쟁포로들을 석방한다.

—유엔결의는 전쟁포로에 관한 내용을 규정하고 있지 않으나 준거문서로 원용할 수 있는 제네바협약 1백18조는 전쟁포로 취급에 대해 『전쟁포로들은 적대행위종식후지체없이석방, 송환되어야한다』는내용을갖고있다.

⑦이라크軍 철수는 걸프분쟁 직접관련국이외에 유엔 安保理의 위임을받은 국가들에 의해 감시된다.

—유엔결의는 철군감시조항이 없다.

⑧세부사항을 결정키위한 작업을 계속한다.

0086

조선 2.23. 2면

◇소련-이라크案과 UN결의案 대비

소련-이라크합의案	UN 결의 案	비 교
적대중지 2일후 정해진 시간표에의해 무조건 완전한 철군	즉각적이며 무조건 이라크의 철수결의와 함께 이라크-쿠웨이트간 협상을 즉각시작할것을 요구(660호)	다국적군은 최소한 이라크軍이 확실히 철군개시가 있기까지는 휴전은 있을수없다고 천명
철군의 3분의2가 이루어진뒤 對이라크 경제제재 조치를 해제	완전철수와 함께 쿠웨이트 합법정부 복원을 이라크측이 실행에 옮길것을 촉구(661호)	소련案은 쿠웨이트 합법정부 복원과 이라크가 쿠웨이트와 제3국에 끼친 피해에 대한 국제법상의 책임이 명시된 674호의 내용에 대한 언급이 없음
완전 철군이 이루어진후 對 이라크 UN 결의안은 효력을 상실	1월15일까지 쿠웨이트에서 철수하지 않으면 군사력포함, 모든 수단사용을 허용(678호)	美国은 이라크가 생화학무기를 보유하는한 위협이 해소되지 않는다고 다짐
종전이후 모든 포로는 즉각석방	언급 없었음	제네바 포로협약 118호에 따르면 전쟁포로는 적대행위 종식후 지체없이 석방소환

0087

외 무 부

암 호 수 신

종 별 :
번 호 : ECW-0197 일 시 : 91 0227 1630
수 신 : 장관 (구일,중동일,경일,통이,동구일,건설부)
발 신 : 주 EC 대사
제 목 : GULF 전후 복구사업

1. 2.27. C.CAPORALE EC 집행위 아랍국가 담당관에 의하면 GULF 전쟁 전후 복구문제와 관련, 쿠웨이트등 전쟁 피해국에 대한 EC 차원의 무상원조 형태의 재정지원은 고려치 않고 있으며, EC 회원국의 기업등이 전후복구 사업에 응분의 기여와 참여를 하게 되기를 희망한다고 말함

2. 동인은 전후복구 사업에 적극적으로 참여하기를 희망하는 EC 기업들이 쿠웨이트의 도로정비, 파괴된 고속도로 연결, 수도, 전기보수, 항구및 공항재개등 긴급 복구사업과 관련, 망명 쿠웨이트 정부가 이미 미국과 단독으로 계약을 체결한데 대하여 불만을 표시하고 이러한 초기단계의 관행이 앞으로도 계속될 것에 대하여 심각한 우려를 표하고 있다함

3. 동인은 금번 GULF 전쟁에 있어 미국의 역활로 비추어볼때 미국회사들이 전후 복구사업에 주도적으로 참여하는것은 당연한 일로 볼수 있겠으나 동 전쟁의두번째 기여국인 영국을 비롯, 프랑스, 이태리등 EC 국가들의 기여에 상응한 복구사업 참여가 보장돼야 할것이라고 강조하고, 이러한 EC 측의 의사를 망명 쿠웨이트 정부및 미국정부에 이미 전달한바 있다고 언급하면서 소련이 비록 직접적인 파병이나 재정지원은 하지 않았으나 GULF 사태에 관한 UN 안보리결의를 일관성있게 지지해왔고 또한 서의있게 평화제의를 내는등 나름대로의 기여를 하고 있음으로 전후 지역안보 기구 설치를 비롯한 동지역 신질서 구축과정을 비롯, 특히복구사업에 어떠한 형태로든 참여할수 있도록 기회를 특히 부여하는 것이 바람직하다고 말함. 끝

(대사 권동만-국장)

구주국	장관	차관	1차보	구주국	중아국	경제국	통상국	청와대
건설부								

PAGE 1

91.02.28 05:29
외신 2과 통제관 CW

0088

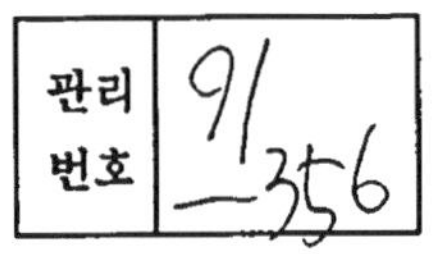

외 무 부

종 별 :
번 호 : SVW-0725 일 시 : 91 0228 2140
수 신 : 장관(중동일,동구일,기정,사본:주쏘대사)
발 신 : 주 쏘 대사대리
제 목 : 걸프전 휴전

주재국 BESSMERTNYKH 외상은 표제관련 2.28(목) 외무성 프레스센터에서 기자회견을 가졌는바, 아래 보고함.

1. 동외상은 걸프전 휴전공표 직전 수시간전에 베이커 미국무장관과 전후 중동질서 모색 관련 전화로 긴급 협의를 가졌다고 밝히면서 아래같이 언급함

-쿠웨이트 주권독립 및 영토회복을 환영함

- 동 지역에서의 전투행위 재발을 방지하는 것이 긴요함

- 이라크-쿠웨이트 분쟁의 최종적 해결을 위해 조속한 시일내에 안보리를 개최해야 함. 안보리 회의 소집전에 상임 이사국회의를 먼저 갖기로 미국측과 합의하였음

-향후 무력행위 재발 방지를 위한 안보체제 구축이 시급하다고 보며 쏘련은이를 위해 동 지역 주요국가 및 미국을 비롯한 서방측과 활발한 접촉을 가질 것임

-중동지역의 장래는 일차적으로 동지역 주민이 결정하여야 할 것이며 이라크를 배제해서는 안될 것임

2. 동외상은 회견후 기자들의 질문에 답한바, 문답요지는 아래같음

- 쏘련의 후세인 대통령의 정치적 장래에 대한 관심 유무:쏘련은 이라크 국민 및 국민이 지지하는 지도자와 관계를 맺어나가야 한다고 봄

-전후 이라크의 역할: 쏘련은 금후 이라크의 건설적이고 존경받을 수 있는 역할을 환영함

-전쟁에 대한 평가: 금번 전쟁은 동 지역이 분쟁의 근원지임을 새삼 상기시킴. 따라서 동 지역과 관련된 무든 문제가 신속히 해결되기를 바라며 쏘련은 이를 위해 계속 노력할 것임

- 루키아노프 연방최고회의 의장이 금번 휴전성립은 고대통령의 평화해결의결과라고 지적한데 대한 평가: 고대통령의 계획의 결과라기 보다는 집단적

중아국	장관	차관	1차보	2차보	미주국	구주국	정와대	안기부
국방부	주소대사							

PAGE 1

91.03.01 07:23
외신 2과 통제관 CA

0089

노력의 결과로 보아야 함.

-고대통령이 2.26 백러시아 방문중 미.쏘 관계가 "FRAGILE' 하다고 언급한 의미:양국관계가 때로는 'FRAGILE 할수도 있으나 전체적으로 보아 협력이 유지되고 있다고 보며 쏘련은 이같은 미.쏘 협조 체제를 계속 유지하고저 함

-쿠웨이트에 대사관 재개 여부:조속한 시일내에 대사관 재개 계획임

-금후 쏘련, 이라크 관계:종전과 다르리라 생각되나 전체적으로 '건설적'인관계를 유지해 나가고자 함. 끝

(대사대리-국장)

91.12.31 일반

PAGE 2

0090

원 본

외 무 부

종 별 :

번 호 : UKW-0565 일 시 : 91 0302 1400

수 신 : 장관(동구일,구일,기정)

발 신 : 주영대사

제 목 : 수상 방쏘

1.메이저 수상은 3.4-6간 방소하여 고르바쵸프 대통령, RAVLOV 수상등과 회담 예정이며, 금번 수상의 방소는 90.11 구주안보협력회의시 이래 서방지도자로서는 최초로 고르바쵸프를 면담하게됨

2.금번 방소시 메이저 수사은 소련이 다수의 모슬렘 국민을 가진 중동지역 인접국가로서 걸프전 과정에서 기울인 평화 노력을 일단 평가하고, 금후 포로 및 쿠웨이트인 인질 송환 기타 전후 문제에 관해서 소련의 대 이락관계를 보충적으로 이용하는방안을 탐색함과 더불어 소련내 친서방 세력과 대외적 영향력을 견지하려고 하는 군세력간의 권력경쟁의 향배에 관해서도 관찰하게 될 것임.

3.정상회담에서는 또한 소련의 대중동 무기수출문제, 볼틱제국, 재래식무기 감축조약 실행, EC의 대소 원조재개등에 관해서도 협의할 것으로 보도됨.끝

(대사 오재희-국장)

구주국	장관	차관	1차보	구주국	정문국	청와대	안기부

PAGE 1

91.03.03 00:33 DN

외신 1과 통제관

0091

관리 번호	91-216

외 무 부

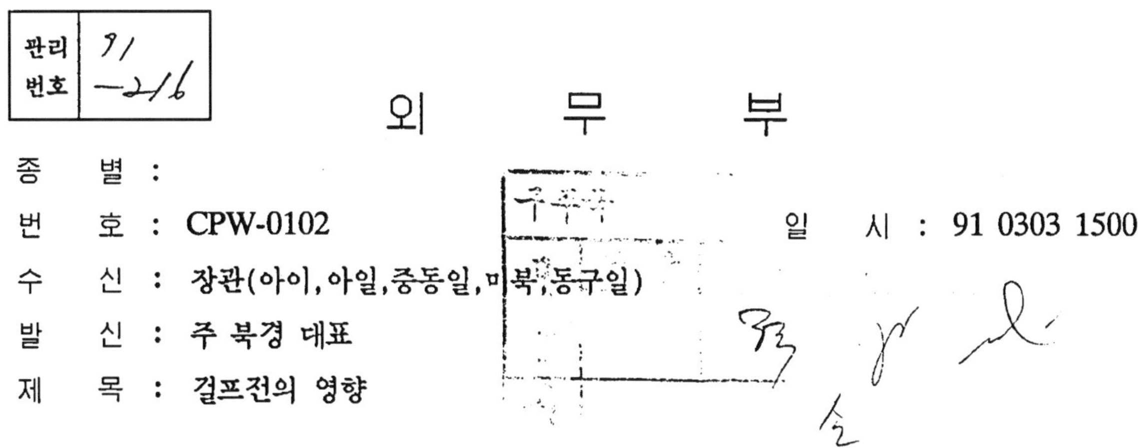

종 별 :

번 호 : CPW-0102 일 시 : 91 0303 1500

수 신 : 장관(아이,아일,중동일,미북,동구일)

발 신 : 주 북경 대표

제 목 : 걸프전의 영향

본지근 3.1 당지 하시모토 일본대사와 접촉한바 걸프전이 금후 세계정세에 미칠 영향에 관한 동인의 평가를 나음 보고함

1. 미국의 압도적인 군사적 승리는 중국, 노련에 커다란 소크였으며, 금후 중.소는 대미관계에서 서로 카드화가 불능시됨. 중국은 미국이 일방적인 군사적 승리로 페르시아만에서 압도적인 영향력과 발언권이 확보되는것을 가장 우려해왔음

2. 금번 소련의 중재를 무시한 미국의 행동은 소련을 무시한데서 기인하며 소련의 위신실추는 역력함. 지금부터 5-10 년 이전에는 미국이 소련을 그렇게 대하는것은 생각도 못했을것임

3. 동북아 지역에서 북한. 월남에도 큰충격을 주었음. 미국은 지금까지 PAPER TIGER 라고 지칭해왔으나 앞으로는 그렇게 할수 없게 되었음. 끝

(대사 노재원-국장)

91.6.30 까지

일반문서로 재분류 (1991 .6 .30 .)

아주국	장관	차관	1차보	2차보	아주국	미주국	구주국	중아국
청와대	안기부							

PAGE 1

91.03.04 00:31

외신 2과 통제관 DO

0092

관리 번호 91-228

외 무 부

종 별 :

번 호 : FRW-0749 일 시 : 91.0304 1920

수 신 : 장관(중동일,미북,동구일,정일)

발 신 : 주 불 대사

제 목 : 걸프전 정전(분석,전망)

연:FRW-0725

표제건과 관련한 당지 전문가(국제관계연구소 KODMANI-DARWISH 중동연구부장, BALTA 중동연구소 소장등)의 분석, 전망(당관 박참사관 접촉) 및 기타 전문학술지의 평가 내용을 하기 종합 보고함.

1. 미국의 득실

가. 미국은 단기간의 물량적 전부와 최소한의 인명피해로 전쟁에 완승하였으며, 하기 전쟁의 기본목표도 대부분 달성하였음.

1)월남전의 치욕서 탈피, 미국의 국제적 지위 재확인

2)군사, 경제적인 중동진출 기반 구축및 중동질서 재편에 대한 주도권 확보

3)국제 원유시장 주도권 장악

4)재고무기 일소에 따른 군사산업의 활성화로 인한 침체경제 탈피 및 중동전화 복구사업 독점 가능성에 힘입은 호경기 모색

5)동구개혁후 생성된 신 질서하에서 대두되던 다극화 현상(EC 의 발전적 통합 및 일본경제력의 국제경제무대 석권등)에 대한 경고로, 미국만이 패권을 행사할수 있는 국가임을 인식시킴등 임.

나. 다국적군의 BAGDAD 진주 포기에 불구, 금번 전쟁중 아랍권과 제 3 세계의 반미 감정은 고조되었으므로, 이를 완화시키기 위해서는 현재 비타협적인 이스라엘의 리쿠드 정부의 압력과 로비에서 과감히 탈피, 중동문제의 핵심인 팔레스타인 문제해결에 적극적인 자세로 전환함은 시급한 과제임.

다. 또한 미국은 전통적으로 전쟁(개전, 군사작전 및 정전등 일사불란한 주도)이나 제반 국제위기 관리에는 행동력을 바탕으로한 탁월한 역량을 보였으나,평화구축 과업에는 미숙한 약점을 이번기회에 보완치 않으면, 전쟁중 근신한 소련이나

중아국	장관	차관	1차보	2차보	미주국	구주국	정문국	청와대
총리실	안기부	국방부						

1991. 6. 30.에 예고문에 의거 일반문서로 재분류됨

PAGE 1

91.03.05 20:21

외신 2과 통제관 CA

0093

불란서등에 평화외교를 위한 이니셔티브를 양보해야 할 가능성이 있음.

2. 이락의 향배

가. 안보리 결의안 686 호(3.3. 채택) 수락은 실질적인 항복을 의미하며, SADDAM 의 국내적인 외곡선전에 불구, 동인의 정권기반 몰락은 시간문제가 됨.

나. 중동 최고의 지성, 문화수준을 자부하던 이락 국민이 지난 10 년간의 양차전쟁(이.이전, 걸프전)을 통해 정치, 경제적 하등국민으로 전락한 책임소재가 SADDAM HUSSEIN 으로 귀결될 것이므로, SADDAM 제거와 국가경제 재건은 가장 시급한 명제로 대두됨.

다.SADDAM 은 그간의 철권통치로 도전세력을 제거하였으므로 현재 국내적으로 조직적인 저항세력은 없음. 또한 3 개 망명세력(이란: 시아파 지도자, 영국:진보, 자유주의자, 사우디:전 국방상등 온건세력)도 체계화 되지못하고, 상호 분열되어, 단기적 대체세력으로 등장키 어려울 것임으로 현재로는 하기 2 개 가정이 가능함.

1)현 정권 핵심인사중 실정의 공동책임을 지기보다는 솔선 SADDAM 을 제거,현 체제를 다소 완화, 유지하는 방법(바쓰당과 군부의 제휴)

2)유일한 조직력이 있는 종교(시아파 60 프로) 지도자를 중심으로한 봉기(BASSORA 소요등) 및

3)SADDAM 의 망명(LE MONDE 지, 알제리 망명 가능성 보도)

라.SADDAM 은 금번 패전과 60 프로의 군사력 손실에 불구, 일정수준의 친위군부만 장악하면 당분간 정권유지가 가능할 것으로 볼것이나, 전쟁중

1)KHAFJI 전투를 제외하고는 전투다운 응전을 못하고 심리전만 일관하므로써 아랍인 일반의 기대인 "행동력의 지도자"란 이미지 고양에 실패하였고

2)소련 정전안을 수락하는 시점서 팔레스타인 문제에 대한 관심 불표명등의ARAB CAUSE 퇴색은 그간 맹목적인 아랍 일반대중의 지지를 약화시켰으므로, 아랍권 지지에 의한 계속 집권도 어려워질 것임.

마. 이락 시아파의 집권에 대해 이란은 이를 환영할 것이나, 사우디를 위시한 걸프국은 극력반대할 것이므로 회교공화국 수립 전망도 밝지못한, 현재 상태에서의 유일한 가능성은 상기 집권핵심세력과 군부의 제휴를 통한 SADDAM 축출이될것으로 보임.

3. 소련 및 불란서

가. 역사적으로 중동에 이해관계가 많은 상기 양국은 전후 미국주도의 중동평화

노력이 아랍인의 반감을 야기시킬 것이라는 우려와 미국의 중동본격진출 견제라는 관점에서 상호 제휴, 평화회의 개최등에 있어 적극적인 노력을 전개할 것임. 특히 주재국은 전쟁중에도 소련과 대화채널을 유지, 외교적인 공동노력에 관심을 표명하고, 정전직전 2.27. VAUZELLE 하원 외무위원장을 특사자격으로 방소시켜 전후 공동보조에 관한 원칙적인 소련측의 합의를 얻은 것으로 알려짐.

나.MITTERRAND 대통령이 3.3 대국민 담화에서 중동문제 해결사항중 이락의 영토보전을 강조한 것은 년 170 억불의 원유생산국인 이락이 경제재건에 착수하면, 과거의 인연을 살려 복구사업에 적극 참여코자 하는 의향이 반영된 것으로 볼수 있음.

다. 소련 또한, 국내 군부를 위시한 수구세력이 그간의 돈독한 소.이락 관계를 활용, 중동판도의 핵심국인 이락에 대한 소련의 영향력은 계속 유지토록 GORBACHEV 에게 압력을 행사할 것이므로, 소련 및 불란서는 제반관점에서 공통이해를 갖고있다고 볼수 있으며, 이에따른 양국의 보완적인 협조가 두드러질 것임.

이하 4. 항부터 FRW-0750 PART II 로 계속됨.

관리번호 91-229

외 무 부

종 별 :

번 호 : FRW-0750 일 시 : 91 0304 1950

수 신 : 장관(중동일,미북,동구일,정일)

발 신 : 주 불 대사

제 목 : FRW-749 의 PART II

4. 신 중, 근동 판도 및 열강의 동향

가. 미국은 다국군에 파병하여 지원한 애급, 시리아등을 포함, GULF 국을 주축으로한 친미 아랍권을 형성하여, 외곽 터키를 보완적인 연결고리로 하는 새로운 체제를 모색할 것으로 보이며, 내주중 있을 BAKER 국무의 중동순방도 이를 위한 정지작업이 될것임.

나. 소련은 미국의 군사, 정치, 경제적인 중동정착마저 방관하면 자국의 국제적 영향력은 완전 실추되므로, 외교 우선목표를 중동에 집중, 불란서와 함께 평화작업주도, 이란, 이락등 국경선을 같이 하는 국가와의 3 각체제 결성등으로 대처할 것으로 보임.

다. 불란서, 독일을 주축으로한 서구 EC 진영도 중동에 관한한 미국의 독주는 바람직하지 않으므로, 소련과 적절히 재휴, 외교는 불란서, 이태리 중심, 경협은 독일 중심으로 구주의 대중동 영향력을 견지하고자 할것임.

라. 경제대국인 일본은 걸프전을 통해 막대한 전비만 부담했지, 순발력있는외교대응은 무능만을 노출시켰으므로, 전쟁 복구사업 참여를 위해 미, 소, 불,영등이 각급 특사 및 관, 민 혼성사절단등을 파견, 국익을 위해 순발력 있게 대처하는데 비해 괄목할 만한 움직임을 보이지 못하고 있는바, 이는 일본의 그간대중동 이해가 원유수급에만 국한된다는 점도 있으나, 정치, 외교력이 없는 경제만의 강국이 세계판도를 좌우하는데는 한계가 있음을 여실히 들어낸 것으로 볼수 있음.

(91.6.30.에 예고문에 의거 일반문서로 재분류 됨)

마. 중동 재편을 위시해서 제 3 세계 문제등에 있어 안보리 상임이사국중 소련이나 중국 또는 불란서의 입장은 그런대로 강화될 여지가 있으나, 미, 영은 당분간 중동부흥에 필요한 중동개건은행 창설등 기술적인 문제외에는 표면에 나서 적극적인

중아국	장관	차관	1차보	2차보	미주국	구주국	정문국	청와대
총리실	안기부	국방부						

PAGE 1

91.03.06 05:49

외신 2과 통제관 CA

0096

영향력을 행사하는데 제약이 있을 것임.

5. 중동평화

가. 이스라엘의 리쿠드 정부도 팔레스타인 문제 해결 관련, 더이상 배타적인 자세를 견지하기가 어려워 졌으므로, 미국이나 서구의 권유에 순응, 협상에 임하는 자세를 보이게 될것임.

나. 팔레스타인과의 협상을 양자관계(PLO 가 아닌 점령지 팔인)로 한정시킨이스라엘의 입장도, 금번 걸프전을 통해 비록 위치가 약화는 되었으나, 상금 팔인의 대의기구로 존속되고 있는 PLO 를 무시할수는 없을것임.

다. 또한 전쟁와중서 묵인되었던 시리아의 레바논 강점 및 이스라엘의 레바논 팔인기지 공격등에 대한 최소한의 경고와 함께, 레바논의 진정한 주권회복을 위한 노력도 구체화 될것으로 보임.

라. 전쟁중 아랍대중이 SADDAM 을 성원한것은 SADDAM 개인에 대한 존경이라기 보다는, 부의 편재를 가져온 아랍 각국의 전근대적인 지도체제에 대한 반발 및 열강의 이스라엘 지원에 대한 반감이 복합적으로 작용한 것이므로, 전후 아랍각국의 군주체제나 독재체제도 점진적으로 민주화 되어야 할것임.모로코의 최근 정치범 석방 발표등은 이에 대비하는 자체적 조치로 평가됨.

6. 전쟁과 메디아

-금번 걸프전을 통해 20 세기의 총아이며 강력한 비정치 주체세력인 서방(미, 불, 영) 메디아(특히 TV 매체)는 언론의 기본사명을 도외시한 오류를 범했는바, 즉

1) 사태발발 부터 전쟁 예방보다는 개전방향으로 여론 유도

2) 이락의 군사력 및 화학무기 사용 가능성에 대한 과장보도로, 다국적군의불량공폭 정당성 지원 및 이락 또는 SADDAM 의 잔학상 선전등으로, 이락측의 인명피해(12-15 만명 추산)가 불가피 했음을 강변

3) 신예무기 집중홍보로 국제무기 수급 제한 분위기에 역행

4) 유엔결의안 적용이 쿠웨이트에만 국한되는 인상을 주고, 레바논, 이스라엘 관련 유엔결의안 준수 촉구는 의식적으로 회피

5) 아랍국민의 반응보다는, 이락의 SCUD 미사일 공격피해가 경미했던 이스라엘의 안위만을 집중보도, 언론의 평형감각 상실 및

6) 동구개혁후, 언론이 극화(DRAMATIZE) 할수 있는 새로운 호재가 없던 차에 발생한 걸프사태를 분쟁의 원인, 전후 중동평화등에 촛점을 맞추는 대신, 각종

전파신장비를 동원한 전쟁의 중계방송화에 집중, 비참한 전쟁을 TV 의 오락프로그램화 하는 실책을 범했으므로, 서방 수개국의 국제 COMMUNICATION 독점에 대한 경각심으로 고조시켜 향후 이문제가 과거 UNESCO 차원이 아닌 국제적인 ISSUE로 재차 부각될 소지를 남김.

7. 후속조치

- 당관은 중동평화, 중동질서 재편, 전후 복구사업 관련 후속사항을 각별히주시 파악, 계속 보고토록 할것임.끝.

(대사 노영찬-국장)

예고:91.6.30. 까지

PAGE 3

0098

관리 번호	91-232

원 본

외 무 부

종 별 :

번 호 : SVW-0762 일 시 : 91 0306 1000

수 신 : 장 관(동구일)

발 신 : 주 쏘 대사대리

제 목 : 메이저 영국수상 방쏘

방쏘중인 메이저 영국수상은 3.5(화) '고'대통령(11:00-13:30), 파블로프 총리 및 야조프 국방장관과의 걸프사태, 발틱문제등에 관하여 일련의 회담을 갖고 17:30 외무성 프레스센터에서 기자회견을 가진바 요지 하기 보고함.

1. 걸프사태

- 전후 동 지역내 국가들의 이익과 지역 안보를 보장할 수 있는 방안이 강구되어야 할 것이라고 강조하고 이를위한 유엔 안보리 회원국의 노력이 계속되어야 할 것이라고 함.

- 영국은 장기간 동지역 주둔의사 없으며, 다국적군도 조속 철수 예상

- 걸프사태 해결 과정에서 쏘측 제안이 채택되지 않았더라도 이로인해 쏘련과 서방국가간의 관계가 저해되었다고 보지않음.

- 양측은 동 지역에 대한 핵, 화학 및 미생물 무기 수출 억제 필요성에 공감

2. 재래식무기 감축

- 유럽배치 재래식 무기 감축에 양측은 전적으로 동의

3. 발틱사태

- '메'수상, 지난 1.13 리투아니아 유혈사태에 대한 서방측의 실망감을 전하고 발틱의 장래 문제가 대화를 통해 해결되기 바란다는 희망 표시

- '고'대통령은 동 사태 관련한 일부 서방측의 반응에 불만을 표시 하였으나, 동 사태는 헌법 절차에따라 해결될 수 있을 것이라고 언급하였음

4. 개혁정책

- '고'대통령, 개혁과정이 길고 어렵겠지만 계속 추진해 나갈 뜻을 강력히 피력함

5. '고'대통령 방영초청

- '메'수상, 금년중 '고'대통령의 방영초청, '고'대통령 수락

구주국 차관 1차보 정문국 청와대 안기부

PAGE 1 91.03.06 18:01

외신 2과 통제관 CW

0099

- 걸프사태등 협의위한 양국 외무장관 회담개최 합의.끝

(대사대리-국장)

예고:91.12.31까지

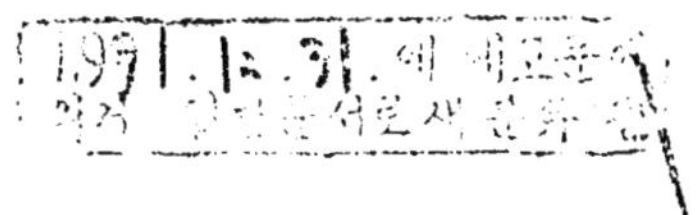

PAGE 2

0100

외 무 부

종 별 :
번 호 : UKW-0600 일 시 : 91 0306 1600
수 신 : 장 관(동구일,구일,중동일,미북)
발 신 : 주 영 대사
제 목 : 메이저 수상,소련 및 쿠웨이트 방문

연: UKW-0565

1. 메이저 수상은 3.5(화) 4시간에 걸쳐 고르바쵸프 대통령과 오찬 및 회담을 가졌으며, 회담후 가진 기자회견에서 영국은 고르바쵸프와 매우 만족스럽게 지속적으로 일해 나갈 수 있을 것이라고 말함.

2. 금번 정상회담에서는 전후 걸프정책에 관해서 안보리 5개 상임이사국의 공동정책에 대한 소련의 지속적 지지확인등 의견일치를 보았으나 군축 및 볼틱문제에 대해서는 견해의 차이를 보인 것으로 보도됨. 메이저 수상은 다만, 기자회견에서 볼틱문제가 협상으로 해결되어야 한다는데는 양측이 의견을 같이 했으며, 헌법상절차에 따라 협상이 종료되면 볼틱제국의 독립가능성이 있는 것으로 본다고 밝힘.

3. 전후 걸프전쟁에 관해서 양인은 중동제국 자신들이 장래의 안보체제를 마련해야 하며, 팔레스타인 문제의 해결방안이 우선적으로 강구되어야 한다는데 의견을 같이했고, 핵 및생화학 무기의 수출을 자제하고 재래식 무기의 수출에 있어 신중을 기해야한다는 데도 견해의 일치를 봄.

4. 수상은 또한 소련이 구주재래식무기감축 (CFE)조약을 비준하지 않고 그 적용을 면하기 위한 조치를 취하고 있는데 대해 거론했으며, 소련내 경제개혁도 속도에 관해서도 소련측과 다른 견해를 피력한 것으로 관측됨.

5. 수상은 고르바쵸프 자신에 대해서는 그 정치적 공적을 높이 치하하여 양인간의 개인적 친분관계가 돈독해지고 있음을 시사함.

6. 수상은 한편, 3.5(화) 조찬시 볼틱 3국 대표를 접견했으며, 이어 레닌그라드시장, DR ALEKSEIARBATOV 세계경제문제 연구소장등을 면담하고 오후에는 PAVLOV 수상, YAZOV 국방상, BESSMERTNYKH 외상등과 회담함.

구주국 1차보 미주국 구주국 중아국 정문국 안기부 2차보 차관 장관

PAGE 1

91.03.07 10:02 WG
외신 1과 통제관

0101

7. 메이저 수상은 고르바쵸프를 방영토록 초청했으며, 고르바쵸프도 메이저 수상의 공식 재방소와 대처 전수상의 방소를 희망한 것으로 보도됨.

8. 수상은 금 3.6(수) 소련에서 귀로에 걸프전 종료후 연합국 지도자로서는 최초로 쿠웨이트를 전격 방문중이며, 현지주둔 영국군 병사들을 만나치하하고, 영국병력이 가급적 조속한 시일내 귀국할 수 있을 것이라고 말함.

9. 수상실은 한편 걸프전후 중동안보문제 협의를 위해 메이저 수상이 부쉬대통령과 3.16(토)버뮤다에서 회담한다고 3.5(화) 발표함. 메이저수상은 또한 3.11(월) 독일을 방문, 콜독일수상과 회담 예정인 것으로 보도됨.끝

(대사대리 최근배-국장)

PAGE 2

0102

원 본

외 무 부

종 별 :

번 호 : SVW-0875

수 신 : 장 관(동구일)

발 신 : 주 쏘 대사

제 목 : 베이커 미국무장관 방쏘

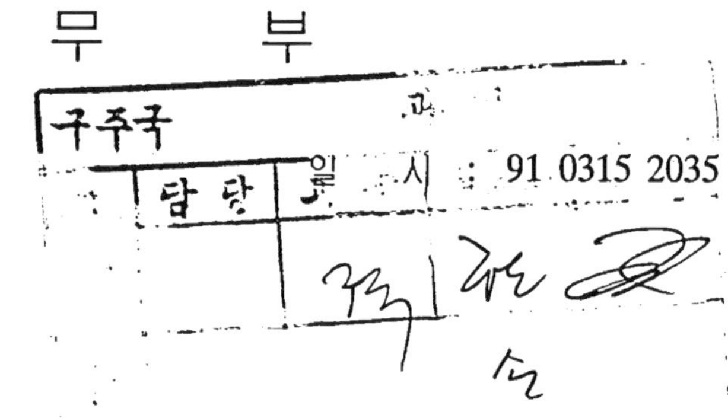

3.14(목)-3.16(토)간 방쏘중인 베이커 미국무 장관은 3.14(목) 밤 및 3.15 오전 베스메르트누크 쏘련외상과의 2차에 걸친 회담을 갖고, 걸프전후 중동문제 해결을 위한 방안과 전략무기 감축협상 문제를 집중토의하였는 바, 요지 하기보고함.

1. 중동문제

- 베이커 국무장관, 쏘측에 중동 5개국 순방결과를 설명한 후 쏘련측이 이스라엘과 아랍국가들간의 화해를 위한 역할을 해줄 것을기대

- 후세인 이라크대통령 정권을 제거하려는 미행정부의 의도관련, 쏘측은 미.쏘양측이레이 건행정부 시절이래 확립한 국제문제해결 원칙인 각국,'국민의 선택자유 및 이익균형원칙'에 입각, 이라크 국민 스스로가 결정해야할 문제라고 강조

2. 전략무기 감축

- 90년 11월 나토 및 WTO 22개 국가에 의해 서명된 바 있는 전략무기 감축협상은 사상최대의 군비 감축협상이 될 것으로 예상되나, 쏘련측은 금번협상이 가져올 충격을 최소화하려함.

- 특히, 쏘련측이 3개 보병사단을 감축대상에서 제외하려는 문제가 협상진행을 어렵게하고 있어 난항 계속됨.

3. 미.쏘 정상회담

- 금번 베이커 국무장관의 방쏘결과에 따라서는 지난 2월초로 예정되었다가 START 및 걸프사태를 이유로 연기된 바 있는 미쏘 정상회담의 개최일자가 결정될 수도 있는 것으로보임.

4. 그(3.15) 베이커 국무장관은 쏘련 15개 연방지도자 (옐친의장 포함가능성)들과의 만찬을 갖고, 3.16(토) 발틱 3개국 대표들과 조찬을 가질예정이라함.끝

구주국 1차보 정문국 안기부 2차보 차관 장관 청와대

PAGE 1

91.03.16 09:57 WG

외신 1과 통제관

0103

「메이저」英國首相, 蘇聯訪問 結果

1. 「메이저」英國首相은 3.4-5간 蘇聯을 방문

가. 고르바초프 蘇聯 大統領과의 頂上會談을 통해 中東地域의 평화정착 방안, 발틱事態 및 蘇聯의 경제개혁 지원문제 등을 협의하고

※ 고르바초프 大統領, 「메이저」首相의 年內 訪英 초청을 수락

나. 발틱 3國 頂上들과의 별도 회담을 통해 발틱事態의 平和的 解決方案에 대한 의견을 교환했음.

2. 主要 協議內容

가. 中東地域의 平和定着 방안과 관련

○ 英國측은 걸프地域에 파견된 自國軍을 장기간 주둔시킬 의사가 없으며, 여타 多國籍軍도 早期에 철수할 것임을 통보하였으며

○ 이락의 쿠웨이트 再侵防止 및 팔레스타인문제의 해결등 中東地域의 항구적 平和定着 방안을 마련하기 위한 UN安保理 常任理事國간 外相會議 개최에 합의하고

○ 향후 中東地域에 대한 核 및 化生放武器는 물론 재래식 무기의 輸出抑制 필요성에 共感을 표명

※ 고르바초프는 이락의 再武裝을 위한 蘇聯의 지원가능성에 대해서는 言及을 회피

28-15

0104

나. 발틱事態에 대해서는

○「메이저」首相이 발틱 3國에 대한 蘇聯의 군사력 사용에 따른 西方측의 우려를 전달한 데 대해

○ 고르바초프는 일부 西方諸國의 반응에 불만을 吐露하면서 同 事態는 蘇聯의 憲法節次에 따라 해결되어야 한다는 기존 입장을 재확인

다. 蘇聯의 經濟改革 지원문제에 대해서는

○「메이저」首相이 蘇聯의 경제개혁에 대한 英國의 지속적인 支持立場을 표명하면서도 개혁 속도 등에 대한 憂慮를 전달한 데 대해

○ 고르바초프는 改革·開放政策에 대한 자신의 확고한 의지 및 英國을 비롯한 西方諸國의 지속적인 支援필요성을 강조.

3. 이번「메이저」首相의 蘇聯 訪問은

가. 戰後 中東秩序再編 문제에 대한 英國의 적극적 참여의지 과시 및 고르바초프 大統領의 年內 訪英 合議 등을 통해「메이저」首相 개인의 國際的 地位提高에 寄與하고 있는 가운데

나. 中東地域 平和定着 문제와 관련

○ 英國측이 自國軍을 비롯한 多國籍軍의 조기철수 의사를 전달, 美國등 西方측의 독주 가능성에 대한 蘇聯측의 우려 해소와 함께 蘇聯측의 보다 긍정적인 協力誘導에 注力하였으나

28-16

0105

○ 戰後 이락의 再武裝 문제에 대한 兩國간 異見調整에 실패, 中東平和 협상과정에서의 難航을 예고하고 있으며

다. 발틱事態에 대해서도 蘇聯측이 발틱 3國의 獨立不可 입장을 고수함으로써 금후 同 事態를 둘러싼 英·蘇 및 西方·蘇聯간 마찰이 지속될 가능성을 示唆하고 있어 注目됨.

동아 3.6 4면

蘇 걸프해결 協力다짐

메이저-고르비會談

【모스크바·런던AP연합】蘇聯은 유엔 안전보장이사회의 다른 상임이사국들과 함께 걸프문제의 해결을 위해 노력할 용의를 갖추고 있으며 중동의 평화정착을 위한 장치는 앞으로 결정돼야할 것이라고 존 메이저 英國총리가 5일 말했다.

1일간 모스크바를 방문, 미하일 고르바초프 대통령을 비롯한 蘇聯지도자들과 회담한 메이저 총리는 기자회견에서 美英蘇 프랑스 中國등 안보리 5개 상임이사국 외무장관들이 이문제를 논의하기 위해 곧 회담할 것이라고 말했다.

걸프戰 종전후 서방지도자로서는 처음으로 蘇聯을 방문한 그는 고르바초프 대통령이 중동문제의 해결을 위해 蘇聯이 협조할 것을 다짐한데 고무됐다면서 그들이 중동의 전후안정에 있어서는 팔레스타인 문제의 해결이 중요한 요소라는데 합의했다고 말했다.

그는 또 蘇聯지도자들과의 회담에서 쌍방이 중동에 핵무기나 생화학무기의 수출을 삼가는 것이 바람직하며 재래식 무기의 수출도 조심해야 한다는데 합의했다고 말했다.

0107

관리 번호	91/125

외 무 부

종 별 :

번 호 : SVW-0878 일 시 : 91 0316 1305

수 신 : 장 관(동구일)

발 신 : 주 쏘 대사

제 목 : 고르바쵸프-베이커 회담

베이커 무국무장관은 3.15(금) 하오 고대통령과 회담을 갖고 양국관계, 중동문제, 국내정세등에 관해 의견을 교환한 바 주요 내용 하기 보고함.(TASS 보도등 종합)

1. 미.쏘 양국관계

- 고대통령, 최근 미.쏘 양국관계가 근본적으로 변한 것이 없음을 강조함으로써 양국관계에대한 각종 루머를 일축함.

- 베이커 국무장관, 미국이 1939 년의 국경선의 틀에서 쏘련을 승인한 사실을 상기시키고, 최근 발틱 지도자들과의 접촉을 통해, 미국측은 쏘연방 정부와 공화국간의 평화적, 합법적 협상을 해치는 일은 하지않을 것이라고 함.

- 또한 부시대통령과 자신은 페레스트로이카 정책의 성공을 진정 바라고 있으며, 이의 성공은 쏘련뿐만 아니라 미국이나 전세계에도 매우 중대한 일이라고 강조

2. 국내정치

- 고대통령, 생산감소와 시장 및 재정 정상화 등 중요한 문제들은 민주개혁의 틀속에서 계속 추진될 것임.

- 보수파나 급진파의 어떠한 압력이나 반대도 현정부의 개혁정책을 좌절시키지는 못할 것임.

- 미.간의 관계안정은 쏘련의 정세를 정확히 이해하는데 달려있다고 강조함으로서 국내 정세관련 미측의 객관적 자세와 이해를 촉구함.

3. 중동문제

- 고대통령은 전후 걸프사태 해결을 위한 제안을 문서로 미측에 전달하고, 동 문제해결에 있어서 유엔의 역할과 당사자의 의사결정을 존중해야 한다고 강조

4. 군축문제

- 쏘련측의 유럽주둔 재래식 무기감축에 대한 새로운 제안에대해 베이커장관은

구주국 장관 차관 1차보 2차보 청와대 안기부

PAGE 1

91.03.16 20:57

외신 2과 통제관 DO

0108

불만표시

- 동문제에대한 실무급 교섭계속.끝

(대사 공로명-국장)

예고:91.12.31 까지

PAGE 2

0109

관리 번호	91/151

원 본

외 무 부

종 별 :

번 호 : SVW-0925 　　　　일 시 : 91 0319 1850

수 신 : 장 관(중동일,동구일)

발 신 : 주 쏘 대사

제 목 : 걸프정세

당관 서현섭 참사관은 3.19(화) 외무성 중동국 에핀디에프 참사관을 면담, 최근 베이커 미국무장관 방쏘시 표제 관련 미.쏘 협의 내용등을 탐문한 바, 동인의 언급 요지 아래 보고함.

91.6.30. 검토필

1. 전체적 평가

- 금번 베이커 방쏘시 미.쏘 양측은 양국 현안문제, START 및 중동지역에서의 새로운 질서 모색관련 폭넓은 협의를 가졌는 바, 대체로 만족할만한 협의로 평가할 수 있으나 발틱 3 국 문제에 대해서는 상당한 견해 차이를 보였음.

- 쏘측은 중동지역의 새로운 안보체제 구축에 있어서는 유엔이 주도적 역할을 수행해야하고 동 지역 제국 주민의 의사가 충분히 반영되어야 한다고 보고 있는 바, 미국측은 이에 대한 이해를 나타냈음.

2. 금후 쏘.이라크 관계

- 쏘련의 대 이라크 무기 재공급은 서방측의 중동제국 무기 공급문제와 함께 신중히 고려되어야 할 것으로 보고 당분간은 관망하는 자세를 견지할 것임.

- 조만간 아지즈 이라크 외상이 쏘련과 중국을 방문, 금후의 협력 방안등을구체적으로 협의 예정임.

3. 쿠웨이트주재 쏘대사관 재개

- 동인은 주쿠웨이트 쏘대사관 재개 준비를 위해 내주중 복귀 예정이며 기본적인 준비가 완료되는대로 대사가 부임할 것임.

- 동 참사관은 90.8 이라크의 쿠웨이트 침공 당시 대사대리로 근무한 바 있음. 끝

(대사 공로명-국장)

91.12.31 까지

중아국 장관 차관 1차보 2차보 구주국 청와대 안기부

PAGE 1 　　　　91.03.20 08:17

외신 2과 통제관 BW

0110

번호 : USW(F) - 0876

수신 : 장 관 (미북, 의전, 중동일, 구주) 발신 : 주미대사

제목 : 미소외무장관 공동기자회견 (7 매)

PRESS CONFERENCE WITH SECRETARY OF STATE JAMES BAKER, III AND SOVIET FOREIGN MINISTER BESSMERTNYKH, MOSCOW, USSR FRIDAY, MARCH 15, 1991

MIN. BESSMERTNYKH: (In progress) -- was addressed to me, that is on Soviet attitudes toward use of military force by the United States against the Iraqi army. It is my view that military operations that were carried out against Iraq in connection with this aggression against Kuwait were based on Resolution 678 of Security Council Resolution and there were no other grounds for use of armed forces in Iraq or against Iraq.

Q (Off mike) -- a very important event in our country -- the referendum on the question, to be or not to be the Soviet Union. How would you answer this question if you vote?

SEC. BAKER: Well, I don't have a vote, and therefore I won't answer the question, because I really should not inject myself into political issues, political votes within the Soviet Union. That is a matter for the citizens of the Soviet Union and the various republics to determine.

Q What is the situation regarding the hostages --

SEC. BAKER: The situation regarding the hostages, Barry, is that we have, as the President indicated that I would, raised this issue during the course of this trip in conversations with various countries that we think might have some capacity to be helpful. And that's all I'm going to say on it.

Q You said "various countries." Syria's the only one I'm aware of. Are there other countries --

SEC. BAKER: I just said that that's all I'm going to have to say on it.

Q Well, did you raise it with Israel?

SEC. BAKER: I said "various countries."

Q Have you heard back from Iran --

SEC. BAKER: And that's all I'm going to say on it.

Q Mr. Secretary, you said that we think agreements should be honored, referring to Iraq. Are you implying that they, number one, have broken the agreement? And what does that say in terms of what the United States is prepared to do?

SEC. BAKER: Well, you heard the President speak to this. The President said we must see those undertakings respected and honored, and he did not choose to go any further than that, and I certainly am not going to go any further than that.

0876-1

0111

423 P17 LENINPROTOCOL '91-03-16 06:21

Q Mr. Foreign Minister, could you tell us what role the Soviet Union sees for itself in the postwar Persian Gulf situation?

MIN. BESSMERTNYKH: I feel that the main role in organizing a security system and a peaceful evolution in the Persian Gulf area belongs in the first place to the countries of the Gulf, but there is also quite an opportunity for permanent members of the Security Council to play a role in there, including the Soviet Union. And that also would include various aspects of that very difficult problem.

In the course of our discussion of the Middle East problem with the President, President Gorbachev spoke on the position of the Soviet Union concerning settlement in the Gulf on the conceptual approaches to Middle East problems. There are no ready-made plans or programs that we gave to the US side. We had a broad-ranging discussion of that issue, and I appreciate the information that Secretary Baker has shared with us on his impression about the visit to the Middle East. It helps us in our joint search of possible ways to settle the conflict.

Q (Inaudible) -- a Middle East peace conference or Israeli-Palestinian negotiations as the basis for recognizing Israel, or are you going to do an independent --

(Audio break.)

MIN. BESSMERTNYKH: It is our view that convening an international conference on the Middle East settlement still remains in the cards. It is part of our vision of how we view possible settlement in the area. But you may know, also, that we think that there are various approaches to that trouble. An international conference is a part of that multi-dimensional process. It should not rule out other approaches.

Q -- Yassir Arafat and the PLO today. Do you agree with efforts really to sidestep the PLO now that (they supported Iraq in the ?) Gulf war, or are you interested in working with the PLO?

MIN. BESSMERTNYKH: Well, the situation that has developed involving PLO and PLO leadership is a well-known fact. I don't want to make any comments on internal problems that exist in that organization. So far, PLO has remained an organization that speaks for the interests of the Palestinians, and until this remains so, I think that PLO should also be involved in the analysis of the troubles related to the Middle East settlement because at the core of that settlement we have still the Palestinian problem.

Q (Inaudible) -- in that time, did you discuss today either in the company of Mr. Gorbachev or perhaps between you and Mr. Baker the question of (scaling ?) arms flows -- conventional arms flows to the Middle East? And where is the Soviet position on continuing to sell military hardware in the Middle Eastern nations in the wake of the Gulf war?

0876-2

0112

MIN. BESSMERTNYKH: We recognize that that problem does exist and we believe that it must be addressed in a fairly particular way also in the Soviet-US dialogue, although not just the Soviet Union and the United States are the only suppliers of arms to that region. But in any event, the time is at hand for us to come to some agreement on a system whereby we would reduce arms supplies of all types to that area. We discussed that problem, but we didn't go into any specific details on that.

Q (Inaudible)

SECRETARY BAKER: Well yes, we spent a fair amount of time on that today and the President was very frank, I think, and candid in explaining to me -- the Minister was there, of course -- his view of the situation today both with respect to efforts concerning the matter of the relationship between republics and the central government and the questions surrounding the issues of economic reform and economic progress and economic problems.

And we had what I think was a very candid and frank exchange, and I don't mean frank in the diplomatic sense, in the sense that there were -- that it was adversarial in any way, but I felt that he laid the situation out very honestly and straightforwardly. That's what I mean by frank.

Q Mr. Secretary, what did he tell you exactly? You referred earlier to the prognosis for reform. What did President Gorbachev tell you about his intentions, his plans, and whether he's being hamstrung right now by forces internally --

SEC. BAKER: He -- he said that he began this process and he was committed to this process, the process of reform; that there were obvious difficulties and problems, that it didn't -- that it was easy to recognize that as a fact. But that he and the all-union government of the Soviet Union were committed to continuing on a reform course, both with respect to perestroika and democratization, political pluralism, and economic reform, reform toward a free market goal at some point.

Now, he also made it clear that the particular steps to be taken over the near term were to encourage a mixed economy, that that was -- that that was being done in order to move in the direction that he and others had originally proposed and announced.

Q Mr. Secretary, do you support that? I mean, every time we've come here, at least when Mr. Gorbachev -- (inaudible) -- perestroika, there were statements of support from the United States. I'm not sure I've heard that from you --

SEC. BAKER: Yes, well -- well, we do support his efforts to continue to reform -- to continue reform in the Soviet Union, both reform toward political pluralism and reform of the economy in order to make it more efficient, more effective and freer.

(Cross-talk.)

0876 -3 0113

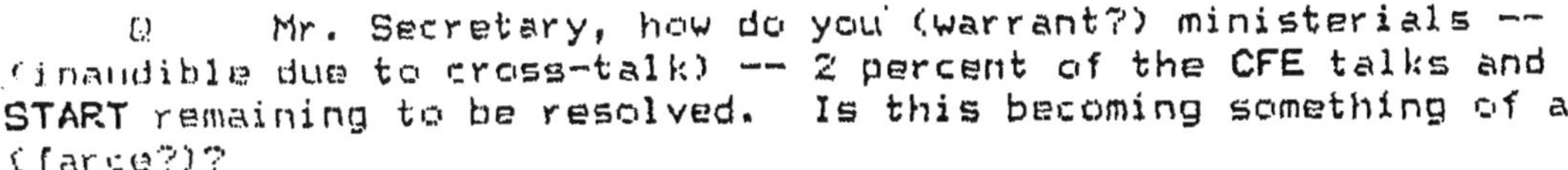

Q Mr. Secretary, how do you (warrant?) ministerials -- (inaudible due to cross-talk) -- 2 percent of the CFE talks and START remaining to be resolved. Is this becoming something of a (farce?)?

SEC. BAKER: I think this is the only one we've -- that you've gone to where that was the case, if I'm not mistaken, Tom. There may have been a meeting we had, a brief meeting in Washington where that was the case, but the -- but I think this is the first meeting you might call a ministerial where that's the case. And I can't answer your question, very frankly. I would hope that we can continue on and make progress to overcome these problems in arms control to which we both alluded yesterday when we started. And I'm confident that the United States is going to make every effort to do that; I think the Soviet Union wants to make every effort to do that.

Q Mr. Secretary, did the President share with you any of the obstacles that have arisen from before in the course of perestroika and economic reform in the Soviet Union and did he tell you -- (off mike)?

SEC. BAKER: Yes, he did share that with me and he shared some other things with me that I will probably not share with you.

Q (In Russian.)

MIN. BESSMERTNYKH: The issue of the Soviet-American relationship was discussed in broad terms and in very specific terms as well and I think it's very important to say that there is a shared desire on both sides to continue to develop that relationship on a stable basis following the main directions. As to specific bilateral relationship, that was also discussed in specifics. There may be some specific agreements in the works so we're close to completion and I believe that in the course of our subsequent meetings, we may come up with some specific documents on that subject. What matters most is that Soviet-US relationship has gone through a very difficult test, passed successfully that test and thus opened reliable trust for future development.

Q Did you discuss the **Balkans** with Mr. Gorbachev and did you hear anything in your meeting today that would lead you to believe that he is going to move in the direction as promised a million times, namely negotiation and dialogue?

SEC. BAKER: The answer is yes. We did discuss that and the President pointed out that the all-Union government has appointed individuals to engage in this dialogue, that there -- it is -- it was his intention, as he expressed it to me, that these issues be resolved through dialogue and through negotiation, and his negotiators have been appointed.

0876-4

0114

Now, the point that he further made was there have to be negotiators now appointed by -- by the Baltic republics, the Baltic states, and once that is done, he expressed the hope, at least, that this matter could be resolved peacefully through dialogue and neogtiation, which is the very strong preference of the United States, as I have expressed both to the Minister, to President Gorbachev, and to all of you on numerous occasions.

Q Are you satisfied with that --

Q Mr. Secretary --

Q -- action, sir? Are those actions sufficient?

Q Minister, can you help, please, enlighten us as to what appears to be the holdup on --

Q -- followup -- he has to answer to --

Q -- (off mike) -- said earlier today, the progress -- apparently, there's been very little progress. Can you tell us what you believe to be holding things up?

MIN. BESSMERTNYKH: The problem, compared to all other problems, involves removal of concerns that the two sides have with regard to the treaty on conventional arms. This time, in the course of two sessions, the working group -- and we also discussed at the ministerial level -- additional effort was made to try and find some mutually acceptable solutions. On our side, we had Chief of General Staff Moiseyev. He headed that working group and we presented some working ideas that we thought might provide a way out, a possible solution. I have not yet heard a report from the working group on that subject, and I think they will continue working tomorrow, so we'll still have to wait and see what would be the final result. What matters most is that we have not abandoned effort to try and find solutions to the existing problems.

MIN. BESSMERTNYKH: I also must say that the subject of regional conflicts took up a lot of time in our discussion. We have a rather happy past history on efforts to finding solutions. We concentrated on Afghanistan, Central America and Cambodia, and I believe that in that area we have gained some useful experience. I believe we can use that experience in resolving the remaining regional problems -- in the first place, Middle East problem.

SEC. BAKER: And to answer the question (Doyle ?) asked earlier, let me remind you that when we met in Washington on or about the 28th or 29th of January, sometime in that time frame, we were meeting in the aftermath of the unfortunate events in Vilnius. Tensions were very high. There had been the regrettable confrontation there resulting in the loss of life. We talked at length with the minister at that time, and it was agreed that there needed to be some process or mechanism developed that would be more likely to lead to a peaceful resolution through negotiation and dialogue.

0876-5 0115

It seems to me that steps have been taken to develop such a process and mechanism. Furthermore, steps have been taken to defuse tensions by withdrawing some forces from Lithuania and, I think, some of the other -- Latvia, as well, some of the other -- at least one of the other Balitc states.

So, you asked me if this is satisfactory, and my response to you is this is a difficult issue. We are in, it seems to me, a lot better shape than the situation that existed back in January, and we can only

see that as some progress. Now, it's important that that negotiation actually take place and that the parties join in a good-faith effort to reconcile this peacefully.

Q Recently, you have said that part of our view of perestroika was that there should not be a reversal of gains for free market economics. And you even at one point told Mr. Shevardnadze not to crack down on the cooperatives and so forth. Can you stand there today and say that there has not been backsliding on that? Did you tell him -- President Gorbachev -- of your concerns about that, that -- (inaudible) -- monetary policy on such --

SEC. BAKER: The answer is "no" and "yes."

Q Mr. Secretary, you gave us your -- you gave us an account of how you responded to the Baltics presentation, but I don't think we know how you feel about the President's description of his problems in putting through his economic program. Did he make a compelling case, did he persuade you that he's doing his best?

SEC. BAKER: Look, it's not -- it is really not my place to sit in judgment on the specifics of the economic plan. There are many, many problems. The President, the Minister, have been very candid in saying so and in explaining the manner in which they are attempting to address those problems. They are economic, and they are political, and you must weigh both. So, to answer your question specifically, David, I'm not sure that "backsliding" is the right word.

But there -- there is not -- there are some major problems in reforming an economy that for 70 years has been run pursuant to principles that are quite opposite from the principles of free market economics. And we had a very honest and candid discussion today of those problems. And the President was very -- was very honest in pointing these out. The point is, you have to look not just at the economics, but you have to look as well as the politics.

Q Mr. Secretary, do you believe the Soviet Union will remain a partner in the coalition that began with the Gulf crisis and afterwards it will be a constructive partner in the Middle East?

0876-6 0116

SEC. BAKER: That would be my hope certainly, and I don't see any reason following these talks why that would not be the case. We will have to -- obviously we will have to see. The predictions were made -- many predictions were made, particularly in the latter stages of the resolution of that crisis that somehow the Soviet Union would not remain committed to the same goals that other coalition partners were committed to, but it did.

And that's what I think the Minister meant when he said the relationship has gone through a test recently and it has, and it has survived and that is good for the Soviet Union, and that is good for the United States, and that is good for the world, and we should work to keep the relationship on that same track if we possibly can.

END

0876-7
(END)

0117

관리번호 91/179

외 무 부

종 별 :

번 호 : SVW-0987 일 시 : 91 0322 2155

수 신 : 장 관(동구일)

발 신 : 주 쏘 대사

제 목 : 베이커 국무장관 방쏘

3.22(금) 당관 이원영 공사는 현호, 라조프 국장면담후 파데예프 극인국 부국장으로부터 베이커 미국무장관의 방쏘 결과를 청취한 바 주요내용 하기보고함.

1. 걸프사태

- 금번 베이커 국무장관의 방쏘는 걸프전이 종결되고 동지역내의 전후 질서가 재편되고 있는 복잡하고 미묘한 시기에 이루어졌음.

- 베이커 국무장관은 걸프사태관련, 미.쏘 양측이 긴밀한 협력관계를 유지해온것을 평가하였고, 금번회담을 통해 마련된 양측간의 이해를 바탕으로 미.쏘 양측은 앞으로도 이러한 관계를 지속시켜 나갈 수 있다는데 의견을 같이하였음.

- 걸프전쟁의 조기 종결이이러한 미쏘간의 이해 증진 및 협력관계 지속을 가능케하였음.

- 다만 미국측은 걸프전후 중동문제의 포괄적 해결을위한 국제회의 개최에 부정적인 반응을 보였으며 이스라엘과 아랍권간의 직접적인 협상을 지지하였음.

- 특히 미측은 PLO 와 어떠한 형태의 협상도 추진할 의사가 없음을 분명히 하였음. 이는 걸프사태관련 PLO 측이 후세인 정전을 지지한것에대한 미국측의 부정적 시각이 반영된 것임

- 쏘측은 걸프전쟁이후 중동사태해결을 위한 하기 요지의 제안을 미측에 문서로 전달하였음

0 걸프지역 문제해결을 이해당사국의 참가하에 논의되어야함. 특히 동 지역국가 역할의 중요성 강조

0 지역내 특정국가의 참여를 배제한 그룹에 반대

0 동 지역내 군비 증강 억제, 동지역에대한 공격용 무기. 핵, 화학 무기의 공급 통제

구주국	장관	차관	1차보	2차보	정문국	청와대	안기부

PAGE 1

91.03.23 09:03

외신 2과 통제관 CA

0118

이집트, 시리아?

0 외국 주둔군 수준은 90.8.1 선으로 유지

0 유엔 평화유지군 파견

0 유엔안보리의 역할 중시

0 전후 복구를위한 경제협력 강화

2. 발틱사태

0 미측은 최근의 발틱사태의 진전상황이 쏘련의 개혁정책의 중단을 의의미하는것인가하는 의문을 갖고 있었으나, 금번 회담을 통해 쏘련정부의 개혁(917)정책에 대한 확고한 의지를 확인할 수 있었음

0 미측은 쏘련의 개혁 정책의 성공을 진심으로 바라뿐아니라, 이를위한 최대한의 지원을 계속할 의사를 언명함.

3. 군축및 미소정상회담

- 미측은 유럽배치 재래식무기 감축 및 전략무기 감축협상의 타결후 미.쏘 정사회담을 개최하는것이 바람직하다고 믿고 있으나, 쏘측은 미.쏘정상회담의 조속한 개최를 희망하하고있음

5. 기타 금번 베이커장관 방소시 한국문제관과한 협의는 없었으며 미.쏘 양측간 엘살바도르 사태에대한 공동선언 채택, 아프간사태, 캄보디아사태에대한 논의가 있었음

얄타?

- 또한 미측은 중.동구국가에서의 쏘련의 이익을 인정하였으며, 미측은 동 지역국가들과 동지역 안보를 해칠수있는 어떠한 형태의 조약체결도 추진하지 않을 것을 언명하였다함.

4. 양자관계

- 미.쏘양측은 총영사관의 추가 개설에 합의 하였으며 현안으로되어있는 이중과세 방지협정의 조기타결에 합의함.

6. 파데예프부국장은 금번 회담은 미.쏘 양국이 서로 상대방의 강대국으로서의 지위를 존중하고, 진정한 파트너쉽을 이룩할 수 있는 이해의 기반을 마련한데서 큰 의의가 있다고 강조하였음. 끝

(대사-국장)

91.12.31 까지

관리번호	91/366

외 무 부

종 별 :

번 호 : SVW-1005 일 시 : 91 0325 1730

수 신 : 장 관(동구일,중일,미북)

발 신 : 주 쏘 대사

제 목 : 미.쏘 외상회담 결과

연:SVW-987

1. 당관 서현섭참사관은 3.25 외무성 미주국 SINITSIN 참사관및 주미대사관SMITH 정무참사관을 각각 면담, 표제관련 파악한 바, 요지 아래 보고함.

가. 외무성 SINITSIN 참사관 언급 요지

(1) 중동정세

- 이라크의 쿠웨이트 침공은 미.쏘 협력 체제 유제에대한 중요한 TEST 가 되었으나 전쟁이 조기 종결 된 것은 협력 유지에 다행스러운 일이었음

- 금번 회담 직전까지 중동 새질서 모색관련 미국은 주로 군사적 측면을, 쏘련은 정치적인면을 강조한 인상이 있었으나 회담을 통해 의견 접근을 봄

- 걸프전쟁의 휴전 협정이 아직 문서화 되지않은 사정등에 비추어 동 지역에서의 미지상군의 단기적 주둔은 불가피하다고 하겠으나 장기적 주둔은 아랍 민족주의 세력을 도발하는등의 부정적 측면이 있는점을 무시해서는 안됨

(2) 발틱사태

- 미측이 발틱사태의 정치적 해결을 강조했으나 기본적으로 미국은 쏘련의 연방 유지 및 강한 정부 존속이 세계평화와 안정에 기여한다는 인식을 갖고 있는것으로 봄.

(3) 군축문제등

- 쏘측이 CFE 제 3 조 규제 대상에 해안 방위 부대의 군비는 포함되지 않는다고 주장한데 대해, 미측은 동의하지 않았으나 절충할 여지가 있다고 봄

- 미측은 CFE, START, SUMMIT 를 연결하고 있으나, START 는 세부적인 기술적인 문제만 남아있어 조만간 서명이 가능하다고 보며 따라서 91.5-6 월경에 미.쏘 정상회담이 개최되기를 바람

나. 미대사관 SMITH 참사관 언급 요지

구주국	장관	차관	1차보	2차보	미주국	중아국	정문국	외연원
청와대	안기부							

PAGE 1 91.03.26 02:33

외신 2과 통제관 CE

0120

(1) 중동문제 및 군축

- 베이커-베스메르트니흐 외상간에는 주로 중동문제및 군축문제가 논의되고베이커-고대통령 회담에서는 발틱사태등 국내문제를 집중 협의하였음

- 중동문제에 대해서는 POSITIVE 한 의견 교환이었다고 평가할 수 있으나 군축 문제는 거의 진전이 없었음.

쏘련측은 군부의 압력으로 3 개 기계화 보병사단의 장비를 COAST GUARD 부대로 옮겨놓고 이는 CFE 제 3 조 규제 대상 밖이라고 해석하고 있으나, 이와같은해석은 조약 테두리 밖의 새로운 제의와같아 미국측으로서 수락키 어려운 것임

- START 서명 문제는 동 3 조 해석 문제가 선결되어야하고 미.쏘 정상회담은 START 서명 전망이 있을때 개최될 수 있다고 봄. 따라서 현상황으로서는 91.6 월 이전 정상회담 개최 가능성은 회의적(SKEPTICA)이라고 하지 않을 수 없음

(2) 국내 문제

- 미측은 발틱사태의 처리 변화에 따라서는 미.쏘 관계가 어려워질 수도 있음을 강조하고 정치적 해결을 촉구했음

- 이에대해 고대통령은 개혁정책 추진 의사를 분명히하고 안정없이 개혁추진은 불가능하다고 하면서 발틱 3 국의 연방 이탈 문제는 쏘련의 국내법 테두리내에서 추진 되어야 한다는 입장을 표명했음

2. 미.쏘 외상 회담을 통해 중동문제에 대해서는 어느정도 의견 접근을 보았다고 할 수 있겠으나 CFE 제 3 조 해석 문제를 둘러싸고 의견이 첨예하게 대립하였으며 동 해석문제에관한 합의가 이루어지지 않을 경우, 금년 상반기중으로 예정된 미.쏘 정상회담 개최가 무산될 가능성도 배제할 수 없는 것으로 보임.

(정상회담 개최관련 BESSMERTNYKH 외상은 91.1 워싱턴 외상회담 직후 기자회견에 미.쏘 양국은 회담을 가질 작정(INTEND)이라고 한데 반해 금번에는 HOPEFULLY 라고 언급했음). 끝

(대사 공로명-국장)

91.12.31 일반

관리 번호	91 -444

외 무 부

종 별 :

번 호 : SVW-1373 일 시 : 91 0417 2300

수 신 : 장관(중동이,동구일,사본:주쏘대사)

발 신 : 주 쏘 대사대리

제 목 : 이스라엘 .쏘련 국교재개 모색

대:WSV-1165

1. 당지 TASS 통신은 런던을 방문중인 파블로프 수상이 4.16(화) 샤미르 이스라엘 수상의 요청으로 샤수상과 회담을 갖고 아랍. 이스라엘 분쟁 해결방안 및이.쏘 양국간의 정치, 경제, 문화관계에 관해 논의했다고 보도하였음.

2. 양국관계 현황 및 전망등에 관하여는 관계인사들과 면담, 파악되는대로 보고하겠음. 끝

(대사대리-국장)

91.12.31 까지

91.12.31. 에 예고문에 의거 일반문서로 재분류

검토필 (91.6.30.)

중아국	장관	차관	1차보	2차보	구주국	구주국	청와대	안기부

PAGE 1

91.04.18 08:36

외신 2과 통제관 BW

0122

관리 번호	91-528

외 무 부

종 별 :

번 호 : SVW-1537 일 시 : 91 0430 1940

수 신 : 장 관(중동이,동구일)

발 신 : 주 쏘 대사대리

제 목 : 이스라엘-소련관계

대 : WSV-1165

대호관련, 당관 박서기관이 4.30 당지 이스라엘 총영사관 MIAMI 영사를 접촉, 파악한바를 아래 보고함.

1. 영사관계 재개배경

가.87.4월 양국은 영사단 설치에 합의해 소련은 주이스라엘 핀랜드 대사관에, 이스라엘은 주소 화란 대사관에 각각 자국영사단을 파견시킴으로서 실질적인 영사관계를 재개하였음.

나. 그후 양국은 정부와 민간차원에서 실질협력이 이루어 오던중 1991.1월 총영사관 설치에 합의, 이를 개설하게 되었으며, 91.4 월 양국총리 회담(런던)시 중동문제에 관한 상호의견 개진과 함께 이스라엘은 소련측에 외교관계를 조속 재개토록 촉구하였다고 함.

2. 양국관계 개선 기대성과

가. 소.이스라엘 양국간의 관계 진전은 소련이 과거 아랍 일변도 지지정책에서 탈피하여 중동문제를 보다 현실적이고 유연하게(FLEXIBLE) 대처하게 된데서 비롯된 것인바, 소련으로서는 이스라엘과의 관계개선을 통해 중동문제 해결에서의 입지 강화와 이스라엘로부터의 농업, 컴퓨터 등 분야에서 기술이전을 기대하고 있다고 봄.

나. 이스라엘로서는 소련과의 관계재개를 통해 양국관계 협력을 강화시킬 뿐만 아니라 약 200-250 만명으로 추산되는 재소 유태인중 이스라엘 이주 희망자를 적극 지원코자 한다고 하며 작년도에는 약 20 만명의 재소 유태인이 이스라엘로 이주했다고 함.

3. 전망

가. 상기인은 소.이 양국관계 단절이 소련측에 의해 이루어진 만큼 외교관계

중아국	차관	1차보	2차보	구주국	청와대	안기부

PAGE 1 91.05.01 05:48

외신 2과 통제관 CF

0123

재개는 소련측이 결정해야 할 것이라고 말하고, 현 양국관계 발전 추세로 보아, 머지않은 장래에 외교관계가 재개될 수 있을 것으로 기대하고 있다고 하였음.

나. 상기관련, 박서기관이 소외상의 5 월 방이 보도에 관해여 문의하였던바, 동인은 아직은 확정된 상태는 아니라고 답하였음. 끝

(대사대리-국장)

91.12.31 까지

외 무 부

종 별 :

번 호 : USW-2227 일 시 : 91 0508 1842

수 신 : 장 관(미북,미안,동구일,중동일)

발 신 : 주 미대사

제 목 : 베이커 국무장관 중동 순방

연: USW-2171

1.금 5.8 국무부 정례 브리핑시 BAKER 장관의 중동 방문 세부계획이 아래와같이 발표됨.

5.10(금) 저녁 워싱턴 출발

11(토) 저녁 시리아 도착

12(일) ASAD 대통령 면담

이집트로 이동

소련외상 면담

13(월) MUBARAK 등 이집트 정부 요인 면담

소련외상 면담 (2 차)

14 (화) 요르단으로 이동

요르단 정부요인 면담

이스라엘로 이동

16 (목) 워싱턴 향발

2. 기자회견중 관련 부분 FAX (USW(F)-1722)송부함.

(대사 현홍주-국장)

미주국 1차보 미주국 구주국 중아국 정문국

PAGE 1

91.05.09 08:25 CT

외신 1과 통제관

0125

+

번호 : USW(F) - 1722

수신 : 장 관 (미북, 미안, 동구일, 중동일)

제목 : Baker 장관 中東 방문

보안 통제

(2 매)

STATE DEPARTMENT REGULAR BRIEFING, BRIEFER: RICHARD BOUCHER
12:28 P.M., EDT, WEDNESDAY, MAY 8, 1991

Q Richard, do you have an update on the schedule of the Secretary's travels?

MR. BOUCHER: We will put out a tentative summary schedule but one that's more complete than what I'll give you here. But to give you the basic outlines, repeating some of the things that I've said before, on Friday evening
the Secretary and party will depart Washington. They will go to Syria. On Sunday in Damascus, he expects to meet with President Asad. On Sunday, yeah. I think it's a Saturday evening arrival there. Then on to Egypt on Sunday. The meeting with Bessmertnykh, with Foreign Minister Bessmertnykh, in Cairo on Sunday and Monday, and meet with Cairo with President Mubarak and others in the Egyptian government as well.

Q On Monday?

MR. BOUCHER: On Monday.

Tuesday, on to Amman, Jordan, for meetings there, and then proceed to Israel. Wednesday and Thursday, some meetings in Israel. And tentative return time is Thursday to Washington.

Let me add one more time, as we do every time we give you this kind of information, this is all tentative. We may add things or change things, and as I said, we'll get you the tentative summary schedule in more detail this afternoon.

Q Even though it's -- even though we're getting towards summer, it is Amman and not Aqaba, right?

MR. BOUCHER: That's right.

Q And is it an overnight in Amman?

MR. BOUCHER: I don't think it is, but we'll have a schedule for you shortly.

Q Richard, it's been announced in Lisbon that the Secretary will appear with Mr. Bessmertnykh at the Angola peace accords on the

1722 - 1

05/08/91 18:53 ☎202 797 0595 EMBASSY OF KOREA --- WOI ☑001/002

0126

31st. Can you confirm that?

MR. BOUCHER: No, I can't. We're -- nothing is scheduled yet. We're taking this one step at a time.

Q That's not the same trip, is it -- (laughter)? Because he could hang around for --

MR. BOUCHER: No, I don't think so, Barry.

Q You know, settle something else while he's --

Q (Jim will be going up. He's ?) briefing senators this afternoon on the trip, is that correct? The Secretary?

MR. BOUCHER: Let me check on you that and get you something.

Q Richard, has he found another commencement to address next week? I heard some notion that there's another speech. It's important to us not because we cover speeches, but because it may bring him home.

MR. BOUCHER: Barry, I just told you today that he plans on coming home and that he plans on coming home a week from Thursday, and then I -- yes, I do believe he has a commencement speech shortly after that.

1722-2

05/08/91 18:54 ☎202 797 0595 EMBASSY OF KOREA --- WOI ☑002/002

0127

외 무 부

종 별 :

번 호 : SVW-1638 일 시 : 91 0511 1520

수 신 : 장 관(중동일,동구일)

발 신 : 주 쏘대사

제 목 : 베스메르트뉵 외상 중동방문

5.8(수)부터 중동국가 순방길에 오른 베스메르트뉵 소련외상은 5.10(금) 이스라엘 방문을 위해 텔아비브에 도착하였음.

1.방문의의

-금번 '베'외상의 이스라엘 방문은 양국간 관계에서 처음있는 일로 중동 문제해결 뿐만아니라 소-이사라엘 관계의 중요한 계기가 될것으로 기대되고 있음

- 양국은 67 년 중동전쟁을 계기로 국교를 단교한후 지난 87 년 영사 사절단 파견합의, 금년 1월에는 총영사관 설치에 합의, 외교관계 회복을 위한 노력을 기울여 나가고 있음

2.방문일정 및 성과

-'베'외상은 이챠크 샤미르 수상 데이비드 레비 외상과 회담을 가졌음

- 이스라엘측은 소련이 미국과 함께 중동 문제 해결을 위해 공동노력을 펼쳐나가고있음을 환영하고 소측과 외무장관간의 협의를 강화해 나가기로 합의, 또한 이스라엘측은 중동지역의 군비경재에 우려를 표명

-이에대해 소측은 이러한 군비경쟁이 이제 막시작되려는 중동 문제의 평화적 해결 노력을 현저히 저해시킬 가능성이 있다고 언급함

-양측은 양국관계 정상화 과정에 만족감을 표명하였으며 '베'외상의 이사라엘 방문은 양국의 국교정상화를 위한 중요한 계기가 될것이라고 평가함.끝

(대사-국장)

중아국 1차보 구주국 안기부 정문국

PAGE 1 91.05.11 23:39 CT

외신 1과 통제관

0128

외 무 부

종 별 :

번 호 : JOW-0432 일 시 : 91 0511 1700

수 신 : 장관(중동이,중동일,정일,기정) 중구일

발 신 : 주 요르단대사

제 목 : 국왕,소련외상과 회담

1. 5.9. 주재국을 방문한 BESSMERTNYKH 소련외상은 후세인 국왕,MASRI 외상등과아랍.이스라엘 분쟁과 팔레스타인 문제등에 관해 회담을 가진후 요르단측과의 회담결과는 매우 건설적이고 만족한다는 입장을 피력하고 요지다음과 같이 발언함

가.평화회담이 추진되고 있는중에 점령지대 이주 유태인 정착촌이 건설된다는 것은 예상할수도,이해할수도,받아들일수도 없는 상황임

나.소련 정부는 소련내 민주화 정책의 일환으로 추진한 소련계 유태인 이주문제를 점령지대 정착촌 건설을 중지시키는 수단으로 사용할수없을것임

다.정착촌 건설중지 필요성이 논의될때 여하한 예외적 조건이 제시되는 것을 원치 않음

라.소련의 평화회담 참석과 관련, 이스라엘측이 주장하고 있는 소련.이스라엘간의 외교관계정상화등 여하한 전제조건도 받아들이지않을것임

마.이스라엘의 PEACE PROCESS 에서 하나의 확실한 구성요소가 된다는것을 인식케될 경우,평화회의 및 역내 PEACE PROCESS의 FRAMEWORK 내에서 양국 외교관계 회복이매우 용이해 질것임바.중동평화 회담 개최를 위한 미국과 소련과의 긴밀한 협력이 요망되며, 소련은 이스라엘이 평화의 대가로 점령지 포기를 촉구함

사.미.소 양국은 중동 당사국들이 그들 자신의PEACE PROCESS 를 개시할수 있도록긍정적인 모종의 역할을 담당할수 있을 것으로 확신함

아.소련은 이스라엘이 점령지로부터 철수하도록 외교적인 방법을 동원 노력중이나, 아랍.이스라엘협상 설득을 위해 대이스라엘 경제 제재 필요성은 느끼고 있지 않음

2.동회담후 후세인 국왕발언요지

가.양측은 제반문제 및 입장을 매우 잘이해하였으며, 회담결과에 매우 만족함('VERY VERY SATISFIED')

중아국	장관	차관	1차보	구주국	중아국	정문국	안기부	정와대

PAGE 1 91.05.12 10:17 CO

외신 1과 통제관

0129

나.소련 외상의 요르단 방문은 중동 PEACE PROCESS에 대해 전세계가 관심을 갖고있다는 증거이며,기회의 문('WINDOW OF OPPORTUNITY')을 닫는것보다 PEACE PROCESS를 즉각 실시해야할 필요성이 있다는 것을 나타내고 있음. 가능성과 기회는 공존하는바 모두가 이를 수용할것을 희망함

다.요르단의 지정학적인 위치와 역사적 책임으로 요르단이 팔레스타인 문제에 여타국 보다 깊이 관여하게 되었음

라.정의와 평화를 위해 요르단이 건설적이고긍정적인 역할을 담당할수 있기를 희망함

(대사 박태진-국장)

0130

관리번호	91-794

외 무 부

종 별 :

번 호 : IRW-0406 일 시 : 91 0512 1400

수 신 : 장 관(중동일,구일,정일,기정)

발 신 : 주 이란 대사

제 목 : 주재국 대외관계

최근 당관이 입수한 정보를 중심으로 분석한 주재국 대외관계 동향 다음과같이 보고함.

1. 걸프전후 활발해진 주재국의 대외관계는 대사우디관계개선, 라프산자니 시리아, 터키방문및 겐셔 독 외무장관및 DUMA 불 외무장관의 방이로 보다 적극적양상을 띄게되었음. 주재국 대외관계중심은 현재 역내 신안보체제에의 적극참여및 서방인질석방협력을통한 대서방 특히 대미관계개선으로 요약될 수 있는바 이를 분석하면 다음과 같음.

가. 역내 안보체제 참여

0. 주재국의 역내 안보체제참여 가능성은 당초예상에불구 그가능성이 큰것으로 보이는바 그근거는 다음과같음.

-이.사우디 관계개선등 GCC 와 전반적 협력관계 향상

-라프산자니 대통령의 시리아, 터키방문을 통한 이들국가의 이측 입장지지가능성

-최근 쿠웨이트개최 GCC 회의시 긍정적검토된 이 측 참여문제

-오만개최 GCC 최고안보위 회의시 논의된바있는 대이 협력의사표명

-불, 독 외무장관방이시 이측 참여의 필요성인정

0. 이락 패전초기 역내 안보체제는 6(GCC) 프러스 2(시리아, 이집트)의 역할분담을 골자로하였으나 최근 안보구상은 6 프러스 1(이란)을 틀로해 이속에서 이란과 사우디가 중심역할을 수행하고 주변국인 시리아, 이집트, 터키가 협력하는방안으로 기본개념이 전환되고있는것으로 보이는바, 앞으로 이집트, 시리아, 터키, 이락 등 주변국의 역할및 기여도관련 쟁점이될 것으로 보임.

0. 참고로 당관이 접촉한 주재국인사는 이란측이 구상하는 안보체제는 군사적개념만이 아닌 정치, 경제, 사회, 문화등 제반분야에서의 협력을

중아국 장관 차관 1차보 2차보 구주국 정문국 외연원 청와대
안기부

PAGE 1 91.05.12 21:16
외신 2과 통제관 BS

0131

내용으로하는종합적인것이라고 설명한바있음.

나. 인질석방협조 및 대외관계 개선

0. 레바논 억류 서방인질문제도 가까운 장래에 해결 가능성이 높아보이는바,그근거는 다음과같음.

-최근 라프산자니 대통령의 시리아방문시 양측은 인질문제의 조속 해결위해공동 노력할것을 합의한 것으로 파악됨.

-금번 겐셔 독 외무장관의 방이는 인질문제협의가 주목적이었던바 이자리에서 모종의 언질이 있었을 것으로 보이며, 또한 불 외무장관의 방이도 비록 주의제가 양국간 재정분규 해결이었으나, 인질문제에 대해서도 의미있는 협의가 있었던것으로 보임.

0. 당관 김서기관이 접촉한 주재국언론인(시리아 방문수행)은 앞으로 예정된 동대통령의 독, 불, 이태리 순방시까지는 인질문제 해결이 가능할것이며 그기간은 3 개월 정도 소요될것으로 본다고 설명함.

0. 이어서 동인은 동인질석방이후 이.미관계도 개선될수 있을 것이라고 말하며, 그기간도 상당 단축될수 있을 것이라고 말하였음. 이에대해 김서기관의 미국의 대이란 태도는 아직도 경직되어있고 타협의 여지가 없는것으로 보인다고 설명하며 이에대한 코멘트를 요청하자 동인은 심도있는 관계가 아닌 관계개선 자체는 가능할것이라고 말하며, 이.영관계 개선의 전례가 적용될수 있을것이라고 답변하였음.

다. 이들 불.독 외무장관의 방이및 라프산자니 예정된 불.독, 이방문은 분명 이란의 대서방관계에 획기적 전환점이 될수 있을 것으로보임.

또한 일부 외교관으 이란이 역내 안보구조에 참여할수 있다는 사실은 간접적으로 미국의 영향력을 인정하고 있는 것인바, 이는 곧 이.미 관계에서 의미있는해석을 가능케한다고 설명한바 있음. 참고로 주재국 강경파인사 및 일부인사는대미관계 개선에 강력반대하고 있으며, 이를 의식한 라프산자니 대통령도 대미관계개선이 시기상조임을 공개적으로는 강조하고 있는바, 당관도 상기 긍정적 평가에 불구 양국간에는 장애요인이 상존하고 있음에 비추어 단기적으로 관계개선은아직 성급한 것으로 보고있음. 끝

(대사정경일-국장)

예고:91.12.31 일반

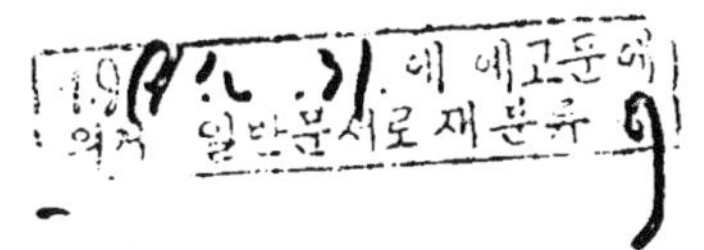

PAGE 2

0132

정 리 보 존 문 서 목 록					
기록물종류	일반공문서철	등록번호	2020110023	등록일자	2020-11-09
분류번호	772	국가코드	XF	보존기간	영구
명　칭	걸프사태 동향 : 구주지역, 1990-91. 전5권				
생 산 과	서구1과/동구1과/중근동과	생산년도	1990~1991	담당그룹	
권 차 명	V.5 기타				
내용목차	1. 유고슬라비아 *비동맹 동향 포함 2. EC(구주공동체) 3. 기타국				

0001

1. 유고슬라비아

* 비동맹 동향 포함

0002

관리 번호	90/1201

원 본

외 무 부

종 별 : 지 급

번 호 : YGW-0363 일 시 : 90 0802 1710

수 신 : 장관(근동,중동,동구이,정일)

발 신 : 주 유고 대사

제 목 : 이락의 쿠웨이트 침공에 대한 주재국 성명

1. 주재국 정부는 8.2 이락의 쿠웨이트 침공과 관련하여 비동맹회의 의장국의 자격으로서 LONCAR 외상 명의의 규탄성명을 발표하였음.

2.LONCAR 외상은 동 성명에서 비동맹국가인 이락이 또다른 비동맹회원국인 쿠웨이트에 대하여 무력침공을 행한것은 유엔헌장과 비동맹원칙에 위배된다고 지적하고 동 침략행위를 규탄하면서, 이락군대의 즉각적인 철군과 협상을 통한 분쟁의 평화적 해결을 촉구하였음.

3.LONCAR 외상은 주재국정부는 비동맹회의 의장국으로서 평화의 회복과 쿠웨이트의 영토적 일체성과 주권회복및 분쟁의 평화적 해결을 위하여 모든 노력을 기울일 것이라고 강조하였음.

4.LONCAR 외상은 한편 금 8.2 당지주재 이락대사및 쿠웨이트 대사를 외무성으로 초치하고 이러한 주재국 정부의 입장을 전달하였음.

5. 상기 LONCAR 외상의 성명(전문) 별전 타전함.(연:YGW-0362). 끝

(대사 신두병-국장)

예고:90.12.31 까지

1990.12.31. 에 예고문에 의거 일반문서로 재 분류됨.

중아국	장관	차관	1차보	2차보	구주국	중아국	정문국	청와대
안기부								

PAGE 1

90.08.03 01:54

외신 2과 통제관 CN

0003

원 본

외 무 부

종 별 :

번 호 : YGW-0362 일 시 : 90 0802 1700

수 신 : 장관(근동,중동,동구이,정일)

발 신 : 주 유고 대사

제 목 : 이락의 쿠웨이트 침공에 대한 LONCAR 외상 성명

LONCAR 외상의 8.2자 표제 규탄 성명(전문)을 아래 타전함.

STATEMENTTHE OFFICIAL CIRCLES AND THEYUGOSLAV PUBLIC ARE SHOCKED AND DEEPLYCONCERNED AT THE NEWSOF THE ARMED INTERVENTION BY IRAQ IN THE TERRITORY OFKUWAIT. CONDEMNING THE USE OF FORCE AS AN INADMISSIBLEMETHOD OF SETTLING DISPUTES, ESPECIALLY BETWEEN NON-ALIGNEDCOUNTRIES, YUGOSLAVIA CALLS FOR AN IMMEDIATE WITHDRAWAL OFIRAQI TROOPS FROM KUWAIT AND FOR THE PEACEFUL SETTLEMENT OFTHE DISPUTETHROUGH NEGOTIATIONS. PROCEEDING FROM THEPRINCIPLES OF THE UNITED NATIONS CHARTER AND OF THE POLICYOF NON-ALIGNMENT, AS WELL AS ITS OWN RESPONSIBILITY AS THECURRENT CHAIRMAN OF THE NON-ALIGNED MOVEMENT, THE YUGOSLAVGOVERNMENT PARTICULARLY EMPHASIZES THAT THE WORLD AND IN THENON-ALIGNED MOVEMENT ARE DIRECTED AT FINDING WAYS OFRESOLVING INTERNATIONAL PROBLEMS THROUGH DIALOGUE ANDCOOPERATION. THERE IS A FIRM CONVICTION IN YUGOSLAVIA THATWHOEVER RESORTS TO FORCE AND AGGRESSION ASSUMES A GRAVERESPOSIBILITY. ALSO, THAT THERE IS NO DISPUTE BETWEENSTATES, ESPECIALLY NEIGHBOURING STATES, THAT CANNOT BERESOLVED THROUGH DIALOGUE AND NEGOTIATIONS. AS CHAIRMAN OFTHE NON-ALIGNED MOVEMENT, YUGOSLAVIA WILL TAKE ALL MEASURESSO THAT THE NON-ALIGNED COUNTRIES TOGETHER AT RESTORINGPEACE, ASSURING THE RESPECT OF THE TERRITORIAL INTEGRITY ANDSOVEREIGNTY OF THE STATE OF KUWAIT AND AT SETTLING THISDISPUTE SOLELY THROUGH PEACEFUL MEANS. IN THE INTEREST OFINTERNATIONAL PEACE AND SECURITY, AND IN ACCORDANCE WITHINTERNATIONAL LAW, THE ATTAINMENT OF THAT GOAL ALSO IMPLIESTHAT ALL OTHER INTERNATIONAL FACTORS REFRAIN FROM DIRECTINTEREEERENCE WHICH COULD RESULT IN WIDER

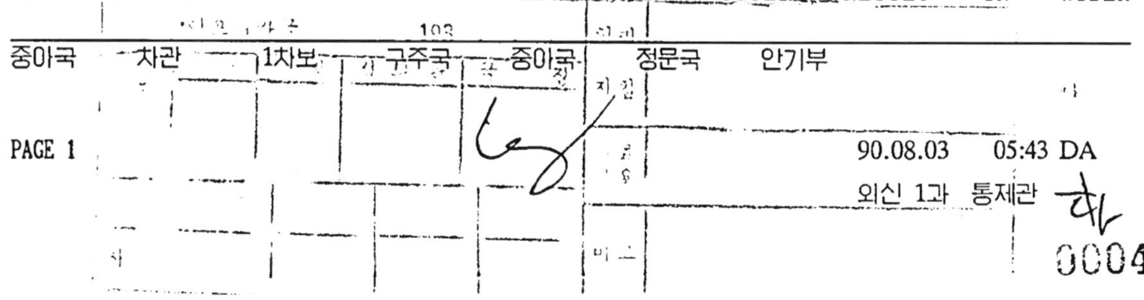

ADVERSEDEVELOPMENTS.

끝

PAGE 2

0005

관리번호	90/1313

원 본

외 무 부

종 별 : 지 급

번 호 : YGW-0374 　　　　일 시 : 90 0807 1800

수 신 : 장관(근동,중동,동구이,기정동문)

발 신 : 주 유고 대사

제 목 : 이락의 쿠웨이트 침공에 대한 유고반응(자료응신 5호)

연:YGW-0363

1. 8.6-7 간 터키를 방문중인 LONCAR 외상은 연호 성명에 이어 ALI BOZEN 터키외상과의 회담시 이락의 쿠웨이트 침공은 현 국제정세 발전에 역행되며, 쿠웨이트 정부의 주권과 적법성을 보존하기위한 지원이 필요하다는데 의견을 같이 하였음

2. 당지 주재 미대사관측에 의하면 주재국은 그동안 이락에 다수의 무기(자동소총등 화기와 포탄) 판매와 병기수리, 용역제공등 군사관계를 유지하여 왔는바(이에따라 이락은 약 7 억불 상당의 연체를 지고 있다고 함), 이것은 주재국이 침략행위를 규탄하는 성명발표 이외에 이락에 대한 국제적인 무기 금수 조치에 병행하는 조치를 상금 취하지 않고 있는 배경의 하나로 평가하고 있다고함

3. 한편 ISA AHMAD 당지 주재 쿠웨이트 대사는 8.6 이락에 의해 수립된 쿠웨이트 신정부를 적법정부로서 인정하지 않는다는 성명을 발표하였음. 끝

(대사 신두병-국장)

예고:90.12.31 까지

중아국	차관	1차보	2차보	구주국	중아국	정문국	청와대	안기부

PAGE 1 　　　　90.08.08 03:12

외신 2과 통제관 DO

0006

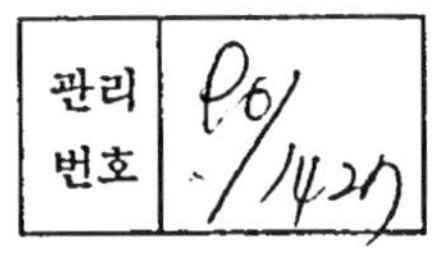

외 무 부

종 별 :

번 호 : YGW-0397 일 시 : 90 0820 0910

수 신 : 장관(통일,중근동,동구이,기정동문)

발 신 : 주 유고 대사

제 목 : 대이라크 경제제재 조치

대:AM-0145

연:YGW-0374

1. 표제관련 당관 최병구 서기관이 8.17 외무부 중동과 MR.VLADIMIR KERECKI 부과장을 면담, 파악한 유고측 조치내용을 아래 보고함

가. 유고정부는 유엔안보리 결의 661 호에 따라 원유수입금지, 상품교역 중단, 군수물자 수출금지등 대이락 경제제재 조치를 이미 취함

나. 금번 사태에대한 유고정부의 입장은 8.2 외무장관 성명, 8.11 연방 각료회의및 연방의회 성명에서 표명된 대로 이락의 쿠웨이트 침공을 규탄하는것임

다. 유고는 금번 사태로 경제적 손실을 크게 받고있는 국가중의 하나인바, 소련에 이어 두번째로 많은 근로자(만여명)가 이락에서 50 억불 규모의 건설공사를 하고있고 20 억불에 달하는 대이락 채권중 6 억여불을 금년말까지 원유로 상환받도록 되어있으며 양국간의 교역도 연간 7 억불 규모로서 총교역 규모에서 적지않은 비중을 차지하고 있음

라. 금번 사태가 언제 해결될수 있을지 예측할수 없으나, 동사태가 또한차례의 에너지 위기를 초래할 것으로는 생각하지 않음

2. 페르샤만 사태에따른 여사한 경제적 타격에 불구 유고정부는 이락의 쿠웨이트 침공에 대한 규탄입장을 분명히 하면서 유엔결의에따라 이락군의 쿠웨이트 철수를 촉구하는한편, 이락(10,000 여명)및 쿠웨이트(300 여명) 주재 유고인의 본국 소개를 위해 이락정부와의 협의를 진행중인바 현재 이락으로 부터 263 명이 요르단 경유 공로 소개되었으며 쿠웨이트 주재 유고인의 대부분(200 여명)은 현재 쿠웨이트 주재 유고 대사관 구내에 피신, 기거중인것으로 알려짐

3. 이와관련 주재국 외무성 VAIGL 대변인은 8.16 기자회견을 통해 유고정부는

통상국 장관 차관 1차보 2차보 구주국 중아국 정문국 청와대
안기부 대책반

PAGE 1

90.08.21 09:31

외신 2과 통제관 EZ

0007

비동맹의장국으로서 페르샤만 사태의 최근 진전과 관련한 비동맹제국의 입장을 종합하여 곧 성명을 발표할것이라고하면서, 상금까지 협의된 비동맹제국의 공통된 입장은 오직 유엔만이 대이락 제재 조치를 취할 권능이 있으며 무력사용을 배제하고 효과적인 국제조정을 통한 평화적 문제해결을 지향하는 것이라고 밝힘.끝

(대사 신두병-국장)

예고:90.12.31 까지

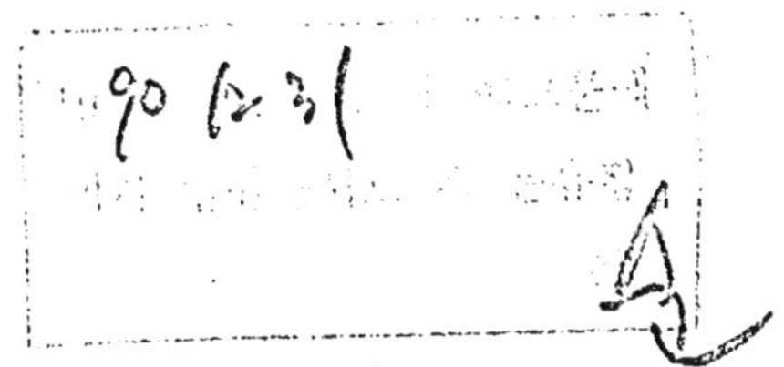

PAGE 2

0008

관리번호	90/1428

외 무 부

종 별 :

번 호 : YGW-0398 일 시 : 90 0820 1600

수 신 : 장관(동구이,기정동문)

발 신 : 주 유고 대사

제 목 : 쿠웨이트 사태

1. 유고 LONCAR 외상은 쿠웨이트 정부의 부수상및 외상을 8.19 접견, 공식회담을 가진바 있음. 쿠웨이트 외상은 금번 이라크의 쿠웨이트 침략배경과 침략을 설명하고 유고의 협력을 요청하였는바, 유고는 비동맹의장국 입장에서 이라크의 쿠웨이트 침공을 비난하였으며, 비동맹의장국으로서 할수 있는한 최대한의노력을 할것임을 다짐하였음

2. 한편 LONCAR 외상은 금번 사태에 대한 이라크 외상으로부터의 서한에 대한 답신에 유고정부는 UN 안전보장이사회 결의의 이행을 촉구하고 특히 당지 주재 이라크대사에게는 쿠웨이트에 거주하고 있는 이라크 주민들의 신변에 관한 우려를 표명한바 있음을 보고함. 끝

(대사 신두병-국장)

예고:90.12.31 까지

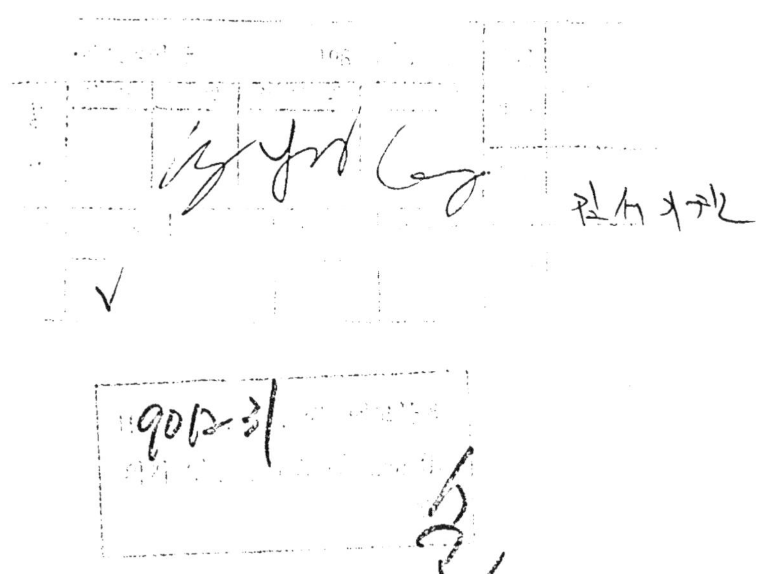

구주국	장관	차관	1차보	2차보	중아국	정문국	청와대	안기부
안기부	대책반							

PAGE 1

90.08.21 09:19

외신 2과 통제관 DB

0009

외 무 부

종 별 :

번 호 : YGW-0409 일 시 : 90 0822 1840

수 신 : 장관(통일,동구이,중근동,국연,기정동문)

발 신 : 주 유고대사

제 목 : 대이락 경제제재 참여

1.유엔주재 PEJIC 주재국대사는 8.20 유엔헌장 제 50조를 원용, 유엔 안보리의대이락 경제 제재조치 참여로 인해 심각한 문제점에 직면하게 될 국가들과 유엔안보 이사회가 특별협의를 가져 주도록 정식 요청하였음. 동요청에 대해 안보리 의장은 일부 개발 도상국으로 부터도 유사한 문제점 제기가 있었음을 밝히고 신속한 조치를 약속한것으로 알려짐

2.참고로, 유고는 현재 이락에서 50억불 규모의 건설공사에 근로자 10,000여명이 일하고 있고 대이락 채권이 20억불에 달하고 있는바 이중 6억 여불을 금년말까지 원유로 상환받도록 되어 있는것으로 파악됨. 끝

(대사 신두병-국장)

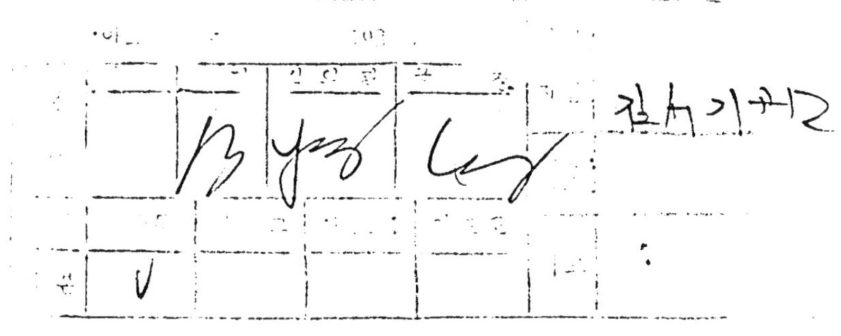

통상국 1차보 2차보 구주국 중아국 국기국 정문국 안기부 미주국 대책반

PAGE 1 90.08.23 06:26 DA

외신 1과 통제관

0010

외 무 부

종 별 :

번 호 : YGW-0422 일 시 : 90 0824 1630

수 신 : 장관(동구이,통일,정일,기정)

발 신 : 주 유고대사

제 목 : 룩셈부르크 부수상 유고방문

1. JACQUES POOS 룩셈부르크 부수상 (외상겸임)이 LONCAR 외상의 초청으로 8.27-28간 주재국을 방문함

2.유고측은 동기회에 대이락 경제제재 조치 참여로야기되는 유고의 경제적 문제점을 설명하는 동시에 특히 룩셈부르크가 91.1.1부터 EC 의장국이 됨을 감안, 유고.EC 간 협력증진에 대한 룩셈부르크의 협조를 요청할 것으로 알려짐.

끝

(대사 신두병-국장)

구주국 1차보 통상국 정문국 안기부

PAGE 1

90.08.25 06:36 DA

외신 1과 통제관

0011

관리 번호	90 -1601

외 무 부

종 별 :

번 호 : YGW-0426 일 시 : 90 0828 1800

수 신 : 장관(동구이,국연,통일,정일,기정동문)

발 신 : 주 유고 대사

제 목 : 걸프사태 관련 유고 동향

1. LONCAR 외상은 8.27(월) 주재국을 방문중인 SAMAL MAJID FARAG 이락특사에게 이락 군대의 쿠웨이트 철군및 쿠웨이트의 주권및 영토고권의 회복이 현 걸프사태 해결의 선결조건이라고 강조하였음

2. 주재국 언론은 FARAG 이락특사의 당지 방문은 주재국이 비동맹 회의 의장국으로서 지위를 활용하여 걸프위기의 더이상의 ESCALATION 을 방지하기 위한 조치를 취해주도록 요청하기 위한것이라고 풀이하고 있음

3. 연이나 LONCAR 외상은 동특사와의 회담시 유고정부는 걸프사태에 관한 유엔안보리의 각종 결의를 지지한다는 입장을 다시한번 이락측에 밝혔음. (주재국은 이미 당지를 방문한바 있는 불란서및 쿠웨이트 정부의 특사에 대해서도 같은 입장을 천명한바 있음)

4. 한편 주재국 정부는 유엔안보리의 경제제재 결의안의 이행이 주재국에 중대한 경제적 영향을 초래하고 있다는 이유를 들어 유엔주재 대사를 통하여 유엔안보리와의 협의를 요청한바 있으며, 또한 "GROUP OF 24"및 EC 등과도 외교경로를 통한 협의를 병행하고 있음

5. 주재국은 이락의 쿠웨이트 점령을 인정하지 않고 있는만큼 이락의 폐쇄요구에도 불구하고 쿠웨이트 주재 대사관을 계속 잔류시키고 있음

6. 한편 이락 및 쿠웨이트에는 약 6 천여명의 주재국 노동자들이 있으며 현재까지 약 2 천여명이 귀국하였음. 끝

(대사 신두병-국장)

예고: 90.12.31 까지

일반문서로 재분류(1990.12.31.)

구주국	장관	차관	1차보	2차보	국기국	통상국	정문국	청와대
안기부	대책반							

PAGE 1

90.08.29 05:43

외신 2과 통제관 EZ

0012

관리번호	90-1259

외 무 부

76

종 별 : 지 급

번 호 : YGW-0438 일 시 : 90 0829 1900

수 신 : 장관(국연,동구이,통일,정일,기정동문,사본:주유엔대사-필)

발 신 : 주 유고 대사

제 목 : 비동맹국 외상회의 개최

대:WYG-0370

대호건에 관해 당관 이태식 참사관이 금 8.29 VLAHOVIC LAZAREVIC 외무성 비동맹담당 부과장 및 SING 당지주재 인도참사관을 통해 확인한바를 아래 보고함

1. 회의 개최 배경

가. 동 회의는 유고가 비동맹회의 의장국으로서 최근의 동.서관계 발전및 국제정세의 변화를 감안하여 금후 비동맹운동의 장래및 진로문제에 관하여 비공식의견교환 기회를 갖기 위하여 소집한것임

나. 동회의 주요관계국에 대한 초청장은 약 1 개월전에 13 개국 외상에게 발송되었으며, 각국 외상의 동초청을 수락함에 따라 9.12-13 간 주재국에서 개최키로 결정된것임

다. 여사한 회의는 비동맹역사상 전례가 없었으며 유고측이 처음 시도한것임

2. 참가국가

유고를 포함한 역대 비동맹회의 의장국 8 개국(유고, 이집트, 짐바베, 알제리, 스리랑카, 잠비아, 쿠바, 인도)과 각지역별로 중요하다고 생각되는 6 개국(인니, 나이제리아, 알젠틴, 베네주엘라, 사이프러스, 가나)등 14 개국 외상이 참석할 예정임

3. 주요 협의사한

금번 14 개국 외상회의는 사전에 정해진 의제가 없는것이 특징이며 상기와 같이 변화되고 있는 동.서 관계및 국제정세에 부응한 비동맹운동의 새로운 진로를 모색하는데 도움이 될수 있는 여러문제에 관하여 비공식적으로 의견교환을 하기 위한것임

4.GULF CRISIS 와의 관계

가. 동회의 개최가 이미 결정되고난후 GULF CRISIS 가 발발하였는바, 금번회의는

국기국	장관	차관	1차보	2차보	구주국	통상국	정문국	청와대
안기부								

1990.12.31. 에 예고문에 의거 일반문서로 재분류됨 76

90.08.30 16:40

외신 2과 통제관 CF

0013

GULF 사태와는 아무런 관계가 없음

나. 다만 GULF 사태가 비동맹 뿐만아니라 전세계의 주요 관심사인만큼 회의가 예정대로 개최될 경우 이문제가 토의될수 있을것이나 당초 회의 개최 목적과는 관계가 없음

다. 유고측은 걸프사태로 인해 토의가 당초 회의 목적에서 이탈될 가능성도배제할수 없다는점을 감안하여 동회의 개최를 연기하는 문제를 현재 검토하고 있음

라. 즉 현 걸프사태가 조만간 크게 ESCALATE 될 경우 화급한 잇슈를 두고 비동맹운동의 장래문제를 협의한다는것은 시의에 맞지 않을것으로 판단되기 때문에 사태 발전을 예의 주시하고 있음

마. 또한 유고측의 판단에 의해 초청한 지역대표 6 개국이 걸프사태에 관한한 주요 이해 당사자가 아닐뿐만아니라 동사태해결에도 적극적인 기여를 할수 있는 국가들이 아니라는 점도 고려하고 있음

바. 다수 비동맹국가들은 유고와 마찬가지로 걸프사태는 유엔을 중심으로 해결되어야하며 유엔안보리의 각종 조치에 대하여 비동맹운동이 추가적인 조치를취하는 문제에 대해서는 소극적인 입장을 표명하고 있음

5. 걸프사태에 대한 유고입장

가. 유고정부는 비동맹의장국으로서 사태발생후 이락군의 철수및 쿠웨이트의 주권및 영토주권 회복을 문제해결의 전제조적으로 제시하였으며 이어 대이락 경제제재조치에도 적극참여 하였음. 또한 이락및 쿠웨이트와의 직접 접촉을 통해서도 이러한 입장을 거듭 밝혔음

나.8.27 당지를 방문한 이락특사는 LONCAR 외상의 적극적 중재및 이락방문을 요청하였으나 유고정부는 상기 이락군의 쿠웨이트 철군및 쿠웨이트의 주권회복이 전제되지 않는한 LONCAR 외상의 이락 방문에 의미가 없다는 입장을 분명히 하였음

다. 현재 유고측은 유엔경제조치에의 참여로 막심한 경제적 손신을 입고 있으나 상기 기본입장에는 변화가 없음(예컨데 MARKOVIC 수상은 지난 90.3 월 이락방문시 주재국에 대한 부채 상환방안의 일환으로 금년중 6 억불에 상당하는 원유를 도입키로 양국간에 합의한바 있음)

라. 일부 비동맹국가 금번 GULF 사태 관련한 유고측의 태도에 비판적인 견해를 보이고 있는것도 사실이니 유고측의 기본입장에는 변화가 없음. 끝

PAGE 2

0014

(대사 신두병-국장)
예고:90.12.31 까지

PAGE 3

0015

관리 번호 90-1701

외 무 부

원 본

종 별 :

번 호 : YGW-0493　　　　일 시 : 90 0913 1740

수 신 : 장관(국연,통일,동구이,정일,기정동문)

발 신 : 주 유고 대사

제 목 : 걸프사태관련 비동맹 3개국 외상회담(자료응신 제6호)

연: YGW-0471

1. MILENA VLAKOVIC-LAZAREVIC 외무성 비동맹 담당 부과장은 9.13(목) 당관 이태식 참사관에게 9.11 당지에서 개최된 유고, 인도, 알제리 3 개국 외상회담 내용에 관해 아래와같이 설명하였음

가. 유고, 알제리, 인도등 3 개국은 현비동맹운동의 중추세력으로 간주되고있는 만큼 금번회담은 다가올 제 45 차 유엔총회및 10.4 뉴욕개최 예정인 비동맹 외상위조정위의 토의에 대비한 예비회담이라는 점에서 중요한 회의였음

나. 동회담시 유고정부는 경제제재조치 이행으로인한 막대한 경제적 손실(약 6 십억불로 추정)에도 불구하고 비동맹회의 의장국으로서 유엔안보리 결의에 대한 전폭적인 지지표명과 아울러 동결의에 입각하는 사태의 "정치적 해결"의 중요성을 강조하였음

다. INDER KUMAR GUJRAL 인도외상은 약 20 만에 달하는 자국민 문제와 관련하여 식량및 의약품제공등 인도적인 측면에서의 지원이 매우 시급할뿐만아니라 미국등 여타 외국군대의 대규모 사우디 주둔에대해 우려의 뜻을 표명하였음

라. SIDE AKMED GKAZALI 알제리아 외상은 금번 걸프사태뿐만아니라 중동문제의 포괄적인 해결이 금후 동지역 정세안정에 중요하다는 점을 지적하면서 관련 유엔결의(팔레스타인문제에 관한 유엔결의 222 및 338 등 포함)의 이행을 강조하였음

2. 유고정부는 금번회담을 통하여 걸프사태에 관한 비동맹 각국의 입장이 유엔 안보리 관계 결의에따른 이락군대의 철군과 쿠웨이트의 영토주권및 적법정부 회복을 지지하고 있는데는 근본적으로 차이가 있음을 확인하였으나 문제해결을 모색하는 각국의 APPROACH 에는 뉘앙스의 차이가 있는것이 노정되었음

3. 유고정부가 비록 비동맹의장국으로서 "유엔 관계 결의에 입각한 정치적

국기국　차관　1차보　2차보　구주국　통상국　정문국　안기부

PAGE 1

90.09.14　05:28

외신 2과　통제관 DO

0016

해결"방식을 비동맹 전체의 입장으로 정립코저 노력하고는 있으나 상당한 어려움이 예상된다고 말하였음

4. 유고정부는 쿠웨이트주재 대사관에 직원 1 명을 상주시키고 있으며, 상주대사는 최근 건강상의 이유로 귀국하였음

5. 한편 사태발생권 이락및 쿠웨이트(극소수)에는 약 6 천여명의 유고국민들이 노무자로 진출하고 있었으나 이중 약 2 천 6 백여명은 이미 귀국하였으며 동인들의 신변안전문제에 관해 이락정부와 계속 협의중에 있다고함. 끝

(대사 신두병-국장)

예고:90.12.31 일반

깁

암호수신

외 무 부

종 별 :

번 호 : YGW-0795 일 시 : 90 1205 0940

수 신 : 장관(동구이,중근동,국연,미북,정일,기정동문)

발 신 : 주 유고 대사

제 목 : 쿠웨이트 사태관련 유고의 대외활동

연:YGW-0397,0398,0409

표제관련, BAKER 미국무장관은 12.3 LONCAR 주재국 외상앞 메시지를 통해 주재국이 쿠웨이트 사태해결을 위해 비동맹의장국으로서 수행한 '건설적 이고 지도적인 역할'에 힘입어 유엔헌장과 국제법 원칙에 기초한 사태해결 가능성이 일층 높아졌다고 감사의 뜻을 전해온것으로 알려진바, 연호 당관이 주재국 외무성 및 언론계등을 접촉 파악한 주재국 정부의 움직임을 아래 종합 보고함

1. 사태발발 직후 외무장관성명(8.2)및 연방정부.연방의회 성명(8.11)등을 통해 '유엔헌장과 비동맹 운동원칙에 위배되는' 이라크의 침공을 규탄하고 유엔안보리 결의 661 호에 따라 대이락 경제제제 조치 참여

2.LONCAR 외상, 쿠웨이트 정부 부수상및 외상면담 비동맹의장국으로서 사태해결 위한 최대한 노력 다짐(90.8)

3.PEJIC 유엔주재대사, 대이락 경제제재 참여에 따른 개발도상국들의 문제점에 대한 유엔안보리의 특별고려 요청(90.8)

4. 비동맹제국, 금추 유엔총회계기 뉴욕에서 비동맹 각료회담 개최코 의장국 대표 각료인 LONCAR 외상에게 비동맹을 대리한 당사국 접촉등 사태해결 노력 위임(90.10)

5.MILUTIN GALOVIC 본부대사, LONCAR 외상의 특사자격으로 이라크 방문하여TAREG AZIZ 외상과 회담 억류인질 전원의 '무조건.즉각적'석방등 비동맹의 위임에 의거한 LONCAR 외상의 메시지 전달(90.11), AZIZ 외상, '응분의 고려'언급

6.LONCAR 외상, 이란, 시리아, UAE, 요르단등 분쟁 인근 4 개국 순방 평화적 방법에의한 정치적 사태해결 협의(90.11), 순방국 정상, 유고의 사태해결 노력평가및 계속적인 관심 당부

7.BAKER 미국무장관, 상기 LONCAR 외상앞 메시지 전달 유고의 활동에 대한 감사

구주국	차관	1차보	2차보	미주국	중아국	국기국	정문국	안기부

PAGE 1 90.12.05 21:06

외신 2과 통제관 BW

0018

표명및 예정된 BAKER 장관의 이라크 방문과 TAREG AZIZ 이라크 외상의 방미계획 통보.끝

(대사 신두병-국장)

외 무 부

암호수신

종 별 :

번 호 : YGW-0845 일 시 : 90 1219 1650

수 신 : 장관(동구이,중근동,국연,기정동문)

발 신 : 주 유고 대사

제 목 : 걸프사태와 비동맹의 역할

연:YGW-0795

1. 유엔안보이사회가 이라크의 쿠웨이트 철수시한(91.1.15)을 정함으로서 이라크의 선택에 새로운 제한이 부과된 가운데 당지 소식통에의하면 이라크측이 주재국 LONCAR 외상이 그동안 추진해왔던 바그다드방문을 '하시라도 환영'한다는뜻을 표시해온것으로 알려져 비동맹의장국으로서 주재국의 사태해결 기여 가능성이 새로이 주목받고 있음

2. 유고는 그간 비동맹의장국으로서 시도한 걸프사태 인근국 순방등 외교적노력이 별다른 효과를 보이지 못함에따라 일종의 무력감을 느껴왔는바, 이라크측은 상기 유엔안보리결의 이후 대미전쟁불사 혹은 쿠웨이트로 부터 철수라는 양자택일의 기로에 처하여 중간적 해결방을 모색하면서 비동맹대표국으로서 유고의국제적 역할에 관심을 갖기 시작한것으로 관측되고 있음

3. 유고측도 사태변화에따라 자신이 나설수 있는 기회에 대비하여 이라크뿐아니라 또다른 직접 당사자인 사우디 방문도 준비해온것으로 알려지고 있는바 금후 걸프사태 관련 주재국측 활동 예의 주시 추보위계임.끝

(대사 신두병-국장)

구주국 중아국 국기국 안기부

PAGE 1 90.12.20 07:06

외신 2과 통제관 BT

0020

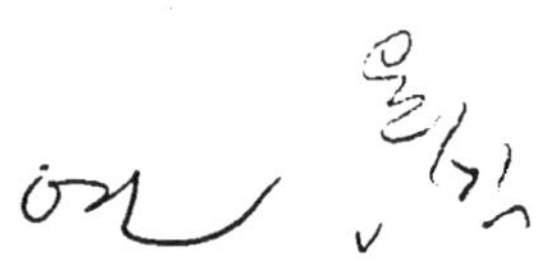

외 무 부

암호수신

종 별 :

번 호 : YGW-0854 일 시 : 90 1226 1200

수 신 : 장관(동구이,중근동,국연,기정동문)

발 신 : 주 유고 대사

제 목 : 유고 외상 이라크 방문

연:YGW-0845

1.LONCAR 주재국외상이 비동맹 의장국 외상자격으로 금명간 바그다드를 방문할 예정인것으로 알려짐

2. 동방문은 BAKER 미국무장관의 이라크 방문이후 이루어질 것이라는 것이 일반적 관측이었으나 미.이라크 회담전망이 확실치않고 독자적인 평화노력을 희망하는 비동맹내 여론이 있음에따라 앞당겨지게 되었다고함

3. 당초 유고외상의 방문에 별다른 관심을 보이지않던 이라크측이 이를 환영하고 나온것은 유엔안보리의 1.15 무력사용 시한을 앞두고 현교착상태를 다소 완화시킬수 있는 가능성을 모색해 보려는데 의도가 있는것으로 보이는바, 이라크군의 쿠웨이트 철수없이 걸프위기의 해결은 불가능 하다는 강경한 입장을 견지하고 있는 주재국측이 금번 방문을 통하여 어느정도 문제해결에 기여할수 있는지에대하여는 의문이 있음. 끝

(대사 신두병-국장)

구주국 중아국 국기국 안기부

PAGE 1

90.12.27 08:01

외신 2과 통제관 FE

0021

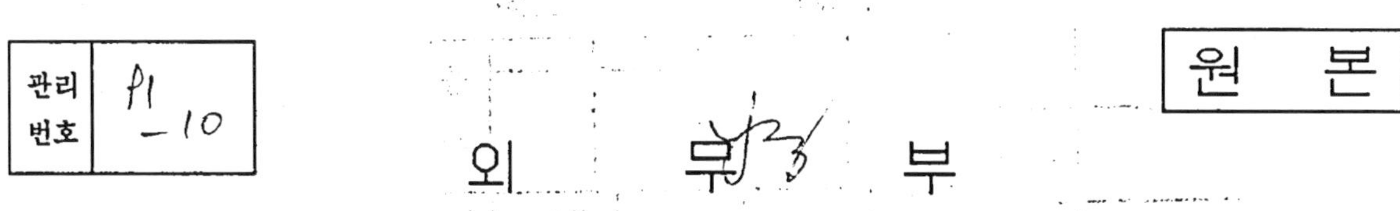

관리번호	91-10

원 본

외 무 부

종 별 :

번 호 : YGW-0005　　　　　　　　　　　　일 시 : 91 0104 1720

수 신 : 장관(중근동,동구이,기정)

발 신 : 주 유고 대사

제 목 : 론차르 외무장관 이라크 방문결과

연:YGW-0854,0863

본직은 11.4 1100 주재국 외무성 중동담당 대사 DUSAN ZAVASNIK 방문, 연호론차르 외무장관의 비동맹 의장국으로서의 이라크 방문결과와 걸프사태 중재역할에 관하여 청취하였는바, 그주요내용을 다음과 같이 보고함

1. 지난 연말 론차르 장관의 이라크 방문은 적시에 이루어졌으며 성공적임.현재 최소한 전면 무력충돌은 방지할수 있다는 낙관적인 분위기와 함께 타협의여지가 있는것으로 보임. 최근 며칠사이에 이러한 분위기와 함께 타협의 여지가 있는것으로 보임. 최근 며칠사이에 이러한 분위기가 일층 고조되고 있으므로 이를 이용 론차르 장관은 금 12 시 사우디로 출발, 쿠웨이트 왕을 비롯하여 사우디 정부의 요인들과 만날 예정임(주재국 외무성 중동담당 차관보가 사전준비차 어제 사우디로 향발)

2. 지난 연말 론차르 장관 이라크방문은 이라크 정부의 희망에따라 이루어졌음(론차르 장관은 지난 11 월 11 일 한국방문 직후 이라크 방문차 중동지역을 순회한바 있으나 이라크 정부로부터의 초청의사가 없어 방문을 못한바 있음), 론차르장관은 바그다르 체재시 AZIZ 이라크 외무장관과 4 회, 사담 후세인 대통령과 2 회 총 10 시간 면담한바 있음. 동회담시 론차르 장관은 전쟁 발발시의 심각성을 고려하여 이라크정부가 현실적 상황판단하에 유엔 결의안을 준수할것을 촉구함과 동시 사태해결을 위한 이라크정부의 의중을 타진했음

3. 론차르 장관이 타진한 이라크 정부 입장은 다음과 같음

가. 사태 심각성은 잘인지하고 있음

나. 미국을 비롯한 모든 국제적인 움직임이 쿠웨이트에대해서만 일방적인 양보를 강요하고 있는바, 이는 부당함. 양보는 상호주의여야함. 이라크는 무력이나 협박에의하여 양보하지는 않을것임

중아국　장관　차관　1차보　2차보　구주국　정문국　안기부

PAGE 1　　　　　　　　　　　　91.01.05　06:21

외신 2과　통제관 FE

0022

다. 미국과 직접 협상할 용의가 있음. EC 와도 직접 협상할 용의가 있음(EC 와의 대화 희망이유는 EC 제국이 중동에대한 이해가 역사적으로 길고 문제 접근방법이 미국과는 다르기때문이라고 함)

라. 걸프사태의 근원은 팔레스타인 문제임. 따라서 이스라엘의 점령지로 부터의 철수등을 포함하여 걸프사태는 중동 전반문제 해결과 연결돼있음

4. 상기 이라크 입장에 대하여 론차르 장관은 '이라크의 쿠웨이트로 부터의철수'한다는 행동이 먼저 있어야만 대화내지 협상의 여지가 있음을 강조하고 만일 여사한 행동이 있을경우 다음과 같은 안을 제시하였음

가. 이라크가 쿠웨이트로부터 철수하는 경우 이라크에대한 공격이 없을것이라는 것을 보장하는 안전보장장치 설치

나. 쿠웨이트 문제에 대한 관계국 회의를 개최, 협상개시

다. 동회의 개최에따라 자동적으로 또는 조건부로 개최되는것은 아니나 중동문제 전체에 대한 다른 관계국간 회의개최

라. 상기 회의 개최 과정에서 중동문제 전체에 관한 새로운 접근방법을 강구

상기안에 대하여 사담 후세인 대통령은 이를 검토하겠다고 말한바 있음

5. 사담 후세인 대통령은 쿠웨이트 사태와 팔레스타인 사태는 불가분의 관계가 있음을 말하고 쿠웨이트 문제보다는 팔레스타인 문제에 중점을 두고 있으므로, 이라크는 쿠웨이트 문제는 어느정도 양보할수 있다는 태도를 표명함

6. 론차르 장관은 귀국후 미.영. 불.독.외상등과 긴밀히 관계를 가졌음. 동접촉결과를 토대로 다시 금일 쿠웨이트왕을 만나고자 향발하였음

7. 유고정부가 인지하고 있기로는 미국을 비롯한 독일, 불란서등 EC 제국, 아랍제국, 기타 관계국들이 이라크와 계속 다각적인 접촉을 가지고 있으나 미국과 이라크의 입장이 거리가 있기때문에 아직 해결전망이 불투명함. 베이커 국무장관이 스위스에서 1 월 7-9 일까지 이라크 외무장관을 만나자고 한바, 아직 이라크측으로부터의 반응이 없는바 동회담이 개최되는 경우 전쟁방지를 위한 급진적인 회담이 이루어질것으로 예상됨. 유고정부로서는 비동맹 조정위원회로 부터 중동문제 해결을 위한 노력을 위임받아 그간 노력해왔는바 앞으로도 계속 타협을위한 분위기 조성에 노력할것임.끝

(대사 신두병-국장)

예고:91.12.31-까지

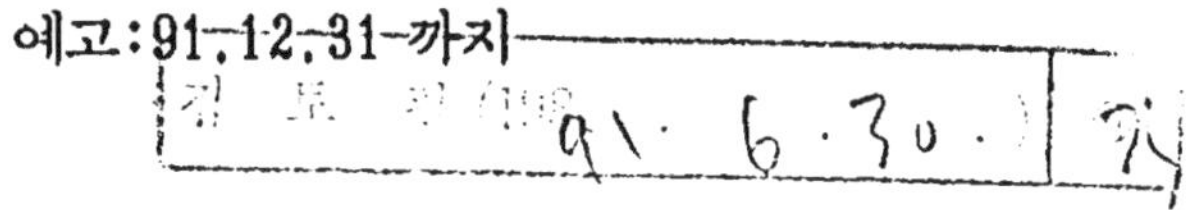

PAGE 2

0023

관리 번호	91-48

원 본

외 무 부

종 별 :

번 호 : YGW-0015 일 시 : 91 0109 1750

수 신 : 장관(중근동,동구이,기정)

발 신 : 주 유고 대사

제 목 : 론차르 외무장관 쿠웨이트,사우디 방문

연:YGW-05

1. 걸프사태와 관련하여 주재국 LONCAR 외무장관은 연호 이락 방문에 이어 쿠웨이트및 사우디 정부 지도자들을 면담하고 1.7 저녁 귀국 하였음. LONCAR 외무장관은 동 방문결과를 EC 에 보고하기 위하여 금 1.9 룩셈부르크 향발하였음

2. 본직은 1.9 14:00 론차르 외무장관을 수행한 LUKOVAC 주재국 외무성 담당차관보를 면담하고 다음과 같은 쿠웨이트및 사우디 정부와의 접촉 결과를 청취하였음

가. 지난 연말 LONCAR 외무장관의 이락 방문결과를 쿠웨이트및 사우디정부에 자세히 브리핑 하였는바 이에 대하여 동 양국은 비동맹 의장국으로서의 역할을 높이 평가하였음

나. 쿠웨이트와 사우디정부는 이락의 쿠웨이트 무조건 철수, UN 660 결의안준수등 강경한 입장을 취하고 있으며, 쿠웨이트 문제를 팔레스타인 문제와 연계하는 방안에 대하여서는 절대 반대 하였음. 사담 후세인은 믿을수 없는 인물로서 같이 공존할수 없다는 입장임

다. 한편 쿠웨이트는 미.이락 접촉과정에서 쿠웨이트가 협상이 될지도 모른다는 전망에 대하여 몹시 두려워하고 있음

3. 동 차관보에 의하면 지난 연말 론차르 외무장관의 이락방문을 통하여 이락측이 사전 철수라는 생각을 갖고 미국과 직접 협상을 하겠다는 의사를 확인하게되었는바 지금현재 진행되고 있는 제네바에서의 미.이락 외상회담이 성공적이되기를 바람

4. 현재 사담 후세인이 요청한바 있는 쿠웨이트로 부터의 철수후 공격이 없을것이라는 점에 대해서는 상호 양해가 될것같음. 사담 후세인이 주장하는연계 제의는 이락이 쿠웨이트로 부터 철수할수 있는 체면 유지의 방안인것으로 판단되는바,

중아국 장관 차관 1차보 구주국 청와대 안기부

PAGE 1 91.01.10 07:20

외신 2과 통제관 BT

0024

이와같은 사담 후세인의 입장을 무조건 사전 철수라는 입장과 어떻게 조화시키느냐가 앞으로의 문제 해결에 실마리가 될 것이라고 동 차관보는 언급하였음

5. 만일 금번 제네바에서 개최되고 있는 미.이락 외상회담이 결열되면 불란서 정부의 안, 비동맹국의 안, 아랍 관련국 정부의 안을 중심으로 다시한번 평화적 해결을 위한 노력을 추진하게될것임.끝

(대사 신두병-국장)

예고:91.12.31 까지

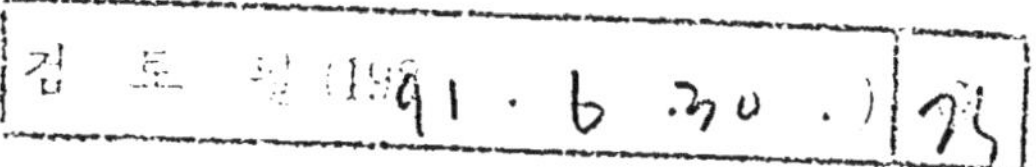

PAGE 2

0025

관리 번호	91-2007

외 무 부

종 별 :

번 호 : YGW-0023 일 시 : 91 0113 1000

수 신 : 장관(동구이,중근동,기재,기정)

발 신 : 주 유고 대사

제 목 : 한.유고 관계

연:YGW-5,15

1. 1.12 본직내외는 주재국 LONCAR 외무장관 내외의 초청으로 4 인만의 비공식 만찬을 가졌음

2. 동 만찬에서 한. 유고 정상회담이후의 한. 유고 관계증진을 위한 전반적인 의견을 교환하였는바, 동 장관은 한. 유고 외교관계가 1 년밖에 아니되었지만 거의 정상궤도에 올랐다고 평하였음. 동장관은 특히 한국방문시 협의된바 있었던 한국 경제사절단의 유고방문(특히 방한중 만났던 삼성및 대우), 한. 유고 합작부자, 문화교류(특히 미술)를 강조하였음. 이에대하여 본직은 정부간 협력(협정체결, 기술협력)은 계획대로 추진되고 있으나, 민간레벨의 경제협력은 유고내의 정치정세에 다소 영향을 받고 있는듯하나 한국기업의 대유고 관심은 계속되고 있으며 그증거로서는 한국기업의 유고지사수가 증가되고 있는것이라고 하였음

3. 본직은 남북한 문제를 비롯하여 극동정세에 관하여 설명한후 최근 LONCAR 외무장관의 평화적인 GULF 사태해결을 위한 노력을 높이 평가하고 사태전망에 대하여 문의한바 다음과 같이 개인 의견을 피력하였음

가. 미.이락 입장이 팽팽하였던 1.9 베이커-아지즈 회담을 기점으로 앞으로는 대화협상을 통한 긴장완화가 있을것으로 믿음

나.UN 사무총장 이락방문전 접촉하였는바 동사무총장은 종전의 입장을 재강조할 것이나 별도로 중동 전반적인 문제 협의에 관하여서도 새로운 안을 휴대하고있음

다.UN 사무총장 이락방문이후 LONCAR 장관 자신이 다시 이락을 방문할 가능성도 있음

라. 비동맹의장국으로서 유고는 불대통령, 독일외무장관과 유사한 생각을 가지고 있는바 현재 동안을 시도할 태세는 완비되어 있음(연호 참조)

구주국 차관 1차보 기획실 중아국 정와대 안기부

PAGE 1 91.01.13 19:25

외신 2과 통제관 CF

0026

마. 전면적인 전쟁은 회피할수 있을것이라는 낙관적인 입장임

4. 만찬후 비공식으로 간단히 본직 임시관저에서 후식을 가졌는바 이기회에본직은 아직도 5 년임차료 선불 요청으로 진전이 없는 본직 관저 임차의 어려움을 설명하고 장관의 협조를 요청하였는바, 외무장관으로서는 최대한 협조한다고 하였음. 끝

(대사 신두병-국장)

예고:91.12.31 일반

검 토 필 (1991. 6.30.)	

PAGE 2

0027

관리 번호	91-29

원 본

외 무 부

종 별 :

번 호 : YGW-0032 일 시 : 91 0115 1650

수 신 : 장관(동구이,중근동,기정동문)

발 신 : 주 유고 대사

제 목 : 걸프사태 관련 보도

이라크 정부 요원(사보타지 전문요원) 50 명이 유고를 경유 서방으로 파견되었다는 '요르단 타임즈'의 보도내용과 관련, 주재국 보안담당과 접촉, 문의하였던바 당지 슬로베니아 공화국에서도 1.14 연방 대통령부에 대해 동사실 여부를공식 조사 확인해 주도록 요청한바 있어서 현재 조사가 진행중이라고 하면서 진전사항 있을시 알려주기로 하였음. 끝

(대사 신두병-국장)

예고:91.12.31 까지

구주국	장관	차관	1차보	2차보	중아국	정문국	청와대	총리실
안기부								

PAGE 1

91.01.16 02:55

외신 2과 통제관 CW

0028

원 본

외 무 부

암호수신

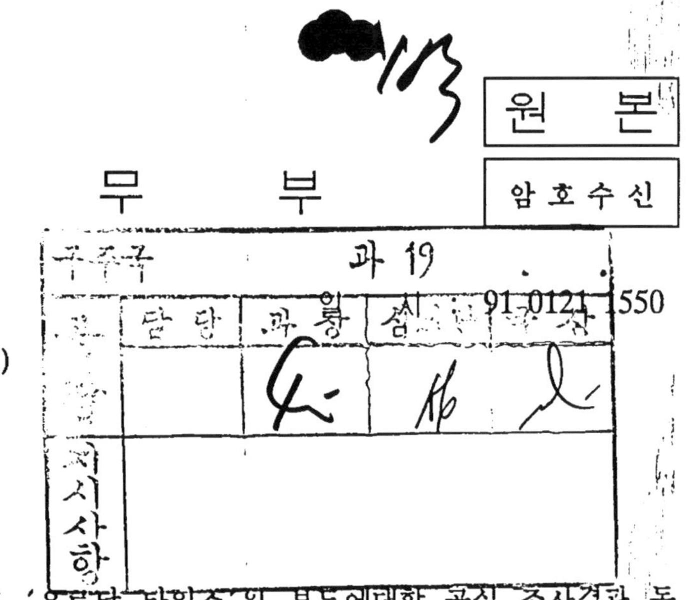

종 별 :

번 호 : YGW-0042

수 신 : 장관(동구이,중근동,기정)

발 신 : 주 유고 대사

제 목 : 걸프전 관련 보도

연:YGW-32

주재국 내무성측은 1.18 연호 '요르단 타임즈'의 보도에대한 공식 조사결과 동 보도내용이 사실무근임이 밝혀졌다고 발표하고 유고는 계속 국제테러 방지를 위하여 최대 노력할것이라고 덧붙임.끝

(대사 신두병-국장)

구주국 중아국 안기부

PAGE 1

91.01.22 07:44
외신 2과 통제관 BT

0029

EMBASSY OF THE SFR OF YUGOSLAVIA
SEOUL

DATE January 21, 1991

The Embassy of the Socialist Federal Republic of Yugoslavia presents its compliments to the Ministry of Foreign Affairs of the Republic of Korea and has the honour to submit a copy of the Statement by the President of the Presidency of the Socialist Federal Republic of Yugoslavia Dr. Borisav Jovic, as well as the 2 official Statements declared by the Socialist Federal Republic of Yugoslavia, on the Gulf-crisis. One of those were made 8 hours before the war starts and the other one after the war began.

The Embassy of the Socialist Federal Republic of Yugoslavia avails itself of this opportunity to renew to the Ministry of Foreign Affairs the assurances of its highest consideration.

Ministry of Foreign Affairs
Seoul

0030

STATEMENT BY THE PRESIDENT OF THE PRESIDENCY OF THE SOCIALIST FEDERAL REPUBLIC OF YUGOSLAVIA DR.BORISAV JOVIC RELATING TO THE OUTBREAK OF WAR IN THE GULF

"It is with great disappointment that we note the failure of all the efforts made so far by the entire international community to reach a peaceful political settlement and avert war in the gulf, which unfortunately broke out last night.

As the current Chairman of the Movement of Non-Aligned Countries, Yugoslavia did everything in her power to help resolve this conflict peacefully. To the last minute we entertained hope that reason would prevail and that the use of force could be avoided.

In its activities, at the international level, Yugoslavia has always proceeded from the firm stand that interference in internal affairs, aggression and occupation cannot be a means of settling international disputes. They are particularly unacceptable at a time when the world is at the threshold of a new era of peace and cooperation, free from confrontation which had posed a constant threat to world peace and security in the past decades.

Although the armed conflict we all wished to avoid, is now on, it is still not too late to end it and prevent any further destruction and loss of life.

Therefore, in this extremely dangerous situation, we appeal once again to President Saddam Hussein and to Iraq to comply with the resolutions of the world Organization and withdraw without delay from Kuwait, the occupation and annexation of which had led to this tragic development. At this point, this is the only way to avoid further disastrous consequences of the catastrophe which has started.

With the continuation of war all members of the international community are losing in the material, political and in every other respect which, ultimately, threatens the democratic achievements in international relations. Therefore, it is in everyone's interest that the present situation be overcome as soon as possible".

Belgrade 17 January 1991

0031

S T A T E M E N T
(16 January 1991)

Yugoslavia, the current Chairman of the Movement of Non-Aligned Countries, believes that at this crucial juncture all the sides involved in the Gulf crisis should reflect once again upon the enormous dangers of a war conflict and its disastrous consequences. Therefore, at this dramatic moment, Yugoslavia appeals, first of all, to President Saddam Hussein and the Iraqi leadership to act in favour of peace, in the interest of Iraq and the Iraqi people, the security of the entire region and the world stability. We make this appeal at a time when the Non-Aligned Movement, among the founding members of which is Iraq, faces the historical challenge to confirm stronger then ever the universal value of the principle of peace and peaceful settlement of disputes.

We hope that it is still not too late for Iraq to comply with the principles of law and peace - that constitute the essence of the United Nations Charter and of the new international era, thus being imperative for each participant on the world scene - and demonstrate its good will by making the first step towards withdrawal from Kuwait, a member state of the Non-Aligned Movement. This could enable all the parties involved and the international community as a whole to finally assume their share of responsibility for the peace and security in the Gulf region and the Middle East, above all for resolving the Palestinian problem and an early convening of an international conference on the Middle East.

In this spirit, Yugoslavia, as the Chairman of the Non-Aligned Movement, renders its full support to the latest statement by the United Nations Secretary General Mr. Xavier Perez de Cuellar, and stands ready to continue its efforts so that reason prevails and the way opens for establishing a secure peace and stability to be shared by all the countries and nations of the region.

0032

STATEMENT BY THE FEDERAL EXECUTIVE COUNCIL OF THE ASSEMBLY OF THE SOCIALIST FEDERAL REPUBLIC OF YUGOSLAVIA RELATING TO THE OUTBREAK OF WAR IN THE GULF

As a country committed to peace and to the United Nations Charter principles of humanity, democracy and international law, as well as to the policy of non-alignment, Yugoslavia is deeply saddened by the outbreak of war in the Gulf, which threatens with tragic losses of human life and grave consequences.

Yugoslavia, as the current Chairman of the Non-Aligned Movement, and in close cooperation with the non-aligned and other countries, has done its utmost to help bring about a political and peaceful resolution of the Gulf crisis.

Even after the deadline set by the UN Security Council Resolution 678 has elapsed, exactly eight hours before the outbreak of war, we made yet another appeal for peace and reason.

To that effect we primarily urged President Saddam Hussein and the Iraqi leadership to act in concert with the principles of law and peace, and withdraw from Kuwait, and thus respond to the expectations of the entire international community and the Non-Aligned Movement in particular.

Now that the war has begun and the first casualties have been inflicted, we still believe that no efforts should be spared in order to restore peace as soon as possible. The Iraqi compliance with the UN Security Council Resolution 660 - i.e. the withdrawal from Kuwait - would create conditions to bring hostilities to conclusion, to avoid further losses and to peacefully address this crisis and the problems of the entire region, in accordance with the principles of the policy of non-alignment and the United Nations Charter.

Yugoslavia will continue to endeavour along these lines, in close cooperation with all international factors, the non-aligned countries, the permanent and other members of the United Nations Security Council and particularly with the United Nations Secretary-General.

0033

관리 번호	91/1622

원 본

외 무 부

종 별 :

번 호 : YGW-0049 일 시 : 91 0122 1500

수 신 : 장관(중근동,동구이,기정)

발 신 : 주 유고 대사

제 목 : 걸프전 관련 비동맹활동

1. 걸프전 관련 비동맹측의 새로운 INITIATIVE 에관한 긴급협의를 위해 CHARAN SHUKLA 인도외상이 금 1.22 오전 당지 도착 LONCAR 주재국외상과 회담후 금일 오후 출발 예정인바, 협의내용은 탐지되는대로 보고위계임

2. 이에앞서 LONCAR 외상은 1.21 걸프전 관련 VELAYATI 이란외상, DUMAS 불외상, DE MICHELIS 이태리 외상등과도 전화협의를 가졌으며, EC 측에도 브랏셀 주재 공관을 통해 비동맹의 활동경과를 알리는 서한을 전달한것으로 알려짐.끝

(대사 신두병-국장)

예고:91.12.31 까지

검토필(1991.6.30.)

중아국 장관 차관 1차보 2차보 구주국 안기부

PAGE 1

91.01.23 08:19

외신 2과 통제관 BW

0034

관리번호	91/645

원 본

외 무 부

종 별 :

번 호 : YGW-0060 일 시 : 91 0123 1800

수 신 : 장관(중근동,동구이,아서,기정)

발 신 : 주 유고 대사

제 목 : 걸프전과 비동맹 움직임(인도외상 유고방문)

연:YGW-49

연호 인도외상 주재국방문 관련 본직이 금 1.23 외무성 비동맹담당차관보및당지주재 인도, 파키스탄, 스리랑카드 비동맹제국 대사와 접촉 탐문한바를 아래와같이 보고함

1.SHUKLA 인도외상은 1.22 주재국 대통령, 수상및 LONCAR 외상등을 면담하고 별첨 JOINT STATEMENT 발표후 금 1.23 오전 당지 출발함

2. 인도정부는 비동맹회원국 입장에서나 유엔 안보리 이사국 입장에서 볼때걸프전의 확전을 방지하기위하여 시급한 조치가 필요하다고 판단하고 아래와같은 동국의 입장을 비동맹 의장국인 유고측과 협의하기위해 방문하였음

가. 걸프전 해결관련, 유엔안보리는 당초의 결의만을 견지함으로서 더이상 움직일수 없는 처지에있음

나. 따라서 걸프사태 타결을 비동맹 차원에서 시도함이 바람직한바, 기본 노선은 '이라크 정부의 철수 발표와 동시에 쌍방간의 적대행위 중지'를 기초로 하여 우선 이라크측이 철수 의사가 확인되면 이를 토대로 향후 문제를 해결해 나가도록함

다. 이러한 협의를 위해 비동맹국가간 회의가 필요한바 사태의 시급성을 고려하여 유고가 비동맹의장국 으로서 적절하 시기와 참석범위를 정해 회의를 개최함(효율적인 회의를 위해 참석범위를 가능한 축소)

3. 이와같은 인도정부의 생각은 유고정부가 당초 내세웠던 입장과 유사한바, 유고 정부로서는 인도뿐아니라 현재 진행하고 있는 파키스탄, 방글라데시,알제리아등의 해결방안도 포괄적으로 수렴 다룰수 있는 회의가 되도록 할 생각임. 끝

첨부:동공동 발표문 전문(연:YGW-0061 참조)

(대사 신두병-국장)

중아국	장관	차관	1차보	2차보	아주국	구주국	정문국	청와대
안기부	안기부							

PAGE 1

91.01.24 08:15

외신 2과 통제관 BW

0035

예고:91.12.31 까지

검토필(1991. 6.30.)

PAGE 2

0036

관리 번호	91/620

원 본

외 무 부

종 별 :

번 호 : YGW-0061 일 시 : 91 0123 1850

수 신 : 장관(중근동,동구이,아서,기정)

발 신 : 주 유고 대사

제 목 : YGW-0060의 PART2

첨부:JOINT STATEMENT

THE FOREIGN MINISTER OF YUGOSLAVIA MR.BUDIMIR LONCAR AND THE EXTERNAL AFFAIRS MINISTER OF INDIA, MR.VIDYA CHARAN SHUKAL MET TODAY IN BELGRADE TODISCUSS THE SERIOUS SITUATION IN THE GULF WHICH IS BECOMING MORE DANGEROUS FROM DAY TO DAY. FOUR ROUNDS OF TALKS WERE HELD TO EVOLVE A PEACEFUL SOLUTION TO THE WAR BY THE NONALIGNED MOVEMENT.

THE EXTERNAL AFFAIRS MINISTER OF INDIA WAS, DURING HIS VISIT TO BELGRADE, ALSO RECEIVED BY THE PRESIDENT OF THE PRESIDENCY OF YUGOSLAVIA MR.BORISAV JOVIC, AS WELL AS PRIME MINISTER MR.ANTE MARKOVIC.

THE TALKS WERE CHARACTERISED BY THE WARMTH, FRIEDSHIP AND UNDERSTANDING THAT HAVE ALWAYS CHARACTERISED THE RELATIONS BETWEEN THE TWO NONALIGNED COUNTRIES THAT HAVE A HISTORIC TRADITION OF CLOSE COOPERATION IN ALL FIELDS.

THE TWO MINISTERS EXPRESSES GRAVE CONCERN AT THE OUTBREAK OF THE GULF WAR DESPITE ALL EFFORTS TO AVERT IT IN WHICH BOTH YUGOSLAVIA, AS CURRENT CHAIRMAN OF THE NAM, AND INDIA HAVE ACTIVELY PARTICIPATED. THEY NOTED WITH ANGUISH THE DEVASTATING CONSEQUENCES ON HUMAN LIFE AND THE MATERIAL DESTRUCTION THAT HAS ALREADY OCCURRED AND THE POSSIBILITY OF MUCH GREATER LOSSES IN THE FUTURE IF THE WAR CONTINUES AND SPECIALLY IF IT ESCALATES. THEY AGREED THAT THE MOST URGENT TASK BEFORE THE NAM TODAY WAS TO CONSIDER WAYS AND MEANS OF BRINGING THE WAR TO THE EARLIEST POSSIBLE PEACEFUL CONCLUSION.

THE TWO MINISTERS HAVE AGREED TO INTENSIFY THEIR EFFORTS TO GIVE FURTHER SHAPE TO THE IDEAS THAT HAVE BEEN EXCHANGED TODAY FOR THE PROMOTION AN EARLY

중아국 장관 차관 1차보 2차보 아주국 구주국 정문국 청와대
안기부

PAGE 1

91.01.24 08:57
외신 2과 통제관 BW

0037

PEACEFUL SOLUTION, IN ACCORDANCE WITH THE UN SECURITY COUNCIL RESOLUTIONS. THEY ALSO AGREED TO CONSULT WITH OTHER MEMBERS OF THE NONALIGNED MOVEMENT AND MEMBERS OF THE SECURITY COUNCIL AS WELL AS WITH THE SECRETARY GENERAL OF THE UN IN THIS REGARD. THEY HAVE DECIDED TO MEET SOON AGAIN WHICH WOULD HELP EVOLVE AND INITIATIVE TOWARDS THE OBJECTIVE OF A PEACEFUL SOLUTION. 끝

주 포 르 투 갈 대 사 관

주폴(정)700- 11 1991. 1. 23

수신 : 장 관

참조 : 구주국장, 중동아프리카국장, 정보문화국장

제목 : 걸프 전쟁 관련 유고 정부입장

(자료응신 제 7호)

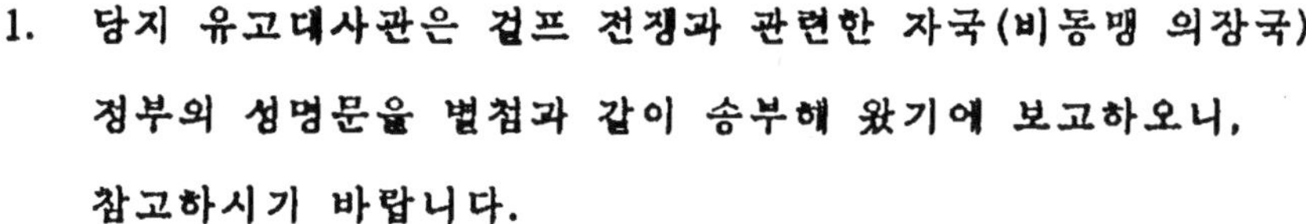

1. 당지 유고대사관은 걸프 전쟁과 관련한 자국(비동맹 의장국) 정부의 성명문을 별첨과 같이 송부해 왔기에 보고하오니, 참고하시기 바랍니다.

2. 동 성명문에서 유고정부는 전쟁 발발전 사담 훗세인 대통령에게 쿠웨이트로부터의 철수를 요청한 바 있음을 상기시키며, 전쟁이 발발된 현 싯점에서도 이락이 유엔안보리 결의 660을 준수할 것을 촉구하는 내용으로 되어 있읍니다.

첨부 : 동 관련 문서 끝.

주 포 르 투 갈 대 사

0039

EMBAIXADA DA REPÚBLICA SOCIALISTA FEDERATIVA
DA JUGOSLÁVIA
LISBOA

N. 28 /91

A Embaixada da República Socialista Federativa da Jugoslávia apresenta cumprimentos e tem a honra de enviar junto a declaração do Governo Jugoslavo relativa ao começo da guerra no Golfo.

A Embaixada da República Socialista Federativa da Jugoslávia aproveita a oportunidade para reiterar os protestos da sua mais elevada consideração.

Lisboa, 18 de Janeiro de 1991.

0040

EMBAIXADA DA REPÚBLICA SOCIALISTA FEDERATIVA
DA JUGOSLÁVIA
LISBOA

STETEMENT BY THE FEDERAL EXECUTIVE COUNCIL OF THE ASSEMBLY OF THE SOCIALIST FEDERAL REPUBLIC OF YUGOSLAVIA RELATING TO THE OUTBREAK OF THE WAR IN THE GULF

As a country committed to peace and to the United Nations Charter principles of humanity, democracy and international law, as well as to the policy of non-alignement, Yugoslavia is deeply saddened by the outbreak of the war in the Gulf, which threatens with tragic losses of human life and grave consequences.

Yugoslavia,as the current chairman of the non-aligned movement, and in close cooperation with their help, bring about efforts for a political and peaceful resolution of the Gulf crisis.

Even after the deadline set by the U N Security Council resolution 678 has elapsed, exactly eight hours before the outbreak of war, we made another appeal for peace and reason.

To that effect we primarily urged President Saddam Hussein and the Iraqui leadership to act in concert with the principles of law and peace and withdraw from Kuwait, and thus respond to the expectations of the entire international community and the non-aligned movement in particular.

Now that the war has begun and the first casualties have been inflicted, we still believe that no efforts should be spared in order to restore peace as soon as possible. The Iraqui compliance with the U.N. Security Council resolution 660, i.e., the withdrawal from Kuwait, would create conditions to bringing hostilities to conclusion, to avoid further losses and to peacefully adress this crisis and the problems of the entire region, in accordance with the principles of the policy of non-alignement and the United Nations Charter.

Yugoslavia will continue to endeavour along these lines, in close cooperation with all international factors, the non-aligned countries, the permanent and other members of the United Nations Security Council and particularly with the United Nations Secretary-General."

0041

103(38)

원 본

관리 번호 91-92

외 무 부

종 별 :

번 호 : YGW-0094 일 시 : 91 0206 1730

수 신 : 장관(동구이,중근동,국연,걸프대책본부,기정)

발 신 : 주 유고 대사

제 목 : 걸프전 관련 비동맹외상회의 개최

연:YGW-88

1. 당관 김영석서기관이 주재국 외무성 비동맹담당 MILAN BEGOVIC 및 GORANALEKSIC 를 면담 청취한 표제관련 설명내용을 아래보고함

가. 동회의는 2.11(예비 실무회의)및 2.12(외상회의) 이틀간 15 개국 외상참석리에 개최될 예정임

나.15 개 참가국은 과거 의장국을 역임한바있는 8 개국(유고, 에집트, 알제리아, 잠비아, 짐바브웨, 인도, 스리랑카, 쿠바등)을 포함해 비동맹운동에 적극적 각지역 대표국으로서 이란, 인니, 베네주엘라, 사이프러스, 나이지래아,알젠틴및 가나(91.9 월 비동맹 정기각료회담개최 예정국)등으로 구성되어 있음

다. 걸프전 관련 유고는 90.8 월 이라크의 쿠웨이트침공직후 발표한 성명및유엔안보리의 관계결의 지지입장으로부터 추호의 변화도 없으며 다만 적대행위의 조기종결을 희망하는 세계여론에 부응하여 최근의 사태발전을 배경으로 이라크에게 '선쿠웨이트철수 후협상개시'를 받아들일수 있는 또하나의 계기를 제공하고저 하는것임

라. 유고측으로서는 결국 이라크측의 태도여하에따라 타결의 가능성도 상존한다는 생각아래 특히 비동맹권의 여론을 전달하는 책임을 계속 수행할것인바, 금번 회의에서도 15 개국이 서명한 FINAL DOCUMENT 가 타결의 기초로서 제시될 예정임.

2. 본건 수시 추보위계임.끝

(대사 신두병-국장)

예고:91.12.31 까지

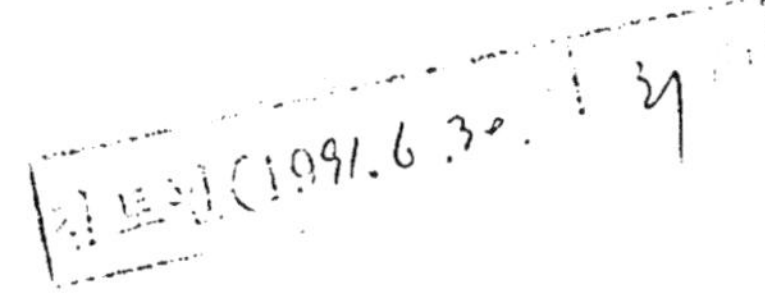

구주국	장관	차관	1차보	2차보	중아국	국기국	청와대	안기부

PAGE 1

91.02.07 20:08

외신 2과 통제관 CA

0042

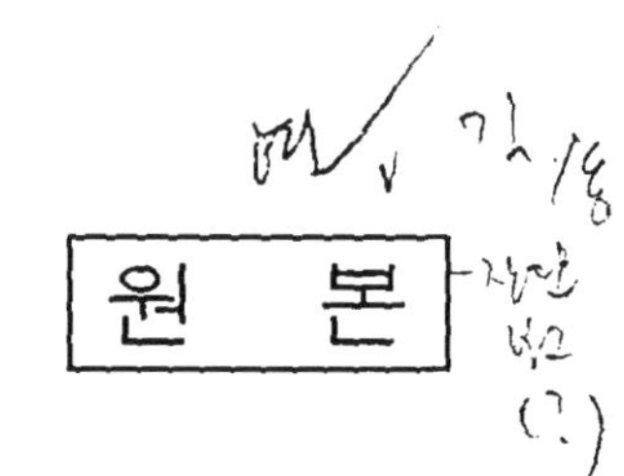

관리 번호	91 -142

원 본

외 무 부

종 별 :

번 호 : YGW-0099 일 시 : 91 0208 1800

수 신 : 장관(국연,미북,동구이,정일,기정동문)

발 신 : 주 유고 대사

제 목 : 걸프전쟁 관련 비동맹 15개국 외상회의

연:YGW-88

1. 금 2.8 당관 이태식 참사관이 MILENA VLALOVIC-LAZAREVIC 외무성 비동맹담당 부과장을 면담, 2.11-12 간 당지에서 개최될 예정인 비동맹 15 개국 외상회의 관련 사항에 관해 파악한바를 아래 보고함

가. 회의진행 형식및 절차

1)금번회의는 걸프전쟁 토의를 위한 비공식, 비공개 회의로서 참가 대표들간걸프전쟁 해결을 위한 제반 건설적 의견들을 자유스럽게 교환하는 비동맹 차원에서의 최선의 해결책을 모색코저 하는데 주안점이 있으므로 가능한 많은 의견을상호 교환할수 있도록 준비하고 있음

2)회의는 2.11-12 간 오전(09:00-13:00)및 오후(15:00-18:00)에 걸쳐 개최될예정이며, 제 1 일은 고위 실무자회의, 그리고 제 2 일은 외상회의가 될것임

나.DRAFT COMMUNIQUE

1)주최국인 유고측으로서는 회의결과의 하나로서 DRAFT COMMUNIQUE 를 준비중에 있는바, 고위실무자 회담에서 콘센서스 도달이 가능할 경우, 외상회의 합의문서로서 제출할 예정임

2)유고측이 작성중인 동문서는 유엔안보리 결의와 같이 이락의 '선쿠웨이트철군'을 전제로 걸프사태 해결노력과 아울러 금후 중동문제의 포괄적인 해결방안 모색을 위해 노력한다는 내용이 될것임

3)금번 회의참석국중 알제리, 쿠바등이 포함되어 있음에 비추어 상기 유고측 작성초안이 그대로 수락되는데는 문제가 있을것으로 판단됨

다. 각국 정부의 입장

1)걸프전쟁 해결문제를 둘러싼 비동맹각국의 입장의 차이는 '선출군 후적대행위

국기국	장관	차관	1차보	2차보	미주국	구주국	정문국	안기부

PAGE 1

91.02.09 07:15
외신 2과 통제관 BT

0043

중지'방식과 '선적대행위 중지후 철군방식'의 2 가지 방안으로 양분되어 있는바, 어느정도 의견 접근을 볼수 있을지는 회의결과를 두고 보아야 할것임

2)한편 금번회의에는 말레이시아를 비롯하여 약 40 개 비동맹 국가로 부터 참여 요청이 있었으나, 유고측은 회의의 가시적 성과 달성을 위하여 범위를 축소한것임

라. 북한의 입장

-북한은 금번 15 개 외상회담 대신 비동맹 조정위 전체 회의를 소집할 것을요청한바 있으며 쿠바와 리비아도 여기에 동조한바 있음

바. 이란의 역할

-LONCAR 외상의 지난 90.11 월 이란방문을 통하여 유고측은 금번 사태 해결을위하여 이란이 건설적인 역할을 할수 있을것으로 보고 동국외상을 초청한 만큼결과가 주목됨

바. 관찰및 평가

1)유고측은 금번 15 개국 외상회담을 통하여 점차 악하되고 있는 걸프전쟁의조기해결을 위한 비동맹차원의 노력을 적극적으로 전개하는데 주안점을 두고 있으나, 참가국가간의 입장에 차이가 있음을 감안하여 가급적 많은 의견을 수렴하는데 주력할 것으로 보임

2)유고측은 금번 회담 결과와 관련하여 걸프전쟁의 조기해결이 후세인의 결심 여하에 달려 있다고 보고 있으며, 또한 쏘련, 불란서등을 통한 강대국간의해결 노력이 별무 성과를 보이고 있는점을 감안하여 사담 후세인에게 가능한한철군명분을 제공할수 있는 기회가 된다면 최대한의 성과가 될것으로 보고있으나결과에 대해서는 크게 낙관하고 있지 않는것으로 판단됨

2. 동회의 결과및 진전상황에 관해 계속 추보 위계임.끝

(대사 신두병-국장)

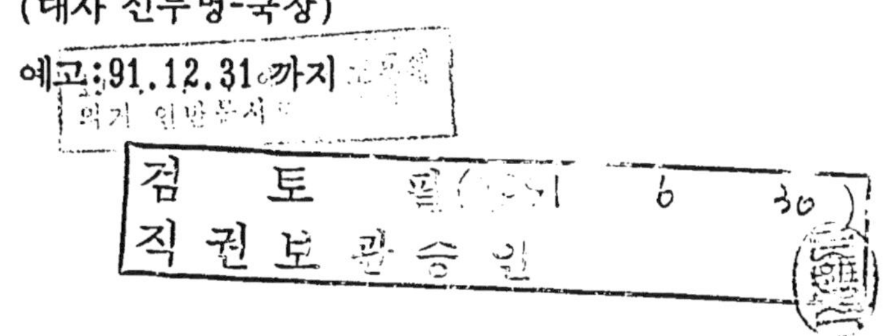

PAGE 2

0044

103(38)

관리 번호	91-107

원 본

외 무 부

종 별 :

번 호 : YGW-0106 일 시 : 91 0211 2330

수 신 : 장관(동구이,중근동,국연,걸프대책본부,기정)

발 신 : 주 유고 대사

제 목 : 걸프전 관련 비동맹외상회의

연:YGW-94

1. 명일 예정 15 개국 비동맹외상회의를 앞두고 금 2.11 주재국 외무성 LAZIC 대사 주재하에 고위 실무자회의가 0900-2100 간 개최됨

2. 동 고위실무자회의는 주재국이 작성한 합의문서초안을 기초로 협의를 진행한바 이란이 주장하는 3 단계방식(이라크의 쿠웨이트철수, 걸프지역으로부터의외군철수, 지역평화와 안전위한 지역협력회의 개최)등을 포함하여 참석국의 다양한 의견개진이 있었던것으로 알려짐.

3. 15개 참석국 외상들은 금일 저녁 현재 모두 당지도착하였는바, 예정에없던 사항으로서 PLO 측이 금일 고위실무자회의 대표를 참석시킨데이어 명일 외상회의에도 대표를 참석시킬예정이라함. 또한 이라크대표도 금일 저녁도착한다는 설이 있으나 상금 확인되지 못함 /

4. 주재국외무성 담당관에 의하면 금번회의가 당초 예상했던대로 5 개국정도의 외상들의 모임이었다면 보다 구체적인 방안이 제시될수 있었을것이나 참가국이 늘어남에따라 구체적인 방안제시보다는 상징적인 의미가 큰회의로 변질된듯한 느낌이라함. 다만, 걸프전이 지상전으로 확대될 위험성에 직면하여 15 개국외상들이 모여 이를 피할수 있는 방안을 모색해본다는데 의의가 있을것으로 본다고피력함. 끝

(대사 신두병-국장)

예고:91.12.31 까지

1991.12.31. 일반

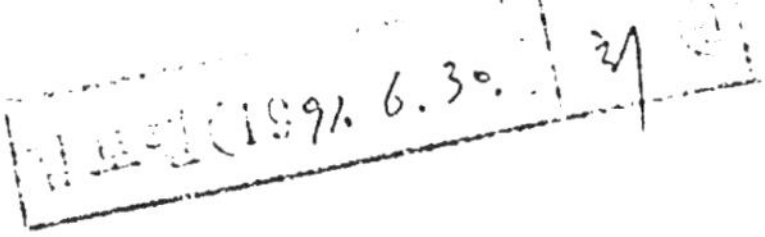

구주국	장관	차관	1차보	2차보	미주국	중아국	국기국	정문국
청와대	안기부							

PAGE 1

91.02.12 08:16

외신 2과 통제관 BW

0045

非同盟 15個國 外相會議, 걸프戰 終戰方案 論議豫定

1. 2.11 - 12 非同盟 國家(總 101個國) 중 15個國이 걸프戰 終戰方案을 모색 하기 위해 유고 베오그라드에서 外相會議를 개최할 예정임.

2. 現 議長國인 유고의 소집으로 개최되는 이번 非同盟 外相會議는

가. 中東地域 3個國(알제리아·이란·이집트), 中南美地域 3個國(베네수엘라·아르헨티나·쿠바), 歐洲地域 2個國(유고·싸이프러스), 亞·太地域 3個國(印度·스리랑카·인도네시아), 阿洲地域 4個國(가나·나이제리아·잠비아·짐바브웨) 등이 참가하여

나. 豫備 實務會議(2.11) 및 外相會議(2.12)로 진행, 終戰方案 最終宣言文(Final Document)을 채택할 예정임.

3. 걸프事態 관련 非同盟 國家들의 仲裁動向을 보면

가. 議長國인 유고는

○ 걸프戰 勃發(1.17) 이전 이락의 쿠웨이트 撤收를 통한 平和的 사태 해결을 주장(90.9)하면서 「론카르」外相의 이락(90.12.12 - 30) 및 사우디(1.4 - 6) 訪問을 통해 仲裁努力을 경주해 왔으며

○ 걸프戰 勃發이후에는 이락의 쿠웨이트 撤軍과 함께 이스라엘의 戰爭

44-11

0046

介入 自制를 호소(1.21) 하면서 擴戰 防止 및 早期終戰 努力을 전개 해 온 한편

나. 印度는

○ 戰爭 勃發이전 「세카르」首相의 「샤하프」이락 外務擔當 國務相과의 회담(1.4) 을 통해 美·이락간 회담을 촉구하는 한편 「슈클라」外相은 전쟁발발시 多國籍軍에 自國내 軍事基地 제공을 거부한다는 입장을 闡明(1.9) 하였으며

○ 戰爭 勃發이후에는

- 「슈클라」外相이 이락의 쿠웨이트 撤軍宣言, 美·이락간 武力對決 중지, 休戰후 多國籍軍 철수, 팔레스타인問題 해결 등을 골자로 하는 終戰 協商案을 발표(1.19) 한데 이어

- 「슈클라」外相의 유고(1.22 - 23), 이란(1.25 - 26) 및 中國(2.1 - 2.6) 訪問을 통해 전쟁의 終熄을 위한 非同盟의 政治的 責任을 강조한 바 있으며

다. 「프레마다사」스리랑카 大統領(1.21), 「케야르」UN事務總長(1.21), 「아라파트」PLO議長(1.23) 등이 걸프戰爭 終熄을 위한 非同盟 緊急 閣僚 會議 개최를 촉구해 왔었음.

3. 이번 非同盟 外相會談에서는 非同盟 주도국인 印度가 제안한 協商案을 중심으로 早期終戰 方案이 집중 협의될 것인 바

44-12 0047

가. 이번 閣僚會談이 일부 會員國간의 非公式 協議體로서 전체 非同盟 國家들의 응집력이 결여되어 있고 脫冷戰 이후 국제정치 전반에 걸쳐 非同盟의 역할이 축소되고 있는 상황인 점등을 감안할 때 걸프戰 終戰을 위한 획기적 성과는 기대할 수 없으나

나. 국제적인 終戰協商 노력을 과시함으로써 戰爭當事國에 대한 平和協商 분위기를 조성하는데 기여할 것으로 전망됨.

44-13

0048

관리번호	91/220

외 무 부

종 별 : 지 급

번 호 : YGW-0114 일 시 : 91 0212 1900

수 신 : 장관(미북,동구이,국연)

발 신 : 주 유고 대사

제 목 : 걸프전쟁관련 비동맹 15개국 외상회의

연:YGW-106

1. 연호 비동맹 15 개국 외상회의는 작일의 고위실무자회담에이어, 금 2.12(화) 각료회의(비공개)를 진행중에있는바, LONCAR 주재국 외상은 회의에 즈음하여 아래 요지의 기조연설을 행하였음

가.90.10 월 뉴욕비동맹조정위결의안 상기

1)쿠웨이트의독립, 주권및 영토적 일체성의 회복

2)유엔원칙에 따른 사태의 정치적, 평화적 해결원칙 강조

나. 현걸프전쟁 해결을위한 4 단계 해결방안(아래)제시

1)제 1 단계:이락의 쿠웨이트 철군및 적법정부 회복

2)제 2 단계:교전당사자의 적대행위중지

3)제 3 단계:사태의 평화적, 정치적 해결

4)제 4 단계:중동지역 전체문제, 특히 팔레스타인 문제 해결을위한 PEACE PROCESS 개시

다. 비동맹운동이 걸프전쟁과 이로인한 참화및 팔레스타인 문제에 무관심한입장을 취할수 없음을 강조

라. 사태의 더이상 악화방지를 위한 이락의 유엔안보리 결의 660 호 이행촉구

2. 상기 LONCAR 외상의 연설은 유엔안보리 결의 660 호에 입각한 이락의 선철군 원칙을 강조하면서 이락측이 요구한 팔레스타인 문제해결을 위한 국제회의개최 방안도 아울러 포함하고 있는것이 특징이며 주최국인 유고측이 준비한 최종문서도 이러한 입장을 반영하고 있는바, 인도및 이란측이 제시한것으로 예상되는3 단계 해결원칙 즉 1)이락의 철군 약속 공표,2)적대행위 중지,3)유엔 감시하의 철군실시,4)중동문제해결을 위한 지역회의 방안과의 조정을 오한 통일된 입장도출

미주국 장관 차관 1차보 2차보 구주국 중아국 국기국 청와대
종리실 안기부

PAGE 1

91.02.13 11:00

외신 2과 통제관 CA

0049

여부가 주목되고 있음

3. 한편 회의참석 각국 대표들은 2.11 이락측의 쿠웨이트 철수 불가 입장고수 원칙 발표가 회의 전망을 더욱 어둡게 하고 있다고 우려하고 있음

(대사 신두병-국장)

예고:91.12.31 까지

검토필(1991.6.30.)

PAGE 2

0050

관리번호 91-110

외 무 부

종 별 : 지 급

번 호 : YGW-0115 일 시 : 91 0212 2330

수 신 : 장관(미북,국연,동구이,기정)

발 신 : 주 유고 대사

제 목 : 15개 비동맹 외상회의

연:YGW-114

1. 연호 금 2.12(화) 개최된 15 개국 비동맹외상회의는 금일저녁, 가능한한최단시일내에 이락과 미국을 비롯한 연합국및 EC, 유엔안보리에 2 개의 평화사절단을 각각 파견하기로 결정하고 회의를 종료하였음

2. 연이나 상기사절단의 구성, 정확한 파견시기, 순서및 구체적 MISSION 등세부사항에 관해서는 상금 결정된바 없으며, 의장국인 유고측이 주요관계국과의 협의를 거쳐 결정할것으로 알려지고 있음

3.LONCAR 외상은 상기사절단의 파견결과를 보아, 다시 비동맹국가간의 회의를 추후 개최할 예정이라고 밝혔음(시기및 장소미정)

4. 금일 외상회의에서는 당초 유고측이 제시한 이락의 전철군후 평화협상을골자로한 4 단계 해결방안에 대한 알제리및 큐바등의 적극적인 반대와 상반된 각국의 입장으로 많은 논란을 벌인결과 최종문서에는 합의를 보지못하였으나, 사태해결을 위한 비동맹차원에서의 실질적인 노력의 일환으로 2 개의 평황사절단을파견키로 결정하게된것은 하나의 성과로 평가되고있음

5.LONCAR 외상은 금일 저녁 가진기자회견에서 동평화사절단 파견결정을 하게된 배경에는 최근 워싱턴에서 개최된 미.소외상간의 합의사항인 이락의 선철군약속을 전제로한 적대행위 중지방안이 중요한 FORMULA 로 작용하였다고 말하였음

6. 금번회의에는 초청을 받은 4 개국 대표들외에 PLO 와 이락특사가 초청을받지않은채 2.11 당지에 도착하였으며, 이들의 참석문제를 둘러싸고 오랜 논란을 벌였으나 알제리등의 적극적인 발언으로 PLO 는 참석시키기로 결정한대신, 이락은 교전당사국임을 이유로 참석을 허용하지 않기로 한것으로 알려지고있음.(이락대표는 도착후 3 시간 체류후 당지를 떠났다고함). 또한

미주국 장관 차관 1차보 2차보 구주국 국기국 청와대 총리실 안기부

PAGE 1

91.02.13 08:14

외신 2과 통제관 BW

0051

유엔안보리의장의 특사, 이스람기구및 아랍연맹특사도 옵저버로 참여하였음

7. 금일회담은 비공개의 비밀회담으로 개최된바 각국의 입장등 상세내용은 추보예정임.끝,

(대사 신두병-국장)

예고:91.12.31 까지

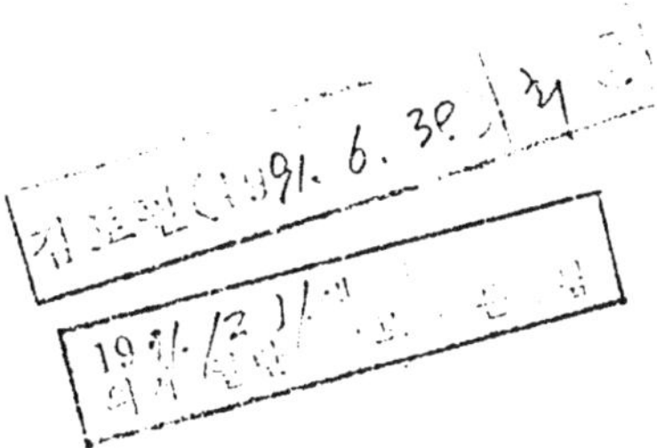

PAGE 2

0052

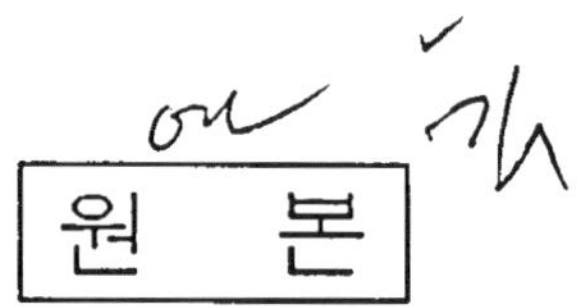
원 본

외 무 부

종 별 :

번 호 : UNW-0383 일 시 : 91 0220 1800

수 신 : 장 관(국연,중근동,기정)

발 신 : 주 유엔 대사

제 목 : 비동맹회의

2.19 당지에서 개최된 비동맹 조정위 회의에서 논의된 주요내용 아래 파악보고함.

1.걸프사태

가.의장으로 부터 2.12. 벨그라드 개최 15개국 외상회의 결과보고(구두)

0.의장은 동 회의에서 유용하고 건설적인 토의가 있었다고 하고 수개국 외상으로 평화사절단을 구성 이락과 COALITION 양측을 각기 방문할 예정이라고 보고함.

0.동 사절단의 형태, 파견시기등 구체적 작업은 의장에 위임함.

0.벨그라드 회의참석 15개국 명단

사이프러, 베네주엘라 알젠틴 큐바 알제리아 이집트 잠비아 짐바뷔 나이제리아 가나 인도 스리랑카 인니이란 PLO

2. 유엔역할, 기능개선문제

12.18 회의요록을 배포하고 추후 재론키로함.(동회의요록 별첨)

첨부:상기 FAX:UNW(F)-068

끝

(대사 현홍주-국장)

국기국 1차보 중아국 정문국 안기부

PAGE 1

91.02.21 09:02 WG

외신 1과 통제관

0053

#UNW-0383 외
첨부물

UNW(F)-068 10220 1800
(국연, 중근동, 기정)

총30매

1

New York, January 1991

ISSUES RAISED AT THE MEETING OF THE COORDINATING BUREAU OF NON-ALIGNED COUNTRIES ON 18 DECEMBER 1990 ON THE ROLE AND FUNCTIONING OF THE UNITED NATIONS IN CHANGING INTERNATIONAL RELATIONS

1. An exchange of views was initiated at the Meeting of the Coordinating Bureau of non-aligned countries on 18 December 1990 in New York on the role and functioning of the United Nations in changing international relations. The main reason for launching a discussion on this issue among non-aligned countries was the fact that the 45th session of the General Assembly had revealed that there was a genuine need for the re-examination of the functioning of the United Nations and the strengthening of its role in the light of the current developments in international relations and their impact on the world Organization. In this context, informal consultations have been held at various levels within the United Nations on the basis of which a number of ideas have been put forward.

The Meeting evinced the need for non-aligned countries to become actively involved and coordinate their activities in this field already at this early stage so as to ensure that the impending changes in the functioning of the United Nations reflect the interests of non-aligned countries in the greatest possible measure.

2. The discussion at the Meeting touched upon a wide range of issues concerning the functioning of the General Assembly and the Security Council, the restructuring of the economic and social sector of the United Nations, the decision-making process and other matters. The topics and proposals presented in that connection, calling for special attention by non-aligned countries and the harmonization of their positions, could be summarized in the following manner:

(1) General Assembly

- Content, time and duration of regular sessions (the possibility for holding two or more sessions in a calendar year whereby each of them would focus on individual issues-political, economic, socio-humanitarian etc);

3-1

0054

2

- Agenda (the retention of the present manner of establishing the agenda with certain improvements or a completely new approach);

- Discussion of individual issues in the Plenary and the Committees;

- Relationship between the General Assembly and the Security Council (strengthening the influence of the General Assembly on the Security Council and cooperation between the two organs on the basis of Art. 24 of the Charter);

- Work of the main Committees of the General Assembly and issues discussed in them;

- Re-examination of the need for the existing subsidiary and other bodies.

(2) <u>Security Council</u>

- Form and substance of the Security Council Report and the manner of its consideration in the General Assembly;

- Transparency in the work of the Security Council;

- Decision-making;

- Composition of the Security Council;

(3) <u>Decision-making in the United Nations</u>

- Maintenance of democratic character of decision-making process, i.e. of the principle of one country one vote in the General Assembly;

- Introduction of the weighted voting system;

- Consensus, its meaning and scope.

(4) <u>Restructuring of the economic and social sector of the United Nations</u>

- Redistribution of powers and functions between the General Assembly and the ECOSOC (Proposal to have the ECOSOC hold sessions on the selected most important issues whereas others would be discussed in the General Assembly).

(5) <u>Election of the Secretary-General of the United Nations</u>

3. The exchange of views at the Meeting was also concentrated on the need to ensure coordination and active involvement of non-aligned countries in the forthcoming discussions of the afore-mentioned questions, as well as on the general approach of non-aligned countries towards the multilateral activities. In that context particular mention was made of the following:

3 - 2

0055

- Importance of the forthcoming resumed session of the General Assembly on the restructuring of the economic and social sector and the need for close coordination between non-aligned countries and the Group of 77, bearing in mind the role of the Group of 77 in this field;
- Holding of a review Conference (or Special session of the General Assembly) on the role and functioning of the United Nations;
- Convening of a small Ad hoc group of non-aligned countries at the ministerial level entrusted with the task of preparing recommendations on the improvement of the functioning of the United Nations and the role of the Movement of non-aligned countries in new international circumstances;
- Reviving of the work of the Committee on the improvement methodology and the functioning of the Movement of non-aligned countries (the Iacovou Committee);
- Coordination of non-aligned activities at international meetings and conferences, particularly those of specialized and expert nature;
- Coordination of the activities of non-aligned countries in the Security Council;
- Preparation for a detailed exchange of views on these issues at the Ministerial Conference in Ghana.

* * *

The Meeting of the Coordinating Bureau on 18 December was convened to initiate an exchange of views on a possible re-examination of the functioning of the United Nations. The lack of time prevented a number of speakers from presenting their views on the subject. It was agreed, however, that the exchange of views on these issues be continued within the Coordinating Bureau. The above register contains only the general outlines of the ideas that were presented at the Meeting and is aimed at serving the purpose of continuing and broadening the discussion on this topic.

3 - 3

0056

0/2 가

관리번호	91 -175

원 본

외 무 부

종 별 :

번 호 : UNW-0386 일 시 : 91 0220 1800

수 신 : 장관(국연,정이,미안,기정)

발 신 : 주 유엔 대사

제 목 : 북한동향

1.2.19 오후 걸프사태등 토의를 위해 유엔에서 열린 비동맹 조정위 대사급 회의에서 북한대사 박길연은 걸프사태, 유엔의 역할, 기능개선문제 토의후 기타 사항 의제하에 현재 실시중인 TEAM SPIRIT 훈련으로 북한이 도발과 위협에 직면해 있다고 주장하고 북한이 처한 상황에 대하여 비동맹 회원국의 이해와 지지를 요청하는 발언을 하였다함. 박길연의 발언내용은 2.18 자로 북한대표부가 배포한프레스릴리스 내용과 대동소이하였다 하는바 조정위 의장은 동 발언에 대해 TAKE NOTE OF THE INFORMATION 이라고만 언급하고 회의를 종료하였다함.(상기 발언 관련 여타 회원국의 발언은 없었음.)

2. 동 회의에 참석한 우방국 대표들에 의하면 상기 박길연의 발언관련 회원국들로 부터 관심표시 내지는 반응이 전혀없다는 인상을 받았다함. 끝

(대사 현홍주-국장)

예고:91.12.31. 일반

검 토 필(1991 .6 .30.)
직권보관승인

국기국 장관 차관 1차보 2차보 미주국 정문국 청와대 안기부

PAGE 1

91.02.21 10:15

외신 2과 통제관 BN

0057

관리 번호 91-144

원 본

외 무 부

종 별 : 지 급

번 호 : YGW-0147 일 시 : 91 0221 1700

수 신 : 장관(동구이,중근동,정이,국연,아이,기정)

발 신 : 주 유고 대사

제 목 : LUKOVAC 외무성차관보 면담

대:AM-46

연:YGW-94,106

1. 본직은 금 2.21 09:00 주재국 외무성 아주및 아중동담당 LUKOVAC 차관보를 면담하고 (김영석서기관 대동) 주재국 국내정세및 걸프전 관련 유고의 대외활동 현황에 관한 설명을 청취한바 동요지 아래 보고함

가. 걸프전 해결노력

OGORBACHEV 제안에대한 이라크측의 회답내용을 현재 대기중인바 금번 쏘측제안은 지상전 돌입에따른 확전가능성을 피해야 한다는 인식에서 나왔다는 점에서 거반 비동맹 15 개국 외상회담과 취지를 갈이 하는것임

0 LONCAR 외무장관은 15 개 비동맹외상회담시 합의에따라 현재 일단 인도.이란. 쿠바 외무장관과 갈이 테헤란을 거쳐 금주말 이락 방문계획으로 있으나, 동일정은 이락 외무장관의 쏘련측제안에대한 반응여하에따라 확정될것임. 쿠바가포함된 것은 이락과 우호관계에 있기때문에 사담 후세인 대통령접근이 용이하기 때문임

0 고르바쵸프의 제안에 대하여 부시미대통령의 반응이 미온적이기는 하나 전면으로 거부한것은 아니라고 해석하고있고 이라크도 전과는 달리 유엔안보리결의안 660 호를 언급한바 있으므로 이를 바탕으로 타결점을 모색하고있음. 쏘련이유엔 상임이사국이며 아직은 국제문제에 영향이 있는만큼 쏘련의 제안내용에 관심이 많음(금번 쏘련 협상제안은 지역문제에관한 적극 참여하여야 한다는 쏘련내 강경파의 주장에따라 고르바쵸프가 제기하게 되었다는 설이있으며, 특히 친쏘적인 사담 후세인은 보존하여야 한다는 의도가 동제안의 배경이라는 설이 있음을참고로 보고함)

0 중국정부 특사로서 2.18 방문한 YANG FUCHEN 외무차관(중동.아프리카담당)은 걸프사태 해결을 위한 유고및 비동맹움직임을 전적으로 지지하고 이라크군의 쿠웨이트

구주국	장관	차관	1차보	2차보	아주국	미주국	국기국	정문국
청와대	안기부							

PAGE 1

91.02.22 05:25

외신 2과 통제관 CE

0058

철수가 협상에 선결조건이라는 점을 강조하였으며 지난번 유엔안보리의 결의시 기권한것은 정치적, 외교적 해결을 좀더 추진하여야 되다는 입장때문이었다는 설명이있었음. 또한 종전후 지역평화 확보를 위한 협의에있어서 역내제국이 중심이 되어야 한다는 의견이였음. 동외무차관은 시리아. 터키 경유 베오그라드에왔고 앞으로 쏘련, 이란을 순방예정이며, 아중동담당차관으로서 극동문제에관한 언급은 없었음

나. 주재국 국내정세: 언론보도를 보면 유고가 어떻게 한나라로 존속하는지신기할정도이나 공화국간의 대화및 입장조정이 계속되고 있으므로(2.22 사라예보에서 제 4 차 연방. 공화국지도부 연석회의 예정) 머지않아 상황도 가라앉고 해결책이 나올것으로 봄. 결국 공화국이 조금씩 포기하고 타협하는 방향이될것임

2. 본직은 또한 동기회에 아국의 남북한 유엔동시가입 노력을 설명하고 이를 위한 유고측의 협조를 요청하는 한편 최근 북한측의 일방적인 남북고위급 회담중단 결정을 남. 북한 관계현황에관해 대호 2 항 내용을 중심으로 설명해준바,동차관보의 반응요지는 아래와 같음

가. 금번 중국외무차관이 LONCAR 외무장관의 중국방문을 초청하여 왔는바 금년중 방문할 계획임. 중국의 북한지지도는 강하나 남. 북한간 대화분위기에따라 앞으로 변화가 있을것으로 보임

나. 남북고위회담 결렬은 유감임. 북한측은 항상 TEAM SPIRIT 훈련을 문제시하고 있으며 금번에는 내부권력 승계문제까지 겹쳐 심리적 긴장이 대단한것으로 느껴졌음(김일성의 건강에 관하여 관심표명)

다. 참고로 오는 9 월 가나 비동맹외상회담시 결정이 되겠으나 북한측이 차기(92) 비동맹 정상회담을 유치할 생각이 있는것으로 듣고 있는바 현재 아주지역국가로서 인니가 이미 신청중이고 남미의 베네주엘라 니카라과등도 관심을 표명하고 있어 평양주최 가능성은 희박한것으로 보임.끝

(대사 신두병-국장)

예고:91.12.31 까지

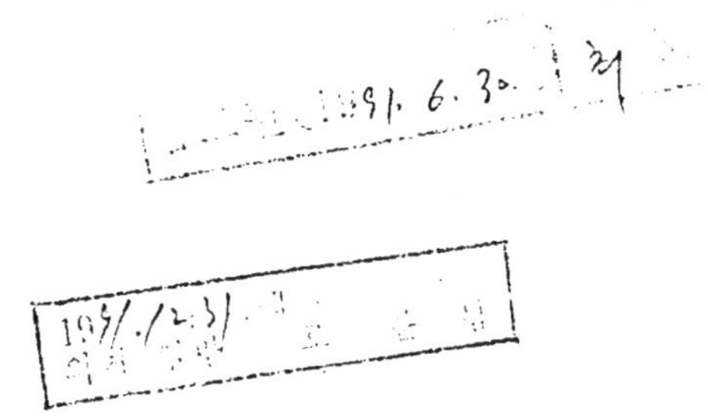

PAGE 2

0059

관리번호 91-148

원 본

외 무 부

종 별 :

번 호 : YGW-0150 일 시 : 91 0224 1430

수 신 : 장관(동구이,중근동,걸프대책본부,기정)

발 신 : 주 유고 대사

제 목 : LONCAR 외상 테헤란 향발

연:YGW-147

1. LONCAR 주재국 외상은 연호 걸프전 관련 비동맹 4개국 외상 회동을 위해 금 2.24(일) 오전 테헤란 향발함

2. MALMIERCA 쿠바외상 및 SINGH 인도 외상대리는 이미 2.23 테헤란 도착 대기중인바 동 4 개국 외상의 바그다드 방문 여부는 어젯밤 다국적군의 지상 공격이 개시됨으로서 상금 불부명한 상태임.끝

(대사 신두병-국장)

예고:91.12.31 까지

구주국 차관 1차보 2차보 중아국 청와대 안기부

PAGE 1

91.02.24 23:40

외신 2과 통제관 CF

0060

2. EC (구주공동체)

0061

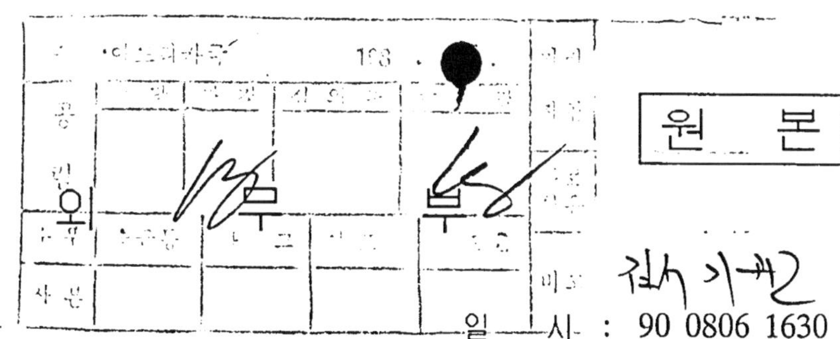

원 본

종 별 :

번 호 : ECW-0554 일 시 : 90 0806 1630

수 신 : 장 관 (중근동,구일,기협,통이,동자부,재무부,상공부)

발 신 : 주 EC 대사대리

제 목 : 이락의 쿠웨이트 침공 (자료응신 제 67호)

연: ECW-0552

1. EC 12 개국은 이태리 요청으로 8.4. 로마에서 긴급소집된 EPC 정무총국장 회의에서 이락의 쿠웨이트 침공에대한 제재조치로서 하기사항을 결정하고, 이락에 의해설립된 쿠웨이트 임시정부를 불승인하는 입장을 밝힘 (관련성명내용 별도 FAX 송부)

- 이락및 쿠웨이트로부터의 석유 금수
- EC 회원국내 이락 자산동결
- 이락에 대한 무기및 기타 군사장비 판매금지
- 군사분야에 있어 이락과의 여하한 협력중지
- 이락과의 과학기술협력 중지
- 이락에 대한 GSP 공여 중지

2. EC 집행위측은 EC 12 개국의 쿠웨이트및 이락으로부터의 원유수입이 EC 전체원유수입의 약 10.9 프로에 달하는 것으로 추산하고 하기사항을 고려할때 금번 석유금수 조치가 EC 회원국의 원유조달에 심각한 지장을 초래하지 않을 것으로 분석함

- EC 회원국들의 현 원유비축량은 130백만톤으로서 105 일분의 소비에 상당
- 1970년대 원유파동시 서구국가간에 구축된 상호지원및 결속 메카니즘이 계속 유효하며 석유공급위기시 IEA 및 EC 차원에서 재가동 가능성

3. 당지 언론및 석유전문가들은 금번사태로 최근유가가 북해산 BRENT 유 기준, 배럴당 24불이상으로 상승하였으며, 이러한 강세기조는 서방측의 제재조치 확산으로 당분간 지속될 것으로 전망 (일부에서는 배럴당 30불까지 상승전망) 하고 있으나, 동사태가 어떤 형식으로든 진정되면 유가는 다시 배럴당 21-22불수준으로 안정될 것으로 예상하고 있음

중아국	1차보	구주국	경제국	통상국	정문국	안기부	재무부	상공부
동자부	2차보							

PAGE 1

90.08.07 06:36 FC

외신 1과 통제관

0062

4. 이러한 전망의 근거는

1) 이락경제가 서방측의 제재조치에 장기간 버틸수 있을 만큼 좋지 못하기 때문에 금번사태가 장기간 지속될 것으로는 보지 않으며,

2) 금번 사태 이전에는 일산 2백만배럴정도 원유공급 초과현상을 시현하였으며,

3) 현재 OECD 국가들은 약 100일 정도의 석유를 비축하고 있기 때문임

5. 다만 당지 전문가들은 앞으로 비 OPEC회원국들의 신규 유전개발 가능성이 적기때문에 이번 사건을 계기로 OPEC회원국들이 재결속시 1990년대중 제3의 원유위기 도래 가능성을 우려하고 있음. 끝

(대사대리 신장범-국장)

0063

주 이 씨 대 표 부

종 별 :

번 호 : ECW(F)- 0039 일 시 : 0806 1630

수 신 : 장 관 (중근동, 구일)

발 신 : 주이씨대사

제 목 : 이라크의 쿠웨이트 침공에 대한 EC 공동성명

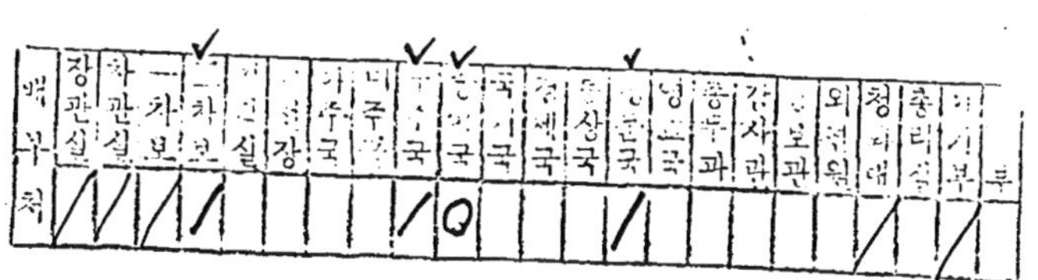

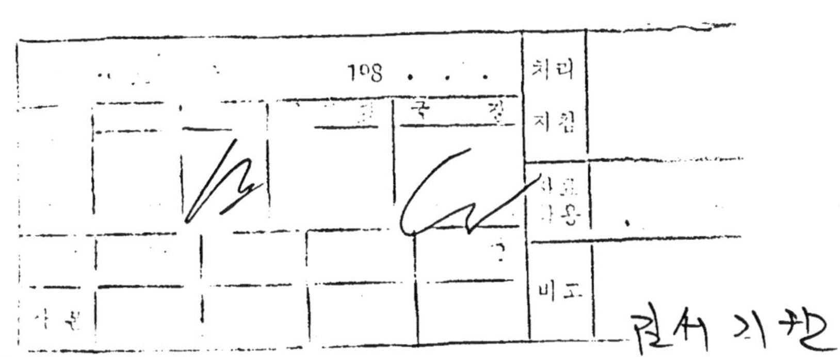

결서 기안

(총 3 매)

0064

EUROPEAN POLITICAL COOPERATION

PRESS RELEASE

P. 56/90 Brussels, 4 August 1990

STATEMENT ON IRAQ'S INVASION OF KUWAIT

The Community and its member States reiterate their unreserved condemnation of the brutal Iraqi invasion of Kuwait and their demand for an immediate and unconditional withdrawal of Iraqi forces from the territory of Kuwait, already expressed in their statement of August 2.

They consider groundless and unacceptable the reasons provided by the Iraqi Government to justify the military aggression against Kuwait, and they will refrain from any act which may be considered as implicit recognition of authorities imposed in Kuwait by the invaders.

In order to safeguard the interests of the legitimate Government of Kuwait they have decided to take steps to protect all assets belonging directly or indirectly to the State of Kuwait.

The Community and its member States confirm their full support for UN Security Council Resolution n. 660 and call on Iraq to comply with the provisions of that resolution. If the Iraqi authorities fail so to comply, the Community and its member States will work for, support and implement a Security Council resolution to introduce mandatory and comprehensive sanctions.

As of now, they have decided to adopt the following:

- an embargo on oil imports from Iraq and Kuwait;
- appropriate measures aimed at freezing Iraqi assets in the territory of member States;
- an embargo on sales of arms and other military equipment to Iraq,

0065

2/3

- the suspension of any cooperation in the military sphere with Iraq;

- the suspension of technical and scientific cooperation with Iraq;

- the suspension of the application to Iraq of the System of Generalized Preferences.

The Community and its member States reiterate their firm conviction that disputes between States should be settled by peaceful means, and are prepared to participate in any effort to defuse the tension in the area.

They are in close contact with the Governments of several Arab countries and follow with utmost attention the discussion within the Arab League and the Gulf Cooperation Council. They hope that Arab initiatives will contribute to the restoration of international legality and of the legitimate Government of Kuwait. The Community and its member States are ready to lend their full support to such initiatives and to efforts to resolve by negotiations the differences between the States concerned.

The Community and its member States are carefully monitoring the situation of EC nationals in Iraq and in Kuwait; they maintain strict coordination in order to guarantee their safety.

0066

3/3

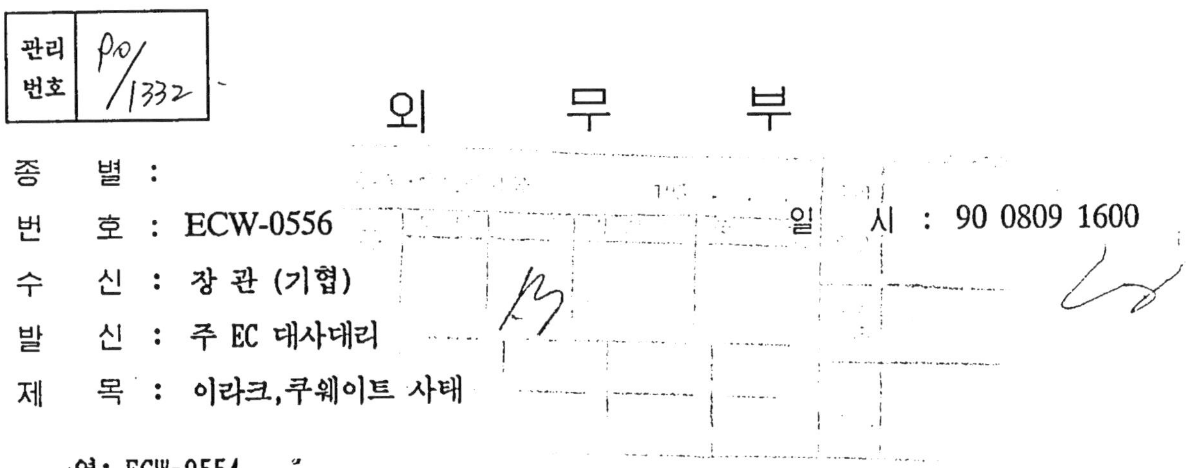
관리번호	90/1332

외 무 부

종 별 :
번 호 : ECW-0556 일 시 : 90 0809 1600
수 신 : 장 관 (기협)
발 신 : 주 EC 대사대리
제 목 : 이라크,쿠웨이트 사태

연: ECW-0554

1. 대호 관련, 당관 윤종곤 서기관은 8.8. EC 집행위 에너지총국 LEYDON 분석과장과 접촉한바, 동과장은 표제사태와 관련 하기와 같이 언급하였음

0 금번 사태 이전, 이락및 쿠웨이트로 부터의 원유 도입량은 EC 전체 원유수입의 약 10 % 를 차지 하였으며, 특히 덴마크 (50%) 및 희랍(18%) 의 경우는 상기 양국으로 부터의 원유수입 의존도가 높음

0 전반적으로 EC 회원국들의 원유 비축량은 약 100 일분의 소비를 초과, 당분간 원유 수급에서는 커다란 지장이 없을것으로 전망하고 다만 금번사태가 장기화될 경우에는 문제가 심각해 질것으로 보고, EC 측으로서는 금번사태를 예의 주시하고 있으며, 특히 이락, 쿠웨이트 원유공급 차질을 보충하기 위해 여타 공급원으로 부터의 수입을 늘려가기 시작하고 있음

0 최근 현물시장에서의 원유가 인상은 수요와 공급의 경제적 측면보다는 심리적 영향에 따른것으로서 1 베럴당 28 불선 까지는 서방경제가 견딜수 있을것이나 그 이상으로 상승할 경우에는 심각한 경제적 위기를 초래할 것으로 전망함

2. 동 과장은 금 8.9. 파리에서 긴급 소집되는 IEA 집행위 회의에서 금번사태에 대한 전망과 서방측의 대응방안이 구체적으로 검토될 것이라고 언급하고 동회의 종료후 재차 접촉키로 하였음. 끝

(대사대리 신장범-국장)

예고: 90.12.31 까지

경제국 차관 2차보 중아국

PAGE 1

90.08.10 03:05
외신 2과 통제관 DL
0067

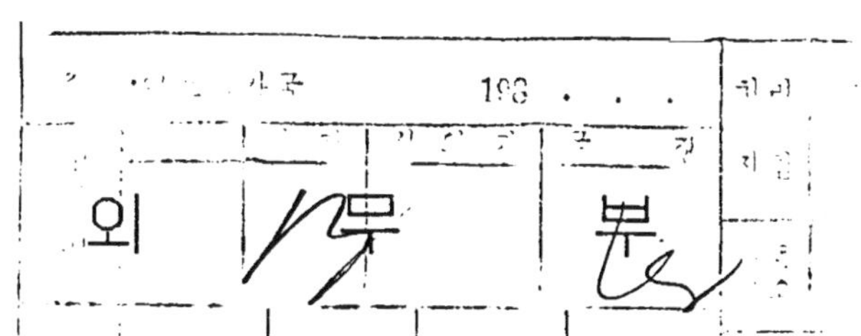

종 별 :

번 호 : ECW-0560 일 시 : 90 0810 1530

수 신 : 장 관 (기협,중근동,통일,통이)

발 신 : 주 EC 대사대리

제 목 : 이락.쿠웨이트 사태

연: ECW-0554

1. 작 8.9. 파리에서 개최된 IEA 집행위 긴급회의에서 미,유럽,일등 21개 석유소비국들은 이락.쿠웨이트 원유공급 중단에도 불구하고 현재 전세계적으로 원유공급량은 충분하다고 판단하고 금번사태로 각국이 당장 전략비축 석유를 사용하거나 특별에너지 절약계획을 시행하는등 긴급조치를 취할 위기상황은 아니라는데 의견의 일치를 봄

2. IEA 회원국들은 또한 최근 유가인상은 즉각적인 원유공급 부족사태에 기인하기 보다는 전반적인 불확실에 대한 심리적 반응으로서 평가하고 유가인상 억제와 원유공급의 안정을 기하기 위하여 국제 석유회사들에게 현재 충분한 상업적 비축을 활용할것과 현물시장에서 과도한 원유구입을 자제할 것을 촉구하였음

3. IEA 측은 금번사태에 따른 선진공업국들의 석유공급 상황은 지난 2차례 석유파동시보다 훨씬 나은것으로 분석하고 그이유로서 하기사항을 듬

- 각국정부의 전략비축 석유는 현재 8년만에 최고수준인 총 10억 배럴로서 서방공업국들의 순원유수입 150일분에 상당

- 사우디, 베네주엘라등 여타 산유국들이 이락,쿠웨이트의 원유공급 중단을 보충할 원유생산량 증가 가능성

4. IEA 측은 또한 금번사태가 원유공급 부족사태로 발전할 가능성을 배제하지 않으면서도 기존 원유부존량 개발및 여타 에너지원 전환등 대응방안을 고려할때 원유수급의 심각한 불균형이 재발될 가능성은 적은것으로 전망함.

5. 한편, 당지 원유 전문가들은 막대한 상업적, 전략적 원유 비축량을 감안할때중.단기적 원유부족사태는 없을것으로 보고, 걸프지역의 긴장이 완화될 경우 유가는배럴당 25불선 이하로 하락할 것이며, 향후 수주이내 20-22불선을 유지할

경제국 중아국 통상국 통상국

PAGE 1

90.08.10 23:56 FC

외신 1과 통제관

0068

외 무 부

종 별 :

번 호 : ECW-0645 일 시 : 90 0927 1630

수 신 : 장 관 (중근동,구일,국연)

발 신 : 주 EC 대사

제 목 : 걸프사태 관련, EC. 쏘련 공동선언 채택

1. 유엔총회 참석중인 EC 12개 회원국 외무장관과 ANDRIESSEN EC 대외관계 집행위원은 작 9.26.SHEVARDNADZE 쏘련 외무장관과 회담을 갖고 최근 걸프사태 관련, 하기요지의 EC- 쏘련공동선언을 채택하였음(전문 별도 FAX 송부)

0 이라크당국에 쿠웨이트 점령군의 즉각, 무조건 철수및 모든 외국인의 이라크및쿠웨이트 출국허용 촉구

0 EC 및 쏘련의 유엔안보리 제재조치 계속 준수결의및 필요시 추가조치 검토용의표명

0 아랍-이스라엘 분쟁, 팔레스타인 문제및 레바논사태등 여타 중동분쟁의 평화적해결노력 강화결의 표명

2. 한편 MATUTES EC 집행위 아랍관계 담당 집행위원은 EC 및 회원국들이 걸프사태 관련, 제3국 난민에 대한 식량, 의료품 공여및 본국송환 지원등 용도로 현재까지 총 108백만불 상당의 인도적 원조(EC 차원: 78백만불, 각 회원국: 30백만불)를 제공하였음을 밝힘.끝

(대사 권동만-국장)

중아국 1차보 구주국 국기국 통상국 정문국 안기부 대책반

PAGE 1

90.09.28 08:51 FC

외신 1과 통제관

0069

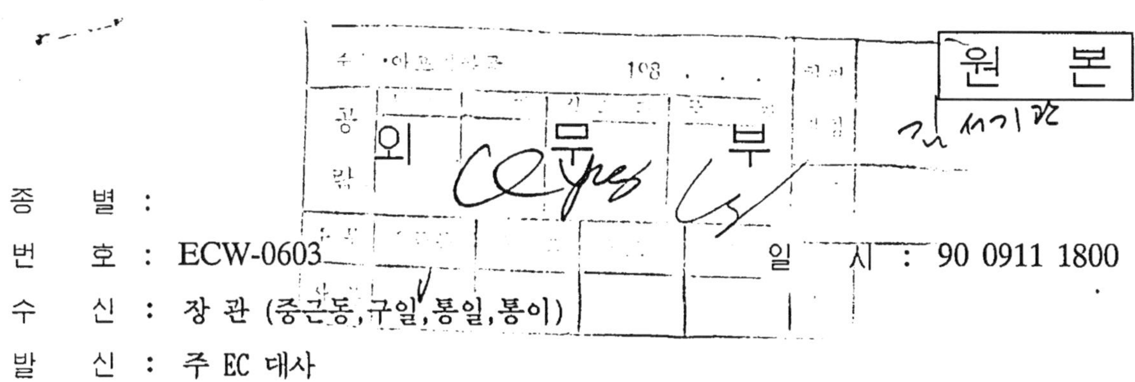

종 별 :

번 호 : ECW-0603 일 시 : 90 0911 1800

수 신 : 장 관 (중근동,구일,통일,통이)

발 신 : 주 EC 대사

제 목 : 걸프사태 (자료응신 제 69호)

연: ECW-0592

1. EC TROIKA (이태리, 아일랜드, 룩셈부르크) 외무장관들은 작 9.10. NATO 외무장관회의 참석차 당지를 방문한 BAKEG 미 국무장관과 면담, 걸프사태 관련 서방측의공동대응방안을 협의하였는바, EC 의장국인 MICHELIS이태리 외무장관은 동 회의결과및 EC 측의 향후 조치에 대해 하기와같이 언급하였음

0 EC 와 미국은 현 걸프사태를 여타 중동문제와 결부시키려는 여하한 기도에 반대입장임을 재확인

0 양측은 대이라크 추가 제재조치및 유엔 제재조치 미준수 국가에 대한 제재가능성을 유엔측과 협의용의 표명

0 EC 측은 금번사태에 중도적 태도를 보이고 있는 아랍국가에 대해 정치적 INITIATIVE 를 취할 계획이며, 이와관련 10.6-7 간 베니스에서 이라크를 제외한 전 아랍국가를 초청한 가운데 EC- 아랍 각료급 DIALOGUE 개최 예정

0 EC 와 GCC 간 관계강화를 위해 9.12.스트라스부르그에서 MATUTES EC 집행위원과 GCC사무총장간 회담개최 예정

0 9.17. EC 외무장관 회의에서 대이라크 제재조치로 막심한 경제적 타격을 받고있는 이집트, 요르단, 터키에 대한 EC 측 지원규모 결정예정

- EC 측은 상기 3개국외에 여타 아시아, 아프리카, 동구국가에 대한 지원가능성도 아울러 검토계획

0 EC 측은 SALMAN RUSHDIE 사건을 둘러싸고 악화된 EC- 이란관계 정상화를 위해막후교섭중

- 최근 이라크의 대이란 유화정책으로 대이라크 경제봉쇄에 헛점이 생길것을 우려, 이란의 유엔제재조치 준수 확보노력

중아국 1차보 구주국 통상국 통상국 정문국 안기부 대책반 미주국 2차보

PAGE 1 90.09.12 08:33 FC

외신 1과 통제관

0070

- EC-이란 양측은 상호각서 교환을 통해 RUSHDIE 사건타결 교섭중(이란측: 국제규범 준수서약, EC 측: 회교교리 존중입장 표명)

- 9월중 유엔총회를 계기로 EC TROIKA 외무장관과 이란 외무장관간 면담추진

3. 한편 BAKER 미 국무장관은 9.10. NATO 외무장관 회의에서 여타 NATO 회원국들에게 헬싱키 미.쏘 정상회담 결과를 브리핑하고, 금번사태 관련, 서방진영의 책임분담을 위해 하기사항에 대해 협조요청한 것으로 알려짐

0 NATO 우방국들이 비록 상징적이라도 걸프지역에 지상군 병력을 파견할 것을 요청

0 걸프지역 미군병력 수송을 위한 수단지원

0 터키및 이집트에 대한 경제적 지원

0 제 3국 피난민 본국송환을 위한 수송수단 제공

0 금번사태로 경제적 타격을 입은 중.동구국가에 대한 경제적 원조. 끝

(대사 권동만-국장)

외 무 부

종 별 :

번 호 : ECW-0616 일 시 : 90 0918 1630

수 신 : 장관 (중근동,구일,통일,미북)

발 신 : 주 EC 대사

제 목 : 걸프사태 (자료응신 제 71호)

연: ECW-0614

1. 작 9.17. 브랏셀에서 개최된 EC 외무장관 회의는 지난 9.14. 쿠웨이트 주둔이라크군의 불란서, 벨기에, 화란대사관및 관저난입 사건을 강력 규탄하고 이에대한 보복조치로서 EC 회원국 주재 이라크대사관 무관등 군사요원의 추방과 이라크대사관 직원의 행동자유를 제한키로 결정하였음

2. 또한 EC 외무장관들은 공중봉쇄를 구체적으로 언급치는 않았으나 대이라크 금수조치의 효율성 제고를 위해 모든 필요한 조치를 취할 용의를 재천명하고, 대이라크 제재조치를 준수치않는 국가에대한 적절한 대응조치 강구 필요성에 합의함

3. 한편, 대이라크 제재조치로 경제적 타격을 입은 국가에대한 지원문제와 관련, EC 외무장관들은 EC 집행위가 제의한 이집트, 요르단, 터키등 3개국에 대한 경제적 지원 원칙에는 합의 하였으나, 영국및 화란의 반대로 금번 회의에서는 구체적 지원규모는 결정치 못하였으며, 9월말까지 최종 결정을 내리기로 하였음. HURD영국 외무장관은 최근 일본이 걸프지역 원조공약을 배증 하였으며, 오지리 및 스위스등 여타국가들도 기여 의사를 표시 하였음에 비추어, EC 집행위 측의 15억 ECU 원조계획은 과다한 수준이며, ECH 측 지원규모 산정에 있어 군사비 지출 (영국의 경우 매일 200만 파운드) 이 고려되어야 할것이라고 주장한 것으로 보도됨

4. 동회의 종료후 기자회견에서 DELORS EC 집행위원장은 걸프지역의 분쟁방지를위해EC 긴급개입군을 창설해야 할것이라는 의견을 개진하고 이는 정치동맹을 지향하는 EC로서는 필연적인 것이라고 언급함. EC 각료이사회 의장인 MICHELIS 이태리 외무장관도 동회의에서 EC 의 SECURITY 역활 확대를 제의한 것으로 알려짐. EC 회원국중 NATO 가입국들은 금 9.18. 파리에서 서구연합 (WEU) 각료회의를 별도로 갖고 금번사태 관련, 군사적 조치에 관하여 협의 예정임. 끝

중아국 1차보 미주국 구주국 통상국 정문국 안기부 대책반

PAGE 1 90.09.19 04:26 DA

외신 1과 통제관

0072

(대사 권동만-국장)

PAGE 2

0073

김

외 무 부

종 별 :

번 호 : ECW-0645 일 시 : 90 0927 1630

수 신 : 장 관 (중근동,구일,국연)

발 신 : 주 EC 대사

제 목 : 걸프사태 관련, EC, 쏘련 공동선언 채택

1. 유엔총회 참석중인 EC 12개 회원국 외무장관과 ANDRIESSEN EC 대외관계 집행위원은 작 9.26.SHEVARDNADZE 쏘련 외무장관과 회담을 갖고 최근 걸프사태 관련, 하기요지의 EC-쏘련공동선언을 채택하였음(전문 별도 FAX 송부)

0 이라크당국에 쿠웨이트 점령군의 즉각, 무조건 철수및 모든 외국인의 이라크및쿠웨이트 출국허용 촉구

0 EC 및 쏘련의 유엔안보리 제재조치 계속 준수결의및 필요시 추가조치 검토용의표명

0 아랍-이스라엘 분쟁, 팔레스타인 문제및 레바논사태등 여타 중동분쟁의 평화적해결노력 강화결의 표명

2. 한편 MATUTES EC 집행위 아랍관계 담당 집행위원은 EC 및 회원국들이 걸프사태 관련, 제3국 난민에 대한 식량, 의료품 공여및 본국송환 지원등 용도로 현재까지 총 108백만불 상당의 인도적 원조(EC 차원: 78백만불, 각 회원국: 30백만불)를 제공하였음을 밝힘.끝

(대사 권동만-국장)

중아국 1차보 구주국 국기국 통상국 정문국 안기부 대책반 미주국

PAGE 1 90.09.28 08:51 FC

외신 1과 통제관

0074

UN

주 이 씨 대 표 부

종 별 :

번 호 : ECW(F)- 0044 일 시 : 0927 1630

수 신 : 장 관 (중근동, 구일, 국연)

발 신 : 주이씨대사

제 목 : 걸프사태 관련 EC 12개국 공동선언

배부처	장관실	차관실	一차보	二차보	기획실	의전장	아주국	미주국	구주국	중아국	국기국	경제국	통상국	정문국	영교국	총무과	감사관	공보관	외연원	청와대	총리실	안기부	대책반
	/	/	/	/					/	2	/		/	2						/		/	/

(총 1/2 매)

0075

27/09/90 Ref.:IP/90/775

JSSR JOINT STATEMENT : GULF CRISIS

The European Community and its member States and the Soviet Union, concerned that unresolved situations of conflict in the Middle East and the Gulf endanger international peace and security, generate new crises, spur the regional arms race and lead to an escalation of violence and extremism, have decided to adopt the following statement.

1. The Gulf crisis has to be urgently resolved. The invasion and military occupation of Kuwait, a sovereign and independent State, by Iraq have been condemned by the whole international community. These acts must not be tolerated since they violate fundamental principles of the UN Charter and international law and create a new, dangerous source of tension in the region.

Proceeding from the principles of inadmissibility of the use of force to settle disputes between States and of the respect for the right of every State to safeguard its national independence and territorial integrity, the European Community and its member States and the Soviet Union demand that Iraq strictly comply with the resoltuions of the UN Security Council and immediately and unconditionally withdraw its forces from Kuwait.

They express satisfaction at the high degree of consensus among all members of the UN Security Council and the international community as a whole concerning the need to put an end as soon as possible to the invasion and to restore international legality.

They believe that such a consensus needs to be preserved in order for a political solution of the crisis to be achieved. The conditions for this outcome is full compliance with the embargo decided by the United Nations. The European Community and its Member States and the Soviet Union are determined to continue to adhere to the sanctions decided by the Security Council and call on all other States to act in the same way. They are also prepared to consider additional steps consistent with the UN Charter.

The European Community and its member States and the Soviet Union urge the Iraqi authorities to allow immediately all foreign citizens who so desire to leave Iraq and Kuwait. They hold the Iraqi government responsible for their safety.

- 2 -

2. The European Community and its Member States and the Soviet Union are also determined to multiply their efforts aiming at resolving the other conflicts of the region, such as the Arab-Israeli conflict, the Palestinian problem and the situation in Lebanon. The European Comunity and its Member States and the Soviet Union stress that they remain committed to the attainment of a just, comprehensive and lasting peace in the region, in compliance with the relevant resolutions of the UN Security Council.

Wishing to contribute to the security and welfare in the area, the European Community and its Member States and the Soviet Union confirm their readiness to cooperate with the countries of the area in establishing a comprehensive structure in the region and in drawing up to that end a set of rules capable of fostering peace, tolerance, stability, economic cooperation and development. They will consult each other in order to achieve these objectives.

The European Community and its Member States and the Soviet Union believe that practical measures should be taken, concurrently and in conjunction with the peace efforts in the Middle East, to build a climate of confidence aiming at resolving the problems of the whole area, to curb the arms race and to prevent the proliferation of weapons of mass destruction through adherence to the appropriate international agreements as well as through specific regional measures.

2/2 0076

주 영 대 사 관

총 4매
(4-1)

번 호 : UKW(F)- 0370 DATE: 00928 1930

수 신 : 장관(중근동, 미북, 구일)

제 목 : 걸프사태(9.28.자 외무성대변인 정세설명) -EC.쏘련 공동성명 포함

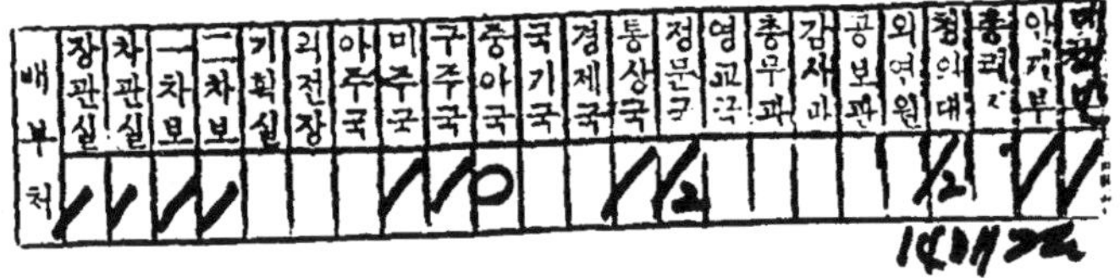

0077

(4-2)

FCO SPOKESMAN: FRIDAY 28 SEPTEMBER 1990

OVERSEAS DEVELOPMENT ADMINISTRATION

Spokesman drew attention to two press releases issued by the ODA today concerning the launching by Mrs Lynda Chalker of a new £4.7 million health initiative for developing countries; and the announcement of the visit by Mrs Chalker to Ghana from 29 September to 3 August.

EC/USSR JOINT STATEMENT ON THE GULF CRISIS

Spokesman drew attention to this statement (copy attached).

IRAQ/KUWAIT

Spokesman said that the British Ambassador in Baghdad had been attempting to obtain clarification from the Iraqi authorities concerning reports that foreigners in Iraq would not be allowed to purchase food from 1 October. So far these attempts had not yielded any clarification. We were in touch with our partners and allies as well as the ICRC on the subject.

Spokesman pointed out that Iraq's obligations towards foreign nationals in Iraq under international humanitarian law was quite clear. These obligations included ensuring that foreign nationals were not denied access to food.

Spokesman also pointed out that Iraq was in contravention of the International Covenant on Civil and Political Rights to which it is a signatory. The Covenant provided for the right of foreign nationals to leave other countries at will.

Spokesman said that the whole question of foodstuffs for foreign nationals would be one of the subjects raised with the Iraqi Ambassador who had been summoned to the Foreign Office to be seen by Mr Patrick Fairweather, Deputy Under Secretary of State.

Spokesman concluded by saying that it was important that attention should not be diverted from the central issue of the crisis - that is the wholly unjustified an illegal occupation of Kuwait.

UK/SYRIA

In response to a number of questions about the possibility of resuming diplomatic relations with Syria, Spokesman said that he would emphasise the words of the Foreign Secretary: "I would like to get back to normal relations with Syria. There are obstacles of quite a different kind which remain to be settled and the effort has to be made by both sides, not by one."

0078

EC-USSR JOINT STATEMENT

(4-3)

The European Community and its member States and the Soviet Union, concerned that unresolved situations of conflict in the Middle East and the Gulf endanger international peace and security, generate new crises, spur the regional arms race and lead to an escalation of violence and extremism, have decided to adopt the following statement.

1. The Gulf crisis has to be urgently resolved. The invasion and military occupation of Kuwait, a sovereign and independent State, by Iraq have been condemned by the whole international community. These acts must not be tolerated since they violate and create a new, dangerous source of tension in the region.

Proceeding from the principles of inadmissibility of the use of force to settle disputes between states and of the respect for the right of every state to safeguard its national independence and territorial integrity, the European Community and its member States and the Soviet Union demand that Iraq strictly comply with the resolutions of the UN Security Council and immediately and unconditionally withdraw its forces from Kuwait.

They express satisfaction at the high degree of consensus among all members of the UN Security Council and the international community as a whole concerning the need to put an end as soon as possible to the invasion and to restore international legality.

They believe that such a consensus needs to be preserved in order for a political solution of the crisis to be achieved. The condition for this outcome is full compliance with the embargo decided by the United Nations. The European Community and its member States and the Soviet Union are determined to continue to adhere to the sanctions decided by the Security Council and call on all other States to act in the same way. They are also prepared to consider additional steps consistent with the UN charter.

Time does not work for the aggressor. It will only strengthen the determination of the international community to repell the aggression and to fully restore Kuwait's sovereignty.

The European Community and its member states and the Soviet Union urges the Iraqi authorities to allow immediately all foreign citizens who so desire to leave Iraq and Kuwait. They hold the Iraqi government responsible for their safety.

.... more

0079

EC-USSR JOINT STATEMENT CONT'D

(4-4)

- 2 -

II. The European Community and its member States and the Soviet Union are also determined to multiply their efforts aiming at resolving the other conflicts of the region, such as the Arab-Israeli conflict, the Palestinian problem and the situation in Lebanon. The European Community and its member States and the Soviet Union stress that they remain committed to the attainment of a just, comprehensive and lasting peace in the region, in compliance with the relevant resolutions of the UN Security Council.

Wishing to contribute to the security and welfare in the area, the European Community and its member States and the Soviet Union confirm their readiness to cooperate with the countries of the area in establishing a comprehensive structure in the region and in drawing up to that and a set of rules capable of fostering peace, tolerance, stability, economic cooperation and development. They will consult each other in order to achieve these objectives.

The European Community and its member States and the Soviet Union believe that practical measures should be taken, concurrently and in conjunction with the peace efforts in the Middle East, to build a climate of confidence aiming at resolving the problems of the whole area, to curb the arms race and to prevent the proliferation of weapons of mass destruction through adherence to the appropriate international agreements as well as through specific regional measures.

0080

원 본

외 무 부

종 별 :

번 호 : ECW-0665　　　　일 시 : 90 1005 1630

수 신 : 장 관 (중근동,구일,미북,통이)

발 신 : 주 EC 대사

제 목 : 걸프사태 (자료응신 제 77호)

연: ECW-0652

1. EC 12 개 회원국 외무장관들은 10.2. 뉴욕CSCE 각료급회담 참석기회에 별도회의를 갖고, 이집트, 요르단, 터키등 3개 전선국가에 대한 EC측의 경제지원 규모를 1991년말까지 15억 ECU (20 억불 상당) 로 최종 결정하였음

2. 그러나 EC 외무장관들은 동 지원분담 방안에 있어 EC 집행위의 제의 (7억 5천만 ECU - EC 예산, 잔여 7억 5천만 ECU - 각회원국 분담) 를 일부 수정하여, EC예산에서 5억 ECU (무상원조및 차관포함) 를 지원키로하고, 나머지 10억 ECU 는 각 회원국의 자발적 기여금으로 충당키로 함. EC 회원국들은 10.8.경제 재무장관 회의에서 각국의 자발적 기여금 분담방안을 협의할 예정임

3. 한편 EC 측은 걸프사태 관련, GCC회원국들과의 관계강화 방안의 일환으로 EC-GCC 간 자유무역 협정체결 교섭을 10.18.브랏셀에서 정식 착수키로 함. 동 협상에서 GCC회원국의 수출 석유화학 제품에 대한 EC측의 관세 인하 문제가 주요이슈로 대두될 것으로예상됨

4. 또한 MICHELIS 이태리 외무장관의 제의로 10.6-7 간 이태리 ASOLO 에서 개최 예정이던 걸프사태 관련 EC- 아랍연맹 외무장관 회담이 일부 아랍국가의 이견으로 당분간 연기됨.끝

(대사 권동만-국장)

공람					

중아국　1차보　2차보　미주국　구주국　통상국　안기부　대책반

PAGE 1　　　　90.10.06 10:42 WG

외신 1과 통제관

0081

외 무 부

종 별 : 지 급

번 호 : ECW-0039

수 신 : 장 관 (중근동,구일)

발 신 : 주 EC 대사

제 목 : 걸프사태사

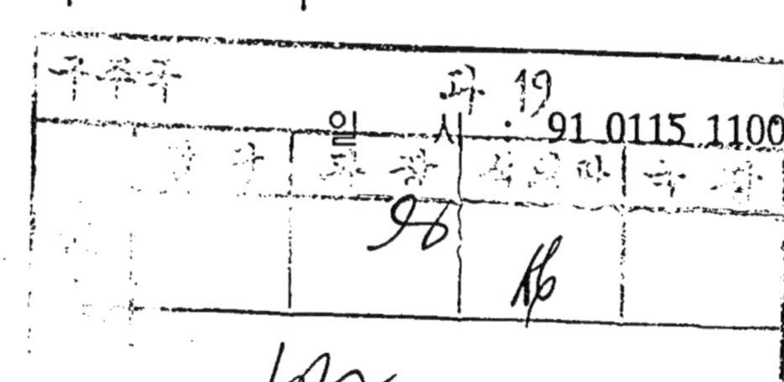

1. 작 1.14. 브랏셀에서 개최된 EC 외무장관 특별회의에서 각 회원국 외무장관들은 JACQUES POOS 룩셈부르그 외무장관으로부터 지난주말 PERES DE CUELLAR 유엔사무총장의 SADDAMHUSSEIN 이락대통령 면담결과를 보고받고, 이락측의 태도변화가 없는현 상황에서 ECTROIKA (룩셈부르그, 이태리, 화란) 사절단의 이락파견등 새로운 중재제의를 하지 않기로 결정함

2. 그러나 EC 외무장관들은 동일 발표된 공동성명에서 EC 측의 TARIQ AZIZ 이락외무장관 알제리 회담 초청은 계속 유효하다고 밝히고, 아랍국가및 기구들에 대이락 설득노력을 계속하도록 촉구함

3. JACQUE POOS 룩셈부르그 외무장관은 동회의 종료후 가진 기자회견에서 이락이유엔 사무총장및 EC 의 중재노력을 거부한 이상 향후사태 발전의 모든 책임은 이락에 있다고 경고함. 동외무장관은 불란서 사절단의 바그다드 방문가능성에 대해서 어느회원국 정부도 상기회의 (조회중)TN책QGSAL진계획을 밝힌바없다고 답변함

4. 상기 걸프사태 관련 EC 공동성명 전문은별도 FAX 송부함. 끝

(대사 권동만-국장)

중아국 1차보 2차보 미주국 구주국 중아국 정문국 안기부

PAGE 1

91.01.16 11:07 FC

외신 1과 통제관

0082

주 이 씨 대 표 부

종 별 :

번 호 : ECW(F)- 03

일 시 : 0115 1730

수 신 : 장 관 (중근동, 구일)

발 신 : 주이씨대사

제 목 : 걸프사태 관련 EC 외무장관회의 성명

"Following a meeting between the Council President and the United Nations Secretary-General, the Foreign Ministers of the European Community took note of the substance of the talks held by Mr. Perez de Cuellar and Iraq's Foreign Minister. They note that the Secretary-General will present a report concerning his mission to the UN Security Council later today. It will be up to the latter to assess the results. As far as they are concerned, the Community and its Member States have, since the beginning of the Gulf crisis, unreservedly supported the full and unconditional implementation of the pertinent resolutions of the UN Security Council. They did not spare their efforts to explore all the possible ways of finding a peaceful solution in accordance with these same resolutions. In this spirit, the European Community had expressed its readiness to have the ministerial Troika meet with Iraq's Foreign Minister Mr. Tariq Aziz, first in the capital of the Presidency and later in Algiers. In the Presidency's Declaration of 4 January 1991, the Twelve had clearly indicated that, in the case of full and unconditional implementation of the UN Security Council resolutions, Iraq should be given the guarantee that it would not be subject to military intervention. In the same declaration, the Community and its Member States had also clearly confirmed their commitment to actively contribute to the settlement of the other problems of the region with a view to establishing there a situation of security, stability and development, as soon as the Gulf crisis would be resolved. On the occasion of the Rome European Council on 15 December, the European Community and its Member States had indicated that they remain fully in favour of the convening of an international peace conference on the Middle East at the appropriate time. They must unfortunately note that the readiness thus declared to contribute to a peaceful settlement of the crisis, opening the way to a fair settlement of all the other problems of the region, has thus far not met with a response from the Iraqi authorities. Given the latter's persistent refusal to apply the UN Security Council resolutions and in the absence of any sign to that effect, the European Community and its Member States regret to note that the conditions for a new European initiative are not met at this time. However, the invitation forwarded to Mr. Tariq Aziz for a contact with the ministerial Troika remains on the table. The European Community and its Member States are satisfied that they have made all possible efforts to try to find a peaceful solution to resolve the crisis. They remain determined to explore all possibilities to safeguard peace in the respect of international legality. Within this framework, they call on Arab countries and organisations to continue to make all possible efforts to make sure that Iraqi authorities understand that it is in Iraq's interest, as well as that of the Arab world as a whole, to conform with the Security Council resolutions. The Ministers invited the Presidency to remain in close contact with all the parties concerned. The Ministers and their political directors will remain in constant consultation in coming days to monitor the evolution of the crisis and adopt all necessary decisions".

(줄 / 끝)

0083

원 본

외 무 부

종 별 :

번 호 : ECW-0075 일 시 : 91 0125 1730

수 신 : 장관 (구일,중근동,통이) 사본: EC 회원국대사-직송필

발 신 : 주 EC 대사

제 목 : 걸프전쟁 관련 EC 동향

(자료응신 05호)

연: ECW-0065

1. 구주의회는 작 1.24. 스트라스부르그 본회의에서 걸프전쟁 관련 결의안을 채택한바 주요내용 아래와같음.

0 걸프사태 관련 유엔안보리 결의 지지및 다국적군에 대한 연대감 표시

0 이락의 대이스라엘 미사일 공격을 강력 규탄하고 이스라엘의 보복자제를 환영

0 전쟁포로를 연합군의 대이락 공습에 대한 방패로 쓰려는 SADDAM HUSSEIN 의 결정에 대해 경악표시

0 이락이 유엔안보리 결의를 존중하여 신속히 쿠웨이트 철수 착수시 전쟁 행위의 즉각적인 중단과 협상재개가 가능할 것임을 강조

0 EC 회원국 정부에 UN 후원하 중동평화에 관한 국제회의 소집원칙에 대한 지지를 천명할것을 촉구

0 서방 선진국 정부에 중동지역 무기수출 제한및 통제에 관한 협력정책을 추진할것을 요청

0 EC 각료 이사회에 가능한한 조속히 중동지역과의 정치,경제, 통상, 문화협력을 위한 EC 정책을 수행할것을 촉구

2. 동 표결에앞서 전임 EC 의장국인 이태리 ANDREOTTI 수상과 현의장국인 룩셈부르그 POOS 외무장관은 지난 6개월간 EC 활동실적및 향후 6개월간 사업계획을 보고하는 가운데 최근 걸프전쟁 대응에서 각 회원국들이 산발적으로 군사력을 파견키로 결정함으로서 EC 행동의 통일을 기하지 못하고 EC 의 제도적 결함을 노정하였다고 시인함. 또한 이들은 여사한 걸프사태 교훈이 EC 공동 외교안보정책 추진 필요성을 여실히 보여주었 다고 강조하고, 향후 EC 정치동맹 논의과정에서 공동

구주국 장관 차관 1차보 2차보 미주국 중아국 통상국 청와대
총리실 안기부 대책반

PAGE 1

91.01.26 06:37 DA
외신 1과 통제관
0084

외교안보정책 목표달성 가능성에 낙관적인 전망을 함.

3. 한편 MANFRED WORNER NATO 사무총장도 작 1.24. 당지 유럽정책 연구센타 (CEPS) 주최 세미나에서 BUILDING A NEW EUROPE 제하 연설을통해 걸프전쟁 대응에있어EC 회원국간의 불협화음은 EC의 공동 외교안보정책 추진을 더욱 가속화할 필요성을보여주고 있다고 언급함으로써 상기 이태리, 룩셈부르그측 의견에 동조를 표시함.동사무총장은 EC 회원국들이 단지 NATO 에 속하는 것만으로는 더이상 충분치 않으며 앞으로는 안보분야에서 EC 가 새로운 국제적 책임에 상응한 역할을 하려면 고루한 주권 개념에서 탈피하여 EC 공동체 권능에 방위문제도 포함시켜야 한다고 주장하였음.

4. 걸프사태의 향후 EC 정치동맹 추진방향에 대한 파급효과에 관한 이와같은 견해는 영국의 전망과 현저한 대조를 이루는 것으로서 MAJOR 영국수상은 금주 하원연설에서 EC 회원국들이 걸프전쟁에 부분적, 소극적으로 참여함으로써 아직까지 국제무대에서 공동보조를 취할 용의가 없음을 보여주었다고 언급하고, EC회원국들은 공동체 권능을 안보분야로 확대하려는 계획을 축소해야 할것이라고 주장한바 있음.

끝

(대사 권동만-국장)

PAGE 2

0085

주 포 르 부 갈 대 사 관

주폴(정)700- 40 1991.2.8

수신 : 장 관

참조 : 중동아프리카국장, 구주국장, 미주국장

제목 : 걸프전 관련 동향

(자료응신 제 17 호)

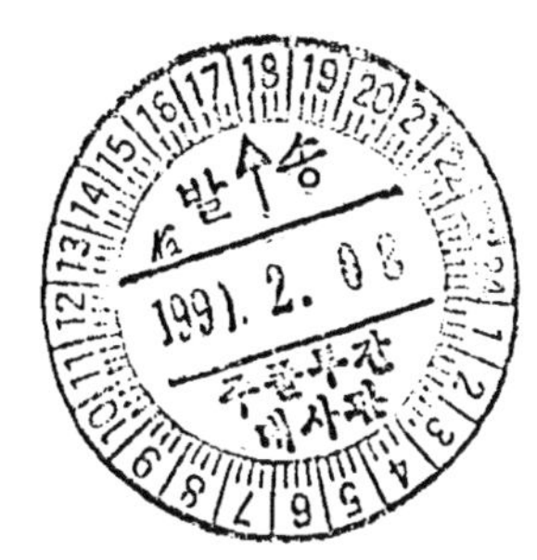

연 : POW-0061, 참조 : ECW-0123

1. EC 외무장관회의는 91.2.4의 회의에서 걸프전 관련된 제반 토의 및 결정을 내리는 가운데, PLO의 대이락 지원과 관련하여, EC의 대PLO 접촉관계를 동결시키기로 하였읍니다.

2. 동 회의에서 연호 PLO Yasser Arafat 의장의 주재국 Mario Soares 대통령에 대한 접촉과 이에 대한 Soares 대통령의 조치(Barata 비서실장을 튜니스 파견, Arafat에게 친서 전달)는 토의되지 않았다고 합니다. 그러나, 그간 EC 집행위와 EC 일부 국가수도에서는 Soares 대통령의 대 PLO 접촉 과정에서, EC 여타 국과와 사전 협의가 없었다는 점에서 비판적 의견이 제시되었던 것으로 알려지고 있읍니다.

3. 상기 EC 각료회의의 대 PLO 관계 동결조치로 인해 주재국내에서 Soares 대통령의 대PLO 접촉에 대한 찬,반 시비가 한동안 계속되고 있읍니다.

주, 대사관

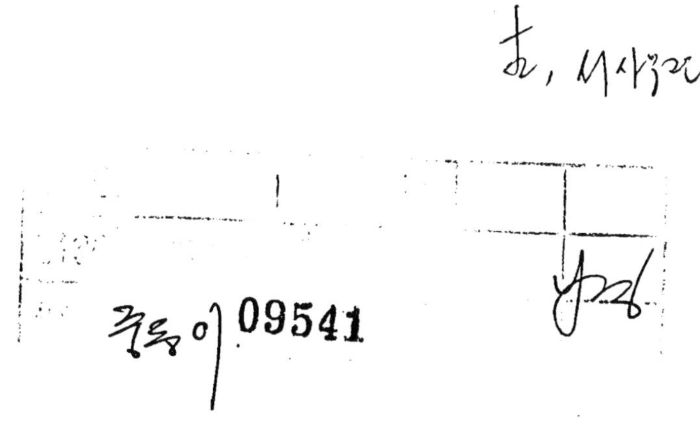

0086

주재국 Cavaco Silva 수상은 Soares 대통령의 외교 이니시아티브에 대해서는 논평치 않는다는 입장을 취하고 있으며, 주재국의 입장은 EC제국의 공동입장과 같다는 입장만을 표명하여, 대통령의 이니샤티브와는 상당한 거리가 있음을 시사하고 있으며, Deus Pinheiro 외상은 또 Soares 대통령 이니샤티브에 대한 시비의 파장을 극소화시키려는 노력도 보이고 있읍니다.

5. 상기 대통령의 조치를 위요한 주재국내의 외교정책 시비는 이원 집정제적 정부체제하에서 발생될 수 있는 문제이기도 하나, 다른 한편 전통적으로 가급적 분쟁 당사자들과의 균형된 관계를 유지 하려해온 주재국의 외교전통에서 비롯된 것으로도 보여지고 있읍니다.

6. 한편 주재국내 마그레브권 대사들(이집트, 리비아, 튜니시아, 모로코)은 공동으로 EC 제국에 대한 공동외교 Demarche의 일환 으로 2.1 Deus Pinheiro 외무장관을 예방하고, 걸프전 문제와 전후 문제를 협의했으며, Pinheiro 외상은 걸프전이 종식되는대로 중동문제토의를 위한 국제평화 회의를 개최하자고 제시하였읍니다. 또 주재국은 지중해 역권의 안녕과 협력증진을 위해 CSCE와 같은 지역 평화회의의 추진 필요성도 강조한 것으로 알려지고 있읍니다.

끝.

주 포 르 투 갈 대 사

0087

원 본

암호수신

외 무 부

종 별 :

번 호 : ECW-0197 일 시 : 91 0227 1630

수 신 : 장관 (구일,중동일,경일,통이,동구일,건설부)

발 신 : 주 EC 대사

제 목 : GULF 전후 복구사업

1. 2.27. C.CAPORALE EC 집행위 아랍국가 담당관에 의하면 GULF 전쟁 전후 복구문제와 관련, 쿠웨이트등 전쟁 피해국에 대한 EC 차원의 무상원조 형태의 재정지원은 고려치 않고 있으며, EC 회원국의 기업등이 전후복구 사업에 응분의 기여와 참여를 하게 되기를 희망한다고 말함

2. 동인은 전후복구 사업에 적극적으로 참여하기를 희망하는 EC 기업들이 쿠웨이트의 도로정비, 파괴된 고속도로 연결, 수도, 전기보수, 항구및 공항재개등 긴급 복구사업과 관련, 망명 쿠웨이트 정부가 이미 미국과 단독으로 계약을 체결한데 대하여 불만을 표시하고 이러한 초기단계의 관행이 앞으로도 계속될 것에 대하여 심각한 우려를 표하고 있다함

3. 동인은 금번 GULF 전쟁에 있어 미국의 역활로 비추어볼때 미국회사들이 전후 복구사업에 주도적으로 참여하는것은 당연한 일로 볼수 있겠으나 동 전쟁의두번째 기여국인 영국을 비롯, 프랑스, 이태리등 EC 국가들의 기여에 상응한 복구사업 참여가 보장돼야 할것이라고 강조하고, 이러한 EC 측의 의사를 망명 쿠웨이트 정부및 미국정부에 이미 전달한바 있다고 언급하면서 소련이 비록 직접적인 파병이나 재정지원은 하지 않았으나 GULF 사태에 관한 UN 안보리결의를 일관성있게 지지해왔고 또한 서의있게 평화제의를 내는등 나름대로의 기여를 하고 있음으로 전후 지역안보 기구 설치를 비롯한 동지역 신질서 구축과정을 비롯, 특히복구사업에 어떠한 형태로든 참여할수 있도록 기회를 특히 부여하는 것이 바람직하다고 말함. 끝

(대사 권동만-국장)

구주국	장관	차관	1차보	구주국	중아국	경제국	통상국	청와대
건설부								

PAGE 1

91.02.28 05:29

외신 2과 통제관 CW

0088

INGDOM

주 영 대 사 관

총 4 매
(41)

번 호 : UKW(F)- 0107 DATE: 10220 1730

수 신 : 장관(중근동,미북,구일)

제 목 : 걸프사태 (EC 성명)

첨부 : 3매.

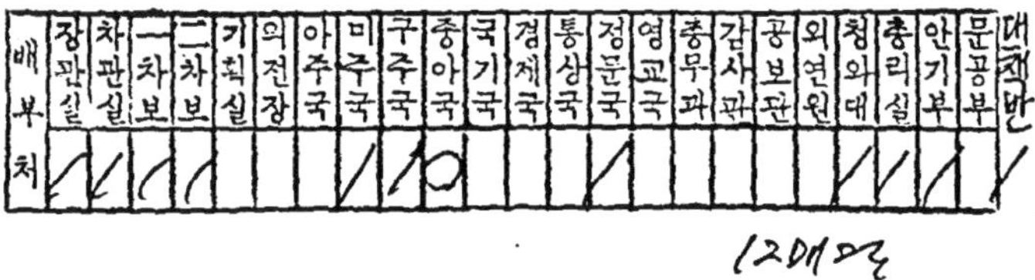

배부처	장관실	차관실	一차보	二차보	기획실	의전장	아주국	미주국	구주국	중아국	국기국	경제국	통상국	정문국	영교국	총무과	감사관	공보관	외연원	청와대	총리실	안기부	문공부	대책반
	/	/	/	/				/	/	○				/						/	/	/		/

12매임

0089

(4-1

All Post

STATEMENT ON THE GULF

Spokesman drew attention to the following statement issued by The Twelve in Luxembourg on 19 February:

"The Community and its Member States have taken note with interest of the appeal of President Gorbachev to the Iraqi leadership and they welcome in particular his call for a full and unconditional withdrawal of the Iraqi troops from Kuwait and the re-establishment of the sovereignty and legitimate government of that country in conformity with the relevant Security Council Resolutions.

They renew their appeal to the Iraqi government fully and unconditionally to implement all the relevant resolutions of the UN Security Council thus putting an end to the conflict and sparing new sufferings to their people and the people of Kuwait.

They reaffirm the commitment of the Community and its Member States to contribute actively, once international legality is re-established, to security, stability and development for all the countries in the region, in an appropriate framework which also takes into account the need for a global, flexible and gradual approach to the various problems of the area. In this connection, they reaffirm their commitment to the sovereignty, unity, independence and territorial integrity of all the countries of the region. They will continue their consultations with the United States and other concerned countries, notably the Soviet Union.

They are fully committed to support the role of the United Nations in promoting security and international peace in the area. They believe that it is mainly for the states of the region to reach agreement on arrangements aimed at ensuring their future security both individually and collectively. The Community and its Member States will be ready to play their full part in supporting the efforts of the states concerned, and to complement them with appropriate and convergent action. In this connection, the Community and its Member States welcome the fact that at their meeting held in Cairo on 15-16 February the Foreign Ministers of Egypt, Syria and the Gulf Cooperation Council agreed upon a

0092

(4-3)

framework for future cooperation. They will undertake the appropriate contacts with those countries. A meeting of the Troika will be held in the near future with Israel at Ministerial level. Other countries, notably Iran, have also an important role to play for the future stability of the region.

The Community and its Member States attach particular importance to their political dialogue with the GCC countries. They are looking forward to the early convening of the EC/GCC Cooperation Council.

The Community and its Member States attach special importance to their cooperation and political dialogue with the countries of the Arab Maghreb Union. They will promote the pursuit of a meaningful and constructive dialogue at political level shortly, and will undertake the appropriate contact.

The Community and its Member States believe that the Arab/Israeli conflict and the Palestinian question are fundamental sources of instability in the region. They consider that the International Community should make renewed efforts urgently to achieve a comprehensive, just and lasting solution. They continue to believe that a properly structured international conference at an appropriate time will provide a suitable framework for negotiations. Such a conference will require a serious preparation. They will actively promote the search for a peaceful settlement through dialogue with and between all concerned parties.

Regarding the situation in Lebanon, they express their strong support for the full implementation of the Taif Agreement as the means to achieve national reconciliation in a Lebanon free of all foreign troops.

The Community and its Member States endorse the view expressed in the Cairo Meeting about the importance of efforts by the Arabs themselves to foster greater economic and social development, respecting the principle of sovereignty over economic resources. The Community and its Member States share their perspective and stand ready, in full respect of this principle and in a spirit of mutual solidarity, to develop their cooperation with the countries

0091

(4-4

of the region. Their immediate priorities are to ensure the early implementation of their new Mediterranean policy and the rapid disbursement of their aid for the three countries most directly affected by the economic consequences of the Gulf crisis. The Community and its Member States are aware of the need for a comprehensive approach to all the problems of the Mediterranean, Middle East and Gulf region. In this connection, they are willing to explore the modalities for launching a process aimed at establishing a set of rules and principles in the field of securit economic cooperation, human rights and cultural exchanges."

[illegible]

[illegible] Community [illegible] States will be [illegible] play their full part in supporting the efforts of the states concerned, and to complement them with appropriate and convergent action. In this connection, the Community and its Member States welcome the fact that at their meeting held in Cairo on 15-16 February the Foreign Ministers of [illegible]

0092

사본→국장

외 무 부

종 별 :

번 호 : ECW-0201　　　　　　　　　　일 시 : 91 0228 1700

수 신 : 장 관 (구일,중동일,북미,통이,경일, 주 EC 회원국대사-직송필)

발 신 : 주 EC 대사

제 목 : GULF 종전에 따른 EC 회원국 동향

연: ECW-0180, 0197

GULF 전쟁이 사실상 끝나감에 따라 동지역에서의 정치, 안보, 경제등 분야에서의 전후처리문제와 관련, EC 회원국들은 긴밀한 협의를 계속하고 있으며, 3.4. 룩셈부르그 개최 EC 일반이사회 (외무장관 회의) 에서 동문제가 집중 논의될 것으로 보이는바 관련동향을 아래 보고함

1. EC 는 이라크의 쿠웨이트 침공이후 전쟁발발시까지 일관된 공동의 입장을 정립하지 못함에따라 영국은 미국의 입장을 적극 지지하고, 불란서는 독자적인 평화안을 제시하고, 여타국은 파병자체를 반대하는등 시의적절하고 효과적인 대응을 하지 못하고 분열된 모습을 보였으며, 개전이후에도 독일에서 대규모의 반전데모와 벨지움등 일부국가가 영,불등에 대한 파병비용 지원을 거부하는등 EC의 공동 외교안보 정책부재 현상이 적나라하게 들어난데 대하여 허탈감과 자성론이 강하게 대두되고 있어 공동 외교안 보정책 수립을 비롯한 정치동맹 추진을 가속화하는 계기가 될것으로 기대하고 있으며 지금까지 동 문제에 대하여 소극적인 입장을 보여온 영국도 기본적인 입장변화를 보이고 있음

2. EC 회원국중 미국과 함께 금번 전쟁시 큰기여를 한 영국및 프랑스는 종전처리 문제관련된 일련의 협상 테이블에서 기여에 상응한목을 할수 있을것으로 비교적 느긋한 입장이나 소규모 파병 또는 재정지을 한 이태리, 독일 및 여타국등이 초조한 입장을 보이고 있으며 동 지역안보문제와 복구사업에 미국의 독주를 견제하기 위하여 EC 회원국 전체의 영향력 행사가 필요하다고 주장하고 있음

3. EC 회원국들은 금번 전쟁에서의 미국의 절대적인 기여와 주도적인 역할을 인정하지 않는것은 아니나 쿠웨이트등 중동국가등이 역사적 지리적 문화적으로 구라파 국가들과 긴밀한 관계를 유지해 왔다는 사실에 비추어 볼때 미국의 동 지역에대한

구주국　1차보　2차보　미주국　중아국　경제국　통상국　정문국

PAGE 1　　　　　　　　　　91.03.01　10:55 WG
외신 1과 통제관

0093

전략적, 경제적 차원의 관계유지와는 구별되어야 하며 개전전부터 아랍세계에서 이루어놓은 EC 회원국 기업들의 기존의 역활과 업적이 계속하여 보호되어야 한다는데 의견을 같이하고 있음

4. 한편 상기와같이 GULF 전후 처리문제에 있어 EC 국가들이 일관되고 공통된 입장을 취하여야 한다는 대전제에는 동의하면서도 불란서가 독자적으로 전후 동 지역안보체제 설치와 관련된 안을 제시하겠다는 입장표명을 한바있으며, 영국은 동 지역국가와의 역사적, 경제적관계가 여타 EC 회원국보다 훨씬 더긴밀하다고 주장하면서 동 지역안보 체제설치에 적극적으로 기여할 의사가 있음을 밝힌바 있고, GULF 전쟁으로 인하여 대서방 감정이 악화된 알제리, 모로코, 튀니지등을 선무하기 위하여 팔레스타인 문제해결을 위한 UN 주관하의 국제회의 개최를 불란서, 이태리, 스페인등이 주장하는등 EC 회원국내의 이해관계가 복잡하게 얽혀있기 때문에 동 문제와 관련하여 EC 가 과연 어떻게 공동입장을 마련할 것인지에 대하여 회의적인 입장을

표명함

5. 한편, EC TROICA 는 GULF 전쟁의 급진전으로 인하여 연호 카이로그룹 국가, 아랍, 마그레브 국가및 이스라엘 외무장관의 일련의 연석회의를 금번 EC 일반이사회 개최이후로 연기하였음. 끝

(내사 권동만-국장)

PAGE 2

0094

원 본

외 무 부

종 별 :

번 호 : ECW-0225 일 시 : 91 0307 1700

수 신 : 장 관 (구일,중동일,통이)

발 신 : 주 EC 대사

제 목 : EC-GCC 자유무역지대 설치 협상

1. 3.6. EC 외무장관들은 GULF 전이 사실상 종전됨에 따라 작년 10월이래 교착상태에 빠진 표제협상에서 종래의 EC 의 태도를 완화한 협상지침을 마련하도록 EC 집행위에 지시함

2. EC 와 GCC 국가들은 1989년 체결된 경제협력 협정에 의거, 127억 ECU 상당의 전체 양측교역에 대한 관세를 전면 철폐키로 합의한바 있으나, EC 의 관련기업들이 상기 교역액중 95프로 이상을 차지하는 원유 및 정유제품이 무관세로 EC 에 수입되는 것은 반대치 않으나 5프로에 상당하는 석유 화학제품에 대하여는 종전대로 6-13프로의 관세를 유지해야한다고 주장함에 따라, EC 집행위는 동관세를 8-16년의 유예기간을 거쳐 철폐하는 안을 제시하였으나 GCC 측이 동안을 거부한바 있음

3. GCC 측은 8-16년의 유예기간이 장기간이라는데 불만을 표시하고 EC 국가로 부터 수입되는 동종의상품에 대하여 유사한 PHASE-OUT 관세를 부과함으로서 EC 의 불만을 산바 있음. 상기1항 EC 의 동건에 대한 완화된 입장은 5월에 있을 EC-GCC 합동위원회에서 밝혀질 것으로 보임. 끝

(대사 권동만-국장)

구주국 2차보 중아국 통상국

PAGE 1

91.03.08 10:09 WG

외신 1과 통제관

0095

원 본

외 무 부

종 별 :

번 호 : ECW-0224 일 시 : 91 0307 1700

수 신 : 장 관 (구일,미북,중동일,통이)

발 신 : 주 EC 대사

제 목 : EC 의 대 쿠웨이트및 이라크 긴급원조

EC 집행위는 3.6. 쿠웨이트및 이라크 주민을 위한 식품및 의약품을 아래와같이 긴급 지원키로 결정함.

1. 대 쿠웨이트 원조:

쿠웨이트 적십자사 (RED CRESCENT) 의 요청으로 쿠웨이트 유아용 식품 수송경비로 340,000 ECU 를 지원키로 함

2. 대 이라크 원조:

국제 적십자사의 주선으로 EC 집행위는 UN의 대이라크 경제제재 조치 위원회의 허락을 얻어, 이라크 주민용 식수처리를 위한 의약품 및 전문가 파견비용으로 3백만 ECU 를 지원키로 함.끝

(대사 권동만-국장)

구주국 2차보 미주국 중아국 통상국 안기부 차관 장관 청와대 1차보

PAGE 1 91.03.08 08:56 WG

외신 1과 통제관

0096

원 본

외 무 부

종 별 :

번 호 : ECW-0201 일 시 : 91 0228 1700

수 신 : 장 관 (구일,중동일,북미,통이,경일, 주 EC 회원국대사-직송필)

발 신 : 주 EC 대사

제 목 : GULF 종전에 따른 EC 회원국 동향

연: ECW-0180, 0197

GULF 전쟁이 사실상 끝나감에 따라 동지역에서의 정치, 안보, 경제등 분야에서의 전후처리문제와 관련, EC 회원국들은 긴밀한 협의를 계속하고 있으며, 3.4. 룩셈부르그 개최 EC 일반이사회 (외무장관 회의) 에서 동문제가 집중 논의될 것으로 보이는바 관련동향을 아래 보고함

1. EC 는 이라크의 쿠웨이트 침공이후 전쟁발발시까지 일관된 공동의 입장을 정립하지 못함에따라 영국은 미국의 입장을 적극 지지하고, 불란서는 독자적인 평화안을 제시하고, 여타국은 파병자체를 반대하는등 시의적절하고 효과적인 대응을 하지 못하고 분열된 모습을 보였으며, 개전이후에도 독일에서 대규모의 반전데모와 벨지움등 일부국가가 영,불등에 대한 파병비용 지원을 거부하는등 EC의 공동 외교안보 정책부재 현상이 적나라하게 들어난데 대하여 허탈감과 자성론이 강하게 대두되고 있어 공동 외교안 보정책 수립을 비롯한 정치동맹 추진을 가속화하는 계기가 될것으로 기대하고 있으며 지금까지 동 문제에 대하여 소극적인 입장을 보여온 영국도 기본적인 입장변화를 보이고 있음

2. EC 회원국중 미국과 함께 금번 전쟁시 큰기여를 한 영국및 프랑스는 종전처리 문제관련된 일련의 협상 테이블에서 기여에 상응한목을 할수 있을것으로 비교적 느U한 입장이나 소규모 파병 또는 재정지을 한 이태리, 독일 및 여타국등이 초조한 입장을 보이고 있으며 동 지역안보문제와 복구사업에 미국의 독주를 견제하기 위하여 EC 회원국 전체의 영향력 행사가 필요하다고 주장하고 있음

3. EC 회원국들은 금번 전쟁에서의 미국의 절대적인 기여와 주도적인 역활을 인정하지 않는것은 아니나 쿠웨이트등 중동국가등이 역사적 지리적 문화적으로 구라파 국가들과 긴밀한 관계를 유지해 왔다는 사실에 비추어 볼때 미국의 동 지역에대한

구주국 1차보 2차보 미주국 중아국 경제국 통상국 정문국

PAGE 1

91.03.01 10:55 WG

외신 1과 통제관

0097

전략적, 경제적 차원의 관계유지와는 구별되어야 하며 개전전부터 아랍세계에서 이루어놓은 EC 회원국 기업들의 기존의 역활과 업적이 계속하여 보호되어야 한다는데 의견을 같이하고 있음

4. 한편 상기와같이 GULF 전후 처리문제에 있어 EC 국가들이 일관되고 공통된 입장을 취하여야 한다는 대전제에는 동의하면서도 불란서가 독자적으로 전후 동 지역안보체제 설치와 관련된 안을 제시하겠다는 입장표명을 한바있으며, 영국은 동 지역국가와의 역사적, 경제적관계가 여타 EC 회원국보다 훨씬 더긴밀하다고 주장하면서 동 지역안보 체제설치에 적극적으로 기여할 의사가 있음을 밝힌바 있고, GULF 전쟁으로 인하여 대서방 감정이 악화된 알제리, 모로코, 튀니지등을 선무하기 위하여 팔레스타인 문제해결을 위한 UN 주관하의 국제회의 개최를 불란서, 이태리, 스페인등이 주장하는등 EC 회원국내의 이해관계가 복잡하게 얽혀있기 때문에 동 문제와 관련하여 EC 가 과연 어떻게 공동입장을 마련할 것인지에 대하여 회의적인 입장을

표명함

5. 한편, EC TROICA 는 GULF 전쟁의 급진전으로 인하여 연호 카이로그룹 국가, 아랍, 마그레브 국가및 이스라엘 외무장관의 일련의 연석회의를 금번 EC 일반이사회 개최이후로 연기하였음. 끝

(대사 권동만-국장)

PAGE 2

0098

찰2

(실국장회의자료)

중동질서 재편관련 EC 회원국 동향

(2.28 주 EC 대사 걸프전 종전 직전 보고)

o EC 회원국간 중동지역 정치.안보.경제 등 제 분야에 관한 전후처리문제 긴밀 협의

- 전후 처리문제에 있어 일관되고 공통된 입장을 견지해야 한다는 대전제에는 동의

o 각국의 태도 차이

- 영국, 프랑스: 전쟁에 기여한 만큼의 몫을 차지할 것으로 예상하여, 느긋한 태도
- 이태리, 독일, 여타국: 전쟁에 기여가 적었으므로 초조한 입장. 중동지역 안보 문제와 복구사업에서의 미국 독주를 견제키 위해 EC 회원국 전체의 영향력 행사가 필요함을 주장

o 각 국별 구체적 처리방안 제시

- 불란서: 독자적인 전후 중동지역 안보체제 설치안 제시 의사 표명
- 영국: 중동지역 국가와의 역사적.경제적 관계가 여타국보다 휠씬 긴밀함을 강조, 중동지역 안보체제 설치에 적극 기여 의사표명
- 불란서, 이태리, 스페인: 걸프전으로 대서방 감정이 악화된 알제리, 모로코, 튀니지등을 선무하기 위해 팔레스타인 문제해결을 위한 UN 주관하 국제회의 개최 주장

o 이라크의 쿠웨이트 침공이후 걸프전 종전무렵까지 EC 회원국간 공동외교 안보 정책 부재 현상이 적나라하게 노정되자 자성론이 대두, 공동외교안보 정책 수립을 비롯한 정치동맹 추진 가속화 계기가 될 수 있을것으로 기대

- 정치동맹에 소극적 입장을 보여온 영국도 기본적 입장변화 조짐

0099

원 본

외 무 부

종 별 :

번 호 : ECW-0249 일 시 : 91 0314 1730

수 신 : 장 관 (구일,중동일,정일)

발 신 : 주 EC 대사

제 목 : 걸프사태 관련 EC 측 입장 (자료응신 제 22호)

1. JACQUES POOS 룩셈부르그 외무장관은 작 3.13.스트라스부르그 구주의회 본회외에서 EC 각료이사회 의장자격으로 지난주 EC TROIKA 외무장관의 중동순방 결과를 보고하였는바 요지 아래와같음

가. 아랍측 견해

0 아랍측 지도자들은 이스라엘과의 평화구축희망을 피력하였으나, 그러한 평화는 이스라엘이 신뢰분위기 조성에 유리한 조치 (특히 유엔결의 242및 338호 수락) 를 취할 경우 가능할 것이라고 언급함

0 GCC 6개국및 이집트, 시리아 외무장관과 다마스커스에서 면담시, 이들은 아랍 평화유지군창설은 1단계 조치로서, 여타국가 (아랍 또는 비아랍)의 참여를 배제하는 것은 아니라고 설명함. 일부 아랍국 외무장관은 이란 또는 터키의 참여 가능성을 언급하 였으며, 여타국가 (특히 쿠웨이트)는 외국군의 동 지역내 주둔 가능성을 배제치않음.

나. 이스라엘측 견해

0 이스라엘측도 아랍진영과의 평화 희망을 표시하였으나, SHAMIR 수상은 단계적 접근필요성을 역설하였으며, 특히 아랍국가와 이스라엘간 및 팔레스타인과 이스라엘간의 DUALAPPROACH 가능성 시사

다. EC 측 입장

0 이스라엘 정부에 1989년 평화계획을 재검토할것과 PLO 를 포함한 아랍측에 이스라엘에 대한 건설적 자세를 취할것을 촉구

0 유엔 후원하 국제평화회의 개최를 계속 지지하고 있으나 동회의 개최가 가능하고 유용하려면, 역내 당사국간의 대화및 신뢰구축이 선행되는것이 바람직하다는 입장표시

구주국 1차보 중아국 정문국 안기부

PAGE 1

91.03.15 09:22 WG

외신 1과 통제관

0100

0 가까운 장래, 동 지역에서의 신뢰 환경 조성과장기적 안보체제 구축은 역내국가에 주로 달려있으나, EC 측은 이들 국가가 요청하는 범위내에서 응분의 기여를 할 용의를 표명하고, 특히 POOS 외무장관은 하기사항을 지적

- 대량 살상 무기철폐및 재래식 무기 확산통제를 위한 국제협정 체결 필요성
- 동 지역 국가간 자원의 보다 공정한 분배및 전후 복구사업에 대한 지원
- 구라파의 CSCE 와 유사한 CSCM 체제 발족의유용성

0 EC 측은 4월초 개최예정인 EC 12개국특별 정상회담에서 중동 평화구축 문제및 EC측의 향후조치 검토계획

2. 한편, MATUTES EC 집행위 지중해지역 담당 집행위원은 아랍지역의 사회경제 개발에 대한 EC 역할에 대해 아래와같이 보고함

가. 인도적 원조공여

0 걸프사태 발발이후 EC 측은 15만명의 난민본국 송환 지원과 30만명에 대한 긴급 식량원조, 최근 이락국민에 대한 인도적 원조제공

나. 통상관계

0 EC-GCC 간 자유무역협정 조속 체결노력

다. 중동지역 개발과 재건에대한 재정적 지원

0 걸프사태 이후 EC 측은 요르단, 터키, 이집트등 3개 전선국가및 이스라엘, 점령 팔레스타인에 대한 재정지원 공여

0 동 지역 재건에 향후 10년간 총 2,000-4,000억불 소요예상

라. 중동지역 협력과 안정기여

0 EC 와 아랍간의 문화적, 인종적 장벽해소위해 EC 의 대동구권 학술교류 지원사업 (TEMPUS 계획) 과 유사한 중동, 지중해 지역대학과 EC 대학간의 협력계획 설립제의.끝

(대사 권동만-국장)

외 무 부

종 별 :
번 호 : UKW-0838 일 시 : 91 0409 1800
수 신 : 장 관(구일,중동일)
발 신 : 주 영대사
제 목 : EC 특별 정상회담

4.8.(월) 룩셈부르그에서 개최된 EC특별정상회담 결과에 관하여 당지 보도를 종합, 아래와 같이 보고함

1. 메이저 수상은 쿠르드족을 위해서 이락 북부에 유엔의 보호하에 대피지역을 설정하는 것을 주내용으로 하는 4개항 방안을 제시했으며, 동제안은 다른 모든 EC 정상들의 지지를 받음

2. 동 제안은 안보리 결의 688 및 687 호에 기초를 둔 것으로서, 안정적 대피지역확보를 위한 무력사용 가능성, 약 1억 4백만 파운드(ECU 150백만)의 유엔원조, 세계무기거래에 관한 유엔등록제도등을 포함하고 있으며, 대피지역 설정에 관한 구체적인 사항은 유엔안보리에서 협의토록 상정하고 있음

3. 메이저 수상은 금번 제안이 이론의 여지가 없지 않으나 유엔이 지난 수개월간유례없는 상황하에서 이례적으로 잘 대처해 왔음에 비추어, 구주공동체가 미국과 협력하에 선도하면 다른나라들을 설득할 수 있을 것이라고 말함

4. 영측 제안에 대해 미측은 지지하고 있으나, DECUELLAR 유엔사무총장은 주권원칙의 차원에서 그러한 특정지역을 이락내에 설정할 수 있을지에 관해서 의문을 표명한것으로 보도됨. 국내문제 불간섭 원칙상 소련, 특히 중국도 동 제안에 대해 소극적일 것으로 알려짐.끝

(대사 이홍구-국장)

구주국 2차보 중아국 정문국 안기부 1차보. 특기국

PAGE 1 91.04.10 09:42 WH
외신 1과 통제관

0102

3. 기타국

0103

원 본

외 무 부

종 별 :

번 호 : HOW-0328 일 시 : 90 0802 1700

수 신 : 장관(중근동,구일,정일)

발 신 : 주 화란 대사

제 목 : 이락의 쿠웨이트 침공

1. 주재국 외무부 대변인은 8.2. 이락의 쿠웨이트 침공에 대해 심각한 우려를갖고 사태 발전을 주시하고 있으며, EC 회원국과 긴밀히 협의중에 있다고 언급하였음. 한편 동 대변인은 쿠웨이트내 화란인의 철수가 반드시 필요한것으로 보고 있지 않다고 말하였음.

2. 금번사태와 관련한 주재국의 공식 반응등 추보 위계 임.

(대사 최 상섭-국장)

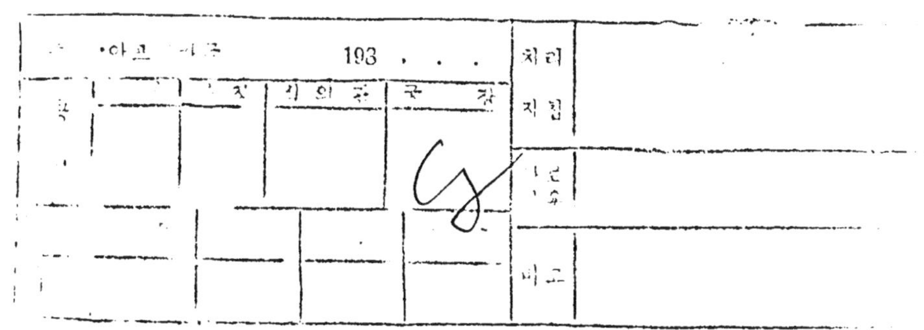

중아국 차관 1차보 구주국 정문국 안기부

PAGE 1

90.08.03 05:43 DA

외신 1과 통제관

0104

원 본

외 무 부

종 별 : 지 급

번 호 : RMW-0100 일 시 : 90 0803

수 신 : 장관(중동)

발 신 : 주 루마니아 대사

제 목 : 이락-쿠웨이트 전쟁

주재국은 8.2 정부 대변인을 통해 아래 요지 성명서를 발표 하였음.

-이락군의 쿠웨이트 침공 국제법 위반, 지역 평화안전 위협 및 대화 통한 분쟁 해결 촉구

-전투 행위 중지, 이락군의 국경선 밖으로 즉각 철수.끝

(대사 이현홍-국장)

중아국 . 1차보. 정문국. 구주국.

PAGE 1

90.08.04 01:35 CT

외신 1과 통제관

0105

원 본

외 무 부

종 별 :

번 호 : BBW-0610 일 시 : 90 0803 1600

수 신 : 장 관(중근동,구일,정일,기정)

발 신 : 주 벨기에 대사

제 목 : 이라크-쿠웨이트 분쟁 (자료응신 57호)

연: BBW-0607

표제 사태관련, 금 8.3. 13:00 주재국 외무부는 다시 언론 발표문을 통해, 벨지움 정부는 쿠웨이트의 '신 정권'이나 이라크의 지급 요청이있을 경우에 대비, 주재국 전 금융 기관에 대하여 쿠웨이트 정부 및 쿠웨이트 공공기관 소유금융 자산을 즉시 동결시키도록 권고하였으며 또한 대 이라크 제재조치를 검토하기 위하여 벨기에 정부는 계속 EC 의장국과 접촉중이며, 이를 위하여 의장국인 이태리는 8.4. 로마에서 비상정무 총국장회의 (POLITICAL COMMITTEE) 를 소집하였음을 발표함.끝

(대사 정우영-국장)

198 . . .				처리지침	
	기안관	국	장		
				자료활용	
				비고	

중아국 1차보 구주국 정문국 안기부

PAGE 1 90.08.04 07:43 WG

외신 1과 통제관

0106

원 본

외 무 부

종 별 :

번 호 : CZW-0084 일 시 : 90 0803 1530

수 신 : 장 관 (중근동, 동구이,정일, 기정동문)

발 신 : 주 체코 대사

제 목 : 이라크의 쿠웨이트 침공규탄

1. 주재국은 8.2. 성명을 발표, 이라크의 쿠웨이트 침공을 중대한 국제법 위반이라고 강하게 규탄하고, 즉각적인 무력행위 중단 및 무조건의 철수를 촉구함.

2. 주재국 BARTOSKOVA 외무차관은 8.3. 당지 주재 이라크 대사를 외무성으로 소환하였으나, 이라크측은이에 응하지 않은 것으로 알려짐.

3. 주재국은 최근 임명된 주이라크대사의 부임을 연기시켰음.

4. 당지 모든 언론들은 이라크의 침공행위를 비판함. 끝.

(대사 선준영 - 국장)

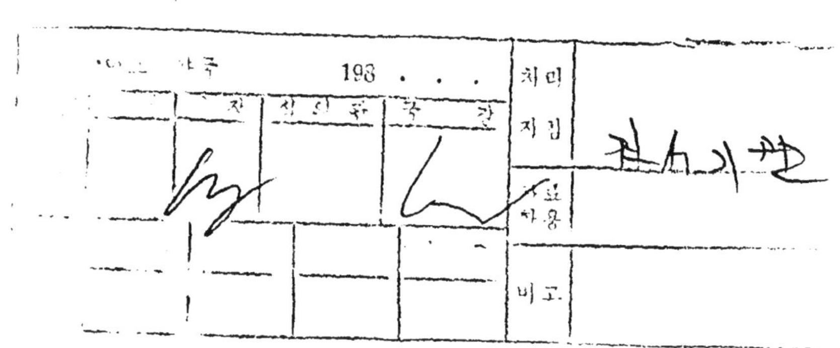

중아국 1차보 구주국 정문국 안기부

PAGE 1

90.08.04 08:03 WG

외신 1과 통제관

0107

원 본

외 무 부

종 별 :

번 호 : SZW-0481　　　　일 시 : 90 0803 1830

수 신 : 장 관(중근동,정일)

발 신 : 주 스위스 대사

제 목 : 쿠웨이트 사태 정부논평

8.2. 주재국은 이락군이 쿠웨이트 침공을 비난하고 조속철군및 중단된 양국간 교섭재개를 촉구하는 입장을 외무성 PRESS RELEASE 형식으로 공식 표명함.끝

(대사 이원호-국장)

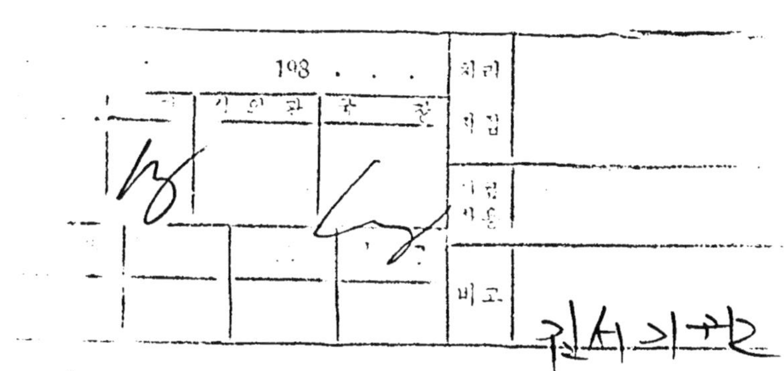

중아국　　1차보　　정문국

PAGE 1

90.08.04 08:32 DN

외신 1과 통제관

0108

원 본

외 무 부

종 별 :

번 호 : HOW-0332 일 시 : 90 0803 1715

수 신 : 장관(중근동,구일,정일)

발 신 : 주 화란 대사

제 목 : 이락의 쿠웨이트 침공

연: HOW-0328

1. 주재국 정부는 외무부 성명을 통해 이락의 쿠웨이트 침공에 깊은 경악을 표시하고, 이락의 행위는 마땅히 규탄되어야 할 침략행위로 간주하며, 유엔 안보리가 이락을 설득 쿠웨이트영토로부터 철수토록 조치하여 줄 것을 희망하는 한편, 주재국 외무부는 당지 이락대사를 초치, 상기 주재국 정부의 입장을 전달함.

2.한편, 상기 주재국 정부 입장 및 EC 성명과관련, 주재국 의회측은 본건 사태에 대해 즉각적이며 효과적인 조치가 취해지기를 희망하였음.

(대사 최 상섭-국장)

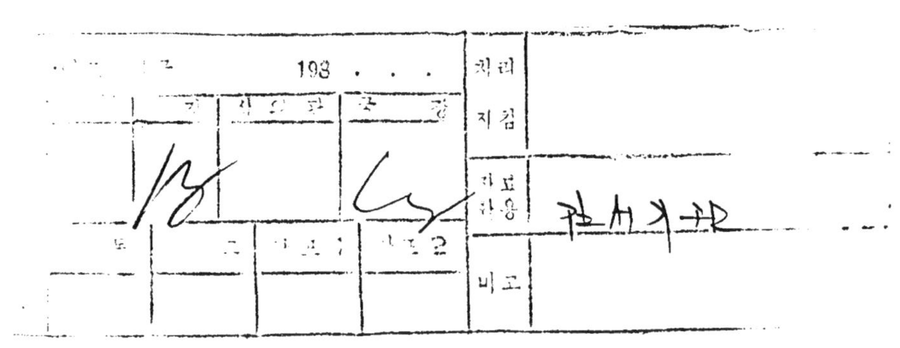

중아국 1차보 구주국 정문국 안기부

PAGE 1

90.08.04 08:30 DN

외신 1과 통제관

0109

원 본

외 무 부

종 별 :

번 호 : HGW-0506 일 시 : 90 0803 1840

수 신 : 장 관(중근동,동구이)

발 신 : 주 헝가리 대사

제 목 : 이라크-쿠웨이트 사태에 대한 주재국 반응

헝가리 외무부는 8.2.이라크-쿠웨이트 사태관련, 이라크군의 쿠웨이트 영토로부터의 즉각적인 철수및 양국간 적대관계 종식을 위한 대화를 요구하는 성명을 발표함.끝.

(대사 한탁채-국장)

중아국 1차보 구주국 안기부

PAGE 1 90.08.04 09:16 WG

외신 1과 통제관

0110

원 본

외 무 부

종 별 :

번 호 : GRW-0387 일 시 : 90 0803 1310

수 신 : 장 관(중근동,구이)

발 신 : 주 희랍 대사

제 목 : 주재국 이락의 쿠웨이트침공 규탄

대: WEUM-26

희랍정부 대변인 POLYDORAS 는 8.2 이락의 쿠웨이트 침공에 대해서 아래와 같은 성명을 발표함.

-아 래-

희랍 정부는 이락의 쿠웨이트 침공을 규탄하며 양국의 관계는 UN 원칙하에 신중히 타결되기를 희망함. 끝.

(대사 박남균-국장)

중아국 1차보 구주국 정문국 안기부 2차보 차관

PAGE 1

90.08.04 19:25 DA

외신 1과 통제관

0111

관리번호	90/1252

원 본

외 무 부

종 별 :

번 호 : POW-0393　　　　일 시 : 90 0803 1900

수 신 : 장관(중근동,정홍,구이)

발 신 : 주 폴투갈 대사

제 목 : 이.쿠웨이트사태 당지 반응보고(자료응신 제 54호)

대:WECM-0026

1. 표제사태에 대하여 당지 언론은 사설 또는 논평기사를 통하여 이락의 쿠에이트 강점을 규탄하고 즉각 철수를 주장하고 있음

2. 포 정부는 이락의 무력 사용을 규탄하고 쿠웨이트 영토로 부터 이락군대의 직각적, 무조건적 철수를 호소함. 또한 걸프만 위기를 해결하기 위하여 유엔 안보리를 소집할것을 주장했다고 보도됨

3. 보도에 의하면 EC 12 개국도 이락의 쿠웨이트 침공을 강력히 규탄하고 쿠웨이트 영토로 부터 이락 군대의 즉각철수를 호소하며, 아울러 양국간의 평화적 대화 개시를 요구하고, 또한 동 12 개국은 이락 군사침략이 인접국에 대한 적대행위에 해당할뿐만 아니라, 지역의 안전과 평화를 위협하고 있는것으로 간주, 대책을 고려하고 있다함.

4.NATO 도 이락의 무력 개입을 규탄하고, 양국간의 분쟁의 평화적 해결을 호소하고 있는바, 옵서버들은 NATO 의 금번 조치가 관할구역밖에서 일어난 무력분쟁에 대한 논평임을 강조했다고 보도함

6. 진전사항 추보함. 끝

(대사유혁인-국장)

예고:90.12.31 일반

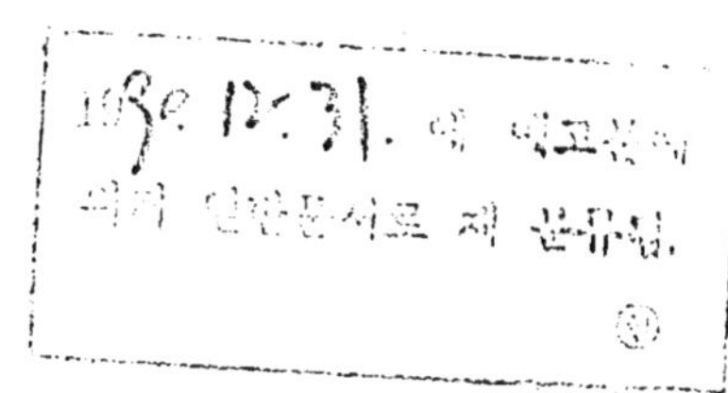

중아국	장관	차관	1차보	2차보	구주국	정문국	청와대	안기부

PAGE 1　　　　90.08.04 22:04

외신 2과 통제관 EZ

0112

원 본

외 무 부

종 별 :

번 호 : DEW-0340 일 시 : 90 0804 2030

수 신 : 장 관(중근동,구이,기정)

발 신 : 주 덴마크 대사

제 목 : 이라크.쿠웨이트 사태

ELEMANN-JENSEN 외무장관은 8.9 이라크 제재를 위한 유엔다국적 해군에 덴마크 상선을 파견 할 가능성을 시사함. 그러나 동 장관은 해군파견 문제에 대하여는 그 준비기간이 너무 오래 소요되어 실현성이 없으나 영국등 NATO 해군력이 GULF 지역으로 이동함에 따른 동 지중해 방어임무를 대신하는 가능성은 있음을 시사함.

(대사 장선섭-국장)

중아국 구주국 안기부 1차보 2차보 대책반 통상국

PAGE 1

90.08.15 04:51 CG

외신 1과 통제관

0113

관리 번호	90/1251

원 본

외 무 부

종 별 :

번 호 : PDW-0489 일 시 : 90 0804 1550

수 신 : 장관 (중근동, 동구이)

발 신 : 주 폴란드 대사

제 목 : 이라크.쿠웨이트 사태에 대한 주재국 반응

1. 주재국 외무성은 이라크. 쿠웨이트 사태와 관련, 8.2 오후 다음 내용의 성명을 발표하였음.

THE REPUBLIC OF POLAND TAKES THE POSITION THAT INTERNATIONAL PROBLEMS SHOULD BE SOLVED WITHOUT THE USE OF FORCE, IN ACCORDANCE WITH THE NORMS OF INTERNATIONAL LAW AND IN KEEPING WITH THE UNITED NATIONS CHARTER. EVERY VIOLATION OF THESE NORMS AND PRINCIPLES AROUSES OUR INDIGNATION AND RESISTANCE, ESPECIALLY SINCE IT THREATENS THE CLIMATE OF MUTUAL UNDERSTANDING AND COOPERATION WHICH HAS BEEN CONSOLIDATING ITSELF AROUND THE WORLD.

2. 한편, 주재국 언론은 상기 입장이 쿠웨이트의 주권존중을 강조하는 것이라고 평하고, 주재국은 이라크. 쿠웨이트 양국과 동시에 친선관계를 유지하고 있으며 수천명의 주재국 국민이 양국에 체류하고 있다는 점에서 양국간 분쟁의 평화적 해결에 특히 관심을 가지는 것이라고 논평하였음. 끝

(대사 김경철-국장)

예 고 : 90.12.31. 일반

1990 12. 31. 에 예고문에 의거 일반문서로 재분류됨

중아국 차관 1차보 구주국 정문국 청와대 안기부

PAGE 1

90.08.05 17:15

외신 2과 통제관 DH

0114

원 본

외 무 부

종 별 :

번 호 : HOW-0333 일 시 : 90 0806 1700

수 신 : 장 관 (중근동,구일,정일)

발 신 : 주 화란 대사

제 목 : 대이락 제재 조치 (자료응신 제 90-69호)

연: HOW-0332

1. 주재국 정부는 8.4 이락의 쿠웨이트 침공에 대한 제재조치의 일환으로 주재국내 쿠웨이트자산 및 금융거래 동결을 발표한데 이어, 대이락 석유 금수 및 무역거래전면 금지와 회원국내 이락자산을 동결키로 한 EC 의 제재조치를 환영함.

2. 한편, 쿠웨이트내 주재국 국민의 철수문제 및 안전에 관하여는 EC 회원국과 긴밀히 협의중에 있는 것으로 알려지고 있음.

(대사 최상섭-국장)

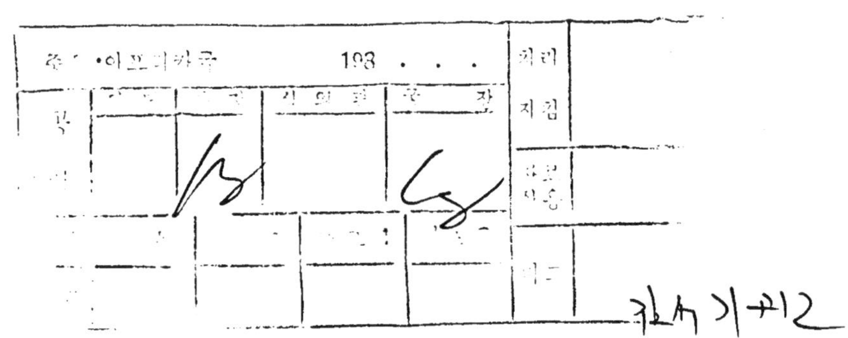

중아국 1차보 구주국 정문국 안기부

PAGE 1

90.08.07 06:37 FC

외신 1과 통제관

0115

관리번호	90/1316

원 본

외 무 부

종 별 :

번 호 : PDW-0492 일 시 : 90 0806 1810

수 신 : 장 관(중근동,동구이)

발 신 : 주 폴란드 대사

제 목 : 이라크.쿠웨이트 사태에 대한 주재국 반응(2)

연 : PDW-0489

1. 주재국 외무성의 마예프스키 차관은 8.2 연호 성명 전달에 이어 8.3 주 폴 이라크 대사를 재차 초치, 다음 내용의 폴 정부 입장을 전달하였음.

'' THE POLISH GOVERNMENT

- DEMANDS THE IMMEDIATE WITHDRAWAL OF IRAQI TROOPS FROM KUWAIT

- SEES NO JUSTIFICATION FOR THE USE OF ARMED FORCES AGAINST A SMALL COUNTRY WHICH IS A SOVEREIGN MEMBER OF THE COMMUNITY OF NATIONS

- SUPPORTS TO THE FULL THE RESOLUTION OF THE U.N. SECURITY COUNCIL NO.660/1990 OF AUGUST 2 AND WILL COOPERATE WITH THE INTERNATIONAL COMMUNITY FOR RESPECT OF KUWAIT'S SOVEREIGNTY. IT EXPECTS IRAQ TO ABIDE BY THE DECISIONS OF THIS RESOLUTION.''

2. 한편, 폴란드의 대이라크 군사물자 수출 전면금지 조치가 8.2 자로 발효되었음. 끝

(대사 김경철-국장)

예 고 : 90.12.31. 일반

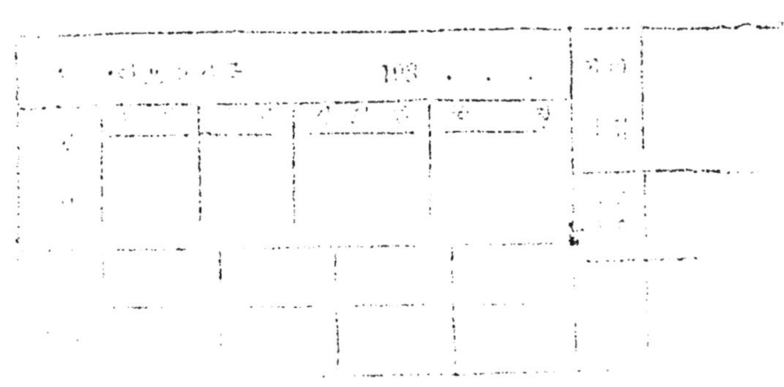

중아국 구주국

PAGE 1

90.08.07 21:43

외신 2과 통제관 DO

0116

ㄱ ㅣ

원 본

외 무 부

종 별 :

번 호 : AVW-1151 일 시 : 90 0807 1815

수 신 : 장 관(중근동,구이)

발 신 : 주 오스트리아대사

제 목 : 오스트리아, 쿠웨이트 괴뢰정권 불승인 방침

1.오스트리아는 이락 점령군에 의한 쿠웨이트의 괴뢰정권(PUPPET REGIME) 을 승인하 지 않을것이라고 함.(8.6.자 주재국 APA 통신 보도)

2. APA 통신보도에 의하면, 주재국 외무부의 SCHMID 정무국장은 8.6. 당지 쿠웨이트 대사에게 상기 방침과 함께 오스트리아는 SHEIKH JABER국왕이 임명한 SHEIKHSAAD 수상 영도하의 정부를 계속 지지할 것임을 통보하였다고 함.(끝)

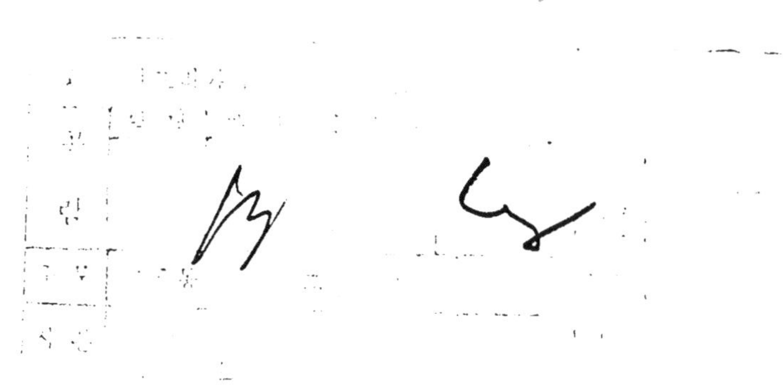

중아국 1차보 구주국 정문국 안기부

PAGE 1

90.08.08 07:19 WH

외신 1과 통제관

0117

관리번호	90/1625

외 무 부

종 별 :

번 호 : POW-0403 일 시 : 90 0810 1900

수 신 : 장관(통일)

발 신 : 주 폴부갈 대사

제 목 : 대 이라크 제재

대:WECM-0020

1. 주재국 정부는 EC 각료회의에서 8.7 승인한 표제규정(8.9 EC 관보 게재)을 검토하기 위하여 8.9 국무회의를 개최하고 이락의 쿠에이트 침공사태를 재평가 하였음

2. 동 국무회의는 이미 폴부갈 정부가 이락을 강력 규탄하였음을 상기시키고 EC 의결과 유엔 안보리 의결에 따라 폴부갈은 이락과 쿠웨이트에 대하여 전면금수조치를 이미 시행중에 있으며, 바그다드와 리야드는 자국 상주공관을 통하여, 상주공관이 없는 쿠에이트는 영국, 이태리 공관을 통하여 각각 자국민을 보호하고 있다고 부연함

3. 동 국무회의는 동 규정중 -이들국가(쿠에이트, 이락)와의 모든 군사협력의 형태- 에는 군수품과 군장비의 판매는 물론 경제, 기술 및 과학에 관한 모든 협력 활동이 포함된다고 언급하고 의약품과 식료품을 제외한 모든 물품을 동 국가로부터 수입하거나, 수출하는것이 금지됨은 분명하나 조선수리등 서비스 제공에 대하여는 구체적 규정이 없어 브라셀에 유권해석을 요청, 그 지시에 따라 조치키로했다고함

4. 추가보고 사항

가. 교역량

-대이락

89 년(대미환율 1:145): 수입(FOB) 144,834 천 미불(전교역량 대비 0.77프로)

수출(FOB) 12,379 천 미불(전 교역량 대비 0.09 프로)

-90 년 1-5 월(대미환율 1:142)

수입 86,211 천미불

수출 1,190 천 미불

-대 쿠에이트

-89 년: 수입 21,897 천 미불(전교역량 대비 0.12 프로)

통상국	장관	차관	1차보	2차보	중아국	정문국	청와대	안기부

PAGE 1 90.08.12 07:34

외신 2과 통제관 CW

0118

수출 6,676 천 미불(전 교역량 대비 0.005 프로)

-90 년 1-5 월 수입 35 천 미불

수출 3,099 천 미불

나. 투자현황

-쿠에이트 대 폴투갈

88 년 75 백만에스쿠도(517 천 미불상당)

89 년 2 백만에스꾸드(14 천미불 상당)

-이락 대 폴투갈 투자없음

다. 외채

주로 유로시장이나 런던, 뉴욕에서 조달하고 중동시장에서는 거의조달하지 않음

라. 체류국민

-쿠웨이트 20 명

-이락 50 명. 끝

(대사 유혁인-국장)

예고:90.12.31 일반 90 12 31

PAGE 2

0119

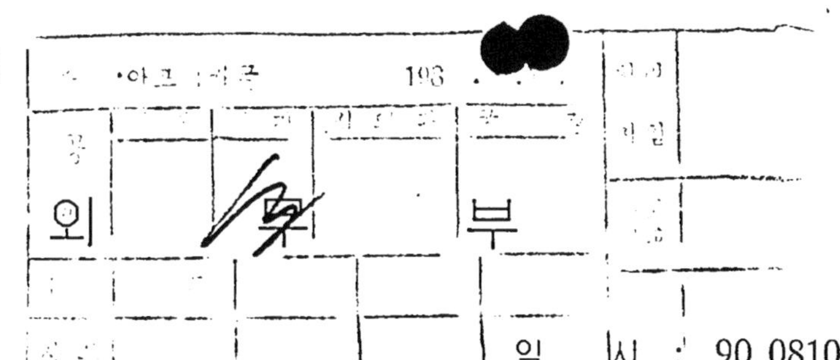

종 별 :

번 호 : AVW-1166 일 시 : 90 0810 1900

수 신 : 장 관(통일,중근동,구이)

발 신 : 주 오스트리아 대사

제 목 : 오스트리아의 대이라크 제재조치

1.오스트리아의 조치 내용

가.오스트리아 정부는 유엔 안보리의 대이라크 제재 결의를 전면 이행하기로 8.7. 결정하였음. KLESTIL 주재국 외무차관은 동 결정에 따라 오스트리아의 모든 대이라크 거래관계(ALL BUSINESSCONTACTS)가 중단된다고 설명하였음.

나.오스트리아 국립은행은 8.9. 이라크 및 쿠웨이트의 모든 자산에 대한 처분과양국에 대한 은행의 모든 자금이전(ALL BANK TRANSFERS TO IRAQ AND KUWAIT)은 국립은행의 특별허가(SPECIAL PERMISSION)가 없는 한 동결한다고 발표하였음.

2.오스트리아-이라크 경제관계

-주재국의 이라크 및 쿠웨이트로 부터의 원유수입은 전체의 2퍼센트 미만으로서금번 사태로 원유수급에 큰 타격을 받지 않을 것으로 전망되고 있으며, 전체 경제적으로 FEE 대한 이라크의 중요성은 미미한 것으로 평가되고 있음.

-이라크는 오스트리아에 대해 약 9억불의 채무를 지고있음.

3.이라크의 반응

-이라크는 오스트리아의 유엔안보리 결의 이행결정에 대해 '심심한 유감과 놀라움'(DEEPREGRET AND SURPRISE) 을 표명하였음.

-이라크 대사관은 8.8. 성명을 통해 오스트리아의 태도는 현재는 물론 장래 오-이라크간 무역관계에 손상을 초래할 것이라고 하면서, 이라크는 특히 오스트리아의 이러한 입장이 중립(NEUTRALITY) 정신에 반한다는 사실 때문에 이를 놀라움으로받아 드린다는 입장을 발표하였음.

(끝)

통상국 구주국 중아국 1차관 2차관 장관실

PAGE 1

90.08.11 12:06 DA

외신 1과 통제관

0120

원 본

외 무 부

종 별 :

번 호 : AVW-1167 일 시 : 90 0811 1900

수 신 : 장관(중근동,구이,기정동문)

발 신 : 주 오스트리아대사

제 목 : 이라크의 쿠웨이트 합병선언에 대한 오스트리아입장

오스트리아 외무부는 8.9. 성명을 통해 8.8.자 이라크의 쿠웨이트 합병선언을 규탄하였는 바, 동성명 내용은 아래와 같음.

-8.8. 이라크의 합병선언은 국제법과 각민족간의 문명적 공존 규범에 뻔뻔스럽게 반하는것으로서(IN BLATANT CONTRADICTION TO THE NORMS OFINTERNATIONAL LAW AND CIVILIZED COEXISTENCE AMONG PEOPLES),동 선언은 무효임(NULL AND VOID)

- 오스트리아는 군사적 침략에 뒤이어 취해진 이번 조치를 가장 단호하게 규탄(MOST DECISIVELY CONDEMN)함.

-오스트리아는 이라크에 대해 쿠웨이트로 부터의 즉각적이고 무조건적인 철수를호소함.

-오스트리아는 동 지역의 평화와 안정의 회복 및 쿠웨이트의 주권. 독립 보전을 위하 지역적.국제적인 모든 조치를 지지할 것임.

(끝)

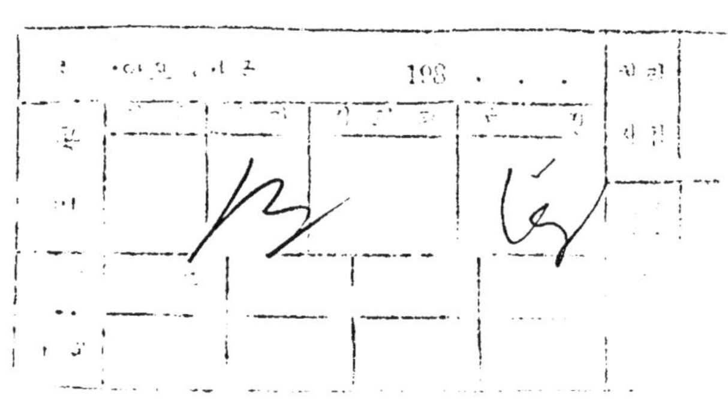

중아국 1차보 구주국 정문국 안기부 통상국

PAGE 1

90.08.11 06:37 DA

외신 1과 통제관

0121

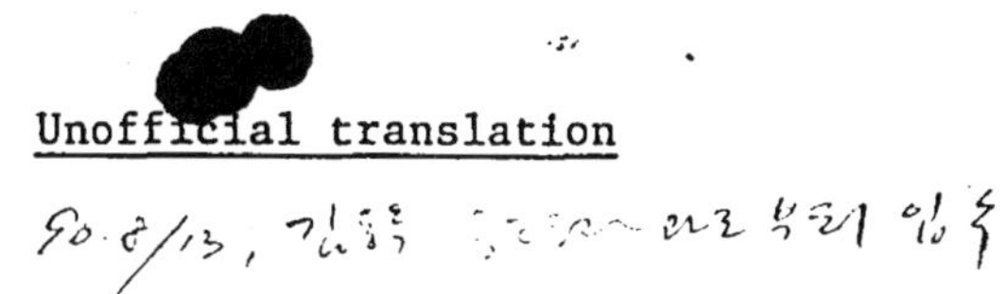

Unofficial translation

Statement by the Government of the
Republic of Hungary

Hungary의 대 중동사태 (이라크-쿠웨이트) 입장

The Government of the Republic of Hungary received the news of the annection of Kuwait by Iraq proclaimed on August 8, in Bagdad, with deep consternation and concern. This step - in the Government's view - is irreconcilable with the U.N. Charter and the basic principles of the international law in the field of the inter-state relations, therefore it is null and void.

On the background of its recent historical experiences, the Hungarian people looks with repugnance to any kind of use of foreign troops under the pretext of "rendering assistance". Therefore, the Government feels especially prompted to raise its voice publicly against Iraq's efforts aimed at giving legal appearence to an unacceptable military aggression.

The Government of the Republic of Hungary, in accordance with U.N.S.C. resolutions 660, 661, 662, demands the restoration of Kuwait's sovereignity and guaranteeing its territorial integrity. In the Government's view, the immediate, entire and unconditional withdrawal of Iraqi troops from the territory of Kuwait is the precondition for settling the situation.

As for Hungary, it considers for itself compulsory to carry out U.N.S.C. resolution 661 providing for sanctions, as it is aimed at the earliest settlement of the crisis. In order to promote the settlement Hungary suggests that U.N. peace-keeping forces should be formed and transferred to the region.

Taking sides with the Statement, adopted in Brussels, on August 10, 1990, on the meeting of Ministers of the EC , the Government of the Republic of Hungary is ready to co-operate in any actions to be carried out within the frameworks if the U.N.O., and serving to restore peace and security in the region. The Government is convinced that the summit of heads of Arab states and governments will bring about results effectively contributing to the earliest settlement.

The Hungarian Government cannot but be amazed at the fact that irrespective of its repeated requests, Iraqi Authorities have not made yet possible the free leaving of Hungarian citizens residing in Kuwait. The Iraqi side should bear all the responsibility for their safety. At the same time the Hungarian Government keeps on expecting Iraqi Authorities to render possible the immediate, safe repatriating of Hungarian citizens, preferably by airplane.

The Hungarian Government expresses its sincerest hope that this serious crisis will be settled by peaceful means, as soon as possible.

0123

외 무 부

종 별 :

번 호 : NRW-0514　　　　일 시 : 90 0813 1400

수 신 : 장관(통일,중근동,구이)

발 신 : 주노르웨이대사

제 목 : 주재국 대이라크 제재조치

대: AM-145

1. 주재국정부는 8.9.각료회의를 통하여 대이라크경제제재에 관한 유엔안보리 결의를승인하였음

2.이로서 주재국은 이라크 및 쿠웨이트로부터모든수입과 수출(의료품및 인도적 차원의 식품수출은 예외)금지,해운관련선적및하역금지,금융거래.신용대부및 보증을금지시켰으며 주재국내 이라크및 쿠웨이트의 자산도동결시켰음.끝

(대사 김정훈-국장)

통상국 구주국 중아국 정문국 1차보 2차보 대책반

PAGE 1　　　　90.08.13 22:15 CT

외신 1과 통제관

0124

통1

외 무 부

암호수신

종 별 :

번 호 : SDW-0767 일 시 : 90 0813 1700

수 신 : 장관(중근동,구이)

발 신 : 주 스웨덴 대사

제 목 : PLO태도 비난

1. 주재국 ANDERSSON 외상은 8.11 기자회견을 통해, 이락의 쿠웨이트 병합에 대한 PLO 태도를 비판하고, PLO 는 스스로 크게 손상을 입게됨을 물론 중동평화계획에 있어서 전보다 더 어려운 처지에 놓이게될것이며, 스웨덴과의 협조관계에도 부정적인 영향을 미치게될것이라고 강력히 비난함과 동시에, ARAFAT 가 '아랍세계의 대이락전선"에 참여하지 않은데 대해 크게 실망하였다고 언급하였음

2. 주재국은 현재까지 PLO 에대하여 매우 우호적인 입장을 견지하여왔으나 160 여명의 주재국국민이 이락정부에의해 인질상태로 잡혀있는 현정세하에서 , PLO 가 이락을 지지하는 태도를 취하게되자, 이례적으로 PLO 및 그 지도자 ARAFAT 를 비난하게되었는바 , 앞으로 주재국정부의 대 PLO 정책이 종전보다는 어느정도 소극적으로 변할 가능성이 많은것으로 판단됨. 끝

(대사 최동진-국장)

중아국 장관 차관 1차보 2차보 구주국 통상국 정문국

PAGE 1

90.08.14 02:00

외신 2과 통제관 FE

0125

원 본

외 무 부

종 별 :

번 호 : AVW-1170 일 시 : 90 0813 1800

수 신 : 장 관(중근동,구이)

발 신 : 주 오스트리아 대사

제 목 : 쿠웨이트 사태에 대한 오스트리아 입장

1.주쿠웨이트 대사관 폐쇄문제-오스트리아는 이라크의 8.24.까지 쿠웨이트 주재대사관 폐쇄 요청에 대해 그때까지 쿠웨이트 주재 오스트리아인이 철수하지 않는한 대사관을 폐쇄하지 않을 것이라고 주재국 외무부가 8.10.발표하였음.

- KLESTIL 외무차관은 쿠웨이트에 주재하는 약 70명의 오스트리아인이 안전한 장소로 철수할때까지 주쿠웨이트 대사는 쿠웨이트를 떠나지 않을 것이라고 언급하였음.

- 오스트리아는 또한 이라크 정부의 대사관 폐쇄요청과 관련, 다른 중립국 (NEUTRAL STATES)및 OECD 제국과 공동보조를 취할 것이라고 함.

- 주쿠웨이트 오스트리아 대사관은 카탈과 바레인을 겸임하고 있음.

2.미군용 항공기의 영공 통과 허용

- 오스트리아정부는 미국의 중동지역행 군사용항공기 (MILITARY FLIGHT) 의 오스트리아 영공통과를 일시적 (EMPORARY) 으로 허가하였음.

- VRANITZKY 수상은 8.11. 동 내용을 발표하면서, 오스트리아 영공통과허가는 군대 및 보급품 수송에 국한된다고 (LIMITED EXCULUSIVELY TO TROOPTR ANSPORTS AND SUPPLIES.)밝혔음.

(끝)

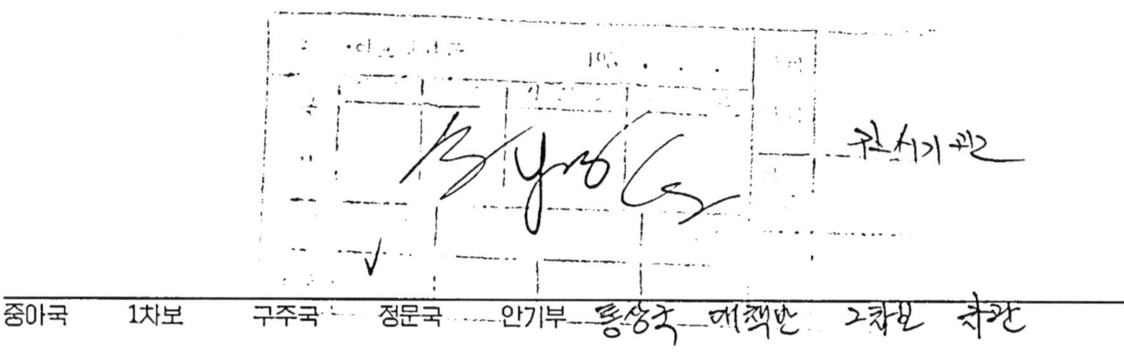

중아국 1차보 구주국 정문국 안기부 통상국 대책반 2차보 차관

PAGE 1

90.08.14 09:20 WG

외신 1과 통제관

0126

원 본

외 무 부

종 별 :

번 호 : CZW-0095 일 시 : 90 0813 1800

수 신 : 장 관 (중근동, 경일, 정일)

발 신 : 주 체코 대사

제 목 : 쿠웨이트 사태

1. 주재국은 8.12. 당지 이라크대사대리를 외무성으로 소환하여 이라크 및 쿠웨이트내 체류중인 자국민 (이라크에 350명, 쿠웨이트에 120여명)이 출국허가를 요국하였음.

2. 주재국은 이라크의 쿠웨이트 침공을 즉각 규탄하는 일방, 이르크의 쿠웨트 합병 불인정성명 발표 및 지난주 아랍연맹의 겨장 (사우디등에 파병)을 환영하는 성명을 발표한 바 있으며, 유엔결의 관련 일체의 대이라크 거래를 중단시키고 있음.끝.

(대사 선준영 - 국장)

중아국 1차보 경제국 정문국 안기부 2차보 대책반 통상국

PAGE 1

90.08.14 20:52 FC

외신 1과 통제관

0127

관리 번호	90/1829

외 무 부

종 별 :

번 호 : BBW-0615 일 시 : 90 0814 1530

수 신 : 장 관(통일,중동1,정이,기정)

발 신 : 주 벨기에 대사

제 목 : 대이라크 제재(자료응신 58)

대:WECM-0020

대호관련, 주재국 정부는 8.4. 구주 공동체 결정 및 8.6. 유엔안보리 결의를 시행하기 위해 특정국가와의 금융거래에 관한 왕령(1990.8.9 자 발효) 및 상품의 수출입 및 통과 허가에 관한 각령(1990.8.9 자 발효)을 선포하였는 바, 그 요지를 아래 보고함.

1. 특정국가와의 금융거래에 관한 왕령내용

가. 쿠웨이트나 이락인의 계정과 관련된 벨지움과 외국간의 일체의 환거래, 자본이동 및 금융거래는 재무부의 사전 허가를 요함.

나. 벨지움내 쿠웨이트 또는 이락인으로부터 발생한 투자와 관련된 모든 거래도 재무부의 사전 허가를 요함.

2. 상품의 수출입 및 통과 허가에 관한 각령 내용

가. 이락, 쿠웨이트가 원산지이거나 또는 이락, 쿠웨이트에서 발송된 모든 물품의 수입은 허가를 받을것

나. EC 가 원산지이거나 또는 EC 에서 발송된 모든 물품의 이락 또는 쿠웨이트에의 수출도 허가를 받아야 함.

다. 이락, 쿠웨이트가 목적지이거나 발송지인 모든 상품의 통과도 허가를 받아야 함.

3. 주재국의 대이락 교역량등 관련사항은 별도 파악 추보 위계임.끝

(대사 정우영-국장)

예고:90.12.31. 일반

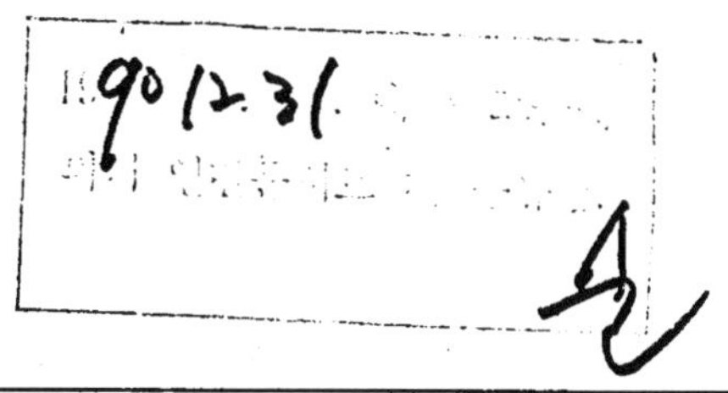

통상국	장관	차관	1차보	2차보	중아국	정문국	청와대	안기부

PAGE 1 90.08.14 22:54

외신 2과 통제관 CN

0128

관리번호	90/1629

외 무 부

종 별 :

번 호 : DEW-0336　　　　일 시 : 90 0814 1930

수 신 : 장관(통일,중근동,구이,기정)

발 신 : 주 덴마크 대사

제 목 : 대 이라크 제재

대:WECM-0020

1. 당관 추서기관은 8.13 외무부 경제 3 국 FINN JOENCK 과장및 산업부 KIMSPARLUND 과장을 접촉, 이라크의 쿠웨이트 침공과 관련, 주재국이 취한 대이라크 제재조치 내용을 탐문한바, 양인 언급내용 아래보고함.

가, 덴마크는 8.4 로마 EPC 회의에 앞서 8.3 덴마크내 쿠웨이트 자산 동결조치를 취한데 이어 8.9 에는 무역금지등 유엔안보리 결의 제 661 호에 부응하는 포괄적인 대이라크 제재조치를 발표, 이를 이행중임. 동 조치내용은 아래와같음.

0 8.3. "덴마크내 쿠웨이트 자산 보호조치에 관한 공고"(산업부 공고)

- 쿠 정부에 속하는 유가증권, 유동자산 포함 모든 CREDIT 및 쿠 정부가 소유자 또는 정당한 청구자로 되어있는 모든 금융 구좌 동결 (동결자산은 산업부 허가없이 인출불가)

- 산업부 허가 없이는 쿠 정부 또는 개인에 속하는 지불수단은 제 3 국에 이전불가

- 본 공고 위반시 2 년이하 징역

0 8.9. "대이라크 조치에 관한 칙령"

- 구주이사회 DECREE NO.2340/90 (90.8.8) 에 따라 이.쿠 양국과의 교역금지(유럽 석탄철강 공동체 (ECSE) 설립조약에 포함된 상품도 적용)

- 유가증권, 유동자산 포함한 이라크 귀속 채권동결

- 이라크 정부 또는 개인소유 구좌동결및 사전허가없는 인출금지

- 인도적 사유로 인한 구호식량에 대해서는 교역금지조치 제외

-상기 위반시 벌금형 또는 4 는 이하 징역및 불법거래 (612)익 몰수

나. 상기 제재조치에 따라 덴마크 정부는 이미 쿠웨이트로부터 도입한 원유대금 1 억 5 천만 DKR (약 2 천 5 백만불)에 대한 지불유예 조치를 내림.

통상국	장관	차관	1차보	2차보	구주국	중아국	정문국	청와대
안기부								

PAGE 1　　　　90.08.15 04:32

외신 2과 통제관 CN

0129

다. 주재국 정부로서는 대 이라크 세제조치 시행에 따라 어느정도의 불이익 감수는 불가피한 것으로 보고 있으나 주재국 경제전반에 대한 별다른 영향은 없을것임.

라. 쿠웨이트, 이라크와의 교역, 부자, 채무, 교민현황등

0 교역

- 89 는 수출액은 이라크에 2 억 3 천만 DKR, 쿠웨이트에 8 억 4500 만 DKR 등 도합 10 억 7500 만 DKR(약 1 억 7 천만불)로 전체수출액 2,048 억 DKR 중 0.5 퍼센트 비중임. (특히 쿠웨이트에 대해서는 89 년도에 일부품목 대량수출로 예년평균 3 억 DKR 를 크게 상회함).

- 양국으로부터의 89 년도 수입액은 쿠웨이트 32 억 DKR, 이라크 7 억 DKR 등 총 39 억 DKR(약 6 억 5 천만불)로 전체 수입액 1,945 억 DKR 중 약 2 퍼센트 차지

- 주요 수출품은 기계류, 수송수단, 화학제품, 의약류, 낙농제품등이며 주요 수입품은 원유 (쿠웨이트, 이라크), 채소(이라크)등임.

0 부자: 쿠웨이트에 4-5 개 회사가 합작형태로 진출하고 있으나 부자규모는 큰편이 아님.(이라크에는 없음)

0 채무: 이라크에 대하여 수출대금에 대한 연불보증금이 소액걸려 있음. (대 쿠웨이트 채권없음)

0 교민: 쿠웨이트에 100 명, 이라크에 15 명 가량의 체류교민이 있으며 이들의 철수문제에 대하여는 여타 EC 국가들과 보조를 같이하고 있음.

0 기타

- 이, 쿠 양국의 대 덴마크 부자내용은 부자등록의무제도 부재및 대부분 영국, 화란등 타 서구국가 소재 회사를 통한 간접부자로 인해 사실상 파악이 불가능함.

- 그동안 쿠웨이트 정부 부자회사로 널리 인식되어온 다국적 주유소 체인회사 (당지에 다수 주유소 체인소유)의 처리문제를 검토한 결과 동 회사가 법률상 화란회사로 금번 동결대상에 포함될수 없다는 결론에 도달함.

2. 당관 평가

0 주재국은 금번사태와 관련하여 EC 결정에 앞서 자체결정에 의한 주재국내쿠웨이트 자산 동결조치를 취하는등 신속하게 대 이라크 제재조치를 취하고 있으며, 여타 EC 회원국들과도 긴밀한 협조를 하고 있는것으로 보임.

0 그동안 이라크및 쿠웨이트와의 교역및 부자규모가 경미함에 따라 금번 제재 조치는 주재국 경제에 별다른 영향을 미치지 않을것으로 보임. 끝.

(대사 장선섭-국장)

예고:90.12.31. 일반

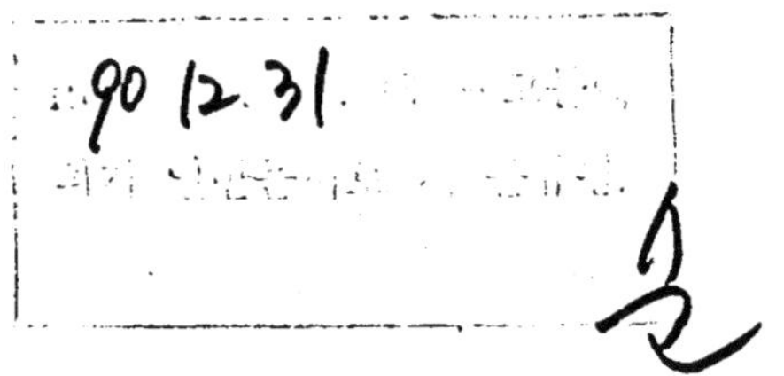

PAGE 3

0131

원 본

외 무 부

종 별 :

번 호 : DEW-0339 일 시 : 90 0814

수 신 : 장관(중근동,구이,기정)

발 신 : 주 덴마크 대사

제 목 : 이라크 사태

주재국 ELEMANN-JENSEN 외무장관은 8.11 주재국 단파방송을 통하여 덴마크는 쿠웨이트 주재대사관을 바그다드로 통합시키라는 이라크 정부의 요구는 국제외교관례에어긋나기 때문에 이를 거부할 것이라고 말함. 끝.

(대사 장선섭-국장).

중아국 1차보 구주국 안기부

PAGE 1

90.08.15 04:50 CG

외신 1과 통제관

0132

관리 번호	90/2018

외 무 부

종 별 :

번 호 : IDW-0275 일 시 : 90 0814 1800

수 신 : 장관(통일)

발 신 : 주 아일랜드 대사

제 목 : 대이라크 제재

대:WEUM-0020

주재국의 대 이라크 제재 관련 사항에 대하여 금 8.14. 현재까지 파악된 바를 우선 하기 보고함.

1. 무역 제재 조치에 관하여는 8.7. 및 8.9. PH BRUSSEL 회원국 상주 대표회의에서 채택된 CONCIL REGULATION 이 직접 적용됨.

다만 PENALTY 에 대해서는 회원국 재량에 따라 결정키로 되어 있는 바, 이에 관한 주재국 규정은 현재 상공부에서 성안중임.

2. 자산 동결에 대해서는 별첨 FINANCIAL SANCTION AGAINST IRAQ AND KUWAIT 가 8.10. 부터 적용됨.

3. 주재국의 대 IRAQ 주종 수출품은 7 천만불 상당의 우육(89 년) 인 바, 무역이 중단될 경우 동 수출액 및 동수출에 관한 EC 보조금 약 8 천만불, 도합 1 억 5 천만불의 차질이 있게 될 것임.

4.IRAQ 는 주재국에 대하여 이.이전 개전 이래 우육수입 대금 누적액 약 1 억 3 천만불의 채무를 현재 지고 있음.5.8.2. 현재 쿠웨이트 체류 아일랜드인은 48 명, 이라크 체류 아일랜드인은 350 명임. 그간 전기 48 명중 4 명이 탈출한 것으로 알려지고 있음. 또한 전기 350 명중 300 명은 바그다드 소재 병원에 근무중인 바 병원 근무자는 금번 제재 대상에 포함되지 안흠. 잔여 50 명에 대해서는각자 재량에 따라 출국 여부를 결정토록 하고 있음. 이들을 포함 EC 회원국의 양국 체류 국민 안전 문제를 교섭하기 위하여 EC TROIKA 외상이 오는 8.16.(목) 부터 JORDAN, EGYPT, SAUDI 를 방문함. 끝.

(대사 민형기-국장)

예고:90.12.31. 까지

통상국	장관	차관	1차보	2차보	중아국	정문국	청와대	안기부

PAGE 1

90.08.15 11:31

외신 2과 통제관 CW

0133

첨부:FINANCIAL SANCTIONS AGAINST IRAQ AND KUWAIT

EXCHANGE CONTROL ACTS 1954-1986, STATUTORY INSTRUMENT NO. 44 OF 1959 AND STATUTORY INSTRUMENT NO. 213 OF 1990

1.THE IRISH GOVERNMENT HAS IMKPOSED SANCTIONS AGAINST IRAQ AND KUWAIT IN ACCORDANCE ITH UNITED NATIONS SECURITY COUNCIL RESOLUTION NO.661 OF6 AUGUST 1990. AS PART OF THESE SANCTIONS ALL PERMISSIONS, DELEGATIONS AND EXEMPTIONS UNDER THE ABOVE STATUTORY PROVISIONS HAVE BEEN REVOKED IN SO FAR AS THEY RELATE DIRECTLY OF INDIRECTLY TO IRAQ AND KUWAIT OF RESIDENTS OF THOSE COUNTRIES. THE MAIN EFFECTS OF THIS REVOCATION ARE SUMMARISED IN THE FOLLOWING PARAGRAPHS.

2.FOR THE PURPOSES OF THIS DIRECTION "RESIDENTS OF IRAQ AND KUWAIT" INCLUDE THE GOVERNMENTS, PUBLIC UTILITY UNDERTAKINGS, CORPORATIONS AND PERSONS RESIDENT IN BOTH COUNTRIES TOGETHER WITH COMPANIES OF OTHER ENTITIES ANYWHERE CONTROLLED BY THEM AND AGENTS ACTING ON THEIR BEHALF.

3.ALL IRISH POUND AND FOREIGN CURRENCY ACCOUNTS IN THE NAME OF, AND ALL FUNDS HELD ON BEFALF OF, RESIDENTS OF IRAQ AND KUWAIT OF TO WHICH SUCH RESIDENTS ARE PARTY SHOULD BE DESIGNATED IRAQI ACCOUNT OF KUWAITI ACCOUNT AS APPROPRIATE.

4.APART FROM THE LIMITED EXEMPTIONS SET OUT IN PARAGRAPH 6 BELOW, AUTHORISED DEALERS, APPROVED AGENTS, FINANCIAL INSTITUTIONS, REGISTRARS AND OTHER PERSONS CONCERNED MUST REFER ALL TRANSACTIONS INVOLVING RESIDENTS OF IRAQ AND KUWAIT OF THE CURRENCIES OF IRAQ AND KUWAIT OT EXCHANGE CONTROL.

5.THE FOLLOWING ARE PROHIBITED EXCEPT WITH THE PRIOR PERMISSION OF EXCHANGE CONTROL

(A)ALL DEALINGS IN THE CURRENCIES OF IRAQ AND KUWAIT

(B)ALL TRANSACTIONS OVER IRAQI AND KUWAITI ACCOUNTS(EXCEPT AS SET OUT IN PARAGRAPH 6 BELOW)

(C)ALL PAYMENTS, WHETHER IN IRISH PUNDS OF FOREIGN CURRENCY, TO OR ON BEHALF OF RESIDENTS OF IRAQ OR KUWAIT

(D)ALL TRANSACTIONS IN SECURITIES, INCLUDING DEPOSIT RECEIPTS, WHICH ARE

0134

IN THE NAMES OF RESIDENTS OF IRAQ OF KUWAIT OF TO WHICH SUCH RESIDENTS ARE PARTY AND

(E)PROVISION OF LOANS, CREDITS, OVERDRAFTS OF OTHER FINANCIAL FACILITIES TO RESIDENTS OF IRAQ OF KUWAIT

(F)PROVISION OF FOREIGN CURRENCY FACILITIES OFR TRAVEL TO IRAQ AND KUWAIT.

6.THE FOLLOWING ITEMS ARE EXEMPTED FROM THE GENERAL PROHIBITION AND MAY BE EFFECTED AS NECESSARY

(A)PROVISION FORM IRAQI AND KUWAITI ACCOUNTS OF REASONABLE LIVION, MEDICAL, EDUCATIONAL AND SIMILAR EXPENSES TO RESIDENTS OF IRAQ AND KUWAIT WHILE IN THE STATE.

(B)CREDIT TO IRAQI AND KUWAITI ACCOUNTS OF PAYMENTS RECEIVED AND

(C)NORMAL BANK CHARGES

7.ALL FINANCIAL TRANSACTIONS INVOLVING IRAQ OR KUWAIT NOT COVERED BY THE ABOVE PARAGRAPHS AND ALL CASES OF DOUBT MUST BE REFERRED TO

EXCHANGE CONTROL

CENTRAL BANK OF IRELAND

PO BOX 559

DAME STREET

DUBLIN 2.

10 AUGUST 1990

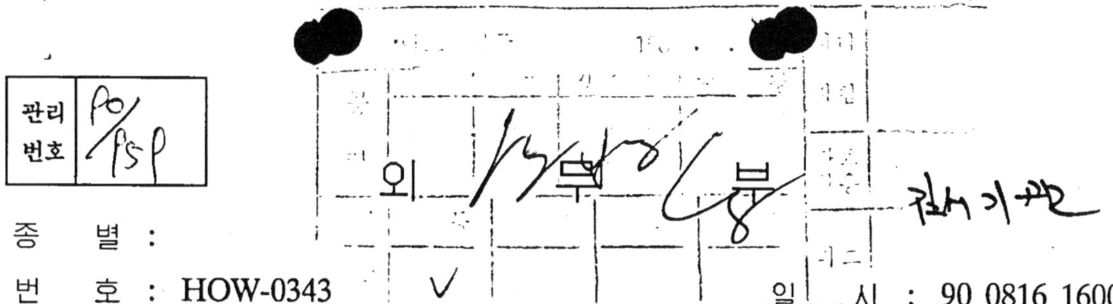

관리번호	90/1558

종 별 :

번 호 : HOW-0343 일 시 : 90 0816 1600

수 신 : 장 관(통일,중근동,구일,정일) -재수신분-

발 신 : 주 화란 대사

제 목 : 대 이락 제재(자료응신 제 73호)

대: WECM-0020

연: HOW-0338

1. 대호 관련, 주재국 정부가 취한 대 이락 제재조치는 아래와 같음.

0 8.3. 주재국, 이락, 쿠웨이트의 자산 및 금융거래 동결, 단, 주재국내 쿠웨이트 석유회사에 대해서는 예외적으로 8.15. 까지 자산 및 금융거래 동결 면제

(기 계약사항 이행 목적)0 8.7. 대이락, 쿠웨이트 무역전면 금지 및 원유 수입금지 조치

단, 기 선적분 원유는 해당되지 않으며, 주재국내 쿠웨이트 석유회사에 대해서는 8.15. 까지 원유수입 허용

0 군수품 및 군사기술 제공 금지

- 주재국은 1981 년 이래 이락에 군수품 및 군사기술제공 금지해 옴.

0 함정파견: 8.13. 2 척의 해군함정 파견키로 결정, 8.20. 경 출항하여 9 월초에 걸프만 도착 예정이며, 총 360 여명의 승무원 탑승 예정

0 참고: 화란의 2 개 회사 (BOSKALIS 사 및 VOLKER STEVIN 사)가 이락 남부항만준설 공사에 참여중인바, 주재국 정부는 이를 UN 제재결의안 내용중 제재대상에서 제외되는 용역 (SERVICE) 으로 해석, 공사 완료시까지 계속토록 함.

2. 주재국과의 경제관계

0 대이락 및 쿠웨이트 교역량

- 화란의 대이락 수출입(1989 년)

수출 - 약 1.5 억불 (전체수출량의 약 0.12 퍼센트)

수입 - 약 7 억불 (전체수입량의 약 0.57 퍼센트)

- 화란의 대 쿠웨이트 수출입(1989 년)

통상국 대책반	차관	1차보	2차보	구주국	중아국	정문국	청와대	안기부

PAGE 1

90.08.17 17:30
외신 2과 통제관 CD

0136

수출 - 약 1.4 억불(전체수출량의 약 0.11 퍼센트)수입 - 약 13 억불 (전체 수입량의 약 1.1 퍼센트)

0 부자현황

- 대이락: 약 8.5 백만불

- 대 쿠웨이트: 약 14 백만불

0 이락 및 쿠웨이트의 대 주재국 채무내역

- 이락: 약 58 백만불

- 쿠웨이트 : 약 100 백만불

0 이락및 쿠웨이트내 체류 화란 국민 현황(8.13. 현재)

- 이락: 159 명

- 쿠웨이트: 88 명. 끝.

(대사 최상섭-국장)

예고:90.12.31. 일반

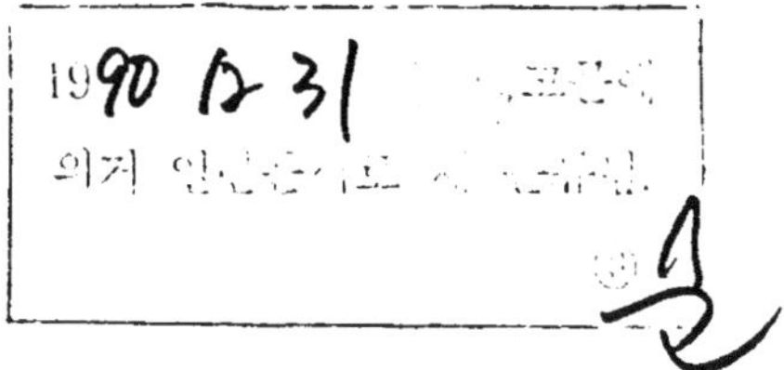

0137

외 무 부

종 별 :

번 호 : FNW-0244 일 시 : 90 0816 1350

수 신 : 장 관(통일,중근동,구이)

발 신 : 주 핀랜드 대사

제 목 : 대이락 경제제재 조치

주재국은 8.13자 대통령령으로 유엔안보리 결의 제661호에 따라 아래 요지의 경제제재 조치를발표함.

1.이락 및 쿠웨이트로부터의 상품수입 및 자금 이동금지

2.주재국의 대 이락및 쿠웨이트 수출금지(무기포함)및 자금 이동, 기타 경제자원공여 금지

3.다만, 상기 수출금지는 인도적인 의약품 수출에는 적용되지않음.

4.상기 제규정은 동 대통령령 발효이전에 체결된 계약에도 적용됨.끝

(대사 최상진-국장)

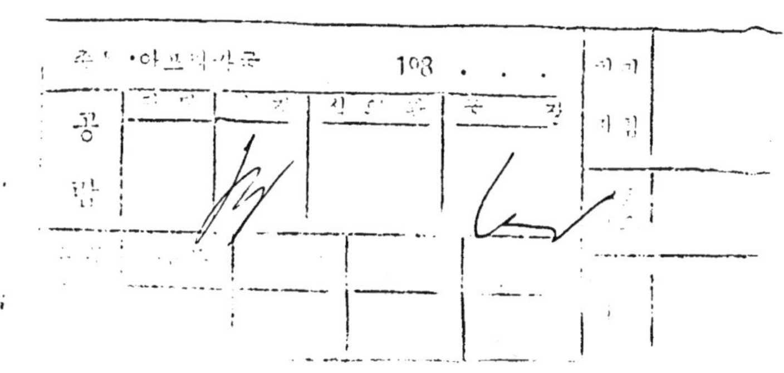

통상국 1차보 구주국 중아국 안기부 2차보 대책반

PAGE 1

90.08.16 21:19 DN

외신 1과 통제관

0138

(38)

관리번호	90-1138

외 무 부

종 별 : 지 급

번 호 : HGW-0522 일 시 : 90 0817 1730

수 신 : 장관(중근동,동구이)

발 신 : 주 헝가리 대사

제 목 : 쿠웨이트 주재 외교공관 철수문제

담 당	과 장	심의관	국 장

지시사항

대:WHG-0650

황길신 참사관이 8.17. 외무부 GULF 지역담당 부국장 IMRE NAGY 를 접촉 대호건 문의한바 요지 아래 보고함.

1. 헝가리 대사관은 8.24. 최종순간까지 사태를 지켜보다가(WAIT AND SEE)상황변동이 없이 이라크측이 강제 폐쇄조치를 취할 경우 이에 순응(SURRENDER)할것이나 주 쿠웨이트 대사는 계속 쿠웨이트 망명정부에 ACCREDIT 되어 있다는 것을 확인 선언할 것임.

2. 쿠웨이트 체류 헝가리 교민은 159 명인바 이들은 8.19. 버스 및 트럭으로 일단 이라크로 철수시켜 상황에 따라 요르단을 통해 항공편으로 본국 송환할 계획임. 이를 위해 항공기 2 대를 대기시키고 있음. 끝.

(대사-국장)

예고:90.12.31. 일반

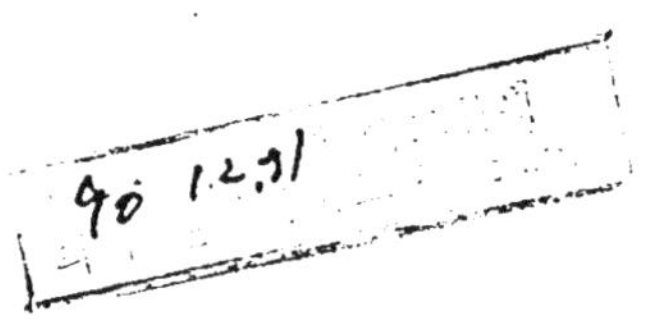

중아국 대책반	장관	차관	1차보	2차보	구주국	정문국	청와대	안기부

PAGE 1

90.08.18 01:19

외신 2과 통제관 CW

0139

관리 번호	90-503

외 무 부

종 별 : 지 급

번 호 : SDW-0794 일 시 : 90 0820 1700

수 신 : 장관(중근동)

발 신 : 주 스웨덴 대사

제 목 : 쿠웨이트 주재 외교공관철수문제

대 WSD-0426

연 SDW-0768,0754

대호관련, 당관 황참사관이 8.20 주재국외무성 MIKAEL WESTERLIND 영사교민부국장을 접촉한바 , 아래 보고함

1. 주쿠웨이트 서전대사관을 8.24 자로 폐쇄하라는 이라크측 통보에대하여, 이라크측이 강제로 폐쇄시키지않는한, 자발적으로 폐쇄하지 않는다는 기본방침을 세워두고, 만약 이라크가 무력으로공관을 폐쇄시킬 경우에는 저항없이 따를 예정이라함. 그경우 공관원 1 명은 잔류할수있도록 이라크측과 교섭중에있다함

2. 현재 잔류서전교민 약 160 명(쿠웨이트 120 명, 이라크 40 명)의 보호및 철수대책을 준비하고있는바, 쿠웨이트 잔류교민들은 스웨덴대사관이 잔류하는한 계속 쿠웨이트에 잔류할 예정이고, 강제 폐쇄될경우에는 이라크로 강제송환되는 것은 최대한 막는다는 방침아래, 서전으로 철수시키는 문제를 이라크측과 교섭중이나 상금 이라크측으로부터 확답을 못 받고있는 상태라함

3. 상기 서전정부의 방침은 주 쿠웨이트 서방국가 공관의 공통적인 방침이라고 하는바, 참고바람

(대사 최동진-국장)

예고:90.12.31 일반

1990.12.31.에 예고문에 의거 일반문서로 재분류됨

중아국	차관	1차보	2차보	통상국	정문국	청와대	안기부	대책반

PAGE 1

90.08.21 00:34

외신 2과 통제관 DO

0140

관리번호	90/PP3

외 무 부

종 별 :

번 호 : BBW-0636 일 시 : 90 0820 1630

수 신 : 장 관(통일,정이,기정)

발 신 : 주 벨기에 대사

제 목 : 대이락 제제(자료응신 60)

대:WECM-0020

연:BBW-0165

연호, 주재국의 대이락, 쿠웨이트 교역량드 관련사항 아래 추보함.

1. 교역량('89 년 기준, 단위 BF)

벨지움의 대이락 수출.입 : 46 억, 116 억

벨지움의 대쿠웨이트 수출.입 : 34 억, 10 억

2. 대벨지움 채무내역(단위 BF)

이락크 11 억

쿠웨이트 31 억

3. 이락크, 쿠웨이트내 체류 국민현황 : 각각 37 명, 27 명. 끝.

(대사 정우영-국장)

예고:90.12.31. 일반

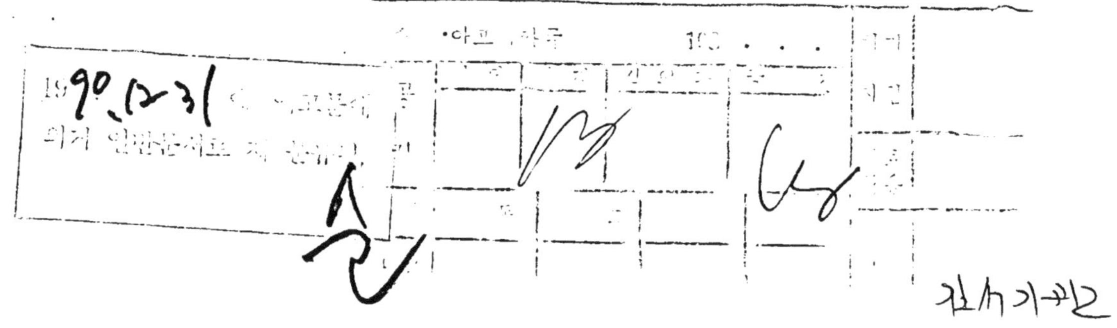

통상국 차관 1차보 2차보 중아국 정문국 안기부

PAGE 1

90.08.21 00:45

외신 2과 통제관 DO

0141

원 본

외 무 부

종 별 :

번 호 : DEW-0348 일 시 : 90 0820 1700

수 신 : 장 관(중근동,구이,기정)

발 신 : 주 덴마크 대사

제 목 : 이라크 사태 (자료응신 제 15호)

1. ELLEMANN-JENSEN 주재국 외무장관은 8.17 덴마크 정부는 덴마크 상선이 이집트군을 페르시아 만으로수송하는 비용을 부담할 것이라고 말함.

2. 동 장관은 또한 덴마크가 한국전쟁시 파견했던 유틀란디아 호와 유사한 병원선을 파견해야한다는 의견이 제기되고 있는데 대해 이에 동감을 표시함.

3. 한편 8.17. 주재국 최대정당이며 제 1야당인 사민당 NORTH ZEALAND 지역 국회의원 모임에서도 다수 참석자들은 병원선 파견을 지지하였음. 끝.

(대사 장선섭-국장)

중아국 1차보 구주국 정문국 안기부 대책반

PAGE 1 90.08.21 04:32 DA

외신 1과 통제관

0142

외 무 부

종 별 :

번 호 : GRW-0409 일 시 : 90 0820 1930

수 신 : 장 관(구이)

발 신 : 주 희랍 대사

제 목 : GULF 사태관련 보고

8.18자 ATHENS NEWS 는 SAUDI ARABIA, EXILED KUWAITIGOV'T ASK GREEK MILITARY AID IN GULF 제하에 아래 내용기사를 보도함.

-아 래-

주재국 정부대변인은 사우디가 걸프위기 사태에 관련 희랍에 군사원조를 요청했다고 말함. MITSOTAKIS 수상은 야당 대표들과 만나 동문제를 토의할것임.

정부 대변인은 또한 사우디 대사가 SAMARAS 외무장관에게 희랍의 긍정적 태도에 감사를 표했다고 말함. 언론들은 희랍 해군의 주력함인 LIMNOS 호가 파견 될것으로 추측하고 있음. 끝.

(대사 박남균-국장)

구주국 1차보 중아국 정문국 안기부

PAGE 1 90.08.21 04:50 DA

외신 1과 통제관

0143

외 무 부

암호수신

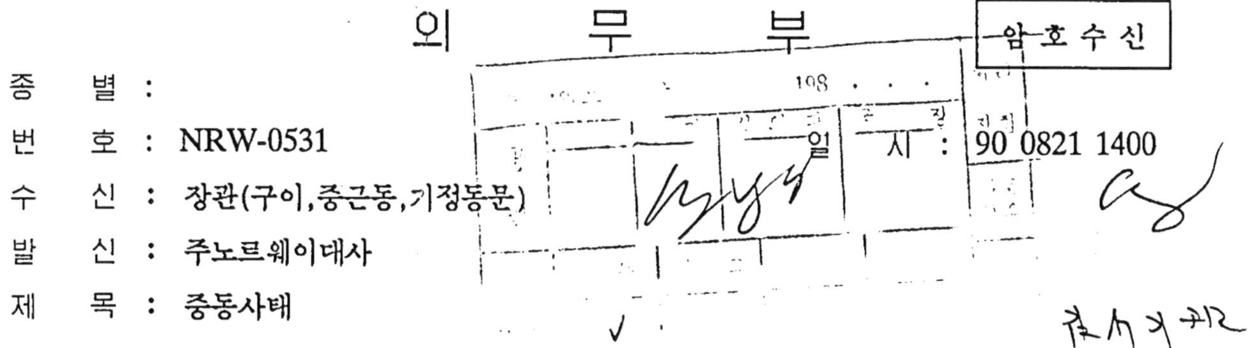

종 별 :

번 호 : NRW-0531　　　일 시 : 90 0821 1400

수 신 : 장관(구이,중근동,기정동문)

발 신 : 주노르웨이대사

제 목 : 중동사태

주재국 정부는 실효적인 유엔의 대이락 제재조치를 위해 각국협력이 필요하다는 입장을 밝혔음. 주재국은 8.19. 중동사태에 관한 대책을 논의하는 가운데 이러한 입장을 표명함과 아울러 SYSE 수상은 이락의 쿠웨이트 점령을 56 년 수웨즈위기와 비교하면서 사태의 심각성을 강조하였음. 또한 BONDEVIK 외무장관도 유엔의 대이락 봉쇄가 더욱 실효를 거둘수 있도록 주재국은 유엔의 조치를 적극 지지할것이라고 말하였음. 주재국은 나토국가중 일부가 대서양에서 중동지역으로 전함을 이동함에 따라 생긴공백을 메우기위해 프리깃함 1 척을 나토 대서양함대에배속키로 하였음. 한편 BONDEVIK 장관은 주재국이 소해정을 중동지역에 직접부입할것이라는 사실을 부인하였음. 끝.

(대사 김정훈-국장)

구주국 장관 차관 1차보 2차보 중아국 정문국 청와대 안기부
대책반

PAGE 1　　　90.08.22 01:42
외신 2과 통제관 CW

0144

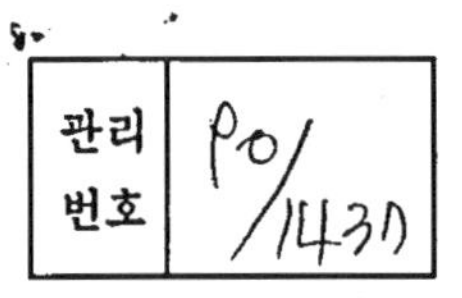
관리 번호 90/1430

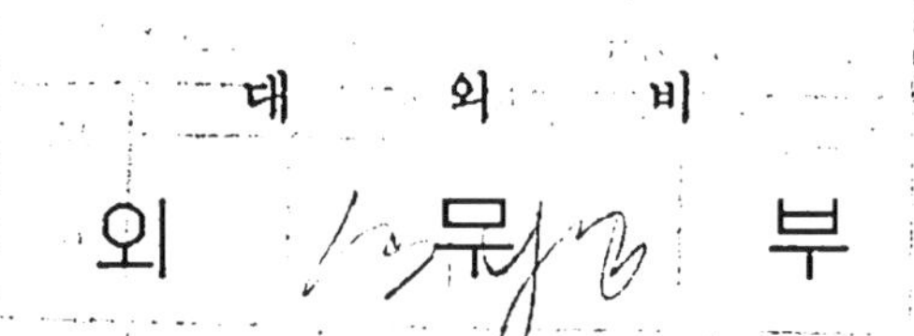
대 외 비

외 무 부

종 별 :

번 호 : POW-0426 일 시 : 90 0821 19300

수 신 : 장관(통일,중근동,정홍,구이,미안)

발 신 : 주포르투갈대사

제 목 : 포르투갈의 대이라크 관계(자료 응신 제 56호)

연:POW-0393

1. 주재국은 연호 8.2 대이라크 규탄 성명 발표이래, 유엔과 EC 의 대 이라크 제재 조치를 철저히 준수한다는 입장을 견지하고 있음. 또한, 8.9 일에는당지 미국 대사관의 요청에 따라 미군의 주재국 AZORES 섬 LAJES 공군기지와 포르투갈 영공 사용을 허가 조치하였음.

2. 금번 대이라크 제재 조치로 인해 주재국이 받는 직접적 경제적 피해는 COMENTA 사의 대이라크 무기 수출(포탄, 수류탄 등 경무기)대금 3,000 여 만불미회수 및 90.7. 계약 서명된 PROFABRIL 사의 정유소 건립대금 50 만불 등 비교적 적은 것으로 알려짐.그외 국립방위 무기회사인 INDEP 가 최근 이락과 벌려왔던 무기 수출 협상도 무위로 돌아 갔음.

3. 주재국은 주재국 국립 조선소 LISNAVE 와의 수선 계약에 따라 입항을 대기 중이던 이라크 원유 수송선 TARIK IBN ZIYAD 을 수일전 입항 금지 조치하였음.주재국은 원유 수입의 1/5 을 이라크로 부터 들여왔으나 금번 사태 불구 원유수입선 전환에는 별다른 큰 어려움이 없는 것으로 파악됨.

4. 주재국의 사우디 체류인 91 명은 단계적으로 철수하고 있으며 이락과 쿠웨이트에 있는 교민 계 100 여명의 철수를 위해 이락 정부와 협상을 벌리고 있으며 동 후송용 군용기(C-130) 2 대도 대기 시키고 있으나 실제 후송 여부는 상금 미상임. 한편 주재국내에서 휴가중이었던 MESQUITA DE BRITO 주재국 이락 주재 대사는 육로 등을 이용 수일전 임지로 급거 귀임하였음.

5. 쿠웨이트 전정부의 XEQUE ALIKHALITA 재무상과 JAHR HAYAT 체신상이 스페인으로 부터와서 주재국 DEUD PINHEIRO 외상 및 NOGUEIRA 국방상 등과 면담했고 8.21. 에는 SOARES 대통령 및 CAVACO SILVA 수상과도 잠시 면담한 것으로 파악되고

통상국 장관 차관 1차보 2차보 미주국 구주국 중아국 정문국
청와대 안기부 대책반

PAGE 1

90.08.22 06:53
외신 2과 통제관 CW

0145

있음. 쿠웨트측은 주재국의 8.2. 대아락 규탄에 감사하고 쿠웨트의 회복을 위해 계속적 지원을 요청함.

6.DEUS PINHEIRO 외상 및 NOGUEIRA 국방상, CARNEIRO 합참의장은 8.21. 파리 개최 서구라파 동맹체(WEU)외상회의에 참가, 대 이락 공동 제재 방안을 협의하고 있는 바, 주재국으로서는 대 이락 관련 상기 공동 입장을 따를 것이나 대 이락 군사 제재에는 직접 참가치 않을 것으로 간주되며 참여하더라도 상징적 참여에 불과할 것으로 사료됨.

6. 한편 당지 이락 대사관은 8.7. 주재국의 대이락 비난 성명에 대해 유감을 표명하고 앞으로 포르투갈의 이해를 침해하는 결과가 될 것이라고 발표했으며8.13. 에도 이락의 쿠웨이트 점령을 정당화하고 서구제국의 침투를 비난하는 성명을 발표한 바 있음. 끝.

(대사 유 혁인-국장)

예고:90.12.31 까지

PAGE 2

0146

1 =

외 무 부

종 별 :

번 호 : SPW-0486 일 시 : 90 0822 1430

수 신 : 장 관 (중근동 구이 정일 기정)

발 신 : 주 스페인 대사

제 목 : 주재국의 대이락 제재조치

1. 주재국 정부는 서구연합이 대이락 봉쇄 조치결의에 따라 8.21. 프리키트함 1척과 코르벳함 2척으로 구성된 함대를 8.26-27 기간중 분쟁지역에 파견키로 결정하였음.

2. 한편 프리키트함 SANTA MARIA 호는 호르무즈해협인근 오만 해역에 코르벳함 DESCUBIERTA 호 및 CAZADORA 호 2척은 홍해 근처에 배치할 것으로 알려지고 있음.

3. 주재국은 당초 대이락 군사제재 조치 참여는 가능한 기피코자하는 반응이였으며, 불란서, 서독등 여타 주요 서구연합제국의 결의에 결국 동조케 될것으로 사료됨.

(대사-국장)

중아국 1차보 구주국 정문국 안기부 대책반 미주국 통상국 2차보

PAGE 1

90.08.23 00:37 FC
외신 1과 통제관

0147

원 본

외 무 부

종 별 :

번 호 : DEW-0357 일 시 : 90 0824 1400

수 신 : 장 관(중근동,구이,정일)

발 신 : 주 덴마크 대사

제 목 : 이라크 사태 (자료응신 제 16 호)

1. ELLEMANN-JENSEN 주재국 외무장관은 8.22 의회외무위원회에서 유엔이 대 이라크 봉쇄시행결의안을 채택하는 경우 덴마크는 이에 직접참여할 준비가 되어있다고 말한바, 주재국 언론은외상이 해군파견 가능성을 시사 했다고 보도함.

2. 외상은 또한 이라크 및 쿠웨이트에 억류되어있는 EC 국민들을 이라크가 자국의 공격에대한 방패로 이용하는 경우 이에 가담한 이라크개인은 국제법 위반으로 뉘른베르크 재판과같은 국제 전범 재판에 회부되어야 할 것이라고말함. 끝.

(대사 장선섭-국장)

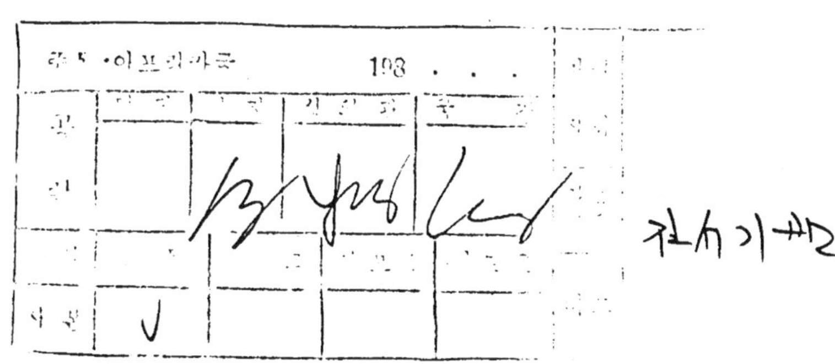

중아국 구주국 정문국 안기부 통상국 대책반 1차보 2차보 미주국

PAGE 1

90.08.24 23:04 CT

외신 1과 통제관

0148

원 본

외 무 부

종 별 :

번 호 : AVW-1211 일 시 : 90 0824 1930

수 신 : 장 관 (중근동,구이,기정동문)

발 신 : 주 오스트리아 대사

제 목 : 오스트리아대통령 이라크 방문 예정

1. KURT WALDHEIM 오스트리아 대통령은 이라크 및 쿠웨이트에 억류중인 오스트리아인을 포함한 외국인의 출국 교섭을 위해 금 8.24. 오후 요르단 향발하였음. WALDHEIM대통령은 8.25. 바그다드를 방문, 사담 후세인 이라크 대통령과 회담 예정임.

2. WALDHEIM 대통령은 이라크 및 쿠웨이트에 억류중인 140명의 오스트리아인 (이중 30여명은 8.23.및 24. 이라크-터키 국경을 통해 터키에 도착하였음)의 출국을 위해 후세인대통령에게 메세지 전달, 후세인 요르단국왕과의 연락등 외교적 노력을 경주하여 온 바 있음.

3. ALOIS MOCK 오스트리아 외무장관은 8.23. 출국, 이집트와 요르단을 통해, 8.25. WALDHEIM- 사담후세인 회담 계획을 발표하면서, WALDHEIM 대통령은 화려한 국제적명성을 배경으로 외국인 출국을 위해 모든 외교적 노력을 경주할 것이라고 언급하였음.

(끝)

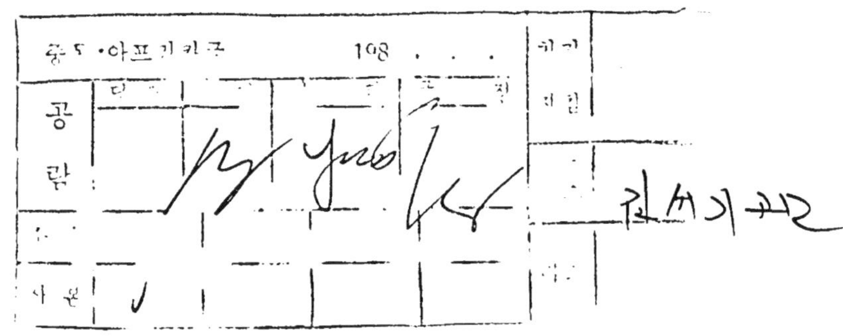

중아국 구주국 안기부 정문국 통상국 대책반 2차보 1차보

PAGE 1

90.08.25 08:23 FC

외신 1과 통제관

0149

원 본

외 무 부

종 별 :

번 호 : DEW-0360 일 시 : 90 0824 1800

수 신 : 장 관(중근동,구이)

발 신 : 주 덴마크 대사

제 목 : 이라크 사태

1. ALI AL-KHALIFA 쿠웨이트 재무장관이 HALIB HAYAT 교통장관과 함께 8.23. 코펜하겐에 도착, SCHLUTER 주재국 수상 및 ELLEMANN-JENSEN 외무장관을 만나 대 이라크에 대한 경제 및 외교적 제재를 가하는 문제를 협의함.

2. 유럽각국을 순방하면서 대 쿠웨이트 지원을 호소하고 있는 AL-KHALIFA 재무장관은 기자회견에서 이라크 점령으로부터 쿠웨이트를 되찾기 위해서는 전쟁이 거의 불가피하다고 말함. 동일행의 다음 행선지는 노르웨이 임.

3. 한편 8.24. 주재국 언론보도에 의하면 쿠웨이트에 머물러있는 덴마크인중 40명이 8.23. 차량 호위하에 바그다드로 이동했으며 NIELSEN 쿠웨이트 주재덴마크 대사는 이들을 쿠웨이트 시외 40 킬로미터까지 전송후 쿠웨이트시로 되돌아왔다함.

4. ELLEMANN-JENSEN 외무장관은 8.23. 덴마크는 쿠웨이트주재 대사관을 철수하라는 이라크의 요구에 응하지 않을 것임을 재차 확인함. 끝.

(대사 장선섭-국장)

중아국 1차보 2차보 구주국 대책반 정문국 미주국

PAGE 1

90.08.25 18:44 CG

외신 1과 통제관

0150

외 무 부

종 별 :

번 호 : AVW-1214 일 시 : 90 0825 1830

수 신 : 장관(구이,중근동,정이,기정)

발 신 : 주 오스트리아 대사

제 목 : WALDHEIM-HUSSEIN 전격 회동, 오스트리아인 귀국 합의

1.WALDHEIM 주재국 대통령은 걸프 사태 이후 서방 국가 원수로서는 최초로 8.25.(토) 이라크를 전격 방문, SADDAM HUSSEIN 이라크 대통령과 회담하였으며,동 회담에서 이라크내 억류되어있는 약 80 명의 오스트리아인 전원의 귀국에 합의한 것으로 알려짐.

2. 이에 따라, MOSUL, BASRA 및 KUWAIT 에 산재하고 있는 이라크내 오스트리아인들은 이라크 군용기 편으로 바그다드에 집결한후 HUSSEIN 대통령의 특별기편으로 AMMAN 으로 후송되며, 그후 이미 AMMAN 에 기착중인 두대의 오스트리아비행기에 분승, 본국으로 귀환할 계획인바, WALDHEIM 대통령이 직접 진두 지휘자국인과 함께 귀국할 것으로 알려짐.

3.UN 의 대 이라크 군사 제재 결정이 발표된 직후 이루어진 금번 오스트리아인 귀국 합의에 대해 주재국 국민들은 이를 WALDHEIM 대통령의 개인적 외교 성과로 받아들이고 있는바, 동 합의는 주재국과 중동 지역 국가간의 전통적인 긴밀한 우호 관계 및 WALDHEIM 대통령의 UN 사무총장 재직시 HUSSEIN 대통령과의 개인적 친분 관계 등이 복합적으로 작용한 결과로 보임.

4. 또한, 주재국 언론들은 금번 합의가 미 군용기의 오스트리아 영내 통과 허용 금지 또는 주재국의 대 이라크 UN 경제 제재 참여 포기 등 이라크 측이 오스트리아인 귀국 허용에 대한 댓가로 제시할 것으로 예상되었던 어떠한 정치적 보상이 없이 순수히 인도적인 차원에서 이루어졌다는 점에서, WALDHEIM 대통령의모험 외교가 완벽한 성공을 거둔 것으로 평가하고 있는바, HUSSEIN 대통령 측으로서는 UN 의 대 이라크 군사 제재 결정과 관련 WALDHEIM 이 UN 과의 중개역할에 나서줄것을 희망하고 있는 것으로 관측하고 있음.

5.WALDHEIM 대통령은 금번 이라크 방문시 MOCK 외상을 대동하였으며 8.24.(금)

구주국	장관	차관	1차보	2차보	중아국	정문국	영교국	청와대
안기부	대책반							

PAGE 1

90.08.26 06:35

외신 2과 통제관 CW

0151

AMMAN 중간 기착시 HUSSEIN 요르단 국왕과도 회담한 것으로 알려짐.

(끝)

PAGE 2

0152

외 무 부

종 별 :

번 호 : DEW-0363 일 시 : 90 0827 2130

수 신 : 장 관 (중근동,구이,정일)

발 신 : 주 덴마크 대사

제 목 : 걸프만 사태 (자료응신 제 18호)

1. 주재국 정부는 8.25. 유엔안보리가 대 이라크 봉쇄조치를 위한 최소한의 무력사용을 승인하는 결의안을 채택함에 따라 동일 관계부처회의를 열고 대 이라크 봉쇄를 위하여 수척의 군함을 걸프만에 파견하는 문제를 긍정적으로 검토하였음. 주재국 의회도 8.27 긴급회의를 열어 군함파견 문제를 논의할 예정임.

2. ELLEMANN-JENSEN 외무장관은 상기 안보리 결정이 형언키 어려운 역사적인 결정이라고 논평하면서 환영함.

3. 한편 BIRGER DAN NIELSEN 쿠웨이트 주재 덴마크대사는 이라크측의 단전및 단수조치로 인하여 8.26.쿠웨이트를 떠난것으로 알려짐. 끝.

(대사 장선섭-국장)

중아국 1차보 구주국 정문국 안기부 통상국 미주국 대책반 그라운

PAGE 1

90.08.28 08:01 FC

외신 1과 통제관

0153

외 무 부

종 별 :

번 호 : NRW-0540 일 시 : 90 0827 2120

수 신 : 장 관 (구이,중근동,기정동문)

발 신 : 주 노르웨이 대사

제 목 : 중동사태

BONDEVIK 주재국 외무장관은 8.23 국회에서 주재국은 중동지역에서 화학무기 사용 가능성에 대비하여 화학무기 효과를 감소하기 위해 가스에 뿌리는 세척제를 서방측과중동지역 동맹국에 제공할 용의가 있다고 밝혔음. 동장관은 또한 세척제 외에 가스방어복장 제공가능성도 시사하였으며 유엔결의에 따라 유엔군이 중동지역에 배치되는경우 군사요원및 물자지원을 고려하겠다고 언급하였음

(대사 김정훈-국장) FC

구주국 1차보 중아국 정문국 안기부 대책반 통상국 2차보 미주국

PAGE 1 90.08.28 08:04

외신 1과 통제관

0154

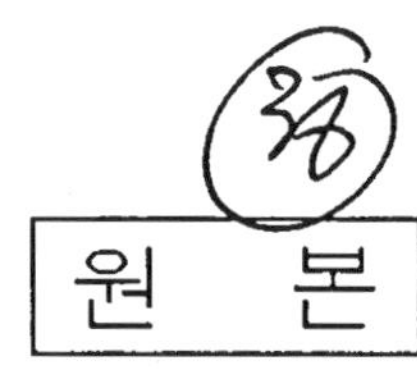

원 본

외 무 부

종 별 : 지 급

번 호 : HGW-0548

수 신 : 장관(동구이,중근동)

발 신 : 주 헝가리 대사

제 목 : 주쿠웨이트 공관봉쇄에 대한 헝정부 성명

이라크군의 주쿠웨이트 헝가리 대사관 봉쇄조치에 대하여 헝가리 정부는 8.27.다음과 같은 성명을 발표하였음.

첨 부: 성명문

(대사 한탁채-국장)

IN KEEPING WITH THE RELEVANT UN SECURITY COUNCILRE SOLUTIONS AND THE SPIRITOF EUROPEAN COOPERATION, THE GOVERNMENT OF THE REPUBLIC OF HUNGARY REJECTS THEUNILATERALIRAQI DECISION TO CLOSE THE DIPLOMATIC MISSIONS IN THE STATE OF KUWAIT, AND HAD DECIDED TO MAINTAIN ITS EMBASSY THERE WITH THE MINIMUM STAFF REQUIRED UNDER THE CIRCUMSTANCES.

HOWEVER, THE MEASURES TAKEN BY THE OCCUPYING IRAQIFORCES, SUCHAS THE DISRUPTION OF PUBLIC AMENITIES OR THE MILITARY CORDON AROUND THE MISSION, HAVE RENDERED EMBASSY OPERATION UNVIABLE AND LEAVE THE BUILDING ON AUGUST 26. SUCHBEING THE CONDITIONS, THE FOREIGN MINISTRY HAS TEMPORARILY SUSPENDED THE NORMAL OPERATIONS OF THE HUNGARIAN EMBASSY IN KUWAIT.

THE HUNGARIAN STEP DOES NOT ALTER THE GOVERNMENT STATEMENT OF AUGUST 10, PROFOUNDLY CONDEMNING THE IRAQIAGGRESSION TOWARDS THE STATE OF KUWAIT, AND DISCOUNTING THE ARBITRARY IRAQI RESOLVE ON THE ANNEXATION OF KUWAIT. THE REPUBLIC OF HUNGARY CONTINUES TO DEMAND THAT THE SOVEREIGNTY OF THE STATE OF KUWAIT BE IMMEDIATELY AND UNCONDITIONALLY RESTORED.

THE FOREIGN MINISTRY CALLS ON THE GOVERNMENT OF THE REPUBLIC OF IRAQ TO GUARANTEE, ACCORDING TO INTERNATIONAL LAW, THE INTEGRITY OF THE DIPLOMATIC MISSIONS AND RESTORECONDITIONS FOR THEIR SMOOTH OPERATION, AS STIPULATED IN

구주국 차관 1차보 2차보 미주국 중아국 통상국 정문국 안기부
대책반

PAGE 1

90.08.29 08:04 DA

외신 1과 통제관

0155

THE 1961 VIENNA CONVENTION RELATING TO THE OPERATION OF DIPLOMATIC MISSIONS, AND RATIFIEDBY IRAQ. IT ALSOCALLS FORTHE UN SECURITY COUNCIL RESOLUTION NO. 664 TO BEFULLYOB SERVED, INCLUDING THE FREE DEPARTURE OF FOREIGNCITIZENS FROM THE STATE OF KUWAIT AND IRAQ.

THE AMBASSADOR EXTRAORDINARY AND PLENIPOTENTIARY OF THE REPUBLICOF HUNGARY IS FIRM IN HIS RECOGNITION OF THE AMIR OF KUWAIT.

THE GOVERNMENT OF THE REPUBLIC OF HUNGARY CONSIDERS THE IRAQIGOVERNMENT TO BE SOLELY RESPONSIBLE FOR THE DAMAGECAUSED TO THE BUILDINGS AND PROPERTY OF THEHUNGARIAN EMBASSYIN KUWAIT.END.

PAGE 2

0156

16/1990. Budapest, August 27, 1990

Foreign Ministry Statement (Budapest, August 24)

News is filtering through from Romania that certain extremist groups are preparing to use the 50th anniversary of the 2nd Vienna Decision, signed on August 30, 1940, for staging militant demonstrations mainly in the Hungarian-inhabited regions of Transylvania.

The Hungarian government and the whole of Hungarian society believe that historic events should be judged as separate entities, distinct from matters of day-to-day politics. It is particularly undesirable for the relations between the new democracies in Central and Eastern Europe to be burdened by sociological and attention-seeking polemic. The government of the Republic of Hungary hopes a similar stance will be taken in Romania, with the various parties and organizations refraining from actions that might disrupt the peace existing between our nations, and jeopardize the accomplishment of the difficult historic tasks lying ahead of us.

The totally unfounded allegation that Hungary is agitating for a change of the present European frontiers has been repeatedly voiced abroad recently. The statement of the freely-elected Hungarian Parliament concerning the Trianon Peace Treaty, signed on June 4, 1920, also runs contrary to such rumours.

The Hungarian Foreign Ministry - in line with relevant parliamentary decisions and previous government statements - reiterates that Hungary is observing the valid international agreements, and has no intention of forcibly changing the borders, so endangering the security of its neighbours.

Nobody has cause or legal grounds to interpret the responsibility felt for those Hungarians turned into minorities as a result of the hostile 1920 and 1947 peace treaties as a sign of hostility. Hungary does everything it can to meet the requirements of the ethnic minorities living in its former territory. At the same time, it in no way objects to the efforts of its neighbouring countries to support the political and cultural endeavours of the Hungarian minorities: indeed, it urges them to do so.

To recapitulate, the Republic of Hungary strives for decent and friendly relations with all its neighbours, as a way of promoting the integration of newly democratizing countries into a single Europe that espouses common values.

0157

외 무 부

종 별 :

번 호 : HOW-0394 일 시 : 90 0927 1800

수 신 : 장 관(구일,중근동,정일)

발 신 : 주 화란 대사

제 목 : 주재국 외무장관 걸프만 사태 발언(자료응신 제 90-81호)

1. VAN DEN BROEK 주재국 외무장관은 UN 총회연설 및 기자회견에서 이락이 쿠웨이트 점령철수를 끝내 거부할 경우 UN 헌장에 따라 추가적 조치가 취해져야 할 것이라고 언급함. 동장관은 지금 진행중인 경제 제재의 성공을 위해 모든 노력을 경주하는 한편, 동 경제 제재가 실패할 경우나, 이락의 침략행위가 재발할 경우를 대비, 대 이락 무기 사용 문제를 검토해야할 때라고 주장함.

2. 동 장관은 또한 이락의 쿠웨이트로부터의 부분적 철수와 팔레스탄인 점령지역 문제를 연계시킬 것을 주장하는 사담 후세인의 제안은 전적으로 부당하며, 걸프만 사태를 더욱 복잡하게만들 뿐이라고 하면서 이를 반대한다고 밝힘. 끝.

(대사 최상섭-국장)

구주국 1차보 중아국 정문국 안기부 미주국 통상국 대책반 2차보

PAGE 1

90.09.28 09:32 WG

외신 1과 통제관

0158

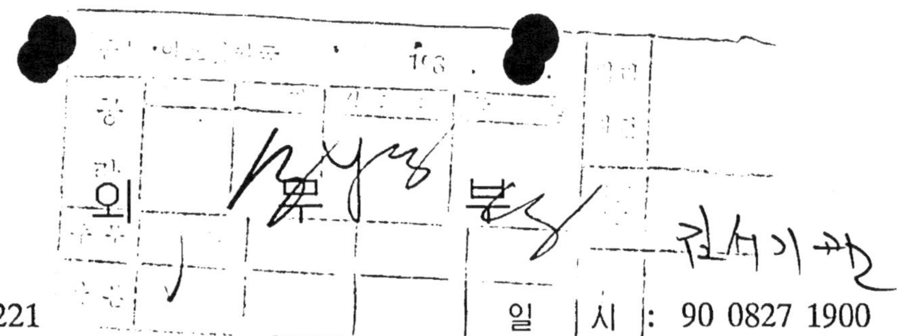

종 별 :

번 호 : AVW-1221 일 시 : 90 0827 1900

수 신 : 장관(구이,중근동,정일,기정동문)

발 신 : 주오스트리아대사

제 목 : 오스트리아 대통령 이라크 방문 결과

1. WALDHEIM 대통령은 8.26(일) 95명의 자국인과함께 이라크로 부터 귀국하였는바, 귀국 성명에서금번 협상의 댓가로 HUSSEIN 대통령에게 어떠한 양보도 없었다는 점을 강조하고 HUSSEIN과의 회담이 이라크에 대한 서방세계의 결속을 저해할 것이라는 일부 비난을 부인하였음.

2.동 대통령은 또한 오스트리아외 여타 외국인의 출국허용도 HUSSEIN 대통령에게 간청했으며 HUSSEIN 대통령이 이를 ''유념''하겠다는 답변을 주었다고 말하였는바,WALDHEIM 의 이라크 방문결과에 대한 내외 반응은 다음과 같음.

가.주재국 반응

- VRANITZKY 수상:금번 협상은 이라크에 대한 국제사회의 제재에서 한치도 일탈하지 않은 WALDHEIM 대통령의 개인적인 외교적 성공임.

- RIEGLER 부수상: WALDHEIM 의 용기있는 결단으로 이루어진 인도적인 외교 성과임.

- VOGGENNUBER 녹색당 당수: 오스트리아인 석방으로 이라크내 기타 외국인들의 처지가 더욱 어려우졌으며 서방세계의 결속을 저해하였다고 비난함.

나.외국반응

-서독사회민주당: WALDHEIM 대통령의 금번외교는 후세인의 인질행위에 대항하는데필요한 국제적 결속을 해친 것으로서, 다른 외국인의 희생하에 오스트리아인을 출국시킨것이라고 비난함.

- EYSKENS 벨지움 외무장관: 인질 억류에대항하기 위해서는 관련 국가간에 완벽한결속이 요구 되는 바, WALDHEIM 대통령에 의한 금번 외교는 일반적으로 함정에 빠질 가능성이있음.

- SCOWCROFT 미대통령 안보보좌관: 후세인대통령은 WALDHEIM 과의 회담을 통해 세

구주국 1차보 중아국 정문국 안기부 대책반 미주국 통상국 2차보

PAGE 1

90.08.28 21:53 DN

외신 1과 통제관

0159

계적인 대이라크 규탄을 완화시키려고 시도한것으로 보임.

(끝)

PAGE 2

0160

외 무 부

종 별 :

번 호 : PDW-0627　　　　일 시 : 90 0928 0920

수 신 : 장 관 (동구이, 중동, 정일, 기정동문)

발 신 : 주 폴란드 대사

제 목 : 폴 병원선 중동 파견 (자료응신 제 90-86호)

연 : PDW-0619

1. 연호 주재국 병원선 및 야전병원 파견경비는 사우디측에서 부담할 것으로 알려짐.

2. 금번 파견으로 주재국 정부는 국제사회 특히 서방측과의 협력관계 증진 및 대이라크 경제제재 조치참가에 따르는 손실보상과 사우디와의 외교관계 수립및 사우디오일도입등의 효과를 기대하고 있다고 함.끝

(대사 김경철-국장)

구주국 1차보 중아국 정문국 안기부 대책반 통상국 미주국 2차보

PAGE 1　　　　90.09.29 07:01 FC

외신 1과 통제관

0161

원 본

외 무 부

종 별 :

번 호 : DEW-0364 일 시 : 90 0828 1700

수 신 : 장 관(중근동,구이,정일)

발 신 : 주 덴마크 대사

제 목 : 걸프만 사태(자료응신 제19호)

연:DEW-0363

1. 주재국 의회 외무위원회는 8.27.유엔안보리의 대 이라크 봉쇄결의 시행지원을위하여 정부의 코르벳함 1척 파견 건의를 제2야당인 사회인민당을 제외한 모든 정당의 찬성으로 승인함. 이에따라 의회는 8.31. 오전긴급 본회의를 열고 군함 파견여부를 최종결정할 예정인바, 정부의 군함파견 건의는 무난히 통과될 것으로 보임. (주재국의 해외파병은 헌법 제 19조에 의거 의회 동의를 필요로함)

2. 또한 SCHLUTER 수상은 주재국이 노르웨이와 걸프만에서의 협력 방안을 논의중이며, 덴마크는군함을, 노르웨이는 보급선을 파견하는 방안을 검토중이라고 말함.

3. 한편 ELLEMANN-JENSEN 외무장관은 상기외무위원회 회의에서 DAN NIELSEN 쿠웨이트 주재덴마크 대사가 이라크측의 단전, 단수조치에도 불구하고 아직 대사관을 굳건히 지키고 있다고말함. 끝.

(대사 장선섭-국장)

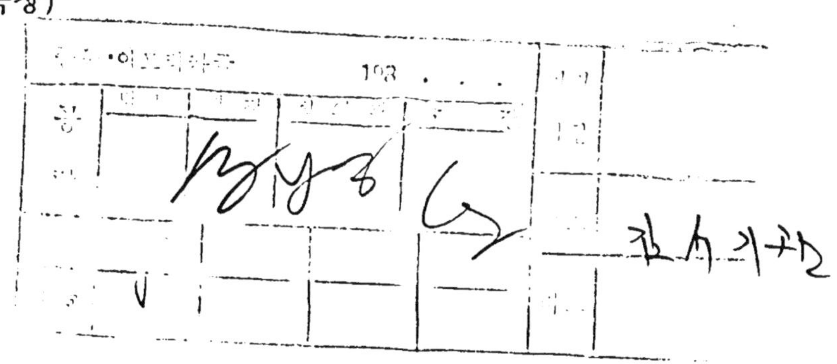

중아국 1차보 구주국 정문국 안기부 미주국 통상국 대책반 2차보

PAGE 1

90.08.29 07:25 DP

외신 1과 통제관

0162

외 무 부

종 별 :

번 호 : SZW-0528 일 시 : 90 0828 1900

수 신 : 장 관(구이)

발 신 : 주 스위스 대사

제 목 : 발트하임 오지리 대통령 이라크 방문관련 주재국반응

1. 발트하임 대통령의 이라크 방문및 그에 따른 이라크내 억류 오지리인 110명의석방은, 오지리내에서는 국민적 환대를 받았으나, 우방국간의 단합을 저해하는 독자적 행동으로 비난받고 있다고 주재국 언론(8.27.자 NEUE ZURICHERZEITUNG 및 LA TRIBUNE DE GENEVE)이 보도함.

2. 한편, 주 바그다드 스위스, 스웨덴및 핀란드대사관은 8.26. 이라크 외무성측에 이라크내 억류외국인 전원을 석방할 것을 공동으로 촉구했다고 주재국 외무성 MICHAEL PACHE대변인이 밝힘.

3. 8.26. 당지에서 긴급 회동한 외무성관계 간부들은 오지리의 금번 공동조치 불참에대한 놀라움을 표명하고, 주재국은 중립국간의 유대에 보다 큰 비중을 두고 있으며, 금번 공동조치가 대이라크 제재관련 국제사회의 단합에 어떠한 영향을 미칠 것인가를 면밀히 검토하였다고 동 대변인이 언급함.끝

(대사 이원호-구주국장)

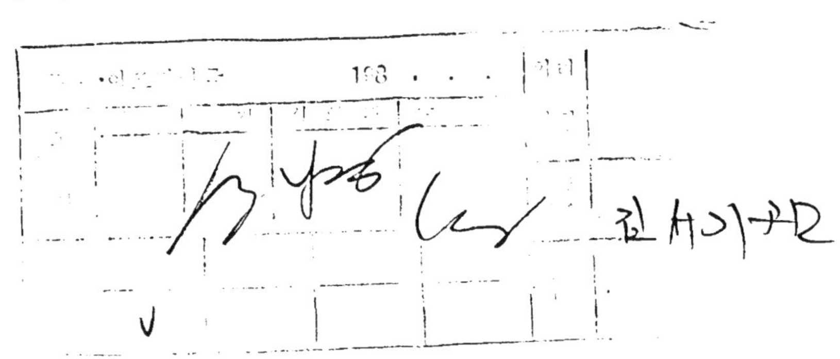

구주국 1차보 2차보 중아국 대책반 미주국 통상국 정문국 2차보

PAGE 1

90.08.29 08:56 ER

외신 1과 통제관

0163

원 본

외 무 부

종 별 :

번 호 : NRW-0545　　　　일 시 : 90 0829 1510

수 신 : 장관(중근동,구이,기정동문)

발 신 : 주노르웨이대사

제 목 : 중동사태

1. 당지 언론보도에 의하면 미국은 주재국측에탱크와 같은 중군사장비를 걸프지역에운반할수있는 선박명단 제출을 요구하였BEJO.주재국은이에 동의하고 명단작성을 위해 선주측과협의를 갖을것이라함.

2. 한편 SYSE 주재국 수상은 8.28.중동사태로인한 원유 부족을 보충하기 위해 주재국의원유생산량을 증가할 의향이 있음을시사하였음.끝

(대사 김정훈-국장)

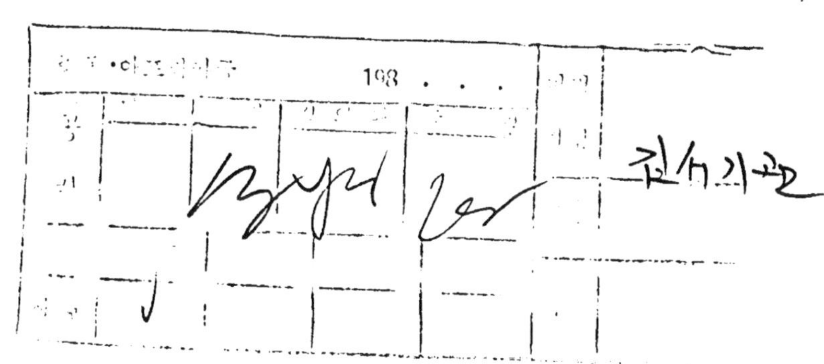

중아국 구주국 안기부

PAGE 1

90.08.29 22:50 CT

외신 1과 통제관

0164

외 무 부

1 7√

종 별 :

번 호 : SZW-0534 일 시 : 90 0830 1200

수 신 : 장 관(구이)

발 신 : 주 스위스 대사

제 목 : 이라크 사태 관련 주재국 반응(자료응신 33호)

외무성 발표(8.28.자)에 의하면, 주재국은 이라크 외교관들을 추방하지 않기로결정하였으며, 주스위스 이라크 대사관및 주바그다드 스위스 대사관 인원을 4명내지 5명선으로 고정키로 하였다고 함. 현재 이라크에는 81명의 주재국 국민이 잔류하고 있는것으로 파악됨. 끝

(대사 이원호-구주국장)

구주국 1차보 중아국 정문국 안기부 통상국 미주국 대책반 2차보

PAGE 1

90.08.30 21:43 DA

외신 1과 통제관

0165

원 본

암호수신

외 무 부

종 별 :

번 호 : BBW-0663　　　　일 시 : 90 0830 1430

수 신 : 장 관(중근동,구일,정일,기정)

발 신 : 주 벨기에 대사

제 목 : 이라크-쿠웨이트 사태(자료응신 62호)

1. 주재국 외무부 장관실 관계자에 의하면, 지난주말 WALDHEIM 오스트리아 대통령의 이라크 방문에 대해, EYSKENS 외무장관은 간부회의에서 이를 서방의 단결을 해치는 개별적 행위로서 앞으로 오스트리아가 이와같은 자세를 취하게 될 경우, 동국의 EC 가입 문제 검토에도 영향을 미치게 될것이라고 하면서 강력한 불쾌감을 표시하였다 함.

2. 또한 동 장관은 8.28. 당지 주재 이라크 대사를 초치, 쿠웨이트 주재 자국 대사관에 대한 단수 및 단전등 이라크 정부의 부당한 처사에 대해 항의 하였음.

3. 현재 주쿠웨이트 벨기에 대사관은 이라크측의 단수, 단전 조치에도 불구하고, 대사 및 직원 1 명이 계속 잔류하고 있다 함. 끝

(대사 정우영-국장)

중아국 대책반	장관	차관	1차보	2차보	구주국	정문국	청와대	안기부

PAGE 1　　　　90.08.31 02:03

외신 2과 통제관 CW

0166

외 무 부

종 별 :

번 호 : AVW-1242 일 시 : 90 0830 1920

수 신 : 장 관(구이,중근동,기정동문)

발 신 : 주 오스트리아 대사

제 목 : 쿠웨이트내 주재국 대사관 동정

1. 8.29. 이라크 방송이 오스트리아와 스위스가 주쿠웨이트 대사관을 각각 폐쇄하였다고발표한데 대해, 8.29. 오스트리아 외무부는 지난금요일한 이라크측의 대사관폐쇄 요청에도 불구,쿠웨이트내 자국 대사관이 DEMEL 대사 휘하에 상금 정상적으로기능을 수행하고 있으며, 주쿠웨이트 스위스대사관도 폐쇄된 바 없다고 발표하였음.

2.외무부는 또한 DEMEL 대사와 매일 정기적으로 접촉하고 있다고 발표하였는 바, 지난 금요일 이후 쿠웨이트 주재 오스트리아 대사관에 대한 단수 및 단전이 행해진것으로 알려짐.

(끝)

구주국 1차보 중아국 정문국 안기부 미주국 통상국 대책반 2차보

PAGE 1

90.08.31 08:53 ER

외신 1과 통제관

0167

원 본

외 무 부

종 별 :

번 호 : SDW-0825 일 시 : 90 0830 1200

수 신 : 장관(중근동,구이)

발 신 : 주 스웨덴 대사

제 목 : 주재국 수상 핀랜드 방문

CARLSSON 주재국 수상은 8.28-29 양일간 핀란드를 사적 용무로 방문중이며, 8.29 H. HOLKERI 핀랜드 수상과 조찬을 같이 하면서 환담한바, 양수상은 최근 중동 사태와 관련, 훗세인 이락 대통령의 아녀자들의 출국을 허가 하겠다는 약속을 환영하는 동시에, 모든 사람들이 즉시 석방되어야 한다는 점에, 의견의 일치를 보았음.끝

(대사 최동진-국장)

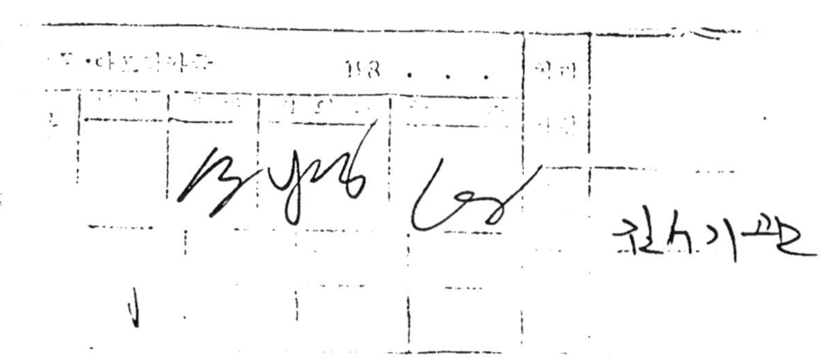

중아국 1차보 ~~중아국~~ 구주국 정문국 안기부

PAGE 1 90.08.30 22:12 DA

외신 1과 통제관

0168

외 무 부

종 별 :

번 호 : HOW-0361 일 시 : 90 0830 1100

수 신 : 장관(구일,정일)

발 신 : 주 화란 대사

제 목 : WEU 함정 지휘문제 (자료응신 제 75호)

1. 주재국 국방성 대변인은 WEU 국가들의 걸프해 함정 지휘통수 문제와 관련,최근 WEU 참모장회의에서 동 지휘본부를 파리에 설치키로 합의된바 없으며, 동건에 대해 어떠한 결정도 이루어지지 않았다고 발표함.

2. 상기 발표는 파리에 지휘본부가 설치될 것이라는 최근 일부 언론의 보도 및벨기에 국방장관의 동일내용 주장을 부인하는 것으로서, 주재국측은 걸프해 함정작전 통제문에에 영.화 양국 합동작전 경험등에 비추어 영국과의 협력을 선호하고 있는 것으로 보임. 끝.

(대사 최상섭-국장)

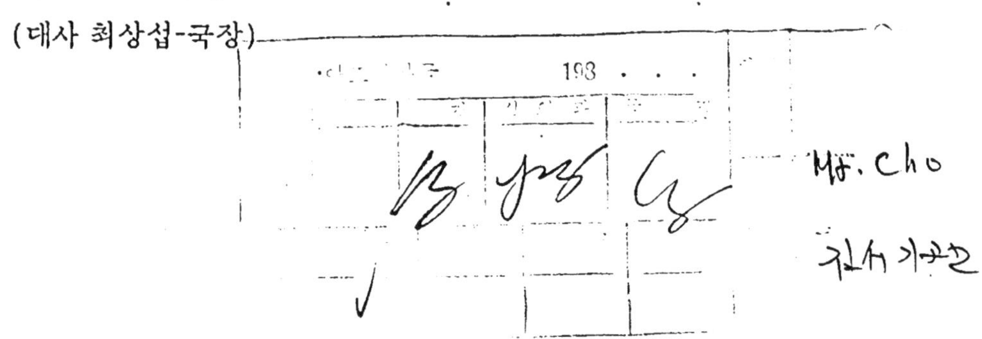

구주국 1차보 중아국 정문국 안기부

PAGE 1

90.08.30 21:48 DA

외신 1과 통제관

0169

외 무 부

종 별 :

번 호 : SPW-0503 일 시 : 90 0831 1130

수 신 : 장 관(구이,중근동,정일,기정,국방부)

발 신 : 주스페인대사

제 목 : 이락.쿠웨이트 사태(자료응신 16)

1. 요르단 훗세인 국왕은 8.30.주재국을 4시간동안 전격방문, CARLOS 국왕및 GONZALEZ 수상과 WORKING LUNCHEON 을 갖고,표제정세에 관한 의견교환을 가졌음.

주재국외에 마그레브 5국과 영국, 서독도 순방계획인 동국왕은 출국전 기자회길에서 동사태 해결을 위한 구체방안은 갖고있지 않다고 하고, 그러나 금번 사태가 비록그영향이전 세계에 미치는 것일지라도 문제의 근본원인이 '아랍'적인 것이므로 그해결책을 사태의 발단인 쿠웨이트 침공에 국한해서는 안되며, 그에 못지않게 역사적 배경도 깊이 고려되어야 한다고 말하였음. 2.한편 곤잘레스 수상은 표제사태가 유엔결의를 준수하는 테두리에서 해결되여야하며, 동결의와 양립가능한 아랍권의 제의가 이루어진다면 지역문제의 그지역내 해결이라는 관점에서 소망스러울 것이라고 밝혔음. 동수상은 9.11. 하원본회의에 출석,주재국의 표제 사태 관련한 함대파견에 관해 보고할 것으로 보도되고 있음.

(대사-국장)

구주국 1차보 중아국 정문국 안기부 국방부 통상국 미주국 대책반 그게원

PAGE 1 90.08.31 22:45 DP

외신 1과 통제관

0170

원 본

암호수신

외 무 부

종 별 :

번 호 : POW-0448

일 시 : 90 0831 2200

수 신 : 장관(중근동,통일,국이,정이,미안)

발 신 : 주 폴부갈 대사

제 목 : 폴부갈 대이락 제재(자료응신 57호)

연:POW-0426

1. 주재국은 서구라파동맹체(WEU) 외상회의 및 작주 WEU 국가합참의장회의 등의 후속조치 문제를 둘러싸고, 8.29 CAVACO SILVA 수상이 각정당대표자와의 의견교환 및 국회 상임위가 소집되었음. 8.30 에는 MARIO SOARES 대통령의 주재하에 수상, 관계장관, 군수뇌인사 참가의 최고 국방위원회가 개최되어, 군 수송선(S.MIGUEL) 1 척을 병참수송지원용으로 걸프해에 파견, 미국 해군에 주재국 상선2 척의 이용을 허용, 9.10 개시되는 NATO 의 지중해 기동훈련에 REBERTO LVENS 구축함 1 척을 참가토록하는 조치를 결정함

2. 그간 주 정부 및 주정당은 유엔결의 준수를 표명하면서도 지중해에의 군사 파견에는 유보내지 반대하는 입장을 표명했으며, 그이유로는 주재국 해군력의 미사일 공격에대한 대비 장치 부재등 전부태세 미비가 수시 언급되었음. 이에대해 8.30 의 최고 국방위 회의에서는 주재국 군의 구방태세가 미비한 것으로 주재국 여론에 수시 보도된데 대한 군 수뇌 일부의 불만표시가 있었으며, 또 NATO 우방으로서의 의무이행 필요성도 지적됐으며, SOARES 대통령도 이를 지원해 준것으로 알려짐.

3. 따라서 그간 경제적 이유등으로 인해 소극적 대응 입장을 주장해온 CAVACO 수상 및 NOGUEIRA 국방상의 의견과 상충되어, 결국 작일회의는 상기 조치에 합의케 되었음

4. 국방장관은 상기 조치 발표후, 기자회견에서 구축함의 NATO 기동훈련 참여는 GULF 사태와는 무관한것 이라고 말함

5. 상기 주재국의 조치는 대 이락 제재 관련, NATO 및 WEU 제국의 공동제재결정에 따르지 않을수 없는 주재국의 제한적인 대응조치를 취하게 된것으로 분석됨. 끝

(대사유혁인-국장)

중아국	장관	차관	1차보	2차보	미주국	구주국	통상국	정문국
대책반								

PAGE 1

90.09.01 20:37
외신 2과 통제관 EZ

0171

과

외 무 부

종 별 :

번 호 : NRW-0554 일 시 : 90 0905 1550

수 신 : 장관(구이,중근동,기정동문)

발 신 : 주 노르웨이대사

제 목 : 주쿠웨이트노르웨이 대사관 폐쇄

주재국 정부는 9.4 주쿠웨이트 노르웨이 대사관을 잠정적으로 폐쇄하기로 결정하였다고 발표하였음. 폐쇄조치 이유는 이락점령군이 대사관에 전기, 수도 공급을 중단하여 직원의 복지및 건강문제가 염려되고 이락측이 외교관신분을 인정치 않음에 따라 신변 보안상의 문제가 있기 때문인 것으로 알려짐

(대사 김정훈-국장)

구주국 1차보 중아국 정문국 안기부 대책반 미주국 통상국 2차보

PAGE 1

90.09.06 04:50 DA

외신 1과 통제관

0172

원 본

외 무 부

종 별 :

번 호 : SDW-0850 일 시 : 90 0906 1300

수 신 : 장관(중근동,구이,기정)

발 신 : 주스웨덴 대사

제 목 : 쿠웨트 주재 대사철수

1. 금 9.6 자 당지 조간 신문은, 주재국 외무성이 동국대사 (외1명)를, 현지의 식량,전기 및 식수부족등으로 인하여, 조만간 바그다드로 철수시키고 주재대사관을 폐쇄 시킬 것이라고, 동성 언론보도담당 BIRGITTA AHLEN 공보관이 9.5 밝혔다고 보도하였음.

2. 당관 황규정 참사관이 9.6 동 공보관에게 확인한바, 동 공보관은, 대사와 직원에게는 현지 사정이 허락하는한 조속히 바그다드로 철수하도록 지시하였지만, 대사관을 폐쇄할 것이라는 언론보도는 사실과 다르며, 스웨덴 정부는 대사관을 철수시키지는 않을 것이라고 대답하였음.끝

(대사 최동진-국장)

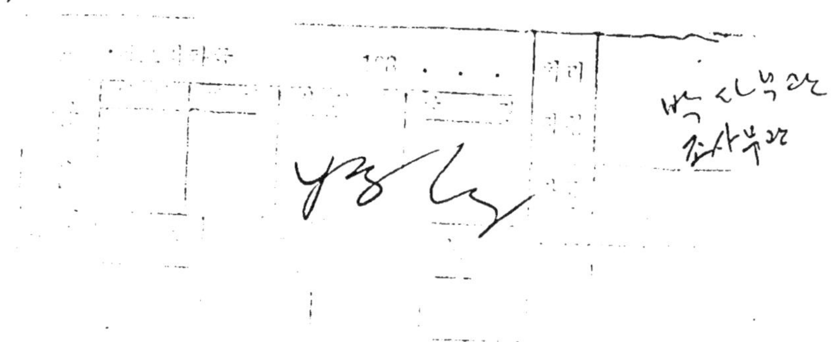

중아국 구주국 안기부

PAGE 1

90.09.06 22:18 CG

외신 1과 통제관

0173

원 본

외 무 부

종 별 :

번 호 : DEW-0372 일 시 : 90 0906 0900

수 신 : 장 관(중근동,구이,기정)

발 신 : 주 덴마크 대사

제 목 : 걸프만 사태

1. 당지 유력일간지 JYLLANDS-POSTEN 지는 9.5. 브뤼셀 특파원발 기사로 다수 나토 회원국들이 군대및 장비의 걸프만 운송을 위한 미국의 상선내여 요청에 호의적인 반응을 보이고 있는데반해 덴마크와 노르웨이는 소극적인 태도를 보이고있다고 보도함.

2. 동지는 또한 미국정부가 최근 군수물자 수송을 위하여 덴마크 회사와 선박 2척의 용선계약을 체결하였으나 덴마크 정부가 동 비용을 부담할 태세가 되어있다는 아무런 시사도 없다고 보도함.

3. 주재국 정부는 그동안 코르벳함 1척 파견에따른 22백만 크로너, 병원선 파견준비를 위한 7백만 크로너등을 할당한 외에도 이미 걸프만 사태 희생자및 난민에 대한 25백만 크로너의 인도적 원조제공 및 EC 공동 원조참여와 대 이집트 2천만 크로너 추가원조 제공등을 통해 충분한 역할을 다해온 것으로 간주하고 있다고 동지는 보도함. 끝.

(대사 장선섭-국장)

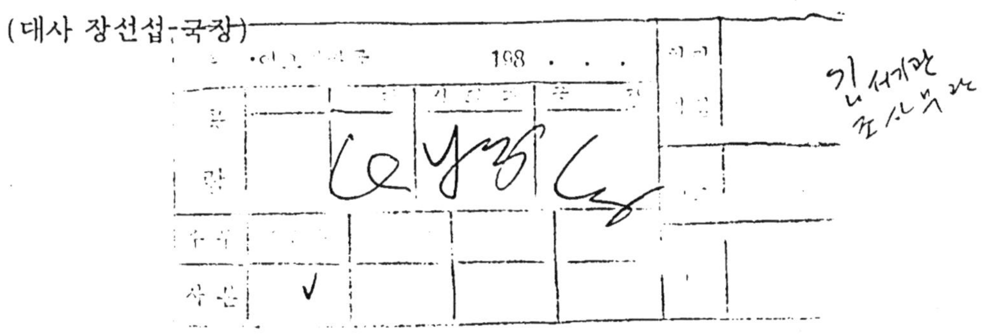

중아국 1차보 구주국 안기부 미주국 통상국 대책반

PAGE 1

90.09.06 20:44 CG

외신 1과 통제관

0174

외 무 부

종 별 : 지 급

번 호 : FNW-0268 일 시 : 90 0909 2100

수 신 : 장 관(중근동,미북,동구일,구이,정일,기정동문)

발 신 : 주 핀랜드 대사

제 목 : 미.소 정상회담

1.표제회의가 당지에서 9.9(일) 10:00부터 7시간 계속 되었으며, 동 회의결과발표된 공동성명 요지는 아래와 같음.

가.미.소 양국은 이락의 침략이 용납될수 없다는 믿음에서 단결함.

나.미.소 양국은 다시한번 이락의 쿠웨이트로 부터의 무조건 철수, 쿠웨이트 합법정부의 회복, 이락 및 쿠웨이트에 있는 모든 인질의 석방을 촉구함.

다.유엔 안보리 결의의 완전한 이행 및 90.8.2. 이전의 쿠웨이트로의 원상회복에 못미치는 어떠한 조치도 수락할수 없음.

라.미.소 양국은 유엔안보리 결의 661호가 인도적 상황하에서 이락 및 쿠웨이트로의 식량의 반입을 허용함을 인정함.

마.미.소 양국은 동 위기의 평화적 해결을 희망하나 현재의 조치가 위기를 종식시키지 못할경우, 유엔헌장에 따라 추가조치를 검토할 것임.

2.미.소 양국 대통령은 9.9 17:40 부터 약 1시간동안 공동 기자회견을 가졌는바, 동 기자회견시 주요내용 아래 보고함.(당관 이순천 참사관, 동기자회견 참석)

가.군사적 OPTION 의 토의 여부

양국정상은 동 위기를 정치적으로 해결코자 함. 군사적 행동문제는 토의하지도않았으며, 미.소 양국의 단결로 정치적 해결이 가능하다고 생각함.

나.소련에 대한 경제원조 문제

부시대통령은 소련의 개혁정책이 성공하기를 바라며, 현재 민간레벨에서 긴밀한협력이 이루어지고 있다고 하였으나 구체적 경제지원 문제는 COMMIT 하지 않음.

다.이락에서의 소련군사 고문단 철수문제

고르바초프 대통령은 이들 기술자들이 계약에 따라 일하고 있으며, 아직 계약기간이 끝나지 않았으나 고문단들의 숫자가 감소하고 있다고 말하고, 철수문제에

중아국	장관	차관	1차보	2차보	미주국	구주국	구주국	정문국
안기부								

PAGE 1

90.09.10 06:02 DA

외신 1과 통제관

0175

대하여는 확답을 피함.

부쉬 대통령은 소련 군사고문단 철수문제에 대하여는 답변을 유보하고, 다만이 문제가 중요한 IRRITANT 는 아니라고 말하고 이미 그 숫자가 줄고 있다고 한고르바초프 발언에 주목함.

라.소련의 미.이락간의 중재문제

부쉬대통령은 후세인 이락 대통령이 미.소간 및 미국과 다른 우방국을 DIVIDE 할 수 없다고 말하였으나 소련측에 중재역을 중지할 것을 요청하지는 않았다고 말함.

마.소련군의 다국적군 참여문제

부쉬 대통령은 미국이 소련측에 다국적군에의 참여를 요청하지 않았으며, 다국적군에는 이미 23개국 군대가 참여하고 있다고 말함.

바.기타

1)고르바초프 대통령은 미.소의 단결 및 DECISIVENESS, RESPONSIBILITY, POLITICAL FAITH 가 동위기를 해결하는데 중요하다고 주장함.

2)부쉬 대통령은 아랍국 및 아랍연맹 국가들에게 감사한다고 말하고, 동문제는후세인 대 미국간의 대립이 아니라 후세인대 미국 및 대다수 아랍국가간의 대결임을 강조함.

3.분석.평가

동회담은 당초 5시간으로 예정 되었으나 7시간으로 연장되었고, 소련 군사고문단 문제에 대하여 미.소 양국이 이견을 보이고 있으며, 조속한 시일내에 양국 정상이 다시 만날 것이라는 예상에 비추어 볼때 동회담이 기대보다는 성과가 없었던 것으로 관측됨.

4.부쉬 대통령은 회담후 금일 19:50 당지를 출발 하였으며, 고르바초프 대통령은 당초 9.10 오전출발 예정을 앞당겨 금일 20:15분 당지를 출발함.

5.공동성명 전문 별전 타전함. 끝

(대사 최상진-차관)

PAGE 2

0176

원 본

외 무 부

종 별 : 지 급

번 호 : FNW-0269 일 시 : 90 0909 2120

수 신 : 장 관(중근동,미북,동구일,구이,정일,기정동문)

발 신 : 주 핀랜드 대사

제 목 : 미.소 정상회담 공동성명

연: FNW-0268

연호 공동성명 전문 별첨 타전함. 끝

(대사 최상진-차관)

JOINT STATEMENT OF THE UNITED STATES AND THE SOVIET UNION

SEPTEMBER 9, 1990

HELSINKI

WITH REGARD TO IRAQ'S INVASION AND CONTINUED MILITARY OCCUPATION OF KUWAIT, PRESIDENT BUSH AND PRESIDENT GORBACHEV ISSUE THE FOLLOWING JOINT STATEMENT:

WE ARE UNITED IN THE BELIEF THAT IRAQ'S AGGRESSION MUST NOT BE TOLERATED. NO PEACEFUL INTERNATIONAL ORDER IS POSSIBLE IF LARGER STATES CAN DEVOUR THEIRSMALLER NEIGHBORS.

WE REAFFIRM THE JOINT STATEMENT OF OUR FOREIGN MINISTERS OF AUGUST 3, 1990AND OUR SUPPORT FOR UNITED NATIONS SECURITY COUNCIL RESOLUTIONS 660, 661, 662, 664 AND 665. TODAY, WE ONCE AGAIN CALL UPON THE GOVERNMENT OF IRAQ TO WITHDRAW UNCONDITIONALLY FROM KUWAIT, TO ALLOW THE RESTORATION OF KUWAIT'S LEGITIMATE GOVERNMENT, AND TO FREE ALL HOSTAGES NOW HELD IN IRAQ AND KUWAIT.

NOTHING SHORT OF THE COMPLETE IMPLEMENTATION OF THE UNITED NATIONS SECURITY COUNCIL RESOLUTIONS IS ACCEPTABLE.

NOTHING SHORT OF A RETURN TO THE PRE-AUGUST 2 STATUS OF KUWAIT CAN END IRAQ'S ISOLATION. WE CALL UPON THE ENTIRE WORLD COMMUNITY TO ADHERE TO THE SANCTIONS MANDATED BY THE UNITED NATIONS, AND WE PLEDGE TO WORK, INDIVIDUALLY AND IN CONCERT, TO ENSURE FULL COMPPIANCE WITH THE SANCTIONS. AT THE SAME

중아국 장관 차관 1차보 미주국 구주국 구주국 정문국 안기부

90.09.10 07:57 DA

외신 1과 통제관

0177

TIME, THE UNITED STATES AND THE SOVIET UNION RECOGNIZE THAT UN SECURITY COUNCIL RESOLUTION 661 PERMITS, IN HUMANITARIAN CIRCUMSTANCES, THE IMPORTATION INTO IRAQ AND KUWAIT OF FOOD. THE SANCTIONS COMMITTEE WILL MAKE RECOMMENDATIONS TO THE SECURITY COUNCIL ON WHAT WOULD CONSTITUTE HUMANITARIAN CIRCUMSTANCES. THE UNITED STATES AND THE SOVIET UNION FURTHER AGREE THAT ANY SUCH IMPORTS MUST BE STRICTLY MONITORED BY THE APPROPRIATE INTERNATIONAL AGENCIES TO ENSURE THAT FOOD REACHES ONLY THOSE FOR WHOM IT IS INTENDED, WITH SPECIAL PRIORITY BEING GIVEN TO MEETING THE NEEDS OF CHILDREN.

OUR PREFERENCE IS TO RESOLVE THE CRISIS PEACEFULLY, AND WE WILL BE UNITED AGAINST IRAQ'S AGGRESSION AS LONG AS THE CRISIS EXISTS. HOWEVER, WE ARE DETERMINED TO SEE THIS AGGRESSION END, AND IF THE CURRENT STEPS FAIL TO END IT, WE ARE PREPARED TO CONSIDER ADDITIONAL ONES CONSISTENT WITH THE UN CHARTER. WE MUST DEMONSTRATE BEYOND ANY DOUBT THAT AGGRESSION CANNOT AND WILL NOT PAY.

AS SOON AS THE OBJECTIVES MANDATED BY THE UN SECURITY COUNCIL RESOLUTIONS MENTIONED ABOVE HAVE BEEN ACHIEVED, AND WE HAVE DEMONSTRATED THAT AGGRESSION DOES NOT PAY, THE PRESIDENTS DIRECT THEIR FOREIGN MINISTERS TO WORK WITH COUNTRIES IN THE REGION AND OUTSIDE IT TO DEVELOP REGIONAL SECURITY STRUCTURES AND MEASURES TO PROMOTE PEACE AND STABILITY. IT IS ESSENTIAL TO WORK ACTIVELY TO RESOLVE ALL REMAINING CONFLICTS IN THE MIDDLE EAST AND PERSIAN GULF. BOTH SIDESWILL CONTINUE TO CONSULT EACH OTHER AND INITIATE MEASURES TO PURSUE THESE BROADER OBJECTIVES AT THE PROPER TIME.

END

7h

외 무 부

종 별 :

번 호 : AVW-1310 일 시 : 90 0912 2130

수 신 : 장 관(구이,중근동,기정동문)

발 신 : 주 오스트리아 대사

제 목 : 쿠웨이트 사태에 대한 오스트리아의 조치

1.오스트리아 외무성은 쿠웨이트에 머무르고 있는 자국 대사를 철수시킬 것이라고 9.11(화)발표하였음.

2.오스트리아 외무성은 동 철수 결정이 스위스 정부와의 합의에 의해 이루어졌으며 쿠웨이트와의 외교관계 유지에는 하등 변함이 없음을 명백히 하였음.

3.한편, ALOIS MOCK 외상은 걸프만에서 전쟁이 발발할 경우 즉각 오스트리아 영공을 폐쇄, 중립국으로서의 의무를 이행할 것이며, 이는 UN안보리 제재에 동참키로한 오스트리아 정부의 결정에 위배되지 않는다고 말하였음.(현재 주재국은 병력 수송 (무기 수송 제외)을 위한 미군용기의 영공 이용을 허가하고 있음)

(끝)

구주국 1차보 중아국 정문국 안기부 미주국 통상국 대책반

PAGE 1

90.09.14 09:13 WG

외신 1과 통제관

0179

원 본

외 무 부

종 별 :

번 호 : HOW-0379 일 시 : 90 0918 1600

수 신 : 장관(중근동,구일)

발 신 : 주 화란 대사

제 목 : 대 이락 제재 조치 (자료응신 제 78호)

1. 주재국 정부는 9.17 당지 이락대사를 초치, 주재국 주재 이락 외교관의 활동을 헤이그 지역으로 제한하고, 타지역 여행에 대하여는 일주일전에 서면으로 허가를 받도록 한 주재국 정부의 결정을 통보함.

2. 상기 조치는 이락크군의 불란서 대사관등 쿠웨이트 주재 서방측 대사관 난입과 관련하여 최근 EC 측이 결정한 보복 조치에 따른 것임.

(대사 최상섭-국장)

중아국 1차보 구주국 중아국 정문국 안기부 대책반 통상국 미주국

PAGE 1

90.09.19 04:10 DA

외신 1과 통제관

0180

72

외 무 부

종 별 :

번 호 : BBW-0718 일 시 : 90 0918 1530

수 신 : 장 관(구일,정일,중근동,기정)

발 신 : 주 벨기에대사

제 목 : 걸프 사태 (자료응신 제69호)

주재국 정부는 이라크 주재 대사관 난입 사태와 관련한 9.17. EC 외무장관 회의 결정에 부응, 벨지움 주재 이라크 외교관 8명 (이라크 무관은주재하지 않음)에 대해브뤼셀 반경 30 KM 이내로 활동 범위를 제한하고, 이라크인에 대한 입국 비자 발급을 제한 (개별 심사후 발급)키로 결정함. 끝

(대사 정우영-국장)

구주국 1차보 중아국 정문국 안기부 대책반 통상국 미주국

PAGE 1 90.09.19 03:58 DA

외신 1과 통제관

0181

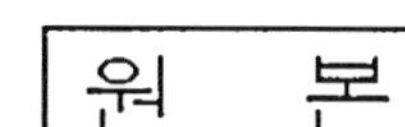

외 무 부

종 별 :

번 호 : DEW-0399 일 시 : 90 0920 1200

수 신 : 장 관(중근동,구이)

발 신 : 주 덴마크 대사

제 목 : 이라크 외교관 활동 제한

주재국 외무부는 지난 9.17. EC 외무장관회의결정에 따라 덴마크 주재 이라크 대사관(스톡홀름상주)소속 외교관의 덴마크내 활동을코펜하겐시등 3개시로 제한한다고 동대사관에통보하였음. 끝.

(대사 장선섭-국장)

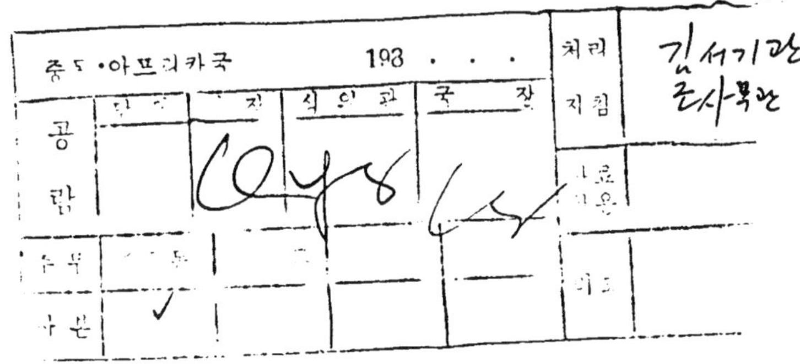

중아국 구주국

PAGE 1

90.09.20 21:43 CT

외신 1과 통제관

0182

외 무 부

종 별 :

번 호 : HOW-0394 일 시 : 90 0927 1800

수 신 : 장 관(구일,중근동,정일)

발 신 : 주 화란 대사

제 목 : 주재국 외무장관 걸프만 사태 발언(자료응신 제 90-81호)

1. VAN DEN BROEK 주재국 외무장관은 UN 총회연설 및 기자회견에서 이락이 쿠웨이트 점령철수를 끝내 거부할 경우 UN 헌장에 따라 추가적 조치가 취해져야 할 것이라고 언급함. 동장관은 지금 진행중인 경제 제재의 성공을 위해 모든 노력을 경주하는 한편, 동 경제 제재가 실패할 경우나, 이락의 침략행위가 재발할 경우를 대비, 대 이락 무기 사용 문제를 검토해야할 때라고 주장함.

2. 동 장관은 또한 이락의 쿠웨이트로부터의 부분적 철수와 팔레스탄인 점령지역 문제를 연계시킬 것을 주장하는 사담 후세인의 제안은 전적으로 부당하며, 걸프만 사태를 더욱 복잡하게만들 뿐이라고 하면서 이를 반대한다고 밝힘. 끝.

(대사 최상섭-국장)

구주국 1차보 중아국 정문국 안기부 미주국 통상국 대책반 [illegible]

PAGE 1 90.09.28 09:32 WG

외신 1과 통제관

0183

외 무 부

종 별 :

번 호 : PDW-0627 일 시 : 90 0928 0920

수 신 : 장 관 (동구이, 중동, 정일, 기정동문)

발 신 : 주 폴란드 대사

제 목 : 폴 병원선 중동 파견 (자료응신 제 90-86호)

연 : PDW-0619

1. 연호 주재국 병원선 및 야전병원 파견경비는 사우디측에서 부담할 것으로 알려짐.

2. 금번 파견으로 주재국 정부는 국제사회 특히 서방측과의 협력관계 증진 및 대이라크 경제제재 조치참가에 따르는 손실보상과 사우디와의 외교관계 수립및 사우디오일도입등의 효과를 기대하고 있다고 함.끝

(대사 김경철-국장)

구주국 1차보 중아국 정문국 안기부 대책반 통상국 미주국 2차보

PAGE 1

90.09.29 07:01 FC

외신 1과 통제관

0184

외 무 부

종 별 :

번 호 : BBW-0745 일 시 : 90 0928 1230

수 신 : 장 관 (구일,중근동,정일,기정,국방부)

발 신 : 주 벨기에 대사

제 목 : 이라크 지원 테러 가능성(자료응신 제75호)

1. 주재국 언론 보도에 의하면, 9.25. 저녁 브뤼셀근교 KRAINEM 에 소재하고 있는,미국의 주 나토부대표 DOUGLASS 장군의 개인주택에 무장괴한이 침입, 경비병 1명을마취, 결박한후 도주한 사건이 발생 하였으며, 주재국 공안당국 및 나토군 수상당국은 이 사건을 휴가차 부재중이었던 동장군에 대한 납치 또는 살해를 기도, 미수한 테러사건으로 보고 수사중임. 주재국 언론은 동사건이 이라크가 배후 지원하는 테러사건일 가능성이 많은 것으로 보고 앞으로 여사한 사건의 빈번한 발생가능성을 우려함.

2. 한편, 9.26. 미 국무성 대테러 책임자인 MORRISBUSBY 는 FEZW 주재 각국 대사및 대 테러전문가들과의 회합에서, ①최근 ABOU NIDAL 의 FATAH-CONSEIL REVOLUTIONNAIRE, ②ABOUL ABBAS 의 팔해방전선(PLF), ③GEORGE HABACHE 의 팔 인민해방전선(FPLP)등테러단체들이 바그다드에 자리잡고 이라크에 대한 지지를 공공연히 확인하고 있는 바, 앞으로 미국 및 서구국가들과 이집트, 사우디등 친서방 아랍국들이 이들의 일차 테러목표가 될것임을 강조함. 또한, 동인은, 시리아와 이란에 대해서는 미국은 이미 걸프사태를 계기로 테러에 대한 이들 국가들의 종래태도 변경을 기대하고 있음을 알렸다고 언급하였으나, 이에대한 반응에 대해서는 명확한 설명을 회피하였다 함.끝

(대사 정우영-국장)

구주국 1차보 중아국 정문국 안기부 국방부 대책반

PAGE 1 90.09.29 07:10 FC

외신 1과 통제관

0185

원 본

외 · 무 부

종 별 :

번 호 : HOW-0402 일 시 : 90 1002 1700

수 신 : 장관(중근동,구일,정일)

발 신 : 주 화란 대사

제 목 : 걸프만 사태 (자료응신 제 90-85호)

1. 유엔총회 참석중인 주재국 외무장관은 10.1걸프만 사태와 관련, 이락이 유엔결의 를존중하고 쿠웨이트로부터 철수 하겠다는 의사표시가 있나면 대화가 가능할 것이라고 언급, 사실상의 철수에 앞서 협상이 가능하다는 입장을 피력함.

2. 그러나 동 외무장관은 이락의 유엔결의 이행문제는 협상의 대상이 될 수 없으며, 동 협상에서는 중동지역의 군비증강 문제 및 안보와 이락-쿠웨이트간 분쟁문제 를 다룰 수있을 것이라고 언급함.

(대사 최상섭-국장)

중아국 구주국 정문국

PAGE 1

90.10.03 09:47 DZ

외신 1과 통제관

0186

원 본

김

외 무 부

종 별 :

번 호 : NRW-0614 일 시 : 90 1008 1520

수 신 : 장관(통일,구이,중근동,기정동문)

발 신 : 주노르웨이대사

제 목 : 주재국 대이라크 제재조치 강화

연: NRW-514

1. 주재국은 90.10.5.각료회의를 통하여 대이라크및 쿠웨이트 제재강화에 관한 9.25.자 유엔안보리 결의를 승인함

2.동 승인에 따라 주재국은 주재국 영토에서 이라크및 쿠웨이트행 화물을 적재한 항공기이륙및 통과를 금지시켰으며 보이코트를 위반한 이라크 선박에게도 주재국 항구 입항을 금지시켰음.끝

(대사 김정훈-국장)

통상국 1차보 2차보 구주국 중아국 안기부 대주국 대책반

PAGE 1 90.10.09 00:56 DP

외신 1과 통제관

0187

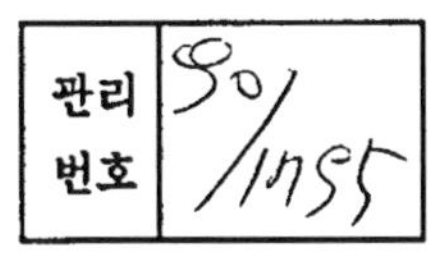

외 무 부

종 별 :

번 호 : IDW-0328 일 시 : 90 1022 1530

수 신 : 장관(구일,중근동)

발 신 : 주 아일랜드 대사

제 목 : 주재국 국회의원단 이락방문

1. 주재국 국회의원 3 명이 이락에 체류중인 아일랜드인과의 접촉 및 이들의 출국문제 관련 이락을 방문코자 금일 10.22.(월)중 이락대사관(런던 상주)에 입국사증을 신청 예정임. 동 의원들의 방문은 IPU 총회에 참석(우루과이)했던 아일랜드 이락대표단 접촉을 통해 추진되었으며 GHANEM A. KHADURI 이락국회 부의장 명의의 초청을 받았다함.

2. 외무부 관계자에 의하면, 정부로서는 동 의원단의 방문에 어떠한 공식적인 자격이나 임무를 부여할 수 없으며 단순히 국회의원 개인 자격의 방문이 될 것이라고하고 국회측으로서도 아직은 동 문제를 공식적으로 거론하지 않고 있는 것으로 안다고 함. 또한 동인은 상기 의원들의 이락 방문이 실현될 경우 이락을 불법출국 협의로 현재 재판에 계류중인 3 인의 아일랜드인(재판후 추방되도록 교섭중)과 180 여명의 PARC 병원 소속 아일랜드인 근로자들에 대한 출국문제가 주요 협의대상이 될 것이라고 언급하였음. 이락정부는 10.10. 후임자 교체 조건으로 출국을 허가하는 호의적인 조치를 발표하였으나 주재국으로서는 희망 근로자에 대한 무조건 출국허가를 요청중임.

3. 동건 진전사항 있을시 추보 위계임.

(대사 민형기-국장)

예고 90.12.31. 일반

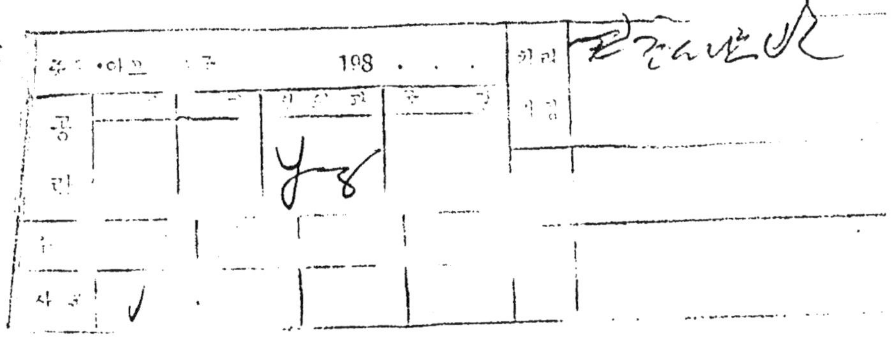

구주국 중아국

PAGE 1

90.10.23 05:24

외신 2과 통제관 DO

0188

관리번호	90/1828

외 무 부

종 별 :

번 호 : IDW-0334 일 시 : 90 1025 1820

수 신 : 장관(구일)

발 신 : 주 아일랜드 대사

제 목 : 이락정부,주재국 외교관 추방

연 IDW-0307

1. 이락정부는 10.24. 바그다드 주재 아일랜드 외교관 1 명을 추방 결정하였으며 이에 대해 주재국 외무부는 금 10.25.(목)주이락대사로 하여금 이락정부에 강력히 항의토록 하였으나 동 항의에 대해 아직 긍정적인 반응이 없다함.

2. 외무부 관계자는 2. 외무부 관계자는 금번 이락의 조치는 EC 국가 주재 이락무관 추방 및 이락

외교관에 대한 행동범위 제한에 대한 보복으로 간주된다하며 현재 주이락대사관은 대사 외 직원 2 명 규모의 작은 공관으로서 1 명이 추방될 경우 공관 활동에 큰 지장이 초래될 것을 우려함.

(대사 민형기-국장)

예고 90.12.31. 일반

1990.12.31. 에 예고문에 의거 일반문서로 재분류됨.

구주국 차관 1차보 중아국 청와대 안기부

PAGE 1

90.10.26 06:17

외신 2과 통제관 CE

0189

원 본

외 무 부

종 별 :

번 호 : DEW-0473

수 신 : 장 관(구이,중근동)

발 신 : 주 덴마크 대사대리

제 목 : 걸프만 사태(인질석방)

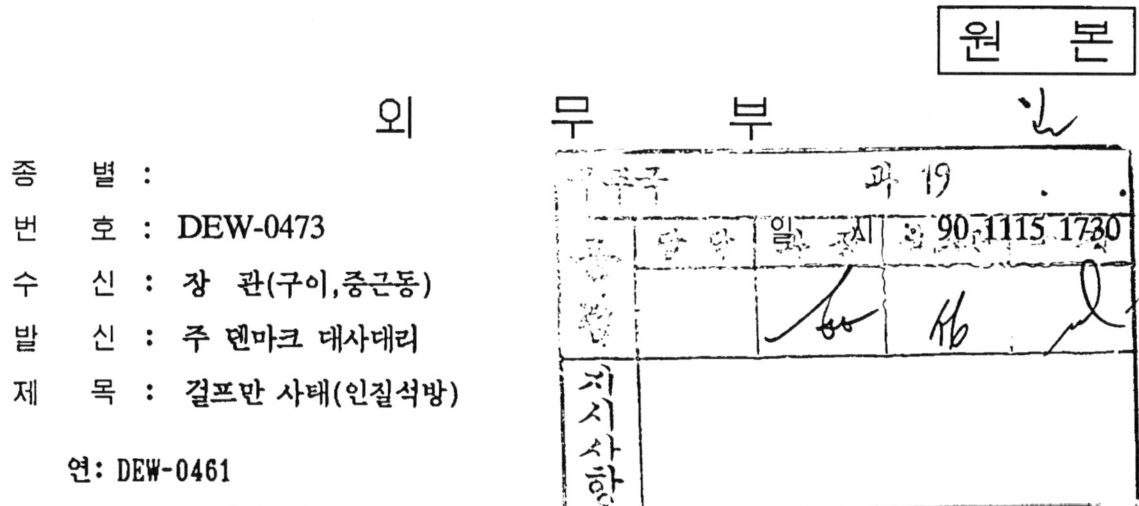

연: DEW-0461

1. 11.15. 당지 언론보도에 의하면 이라크및 쿠웨이트에 억류되어 있는 38명의덴마크인중 16명이 11.14. 이라크 정부로부터 출국허가를 받았다함. 이는 11.9.이라크에 입국한 주재국 전수상 JOERGENSEN 이 11.10. TAHA YASEN RANADHAN부수상, 11.11. 사담 후세인 대통령, 11.12. SAADIMEHDI SALEH 국회의장등 이라크 정부지도자을 차례로 면담, 덴마크인들의 출국허가를 간청한데 대한 이라크 정부의 반응임.

2. ELLEMANN-JENSEN 외무장관은 상기 16명의 출국허가에 대해 안도감을 표시하면서도 그러나 아직도 22명의 덴마크인과 수천명의 타 외국인이 남아있음을 간과해서는 안되며 이들의 석방은 개인적인 노력이 아닌, 유엔의 공동조치의 이행을 통해서 가장 성공적으로 이루어질수 있다고 말함으로써 JOERGENSEN 전 수상의 바그다드 여행을간접 비난하였음.

3. 한편 ELLEMANN-JENSEN 장관은 11.14. 주재국 적십자사가 이라크 적십자사의주문에 따라 이라크로 공수하려던 100만 크로너 상당의 약품중 일부 (13만 크로너 상당)가 화학무기로 쓰여질 가능성이 있어 이의 수출을 금지 시킨다고 발표함.

끝.

(대사대리-국장)

구주국 1차보 중아국 정문국 안기부 대책반 미주국 통상국 2차보

PAGE 1

90.11.16 06:04 DA

외신 1과 통제관

0190

원 본

외 무 부

종 별 :

번 호 : DEW-0500 일 시 : 90 1128 1800

수 신 : 장 관 (구이,중근동,기정)

발 신 : 주 덴마크 대사

제 목 : 걸프만사태 주재국 개입문제

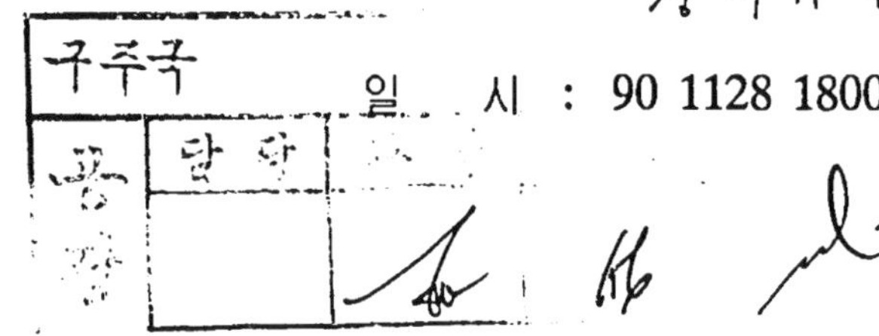

1. ELLEMANN-JENSEN 주재국 외무장관은 11.27.기자회견에서 걸프만사태와 관련한 유엔의 군사적 제재조치에 덴마크가 참여할 가능성을 전혀 배제하지 않는다고 말함. 그러나 동 장관은 구체적으로 어떤 방식으로 참여하게 될는지에 대하여는 언급을 회피함.

2. 한편, 주재국 AALBORG 사의 TV-AALBORG 은 주재국이 걸프만에서 전쟁발발시 의회에 알리지않고 전쟁에 참여할 준비를 하고 있으며 이를 위해 AALBORG 공군기지의 1개 F-16비행중대를 즉시 터키로 이동할 수 있도록 상시 준비태세를 갖추고 있다고 보도함. ELLEMANN-JENSEN 장관은 그러나 동 보도내용을 사실 무근이라고 단호히 부인함. 끝.

(대사 장선섭-국장)

구주국 1차보 중아국 통상국 정문국 안기부 대책반 미주국 2차보

PAGE 1

90.11.29 03:10 FC

외신 1과 통제관

0191

외 무 부

종 별 :

번 호 : HOW-0456 일 시 : 90 1205 1700

수 신 : 장 관 (구일,동구일,중동,정일)

발 신 : 주 화란 대사

제 목 : 주재국 대외관계 동향(자료응신 제 90-92호)

1. 주재국 정부는 걸프사태로 가장 큰 타격을 받고 있는 터키, 이집트, 요르단에 대해 각각 3,100만길다(총 9,300만 길다)를 지원키로 하였다고 외무부대변인을 통해 발표함. 동 지원은 차관형식으로 금년중 1,845만 길다가 배정지원되며, 잔여분은 91년중에 지원 예정인바, 주재국 정부는 상기 3개국에 대해 이미 550만 길다를 긴급 지원한 바 있음.

2. VAN DEN BROEK 주재국 외무장관은 12.4 브라셀개최 EC 외무장관 회담에서 DELORS EC의장이 제시한 대쏘 원조안에 언급, 동 원조안은 소련의 식량난 해결을 위해 91 년도 및 92년도에 걸쳐 2십3억길다 내지 4십6억길다상당을 지원하는 것으로 되어 있다고 밝히고, 정확한 원조규모는 다음주초 개최예정인 EC재무장관 특별회의에서 결정될 것이며, 동원조안은 최종적으로 다음주말 로마개최 EC정상회담에서 확정될 것이라고 언급함.

VAD DEN VROEK 장관은 로마 정상회담에서 LUBBERS 수상의 유럽 에너지 공동체안의 실현방안도 상정될 것이라고 밝힘.

3. 동 장관은 한편 금번 EC 외무장관회의에서 AZIZ 이락 외무장관을 초청키로한결정과 관련, 동 결정은 EC 의 대이락정책의 변경을 의미하는 것은 아니며, 걸프사태에 대한 평화적 해결책을 강구하려는 마지막 노력이라고 강조하고, 만일 AZIZ. 부쉬대통령회담이 무용하게 끝날 경우에는 동 초청이 철회될 것이라고 언급함. 한편, 동장관은 AZIA 의 부쉬 대통령 회담 및 EC 접촉이 생산적일 경우에는 계속적인 협의가필요할 것이며, DE MICHAELS 의장의 바그다드 방문가능성도 있다고 부연함. 끝.

(대사 최상섭-국장)

구주국 1차보 구주국 중아국 정문국 안기부

PAGE 1

90.12.06 07:49 FC

외신 1과 통제관

0192

원 본

외 무 부

종 별 :

번 호 : HOW-0465 일 시 : 90 1212 1700

수 신 : 장 관(중근동,구일,정일)

발 신 : 주 화란 대사

제 목 : 주재국 중동사태 군사지원 강화 (자료응신 제 90-95호)

1. 주재국 반 덴 브룩 외무장관은 12.12 의회예산 심의과정에서 동맹국의 요청을 고려, 걸프사태 파견 다국적군에 대한 추가군사 지원문제를 검토중이며, 내주중 최종 결정할 예정임을 밝혔음.

2. 걸프사태와 관련한 추가적 군사지원에 의회는 대체로 긍정적인 반응을 보이고 있으나, 지상전후병력의 파견에는 연립내각을 구성하고 있는 노동당이 반대하고 있으므로 의료부대 및 장비 또는 병력수송 및 화기등 군수지원등이 가능할 것으로 예상되고 있음.

3. 한편 반 덴 브룩 장관은 이락의 쿠웨이트 철수와 팔레스타인-이스라엘 문제해결과의 결부가능성에 대해 이는 침략에 대해 보상을 제공하는 것이라고 말하고 직접적인 결부 가능성을 부정함.

(대사 최상섭-국장)

중아국 1차보 구주국 정문국 안기부

PAGE 1

90.12.14 10:19 WG

외신 1과 통제관

0193

원 본

외 무 부

종 별 :

번 호 : DEW-0532

수 신 : 장 관(구이,중근동)

발 신 : 주 덴마크 대사

제 목 : 걸프만 사태

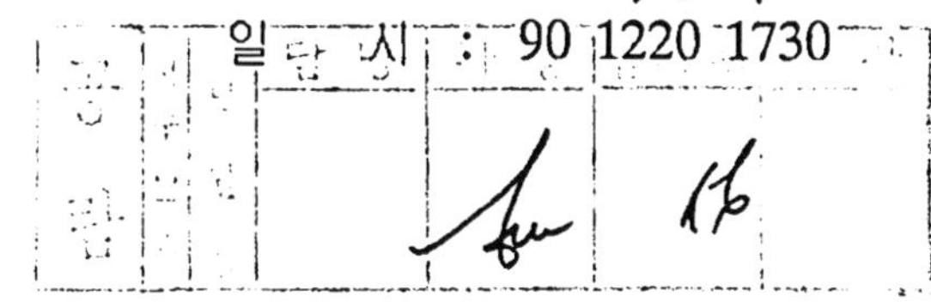

일 시 : 90 1220 1730

1. 12.20. 당지 언론보도에 의하면, 주재국 정부는 걸프만 및 주변지역에 머물고 있는 모든 덴마크인에 대해 1.15. 이전에 동 지역을 철수하도록 권고 하였다함.

2. 현재 바레인, UAE, 카탈, 시리아, 요르단, 레바논, 오만, 예멘, 사우디 동남부 등지에는 약천여명의 덴마크인이 거주하고 있다함. 끝.

(대사 장선섭-국장)

구주국 1차보 중아국 정문국 안기부

PAGE 1

90.12.21 09:20

외신 1과 통제관

0194

외 무 부

종 별 :

번 호 : BBW-0002　　　　　　　　　일 시 : 91 0103 1200

수 신 : 장 관(구일,중근동,정일,기정동문,국방부)

발 신 : 주벨기에대사

제 목 : 걸프사태 (자료응신 제1호)

연: BBW-0993

1. 주재국 정부는 1.2. 안보관계 각의에서 연호NATO 기동군 소속 벨기에 전투기의 터키 파견을결정하였으며, 벨기에,독일,이태리등 관련국의동의하에 NATO 군사위(DPC) 는 NATO기동군에 배속되어 있는 벨기에 MIRAGE 5전투기 18대, 독일 ALPHA-JET 18대, 이태리STARFIGHTER 6 대등 전투기 42대를 1.6.-10.까지이라크 접경 300 KM 지점인 터키 DIYARBAKIR공군기지로 이동키로 결정함.

2. 상기 전투기 파견은 1960년 NATO 기동군창설이래 위기상황에 대키처한 동 병력의첫번째 사용이며, 금번 걸프사태에 대한 NATO차원의 첫번째 군사 개입임.

주재국 EYSKENS 외무장관은 금번 전투기 파견은이라크의 터키공격을 미연 방지하기 위한 방어적역할만을 수행할 것이며, 만일 이라크가 터키를공격, 임무 변경이 필요한 경우에는 DPC 의새로운 결정이 요구될 것인 바, 벨기에 정부는상황을 재검토하게 될 것이라고 설명함.끝

(대사 정우영-국장)

구주국　중아국　정문국　안기부　국방부　1차보

PAGE 1　　　　　　　　　91.01.03 22:49 CT
외신 1과 통제관

0195

외 무 부

종 별 :

번 호 : HOW-0005 일 시 : 91 0104 1700

수 신 : 장관(구일,중근동,정일)

발 신 : 주 화란 대사

제 목 : 걸프사태 군사지원(자료응신 제 91-01호)

1. HAVER DROEZE 주재국 해군사령관은 TV 인터뷰에서 걸프만에 파견된 2척의 화란 함정승무원들은 미해군과 합동으로 방어훈련을실시하고 있으며, 아직까지 동 승무원들은 전쟁발발시 방어 임무만을 수행토록 지시 받고있다고 밝힘.

2. 한편, 주재국 외무장관을 비롯한 CDA 각료 및 의원들은 현재의 화란의 대 걸프 군사지원이 미흡하다는 견해를 갖고 있어, 앞으로 화란 해병대를 추가로 파견할 가능성도 배제할 수 없는 것으로 관측되고 있음. 끝.

(대사 최상섭-국장)

구주국 1차보 중아국 정문국 안기부

PAGE 1 91.01.05 06:36 CG

외신 1과 통제관

0196

외 무 부

종 별 : 지 급

번 호 : SDW-0013　　　　일 시 : 91 0108 1400

수 신 : 장관(중동일,구이)사본:국방장관

발 신 : 주스웨덴 대사

제 목 : 스웨덴 야전병원 걸프만 파견 계획

금 1.8 자 주재국 일간지 기보도한 표제건 요지 아래 보고함.

1. CARLSSON 수상은 금 1.8 야당 당수들에게 표제건 계획을 통고할 예정인바, 이는 광범한 정치적인 지지를 얻을 것으로 보임.

2. 유엔군의 걸프만 파견이 시작되었을때부터,또한 관련일국(국명미상)으로부터의 요청을 받은후 부터 스웨덴 정부는 연합군 지원 방안을 검토해왔는바, 실질적으로미국이 운영하는 지휘계통에 효과적으로 통합될수 있는 유일한 부대는 의료부대뿐이며, 이는 또한 군사적인 원조를 회피하는 대신에 인도적인 원조를 제공하려는 스웨덴 정치 지도자들의 뜻에도 부합하는 것임.

3. 병원은 HECULES 수송기에 의해 운반되며 10여명의 기술자를 동원, 7-10 일이면 걸프만에서 완전 가동할수 있음.

4. 효과적인 병원 운영을 위해서는 약 350 명의 의료 요원과 50명의 중요 연락요원이 필요한바,유엔군의 일부로서 레바논 근무 경력자들을 동원할수 있으며 그 밖에지원자들도 채용할수 있을것임.끝

(대사 최동진-국장)

중아국　1차보　구주국　국방부　안기부

PAGE 1　　　　91.01.08　22:25 DQ

외신 1과　통제관

0197

외 무 부

종 별 :

번 호 : DEW-0011 일 시 : 91 0108 1800

수 신 : 장 관(중근동,구이,정일,기정)

발 신 : 주 덴마크 대사

제 목 : 북구제국 쿠웨이트 평화유지군 파견(자료응신제1호)

1. 1.8.자 당지 언론보도에 의하면 주재국을 포함한 북구 5개국은 쿠웨이트에 평화유지군이 파견되는 경우 이에 참여할 준비가 되어있음을 1.7. 공동으로 선언하였다함.

2. 이와관련, UFFE ELLEMANN-JENSEN 주재국 외무장관은 동 평화유지군 파견이 이라크의 자진 또는 강제적인 쿠웨이트 철수가 이루어진 뒤에 시행될 것이며, 파견 규모는 아직 검토되지 않았으나 덴마크가 평화유지군 참여해 온 어떤 경우보다 EXACTING AND EXTENSIVE 한 것이 될것이라고 언급함. 끝.

(대사 장선섭-국장)

중아국 1차보 구주국 정문국 안기부

PAGE 1 91.01.09 05:09 DQ

외신 1과 통제관

0198

원 본

외 무 부

종 별 :

번 호 : POW-0009 일 시 : 1991 0108 1900

수 신 : 장 관(구이,미안,중근동,정일)

발 신 : 주 폴투갈 대사

제 목 : 폴투갈의 걸프사태 대응(자료응신 01호)

1.주재국 CAVACO 수상은 1.7 야당지도자들을 초치, 걸프사태에 대한 협의를 갖고, 걸프 분재에 주재국의, 병력 불파견 원칙을 재확인했음

2. SOARES 대통령도 1.9 국가평의회를 소집, 걸프사태 문제를 협의할 예정임

3.국방장관은 다만, 주재국이 취한 기조 조치의 후속으로서 걸프 분쟁 발발시 인도적 지원과 가능한 병참 지원 용의를 밝혔음. 즉, 주재국은 걸프전 발발시 후송된 부상자 치료를 위한 군병동 시설 (침대 240) 제공, 엠블란스, 의약품을 공여예정이며 발전기, 후송용 C-130수송기 지원이외, 걸프지역에 기파견됐던 병참수송선 S.MIGUEL 의 1.17 걸프지역 재파견, 구축함 1척 (SACADURA CABRAL) 의 NATO 군 1.19 지중해훈련 참가등 조치와 BEJA. MONTIJO 공군기지의 임시 사용권 허용등의 조치를 취할 것으로 알려지고 있음.끝

(대사유혁인-국장)

구주국 1차보 미주국 중아국 정문국 안기부

PAGE 1

91.01.09 09:11 WG

외신 1과 통제관

0199

원 본

외 무 부

종 별 :

번 호 : HOW-0009　　　　일 시 : 91 0109 1700

수 신 : 장 관(중근동,구일,정일)

발 신 : 주 화란 대사

제 목 : 걸프만 사태 (자료응신 제 91-04호)

1. 주재국 정부는 1.8. 전쟁발발시 걸프만에 파견중인 함정을 미군 지휘하에 두기로 한다고 발표함. 한편, 주재국 정부는 대국회 서한에서 걸프사태가 긴박한 상황이라고 전제하고, 걸프사태의 팔레스타인 문제와의 연계를 반대하나, 동 사태가 해결될 경우 아랍-이스라엘문제 및 팔레스타인 문제가 우선적으로 다루어져야할 것이라고 언급함.

2. 주재국 외무성은 1.8. 이스라엘에 거주하는 약 8000명의 화란인들에게 1.15.이전에 출국토록 종용함. 또한 외무성은 주 이락대사관 직원을 최소한으로 줄이기로 결정하고, 구체조치는 금후사태추이에 따라 취하기로 함.끝.

(대사 최상섭-국장)

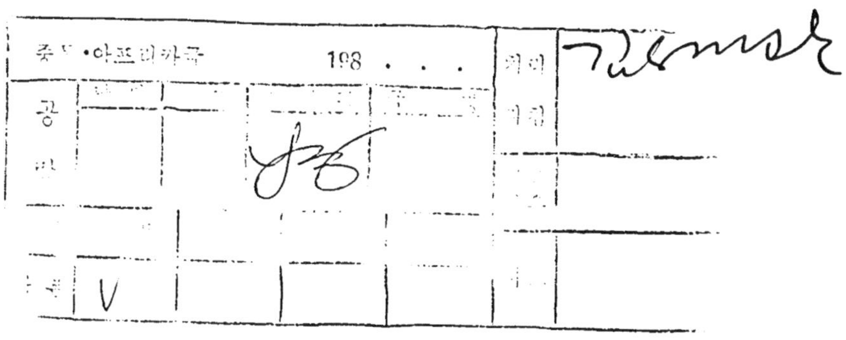

중아국　1차보　구주국　정문국　안기부

PAGE 1　　　　91.01.10 09:13 WG

외신 1과 통제관

0200

원 본

외 무 부

종 별 :

번 호 : GRW-0045 일 시 : 91 0110 1400

수 신 : 장 관(구이)

발 신 : 주 희랍 대사

제 목 : 주재국 정부 걸프전쟁대비 위원회 구성

주재국은 걸프전쟁발발 가능성에 비추어 전쟁으로 야기될 경제적 영향 및 테러공격에 대비하여 두위원회를 구성하였다고 발표함. 국가안전위원회는 국방장관 주재로 외무, 공안, 해운성 장관이 참여하며 전쟁발발시 희랍국내의 테러활동 증가 및 피난민문제에 대비한 것이며, 경제위원회는 유류확보등 경제적으로 미칠 악영향에 대비한것으로 국가 경제성장관 주재하에 재무, 동자, 상업장관이 참여키로 되어있음.끝.

(대사 박남균-국장)

구주국 1차보 중아국 정문국 안기부

PAGE 1

91.01.10 22:09 CG

외신 1과 통제관

0201

외 무 부

종 별 :

번 호 : BBW-0018 일 시 : 91 0110 1540

수 신 : 장 관 (구일,중근동,정일,기정동문)

발 신 : 주벨기에대사

제 목 : 걸프사태 (자료응신 제3호)

1. 주재국 EYSKENS 외무장관은 금 1.10. 오후 부랏셀 주재 걸프사태 관련 군사 개입국 전대사 및 이란, PLO, 아랍연맹 대표를 초치, 걸프사태돌파 방안에 대한 의견을 교환할 예정임.

2. 동 장관은 1.9. 제네바 협상이 이라크의 강경한 자세로 인하여 실패한데 대하여 크게 실망하였으나, 아지 UN 사무총장의 바그다드 방문 계획이 있고 최종일까지 6일이 남아 있으므로 완전한 실패라고는 할 수 없으며, 이 기간중 모든 상상 가능한외교적 노력을 경주해야 할 것이라고 말하였음.

3. 동 장관은 1.8. 사우디 AS-SHARQ AL AWSAT 지와의 회견 및 주재국 라디오 방송 회견을 통해 이라크가 쿠웨이트 완전 철수 공약, 수주일 범위내 철수계획 제시 및철수를 시작하는 조건으로 벨기에는 안보리 이사국의 일원으로서 안보리에서 팔레스타인 문제를 포함한 중동문제 해결을위한 방향으로 이니시어티브를 취할 수 있을 것이라고 언급한바 있음.

동 장관은 동 안의 시행을 위해 유엔 안보리의장의 성명을 통해 이라크에 출구를제공한다는 의견을 갖고 있는 것으로 보이며, 금일 오후 관련국 대사들과의 협의를통해 건설적인 방안이 도출될 경우, 이를 유엔 안보리에 상정해 볼 의향도 가지고 있는 것으로 보임.끝.

(대사 정우영-국장)

구주국 1차보 중아국 정문국 안기부

PAGE 1

91.01.11 01:33 CG

외신 1과 통제관

0202

원 본

외 무 부

종 별 :

번 호 : HOW-0010　　　　　　　　일 시 : 91 0110 1630

수 신 : 장 관(중근동,구일,정일)

발 신 : 주 화란 대사

제 목 : 페만 사태 (자료응신 제 91-05호)

1. 주재국 정부와 의회는 1.9.의 미-이락 외무장관회담이 실패한데 대해 깊은 실망을 표시함. VANDEN BROEK 외무장관은 장시간 계속된 회담이 무위로 끝난데 대해 일종의 허탈감을 느낀다고 언급하고, 1.15.까지는 가능한 모든 중재노력을 계속할 것이나 이락이 쿠웨이트로부터의 무조건 철수문제는 타협여지가 없다고 강조함.

2. 주재국 외무성은 대변인 발표를 통해 주이락대사관을 곧 철수시킬 것이라고 밝히고 NIKOLAOS VAN DAM 주이락대사는 이락을 이미떠났으며, 당분간 바그다드로 귀임치 않을 것으로 예상한다고 언급함. 끝.

(대사 최상섭-국장)

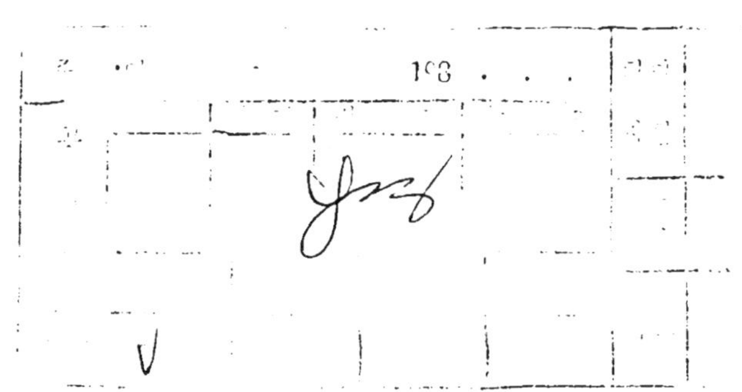

중아국　1차보　구주국　정문국　안기부

PAGE 1　　　　91.01.11　09:04 WG

외신 1과 통제관

0203

외 무 부

종 별 :

번 호 : DEW-0017 일 시 : 91 0110 1830

수 신 : 장 관(중근동,구이,정일,기정)

발 신 : 주 덴마크 대사

제 목 : 주재국의 대터키 미사일 지원(자료응신제2호)

1. ELLEMANN-JENSEN 주재국 외무장관은 1.8. 의회 외교정책위원회에서 덴마크는 NATO 조약상 의무에 따라 이라크의 공격가능성에 대비해 터키에 대공싸이드와 인더 미사일을 보낼 것이라고 말함. 제1야당인 사민당도 정부의 대 터키지원 계획에 대한 지지를 표시 하였음.

2. 한편 당지 TV는 1.8. 터키에 보낼 미사일수가 약80개라고 보도하였음. 끝.

(대사 장선섭-국장)

중아국 1차보 구주국 정문국 안기부

PAGE 1

91.01.11 09:07 WG

외신 1과 통제관

0204

관리 번호	91-62

원 본

외 무 부

종 별 :

번 호 : DEW-0020 일 시 : 91 0111 1400

수 신 : 장관(중근동,구이,기정)

발 신 : 주 덴마크 대사

제 목 : 걸프만 사태

1. 걸프만 사태관련, 유엔안보리의 1.15. 이라크 철수 시한이 다가옴에 따라 주재국은 전쟁 발발시 주재국내에도 이라크에 의한 테러가 발생할 가능성이 높은 것으로 판단하고, 특히 공항, 유전및 기타 테러 목표가 될 만한 시설에 대한 경계태세를 강화하고 있음.

2. 또한 주재국은 전쟁 발발시 기 파견된 코르벳함 OFFERT FISCHER 호를 전쟁수역 밖으로 철수시키는 대신 230 명 (의료요원 170 명, 선원 60 명 내외)의 요원을 갖춘 병원선 1 척의 파견을 계획중이며, 유사시 즉시 병원선으로 개조(출발시까지 10 주 소요)하기 위한 준비를 이미 완료하였다함. 끝.

(대사 장선섭-국장)

예고:91.6.30 까지

19 91. 6. 30 에 예고문에 의거 일반문서로 재분류됨

중아국 장관 차관 1차보 2차보 구주국 안기부

PAGE 1

91.01.12 02:14

외신 2과 통제관 DO

0205

외 무 부

종 별 :

번 호 : AVW-0048 일 시 : 91 0114 1800

수 신 : 장 관(구이,중근동,청와대외교,기정)

발 신 : 주 오스트리아 대사

제 목 : 주재국의 걸프사태 관련 동향

연:AVW-0033

1.지난 1.12(토)부터 오만을 방문한 WALDHEIM대통령은 방문일정을 하루 단축, 금 1.14요르단을 방문, 후세인 국왕과 걸프사태에 관해 협의하며, 일요일부터 바그다드 방문중인 아라파트 PLO 의장과도 암만에서 만나 회담할 가능성도 부인하지 않았음.

2.WALDHEIM 대통령은 ''UN 최후 통첩 시한만료전까지 전쟁을 막기위한 어떠한 돌파구를 찾을 수 있게 되기를 기대한다고 말하고, HUSSEIN이 인질석방, 이란과의 평화 협정 등 몇가지 문제에서 입장 변화를 보였으므로 ''마지막순간에 또 다른 입장변화''를 보일 수 있는 가능성도 배제할 수 없다고 언급하였음.

3.WALDHEIM 대통령은 걸프지역에 UN평화유지군이 파견되고 UN으로 부터 오스트리아의 참여 요청이 있을 경우 이에 참여할 것이라고 말하면서, 지난 여름 HUSSEIN과의 면담시 HUSSEIN 도 동 평화유지군 파견에는 반대하지않으나 다만 중동문제 전반과의 관련하에서 이를 수락한다는 의사를 개진한 적이 있음을 상기 시켰음.

4.또한 RIEGLER 국민당 당수는 1.11. HUSSEIN에게 UN 결의 수락과 쿠웨이트로 부터의 철수를 호소하는 메세지를 보냈으며 FRANZ KOENIG추기경도 양국 당사자에게 '' 전쟁의 참화를 방지할 것''을 호소하였음.

5.한편, 작 1.13. 비에나에서는 약 6천내지 1만여명의 군중이 미국 및 이라크 대사관앞에서 전쟁에 반대하는 시위를 벌인후 해산하였음.

(끝)

구주국 1차보 중아국 정문국 청와대 안기부

PAGE 1

91.01.15 09:08 WH

외신 1과 통제관

0206

외 무 부

종 별 :

번 호 : AVW-0049 일 시 : 91 0114 1800

수 신 : 장 관(구이,동구일,중근동,미북,정홍,페만비상대책본부,기정)

발 신 : 주 오스트리아 대사

제 목 : 언론 보도 (91.1.14)

1.머리기사

가.DIE PRESSE

-ROTE ARMEE RICHTET IN LITUANEN EIN BLUTBAD AN

-WELTWEITE EMPOERUNG UEBER BRUTALE GEWALT

나.DER STANDARD

-''DAS IST KRIEG GEGEN LITAUEN''

-DRAMATISCHER HILFERUF NACH BLUTIGEM EINSATZ SOWJETISCHERTRUPPEN IN VILNIUS

2.주요논설

가.DIE PRESSE

제목: NACH DER BLUTNACHT VON VILNIUS

- 자신의 손으로 뽑은 정부를 수호하려는 비무장민간인을 살해한 적군 (ROTE ARMEE)의 만행은 작년 11월21일 CSCE 헌장의 서명이후 최소한 유럽에서는 더이상 무력행사가 없을 것이라는 믿음을 깨뜨려 버렸음.

- 적군의 만행은 56년 당시의 헝가리 시민 봉기를 생각케하는 것이었음. 35년전이나 지금이나 적군은 세계의 이목이 다른데 쏠린 틈을 타서시민의 눈앞에서 발포를 감행 하였음. 35년전에는 수에즈 위기가 있었고 지금은 걸프사태가 있음. 그때나 지금이나 적군은 탱크로시민의 이동을 차단하였으며 장갑차 위에올라 앉아서 꼭둑가시 정부를 수립하였음. 금번 사태는 또한 68년의 체코사태나 81년의 폴란드사태와도 비교될 수 있음

- 금번 사태가 전적으로 고르바쵸프의 지시에 의한것인지, 고르바쵸프의 양해하에 이루어진 것인지 또는 단순히 사후 보고만 받은 것인지는 아직확실치 않음.

구주국 1차보 미주국 구주국 중아국 중아국 정문국 안기부

PAGE 1 91.01.15 09:13 WG

외신 1과 통제관

0207

고르바쵸프가 발포명령을 내리지않았을 것으로 추측할 수 있는 유일한 점은 그가 토요일 리투 아니아에서 더 이상 무력행사가 없을것이라고 말한 약속이나, 이 약속에는 논란의여지가 있음. 왜냐하면, 적군은 금요일에 이미 리투아니아 국방성을 점령함으로써 고르바쵸프는 분쟁을 협상과 대화로서 해결한다는 자신의 정책을 스스로 파기하였기 때문임.

- 금번 사태는 56년 항가리 및 68년 체코사태와 세가지 점에서 유사함. 첫째, 리투아니아는 전후질서에 의해 소련에 병합되었으나 폴랜드, 체코, 항가리등과 마찬가지로 사회주의의 몰락에 편승하여 소련의 질곡으로 부터 벗어나려한점. 둘째, ''SAJUDIS 운동''은 90.2.2 민주선거에서 승리하였으며 적군의 탱크가 몰려오기 전까지 56년 헝가리나 68년 체코의 경우와 같이 정부가 정당성을 가지고 있었던점. 셋째, 볼틱 3국은 소련을 적으로 하지 않고 독립을 얻으려하고 있으며 따라서 크레믈린으로 부터 합법적인 분리를 꾀하고 있는 점임.

- 적군의 선택은 이제 고르바쵸프에 의해 다시 철수하거나 또는 리투아니아 대통령을 폐위시키거나 둘중의 하나임. 어느 경우든지 적군은 고르바쵸프의''신세계'' 선언에 대한 신뢰를 깨뜨려 놓았음.

나.DER STANDARD

제목: DER COUNTDOWN LAEUFT-ABER WOFUER?

- 걸프전쟁을 위한 카운트다운이 이제시작되었는가? 현 시점에서 관심을 끄는 것은 전비문제임. 소위 적을 ''죽이는데 드는비용 (TOETUNGSKOSTEN)은 유사이래 다음과 같이 증가해왔음.

.약 2천년전 시저 시대에는 적 1명을 죽이는데 약1.75마르크가 들었음.

.약 2백년전 나폴레옹 시대에는 동 비용이 6,900.-마르크로 증가하였음.

.1차 대전때는 48,300마르크, 2차대전때는 115,000 마르크, 그리고 월남전시 미군이 베트공 1명을 살해하는데 든 비용은 약 69만 마르크임.

- 전비가 이와 같이 급증함으로써 소위 ''사상자의확산''(STREUVERLUSTE) 현상이 일어났음.1차대전시 사상자의 90퍼센트는 정규군, 나머지 10퍼센트가 민간인의 비율이었던 것이 월남전때는 거꾸로 사상자의 90퍼센트가 민간인이었음.

- 우리는 당사자들이 카운트다운이 끝나기 전에 이러한 GAFGL에 대해서 다시 한번 생각해 주기를 바랄뿐임. 또한, 전쟁이 일어나면 유전의 대화재로 인한 지구 환경의 변화, 특히 기온의 급격한 상승을 유발하지 않을까 우려됨.

PAGE 2

0208

- 89년 기준으로 이라크는 138백만톤, 쿠웨이트는 91백만톤의 원유를 각각 생산하였음. 이들의 생산합계는 세계전체 생산량 3,112백만톤의 7.36페센트를 점하고 있음. 원유가 연소할때 발생하는 일산화탄소, 이산화탄소, 산화질소등 각종 유해물질이 지구의 대기를 크게 손상시킬것은 주지의 사실이지만 흥분상태에 있는 HUSSEIN 에게는 이러한 논리가 먹혀들리 만무함.

- 평범한 시민이나 일상 경제인들의 감정은 이미 무기력한 상태에 도달했음. 카운트다운이 끝나고 실전이 벌어질 경우 아무런 대책없이 이끌려갈 사람들은 바로그들임.

(끝)

원 본

외 무 부

종 별 :

번 호 : HOW-0015 일 시 : 91 0114 1700

수 신 : 장 관(중근동,구일,정일)

발 신 : 주 화란 대사

제 목 : 페만사태 (자료응신 제 91-08호)

주재국 의회는 페만사태 관련, 1.11. 정부의 군병력 지원 계획을 지지키로 결정함. 의회는 또한 화란함정에 대한 미지휘권 문제를 추인하는 한편, 터키에 대한 미사일 지원계획을 승인한 바, 화란정부는 각 5대의 미사일로 구성된 2개의 미사일부대를 수일내로 터키에 파견할예정이며, 이를 위해 150-200명의 군병력이 파견될 것으로 알려짐. 끝.

(대사 최상섭-국장)

중아국 1차보 구주국 정문국 안기부

PAGE 1 91.01.15 09:00 WG

외신 1과 통제관

0210

김

원 본

외 무 부

종 별 :

번 호 : GRW-0056 일 시 : 91 0115 1300

수 신 : 장 관 (미북,중근동,영사,국방)

발 신 : 주 희랍 대사

제 목 : 폐만사태관련 주재국동향

대: AM-12

1. 주재국정부는 전쟁발발에 대한 사전조치로 전국에 부분적 비상경계령을 선포하였다고 주재국 대변인이 발표함.

2. VARVITSIOTIS 국방장관은 희랍이 전쟁에 대한 직접적인 위험은 없으나 테러공격의 가능성은 배제할수 없다고 말하고 상기 비상조치는 항만, 공항, 조선소, 방위산업체 및 외국공관의 경계강화가 포함되어 있다고 밝힘.

3. BRITISH AIRWAY 는 1.13 부터 아테네로부터의 화물운송을 금지시켰으며 미국및 아랍항공사들은 당분간 정기운항을 취소시킴.

(대사 박남균-국장)

미주국 1차보 중아국 정문국 안기부 국방부

PAGE 1

91.01.15 21:24 FC

외신 1과 통제관

0211

관리번호	91-66

	분류번호	보존기간

발 신 전 보

번 호 : WJA-0203 외 별지참조 WBB-0014 / WDE-0024 / WGR-0015

종별 : 910115 1927 WCZ-0041

수 신 : 주 수신처 참조 ~~대사, 총영사~~

발 신 : 장 관 (미북)

제 목 : UN 안보리 철군 시한 경과 관련 성명 발표

1. 페만 사태와 관련 UN 안보리가 설정한 1.15. 이라크군 철수 시한이 임박함에 따라 독일 정부는 상기 시한전 이라크군의 철군을 촉구하는 수상실명의 성명을 1.14. 발표하였음.

2. 본부 조치 결정에 참고코자 하니, 1.15. 시한을 전후하여 주재국 정부의 여사한 입장 표명이 있을 경우 발표 즉시 지급 보고 바람. 끝.

(미주국장 반기문)

검토필 (91. 6. 30.)

예고 : 91.12.31. 일반

수신처 : 주일, 주영, 주불, 주카나다, 주이태리, 주벨지움, 주덴마크, 주그리스, 주터어키, 주호주대사, 주카이로총영사, 주파키스탄, 주사우디, 주방글라데시, 주모로코, 주세네갈, 주체코, 주소대사

(사본 : 주미대사)

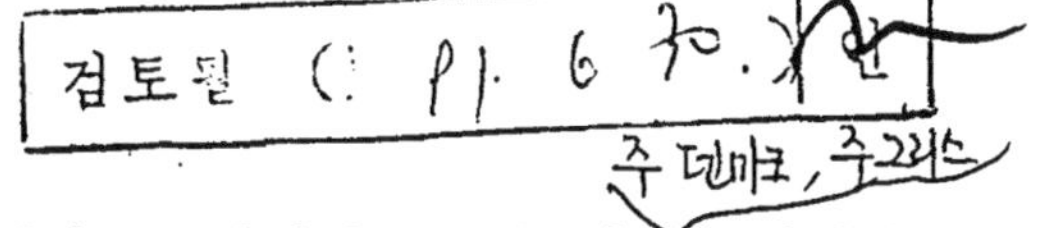
일반문서로 재분류(1991.12.31.)

중동아국장 대변인

보안통제	

앙 고 재	91년 1월 15일	북미과	기안자 성명		과 장	심의관	국 장		차 관	장 관
							전결			

외신과통제

0212

유엔 안보리 철군 시한 경과후

~~대한민국 정부~~ 외무부 대변인 성명(안)

1991. 1. 16.

1. 대한민국 정부는 유엔 안보리 결의가 설정한 1.15. 철수 시한이 지났음에도 불구하고 이라크 정부가 쿠웨이트에 불법 주둔중인 이라크군을 아직 철수치 않고 있음을 유감스럽게 생각합니다.

2. 이에 따라 페르시아만 지역정세가 전쟁 발발 일보 직전으로 치닫고 있어 페르시아만 인근지역 전체는 물론 전세계인들을 공포와 불안에 떨게하고 있는데 대해 우리는 깊은 우려를 갖고 있습니다.

3. 우리 정부는 이라크 정부가 지금이라도 전세계 평화 애호인의 염원에 부응하여 유엔 안보리 결의가 요구하고 있는 바와 같이 쿠웨이트로부터 즉각 철군할 것을 거듭 촉구하는 바입니다.

4. 대한민국 정부는 이 기회를 빌어 페르시아만 지역에 파견된 미국을 비롯한 다국적군의 헌신적인 평화유지 노력에 깊은 경의와 찬사를 보내고자 합니다.

끝.

중동아국장 대변인

앙고재	북미과	91년 1월 15일	담당	과장	심의관	국장	차관보	차관	장관
			(서명)	(서명)	(서명)	(서명)	(서명)		(서명)

0213

긴

관리 번호	91-85

원 본

외 무 부

종 별 :

번 호 : DEW-0025 일 시 : 91 0116 1000

수 신 : 장관(미북,중근동,영사,구이)

발 신 : 주 덴마크 대사

제 목 : 걸프만 사태

대:AM-0012

연:DEW-0020

1. 주재국 언론보도에 의하면 주재국 경찰과 전경련은 1.11. 걸프만사태 관련 덴마크 기업에 대한 테러 가능성을 경고하는 서한을 2,400 개 전경련 회원 기업에게 보냈다함

2. 또한 주재국 경찰 고위당국자는 주재국이 당분간 아랍인들의 난민 보호 신청을 접수하지 않을 것이라고 11 일 말함. 끝.

(대사 장선섭-국장)

예고:91.6.31. 까지

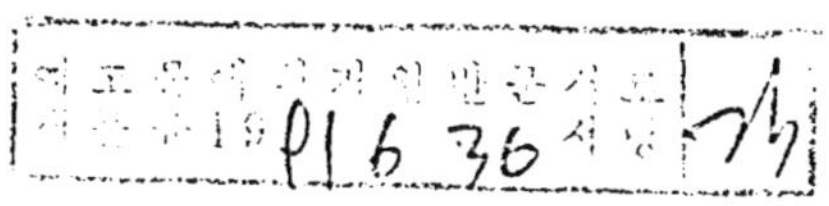

미주국	장관	차관	1차보	2차보	구주국	중아국	영교국	청와대
총리실	안기부	대책반						

PAGE 1 91.01.16 21:26

외신 2과 통제관 DO

0214

원 본

외 무 부

종 별 :

번 호 : BBW-0034 일 시 : 91 0116 1220

수 신 : 장 관(미북,중근동,구일,기정)

발 신 : 주 벨기에대사

제 목 : 주재국 수상 성명발표 (자료응신 제5호)

주재국 MARTENS 수상은 금 1.16. 08:00 이라크의 쿠웨이트 철군시한 경과와 관련, 아래 요지의 성명을 발표함.(동 성명 전문 별첨)

1. 벨기에 정부는 걸프사태의 평화적 해결을 위한 최후의 시도마져 실패한것을유감으로 생각하며 이라크의 태도를 강력 규탄 함.

2. 벨기에 정부는 군사작전에는 직접 참여하지 않으나, 구주 및 대서양 파트너들과 함께 유엔결의 존중을 강행하기 위하 군사적 조치를 이행키로 승인(ACCEPTED) 하였음.

3. 벨기에는 국제사회의 목표이기도한 유엔 안보리 결의의 목적에 부합한 개입을 계속해 나가고 국제적 연대성이 절실히 요청되는 지금, 자국의 모든 약속을 전적으로 준수할 것임.

첨부: 동 성명 전문(불문)

(대사 정우영-국장)

'' LE GOUVERNEMENT DEPLORE QUE MEME LES ULTIMES TENTATIVES ENTREPRISES POUR ABOUTIR A UNE SOLUTION PACIFIQUE DU CONFLITDANS LE GOLFE AIENT ECHOUE.

A AUCUN MOMENT, NI LORS DE L'ENTRETIEN DES MINISTRES DES AFFAIRES ETRANGERES DES ETATS-UNIS ET DE L' IRAK A GENEVE,NI LORS DES ENTRETIENS QUE LE SECRETAIRE GENERAL DES NATIONS UNIES A EUSAVEC LE GOUVERNEMENT IRAKIEN LE WEEK-END DERNIER, NI EN REPONSE AUX ENTRETIENS QUI SE SONT DEROULES CES DERNIERS JOURS ET HEURESENTRE LES MEMBRES DU CONSEIL DE SECURITE DE L' ONU, L' IRAK N' AFAIT MONTRE D'UNE QUELCONQUE VOLONTE D'AMORCER LA MISE A EXECUTION DESDOUZE RESOLUTIONS DU CONSEIL DE SECURITE DE L'ONU RELATIVES AL'INVASION DU

미주국 1차보 구주국 중아국 정문국 안기부

PAGE 1 91.01.16 23:56 DA

외신 1과 통제관

0215

KOWEIT, SUIVIE D'ANNEXION, ILLEGALES ET CONDAMNEES PAR LACOMMUNAUTE MONDIALE.

''LE GOUVERNEMENT CONDAMNE DE LA MANIERE LA PLUS ENERGIQUECETTE INTRANSIGEANCE QUI A DESORMAIS ABOUTI A LA POSSIBILITE D'UNRECOURS A LA VIOLENCE AUTORISE PAR LA RESOLUTION 678 DU CONSEIL DESECURITE DE L'ONU.

''LE GOUVERNEMENT RAPPELLE QUE, DES LE DEBUT DU CONFLIT DANSLE BOLFE, NOTRE PAYS N'A MENAGE AUCUN EFFORT POUR CONTRIBUER, CONFORMEMENT AUX RESOLUTIONS DU CONSEIL DE SECURITE, A LARECHERCHE D'UNE SOLUTION PACIFIQUE. IL A DES LORS TOUJOURS ACCORDE LAPRIORITE A L'APPLICATION DE L'EMBARGO COMMERCIAL A L'ENCONTRE DEL'IRAK, LA PREUVE EN ETANT L'ENVOI DE NAVIRES DE LA FORCE NAVALE DANSCETTE REGION AFIN DE VEILLER AU RESPECT STRICT DE CET EMBARGO.NOTRE PAYS A EGALEMENT ETE FORT ACTIF SUR LE PLAN DIPLOMATIQUE, ENPARTICULIER DANS LE CADRE DU CONSEIL DE SECURITE DE L'ONU DONT IL FAITPARTIE DEPUIS LE DEBUT DE CETTE ANNEE. DES LORS QU'UN AFFRONTEMENTARME POURRAIT VOIR LE JOUR DANS LE CADRE STRICT DES RESOLUTIONSDU CONSEIL DE SECURITE, LE GOUVERNEMENT A ACCEPTE D'AFFECTER DES MOYENS MILITAIRES, AVEC SES PARTENAIRES EUROPEENS ET ATLANTIQUES,AFIN DE FORCER LE RESPECT DE CES RESOLUTIONS MAIS SANS PRENDRE PART DIRECTEMENT AUX OPERATIONS MILITAIRES.

''COMME DES LE DEOUT DE LA CRISE, NOTRE PAYS CONTINUERA AAXER SON INTERVENTION SUR LES OBJECTIFS DES RESOLUTIONS DU CONSEIL DESECURITE DE L'ONU, QUI SONT EGALEMENT LES OBJECTIFS DE LA COMMUNAUTEMONDIALE.

''A L'HEURE OU LA SOLIDARITE INTERNATIONALE S'IMPOSE PLUSQUE JAMAIS, NOTRE PAYS RESPECTERA PLEINEMENT SES ENGAGEMENTS ENLA MATIERE.

''LE GOUVERNEMENT RAPPELLE EGALEMENT QUE TOUTES LESDISPOSITIONS UTILES ONT ETE PRISES AFIN DE FAIRE FACE A TOUTES LESCONSEQUENCES EVENTUELLES POUVANT DECOULER, POUR NOTRE PAYS, DE LASITUATION DANS

LE GOLFE''.
END

길

관리 번호	91-85

원 본

외 무 부

종 별 :

번 호 : POW-0037 일 시 : 91 0116 1900

수 신 : 장관(미북,중근동,영사,구이,정일,기정)

발 신 : 주 폴투갈 대사

제 목 : 페만사태 대처(자료응신 4호)

대:AM-0012

연:POW-0009

1. 주재국은 연호 1.19 MARIO SOARES 대통령 주재로 열린 국가평의회 회의에서 걸프만 전쟁발발시 대비할 비상대책을 협의하고, 비상시의 교통 소통의 일부 제한, 원유 및 전기등 에너지 절감등 일련의 긴축정책을 펴기로하고, 이를 위해 주요 정부부서로 구성된 TASK-FORCE 를 구성한바 있음. 참고로 주재국은 120 일분의 유류를 비축하고 있음

2. 또 주재국 군, 경은 국내 치안강화를위해 준 경보상태에 들어가 있고, 외교단의 보호강화, 육, 해, 공 국경통제와 외국인 출입통제 강화를 시행하고 있음. 주재국 정부는 걸프전 발발시에도 지나친 국민적 동요나 불안은 없도록 안심시키고 있으며, 1.16 에는 CAVACO SILVA 수상이 직접 TV 기자회견을 통해서 이점을 강조했음

3. 한편 당관은 1.14 주재국 경찰당국에 대해 비상시, 당관 청사 및 관저 보호강화를 요청한바 있으며, 공관 및 한글학교등을 포함하여 별도 자체안전 대책을 수립, 시행중이며 사증발급 관리에도 만전을 기하고있음. 끝

(대사유혁인-국장)

예고:91.12.31 일반

일반문서로 재분류(1991.12.31.)

검 토 필 (1991.6.30.)

미주국 장관 차관 1차보 2차보 구주국 중아국 정문국 영교국
청와대 총리실 안기부 대책반

PAGE 1

91.01.17 06:29

외신 2과 통제관 DO

0218

외 무 부

종 별 :

번 호 : HOW-0025 일 시 : 91 0116 1700

수 신 : 장 관(중근동,구일,정일)

발 신 : 주 화란 대사

제 목 : 페만사태 (자료응신 제 91-09호)

1. VAN DEN BREOK 주재국 외무장관은 1.15.국회상원 발언에서 걸프사태 해결을 위해 과거 몇개월에 걸쳐 수많은 중재노력을 기울였으나 무위로 그쳤다고 하면서, 불란서의 마지막 제안이이락의 무조건 완전철수를 요구하는 UN 결의에 부합하는지 여부가 불분명하다고 언급하고, 자신은 이락의 철군을 팔레스타인 문제와 연계시키는것은 침략에 대한 보상을 의미하게 되므로 이를 반대한다는 기존 입장을 분명히 함.

2. 주재국은 터키에 지대공 미사일 부대를 파견중인바, 1.15. 현재 155명의 공군병력이 출발한 것으로 알려짐.

3. 1.15. 당지 암스텔담 주재 미국 영사관 앞에서 약 20명의 군중이 1시간동안 반전기도 집회를 가졌으며, MAASTRICHT 시에서는 약 2,500명의 카톨릭 신자들이 반전기도 행진을 벌였음.끝.

(대사 최상섭-국장)

중아국 1차보 2차보 미주국 구주국 중아국 정문국 안기부

PAGE 1 91.01.17 09:14 WG

외신 1과 통제관

0219

관리 번호	91-1525

외 무 부

종 별 :

번 호 : POW-0037 　　　　일 시 : 91 0116 1900

수 신 : 장관(미북,중근동,영사,구이,정일,기정)

발 신 : 주 폴부갈 대사

제 목 : 페만사태 대처(자료응신 4호)

대:AM-0012

연:POW-0009

91.6.30.

1. 주재국은 연호 1.19 MARIO SOARES 대통령 주재로 열린 국가평의회 회의에서 걸프만 전쟁발발시 대비할 비상대책을 협의하고, 비상시의 교통 소통의 일부 제한, 원유 및 전기등 에너지 절감등 일련의 긴축정책을 펴기로하고, 이를 위해 주요 정부부서로 구성된 TASK-FORCE 를 구성한바 있음. 참고로 주재국은 120 일분의 유류를 비축하고 있음

2. 또 주재국 군, 경은 국내 치안강화를위해 준 경보상태에 들어가 있고, 외교단의 보호강화, 육, 해, 공 국경통제와 외국인 출입통제 강화를 시행하고 있음. 주재국 정부는 걸프전 발발시에도 지나친 국민적 동요나 불안은 없도록 안심시키고 있으며, 1.16 에는 CAVACO SILVA 수상이 직접 TV 기자회결을 통해서 이점을 강조했음

3. 한편 당관은 1.14 주재국 경찰당국에 대해 비상시, 당관 청사 및 관저 보호강화를 요청한바 있으며, 공관 및 한글학교등을 포함하여 별도 자체안전 대책을 수립, 시행중이며 사증발급 관리에도 만전을 기하고있음. 끝

(대사유혁인-국장)

예고:91.12.31 일반

미주국	장관	차관	1차보	2차보	구주국	중아국	정문국	영교국
청와대	총리실	안기부						

PAGE 1 　　　　91.01.17 06:29

외신 2과 통제관 DO

0220

김

관리번호	91-98

원 본

외 무 부

종 별 :

번 호 : GRW-0069 일 시 : 91 0117 1130

수 신 : 장관(미북,구이,국방)

발 신 : 주 희랍 대사

제 목 : 주재국수상 폐만사태관련 언급

대:WGR-15

UN DEADLINE 이 끝난후 MITSOTAKIS 수상은 1.16 아래와같이 언급함.

-아 래-

"걸프문제의 해결은 단한가지로 이라크군이 쿠웨이트에서 무조건 철수하여 국제법을 회복하는데 있음."끝.

(대사 박남균-국장)

예고:91.12.31 일반

검 토 필 (1991.6.30.)

예고문에 의거 일반문서로 재분류1991.12.31 서명

미주국 장관 차관 1차보 2차보 구주국 청와대 총리실 안기부

PAGE 1 91.01.17 19:31

외신 2과 통제관 CH

0221

관리번호 91-97

외 무 부

원 본

종 별 :

번 호 : GRW-0070 일 시 : 91 0117 1140

수 신 : 장관(미북,구이,국방)

발 신 : 주 희랍 대사

제 목 : 주재국수상 폐만사태관련 성명발표

대:WGR-15

연:GRW-69

MITSOTAKIS 수상은 1.17 아침주재국 국민들에게 아래내용의 성명을 발표함.

-아 래-

가. 정부가 적절한 조치를 취하고 있음으로 국민은 걱정할 필요가 없으며 동요하지 말것.

나. 식품과 유류는 충분하며 국가와 정부는 정상적 기능을 수행하고 있음.

다. 현재의 위기가 빨리 지나가기를 희망함.

라. 이번사태로 UN 결정사항이 결국은 실천됨을 보여 준것임.(싸이프러스 점령 토이기군의 철수와 연계시킴). 끝.

(대사 박남균-국장)

예고:91.12.31 일반

검 토 필 (1991.6.30.)

예고문에 의거 일반문서로 재분류19 91.12.31. 서명

미주국 장관 차관 1차보 2차보 구주국 청와대 총리실 안기부

PAGE 1

91.01.17 19:31

외신 2과 통제관 CH

0222

원 본

외 무 부

종 별 :

번 호 : IDW-0008 일 시 : 91 0117 1130

수 신 : 장관(중근동,구일)

발 신 : 주 아일랜드 대사

제 목 : 걸프사태에 대한 주재국 반응

1.주재국 HAUGHEY 수상은 걸프만 전쟁발발에대해 ' TRAGIC SEBACK FOR ALL HUMANITY' 라고 지적하고동 사태 해결을 위한 외교적, 정치적 노력은 계속되어야 한다고 부연하였음.

2.동 수상은 아일랜드는 전쟁 발발 가능성에 대해 모든 대비를 하여 왔으며 아일랜드 국민의이익을 보호, 수호하기 위한 모든 가능한 조치를 취할 것이라고 언급하였음. 외무부 대변인은 현재 이락 및 쿠위이트에는 10명의 아일랜드인들이 체류중임을밝힘.

3.한편 주재국은 군사적 중립정책에도 불구하고 안보리 결의안에 대한 유엔 회원국으로서의 의무이행 원칙에 입각, 미국의 요청이 있을경우 미공군의 SHANNON 공항이용을 허용할 방침인 것으로 알려짐.

4. COLLINS 외무장관은 걸프만 전쟁 발발관련 EC 특별 외상회담 참석차 파리향발함.끝.

(대사 민형기-국장)

중아국	장관	차관	1차보	2차보	미주국	중아국	정문국	청와대
총리실	안기부	대책반						

PAGE 1

91.01.17 22:29 CG

외신 1과 통제관

0223

외 무 부

종 별 :
번 호 : DEW-0030 일 시 : 91 0117 1700
수 신 : 장 관(중근동,구이,기정)
발 신 : 주 덴마크 대사
제 목 : 걸프만 사태

1. ELLEMANN-JENSEN 주재국 외무장관은 17일 새벽 걸프만 전쟁발발 직후 이와 관련한 성명을 발표한바 동 요지는 아래과 같음.

가. 사담 후세인이 UN 결의를 준수토록 하기 위해서는 무력사용이 필요하다는 것이 증명됨.

나. 이와 관련한 모든 책임은 평화로운 인근국에 대한 잔혹한 침략을 정당화하기 위해 이라크 국민의 생명과 복지를 희생코자 하는 이라크 독재자에게 있음.

다. 후세인외에 누구도 전쟁을 원치않았으나 안보리는 국제법의 기본원칙의 준수를 위하여 무력사용을 승인함. 침략은 묵인되어서는 아니됨.

라. 걸프만의 평화와 안정을 회복하기 위해 모두 협력해야 하며, 덴마크는 안보리의 결정이있을 경우 기꺼히 유엔 평화유지군에 참여할 것임.

2. 한편 주재국 정부는 16일 전쟁발발시 걸프만에 병원선을 파견하려던 당초 계획을 철회하고 그대신 30-40명의 군의료진을 파견, 영국군의 야전병원에 배치하기로하고 이에대한 의회승인을 요청하였음. 주재국 정부는 이와함께 걸프만에서 후송되어 오는 부상자를 치료하기 위해 HOLSTEBRO 시에 있는 군병영을 병원으로 개조하기 위한 조치를 취하고 있음. 끝.

(대사 장선섭-국장)

중아국 장관 차관 1차보 2차보 구주국 중아국 정문국 청와대
총리실 안기부 대책반

PAGE 1 91.01.18 03:14 CG
외신 1과 통제관

0224

외 무 부

종 별 :

번 호 : HOW-0026 일 시 : 91 0117 1600

수 신 : 장관(중근동,구일,정일)

발 신 : 주 화란 대사

제 목 : 걸프만 사태 (자료응신 제 91-10호)

1. 걸프만 사태 해결을 위한 금 1.17 연합군의 군사행동 개시와 관련, 주재국 루버스 수상은 TV 및 라디오 방송을 통한 대국민 담화를 통해 90.8.2 이락의 쿠웨이트 침공이후 동 사태의 평화적 해결을 위한 국제적 노력이 전개되어 왔으나 후세인 대통령의 완강한 입장에 봉착, 무위로 그치고, 군사적 개입으로까지 이르게 된 것을 개탄함. 동 수상은 이어 그와 같은 군사력 사용은 불행한 일이나 ''미래를 위한 투자'' 가될 것이라면서 화란국민과 정부는 군사작전을 이끌고 있는 부쉬 대통령을 전폭적으로 지지한다고 말하고, 무력사용이 장기화 되지 않고 피해자가 극소화 되기를 희망하였음.

2. 한편 주재국 정부는 금 1.17 걸프만 사태관련 각료회의를 소집, 대책을 협의하는 한편, 반덴 브룩 외무장관 및 TER BEEK 국방장관을 파리 개최 WEU 회의에 파견하였음.

3. 금일 연합군의 군사행동에 관해 주재국 CDA 노동당등 주요정당은 동 조치가 불가피한 것이라는 입장을 보여주고 있으며, 언론도 같은 취지의 논조를 보여주고 있음.

(대사 최상섭-국장)

중아국	장관	차관	1차보	2차보	미주국	구주국	중아국	정문국
청와대	총리실	안기부	대책반					

PAGE 1

91.01.18 03:26 CG

외신 1과 통제관

0225

외 무 부

종 별 :

번 호 : BBW-0041 일 시 : 91 0118 1020

수 신 : 장 관(구일,중근동,정일,기정)

발 신 : 주벨기에대사

제 목 : 이라크 외교관 추방 (자료응신 6호)

1. 1.17. 오후 주재국 외무부는 부랏셀 주재 이라크 외교관 9명중 대사 및 공관원 1명을 제외한 7명을 안보상 이유로 1.18. 16:00까지 출국토록 추방 명령함.

2. 주재국은 테러에 대비 1.17. 밤부터 비상 경계조치의 최종 단계인 안보계획 3단계를 발동하고 공항, 주요 외국 공관 및 공공기관에 대한 경계를 강화하였으나, 현재까지 특별한 위험성은 없는 것으로 보임.끝.

(대사 정우영-국장)

구주국	√장관	차관	1차보	2차보	미주국	√중아국	정문국	√청와대
총리실	안기부	안기부				(2부)		

PAGE 1 91.01.18 20:53 DQ

외신 1과 통제관

0226

원 본

외 무 부

종 별 :

번 호 : NRW-0050 일 시 : 91 0118 1520

수 신 : 장 관 (구이,기정동문)

발 신 : 주 노르웨이 대사대리

제 목 : 걸프전쟁 반응

1. BRUNDTLAND 주재국수상은 1.17.걸프전쟁은 사담훗세인이 국제적 외교호소에 귀를기우렸더라면 일어나지 않을 비극이다고 논평하고, 노르웨이는 이락과 전쟁상태에 있지 않다고 밝혔음. 주재국은 연안경비정 1척을 걸프지역에 파견하여 미국 주도하의반 이락전선에 상징적 참여를 하여 왔음. 대부분 주재국 국민은 개전소식에 놀라면서도 연합국측의 제1차 공격이 성공적인데 환영하는 반응을 보였음. 한편 주재국정부는 터키가 이락의 공격을 받을 경우 나토국가 일원으로서 참전하게될지 여부에 대해서는 분명한 입장을 밝히지 않고있음

2. 주재국은 예상되는 테러행위에 대비하기 위해 외국공관, 국경검문소, 석유시설, 공항등에 대한 경계를 강화하고 있다고 발표하였음. 미국대사관, 이스라엘대사관등 테러가능성이 큰 외국공관은 주재국 경찰이 경비하는 모습이 눈에 띄고 있음.끝

(대사대리 손상하-국장)

구주국 장관 차관 1차보 2차보 미주국 중아국 중아국 정문국
청와대 총리실 안기부

PAGE 1

91.01.19 03:33 FC
외신 1과 통제관

0227

외 무 부

종 별 :

번 호 : PDW-0051 일 시 : 91 0118 1650

수 신 : 장관 (동구이, 정일, 기정동문)

발 신 : 주 폴란드 대사

제 목 : 걸프전쟁 반응(자료응신 제 91-012호)

1. 걸프전쟁 발발 관련, 주재국 외무장관은 1.17 아래내용의 성명을 발표함.

가. 이라크의 쿠웨이트 침공직후부터 폴란드는 이를 규탄하고 유엔 결의를 따라 왔음.

나. 이라크의 쿠웨이트 철수거부는 UN 이 승인한 무력사태를 야기하였는 바, 폴란드는 군사행동이 조속히 완료되고 국제법이 준수되기를 바라며, 특히 이라크 및 중동국가들의 민간인들이 보호되기를 바람.

2. 한편, 주재국 정부는 테러발생에 대비, 공항,공공건물 및 미,영,불 대사관등에 대한 경비를 강화하였음.

3. 폴란드, 헝가리 및 체코 외상은 걸프 및 발틱사태를 협의하기 위해 1.21 프라하에서 만날 예정임.끝

(대사 김경철-국장)

구주국	장관	차관	1차보	2차보	미주국	중아국	중아국	정문국
청와대	총리실	안기부						

PAGE 1

91.01.19 04:28 DQ

외신 1과 통제관

0228

원 본

외 무 부

종 별 :

번 호 : HOW-0028 일 시 : 91 0118 1700

수 신 : 장관(중근동,구일,정일)

발 신 : 주 화란 대사

제 목 : 걸프사태 (자료응신 제 91-11호)

1.18 감행된 이락의 대이스라엘 공격과 관련,주재국 외무부는 성명을 통해 깊은충격을 표명하는 동시에, 위협적인 상황에 처한 이스라엘에 대한 주재국의 연대를 강조하면서 이스라엘의 정당한 자위권을 인정하나 이스라엘이 걸프사태에 개입되지 않기를 희망하였음.

(대사 최상섭-국장)

중아국	장관	차관	1차보	2차보	미주국	구주국	중아국	정문국
청와대	총리실	안기부						

PAGE 1

91.01.19 04:29 DQ

외신 1과 통제관

0229

외 무 부

종 별 :

번 호 : AVW-0069 일 시 : 91 0118 1820

수 신 : 장관(구이,중근동,페만대책본부,청와대외교,기정)

발 신 : 주오스트리아대사

제 목 : 걸프전에 관한 주재국 반응(2)

연: AVW-0062

1. 주재국 의회는 걸프전이 발발한 작 1.17 전쟁물자법 일부를 개정, 전쟁기간중전쟁물자의 수입 및 수출이 UN 의 평화보장을 위한 조치에 위배되지 않는한 불법으로 간주되지 않도록 하였음. HEINZ FISCHER 국회의장은 상기법 개정이 중립을 침해하지 않는 것이라고 발표하였으며, 이로써 오스트리아는 걸프전중 미국 군용기의 영공통과 및 물자 수송을 공식적으로 합법화하였음.

2. VRANITZKY 수상은 걸프전 부상자를 위해 전국의 5만 병상중 950개를 제공할 것과 자발적 의료 봉사자의 지원을 위한 재정 확보를 고려하고 있다고 말하였으며, 이에 따라 의료 당국은 부상자의 후송지가 될 것으로 예상되는 비에나 공항에 특수의료 장비를 비치할 계획인 것으로 알려짐.

3.한편, 주재국 공안당국은 테러활동에 대비하여 분쟁 관련국 대사관 및 공항 등 공공시설에 대한 경비를 강화하였으며 국경에서의 통관절차도 강화하였음.

4.걸프전 발발에 관한 주재국 각계의 반응은 다음과 같음.

가. WALDHEIM 대통령

-전쟁 발발에 비통함을 금치 못하며 무고한 희생자들을 먼저 생각하지 않을 수 없음.

-유엔 결의대로 쿠웨이트가 독립을 회복하는 즉시 전쟁은 중단되어야 함.

나. VRANITZKY 수상

-전쟁의 조기 종식과 협상 재개를 위한 정부의 노력은 지속될 것이며, 오스트리아 정부의 관심은 쿠웨이트의 해방에 있음.

-걸프전은 ''고전적인 의미''에 있어서 전쟁이 아니며 집단 안보체제에 입각한 UN 의 대응행위임.

구주국	장관	차관	1차보	2차보	미주국	중아국	정문국
청와대	총리실	안기부	대책반				

PAGE 1 91.01.19 04:41 DQ

외신 1과 통제관

0230

-오스트리아는 중립국이므로 전투에 가담하거나 병력을 파견치 않을 것임.

다. MOCK 외상

-사상 최초로 세계 평화를 수호하기 위해 집단 안보체제에 의한 군사행동이 전개된 사실을 환영함.

라. FISCHER 국회의장

-걸프전 발발에 경악을 금치 못하나 유사이래 금번과 같이 동기가 명확한 전쟁은 없었음.

마. GRANDITS 녹색당 의원

-걸프전 반대 운동은 지속되어야 함.

바. SILBERMAYR 공산당 당수

-후세인에게 1차적 책임이 있으나 미국 및 영국도 책임을 져야함.

사. KUNTNER 대주교

-우선적 책임은 후세인에게 있으나 서구정치인들은 평화적 제재가 효능을 발휘할때까지 기다리지 못한 책임을 져야함.

(끝)

0231

외 무 부

종 별 :

번 호 : PDW-0051 일 시 : 91 0118 1650

수 신 : 장관 (동구이, 정일, 기정동문)

발 신 : 주 폴란드 대사

제 목 : 걸프전쟁 반응(자료응신 제 91-012호)

1. 걸프전쟁 발발 관련, 주재국 외무장관은 1.17 아래내용의 성명을 발표함.

가. 이라크의 쿠웨이트 침공직후부터 폴란드는 이를 규탄하고 유엔 결의를 따라 왔음.

나. 이라크의 쿠웨이트 철수거부는 UN 이 승인한 무력사태를 야기하였는 바, 폴란드는 군사행동이 조속히 완료되고 국제법이 준수되기를 바라며, 특히 이라크 및 중동국가들의 민간인들이 보호되기를 바람.

2. 한편, 주재국 정부는 테러발생에 대비, 공항,공공건물 및 미,영,불 대사관등에 대한 경비를 강화하였음.

3. 폴란드, 헝가리 및 체코 외상은 걸프 및 발틱사태를 협의하기 위해 1.21 프라하에서 만날 예정임.끝

(대사 김경철-국장)

구주국 장관 차관 1차보 2차보 미주국 중아국 중아국 정문국
정와대 총리실 안기부

PAGE 1

91.01.19 04:28 DQ
외신 1과 통제관

0232

관리 번호	91-27

원 본

외 무 부

종 별 :

번 호 : POW-0042 일 시 : 91 0118 1900

수 신 : 장관(구이,미북,중근동,총인,정일,영사,기정)

발 신 : 주 폴투갈대사

제 목 : 페만사태(자료응신 5호)

대:AM-0017,0015

연:POW-0037

1. 주재국은 다국적 군의 대이락공습 직후인 1.17 SOARES 대통령의 리스본 귀환, 국가평의회 소집, CAVACO 수상의 1.17 새벽 비상내각 소집등을 통해 대책을 협의함. 양인은 미국 부시대통령앞으로 각각 전문 메세지를 발송하고 지지를 표명함

2. 대통령과 수상은 각기 1.17 기자회견을 통해서등 국민이 지나친 불안이나 물건 사재기등 혼란이 없이 냉철하게 대처토록 거듭 당부하고 있으며 주재국은 1.17 일시, 일부의 사재기 소동이 있었으나 비교적 차분한 가운데 전 언론매체가 걸프전 진전을 계속 상보하고 있음

3. 수상은 대국민 연설에서 자국이 이번 전쟁의 직접당사자는 아니라고하며, 기존의 다국적군에 대한 군수, 의료지원등 보조적 지원이외 병력파견은 없을것이며 앞으로 NATO 일원인 터키가 공격받는경우에도 자국의 병력 파견은 하지않을것 이라고 거듭 밝혔음

4. 한편 당지 이락 AL-WANDAW 대사는 1.8 깢 본국 소환령을 받고 있으나 신병치료차 제 3 국에 체재중인것으로 탐문되고 있는 가운데 당지에서는 동대사의 망명설도 유포되고 있음

5. 주재국 일부 지역에서 테러관계 허위제보가 있었으나, 별 사고는 없었으며, 미, 영국학교등은 임시휴고 있음. 당관은 비상근무 및 자체 안전대책을 시행하고 있는 이외로 1.18 당지 교민, 상사대표와의 긴급회의를 가조고 국내적 조치설명, 대북한 공관경계 강화, 토요한글학교 임시휴고등 안전대책을 강구하였음. 끝

(대사유혁인-국장)

예고:91.12.31 까지

검토필(1991.6.30)

구주국 장관 차관 1차보 2차보 총무과 미주국 중아국 정문국
영교국 안기부

PAGE 1

91.01.19 06:09
외신 2과 통제관 BW

0233

원 본

외 무 부

종 별 :

번 호 : HOW-0033 일 시 : 91 0121 1500

수 신 : 장관(중근동,구일,정일)

발 신 : 주 화란 대사

제 목 : 걸프 사태 (자료응신 제 91-12호)

1. 주재국 정부는 당지 주재 이락 대사관의 규모를 축소, 대사외 1명을 제외한 잔여 이락외교관(5인)이 출국토록 통보함.

2. 주재국은 LUBBERS 수상의 TV 인터뷰를 통해 이스라엘에 이락 SCUD 미사일 공격에 대한 방어를 지원키 위해 지대공미사일 부대파견을 제의한 바, 이스라엘측은 당지 주재대사를 통해 이미 미국으로부터 미사일 지원을 받기로 되어 있다는 이유를 들어 동 제의를 거부함. 주재국 외무성에의하면, 상기 제의는 VAN DEN BROEK 외무장관이 발의한 것으로서, 연합군측이 이스라엘의 방어에 실질적인 도움을 제공키 않으면서 이스라엘의 자제만을 요구하는 것은 무리라는 판단에 의한것이라고 밝히고, 추후이스라엘측의 요청이 있을 경우 이를 호의적으로 검토할 것이라 함.

3. 주재국 정부는 유엔 및 국제적십자로부터 요르단,시리아, 터키, 이란내 난민캠프 설립을 위한 지원요청을 받고, 동 사업기금으로 1천만길다(약6백만불)를 제공할 예정이라 함. 끝.

(대사 최상섭-국장)

중아국	장관	차관	1차보	2차보	미주국	구주국	정문국	상황실
청와대	총리실	안기부						

PAGE 1 91.01.22 04:44 DN

외신 1과 통제관

0234

외 무 부

종 별 :

번 호 : PDW-0061 일 시 : 91 0122 0840

수 신 : 장관(중동,동구이,정일,기정동문)

발 신 : 주 폴란드 대사

제 목 : 걸프사태(자료응신 제 91-013호)

1. 주재국 정부는 이라크의 이스라엘에 대한 미사일공격 관련, 1.18 아래 내용의 성명을 발표함.

- 폴정부는 이라크의 이스라엘 공격을 규탄하며 이는 걸프분쟁을 확대하려는 도발적이고 위험한 기도라고 봄.

- 동 공격은 이라크에 의한 또 하나의 국제법 위반행위인바, 폴란드는 동 지역의 평화회복 전제조건인 이라크의 쿠웨이트 점령종식을 강력히 요구함.

- 폴 정부는 군사작전이 민간인에 대한 피해를 최소화 하도록 수행되길 바람.

2. 한편, 바웬사 대통령은 1.18 의회 OKP 지도자들과 가진 회의에서 걸프사태를이용한 소련의 리투아니아 직접 장악기도와 관련, 이는 소련제국이 그간의 손실을만회하려는 계획의 일부일 뿐이라고 언급하고, 걸프사태에서 오는 (폴란드 안보)위험은 줄어 들고 있으나 폴.소 국경에 소련군 59개 사단이 있으며 폴내에도 아직소련군이 있음을 유념하여 대소관계에서 조심스런 접근이 필요함을 지적함.

끝

(대사 김경철-국장)

✓중아국	장관	차관	1차보	2차보	미주국	구주국	정문국	청와대
총리실	안기부	✓대책반						

PAGE 1

91.01.23 02:53 DA

외신 1과 통제관

0235

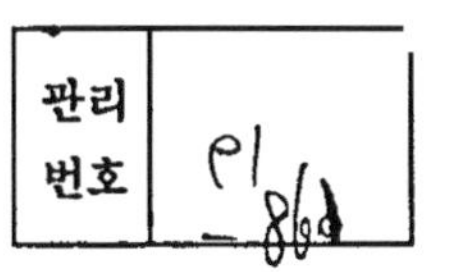

외 무 부

종 별 :

번 호 : POW-0114 일 시 : 91 0222 1900

수 신 : 장관(아이,구이,국연,중근동,통이,동구이,정일)

발 신 : 주 폴부갈대사대리

제 목 : 중국외상 주재국방문(자료응신 28호)

1. 전기침 중국외상은 2.21 주재국 도착함(외교부 간부들로만 구성된 9 명 대표단 인솔). 동외상은 2.22 중 PINHEIRO 외상과의 회담, SOARES 대통령, CAVACO 수상, CRESPO 국회의장등 요인 면담과, 폴부갈 공업협회(AIP)주최 오찬등 일정을 갖고 있으며, 2.23 은 주변 관광시찰, 2.24 은 북부지역 방문등 일정을 갖고있음

2. 금 2.22 의 양국 외상 회담에서는 쌍문문제로서 마카오 문제와 중국-EC 관계, 걸프정세, 서남아프리카문제등이 토의되었으며, 아주지역 관련 캄퓨차문제와 아국문제도 언급됐을 가능성이 있음. 마카오문제 관련, 마카오 공항청사건립에 대한 중국측의 양해가 있었다하며, 마카오의 공용어 관련, 금년부터 중국어를공용어로 병용하고, 99 년 마카오의 중국으로의 이양 이후는 포어를 제 2 공용어로 하자는 합의가 이루어졌다함

3. 현재 양국간 교역관계는 90 년 주재국의 대중국 수출 5.1 백만 CONTOS(약 4 천만불), 수입이 9.9 백만 CONTOS(약 7 천 6 백만불)로 다소 미미한바, 그 증진문제도 협의되었으며, 양국간 경제공동위를 설치, 금년중 조기 개최키로 합의됐다함

4. 전기침외상은 양국외상 회담후의 기자회견에서 걸프전 관련, 이락의 쿠웨이트로 부터의 무조건적 철수를 촉구한다하고, 만약 이락이 현금 보도와 같이 동 무조건적 철수를 수락하고 걸프문제의 평화적 해결에 응할경우, 이를 환영할것 이라고 말했다함

5. 금번 중국외상 방문은 89.6 천안문사태이후, 처음있는 중국 고위인사의 EC 방문임. 주재국은 EC 의 대중국 경제체제에 동참해 왔으나, 단, 마카오 반환협상을 위요하고, 중국과의 접촉을 계속 유지해 왔음. 주재국으로서는 금번 중국외상의 방문 접수로 EC 와 중국간 대화의 촉진역할을 하게될것으로 전망하고 있음

6. 당지에서는 중국외상의 순방국에 불, 영, 독, 이태리등 구주 중심권국가가 포함되지않고, 남구제국과 동구만이 포함된것은 대서구관계의 회복을 바라는 중국의

아주국	장관	차관	1차보	2차보	구주국	구주국	중아국	국기국
통상국	정문국	청와대	안기부					

PAGE 1 91.02.23 07:45

외신 2과 통제관 BW

0236

신중한 외교적 접근으로 분석하고 있음. 또 중국외상의 폴랜드, 불가리아,항가리 방문은 동구의 변화이후의 이들 국가와의 관계 발전목표 이외로도 대만의 이들국가에 대한 진출 가능성에 쐐기를 박으려는 목표도 있는것으로 분석하고있음

7. 주재국의 유력일간 PULBICO 지는 2.21 자 사설에서 주재국의 대중국관계의 특수성에 불구하고 주재국은 중국의 인권상화문제를 필히 거론해야할것 이라고 촉구한바 있음

7. 금번 방문결과 및 특히 아국관계 언급사항은 추가파악 보고하겠음. 끝

(대사대리 주철기-국장)

0237

김

MB

외 무 부

종 별 :

번 호 : HOW-0036 일 시 : 91 0122 1700

수 신 : 장 관(중근동, 구일, 정일)

발 신 : 주 화란 대사

제 목 : 걸프사태 (자료응신 제 91-13호)

1. 1.21(월) 주재국 암스텔담시에서 유태인단체 주관하에 이스라엘 지지 집회가 개최 된바, 동집회에는 2,500여명의 일반시민뿐 아니라, DALES 내무장관 및 주요정당 대표들도 참석함.

2. 동 집회에서는 이스라엘 SHAMIR 수상의 메세지가 배포된바, 동 메세지를 통해 SHAMIR 수상은 이스라엘이 또다시 전화를 입고 있으며, 이스라엘을 전쟁에 끌어들이려는 기도가 진행되고 있다고 하면서 이스라엘로서는 전쟁개입을 피하기 위해 모든 노력을 기울이고있다고 언급하고, 화란 지도자들의 지원에 사의를표명함.

또한 DALES 내무장관은 정부를 대표하여 행한 연설에서 중동사태로 인해 화란내의 유대인과 회교도간의 긴장이 초래되서는 안될 것이라고 강조하고, 현재 주재국내 구체적인 테러위협은 없으나 주요시설물에 대한 경비를 강화하고 있다고밝힘.

집회에 참석한 정당대표들은 이스라엘 정부가 이락 공격으로부터 자신을 방어할 모든 권리를 보유하고 있다고 언급하고, 그러나 이스라엘의 걸프전개입을 막기위해 최선의 노력이 경주되어야 한다고 피력함.

3. VAN DEN BROEK 주재국 외무장관은 이락의 연합군 전쟁포로 악용기도에 대해분노를 표시하면서, 미.영.이태리 정부가 곧 조치를 강구할것으로 생각한다고 언급하고, 자신은 이락의 여사한 파렴치한 행위를 중단시키기 위한 EC의 대책을 적극 지원할 것이라고 밝힘. 끝.

(대사 최상섭-국장)

중아국 ② 장관 차관 1차보 2차보 미주국 구주국 정문국 청와대
총리실 안기부

PAGE 1 91.01.23 13:22 FG

외신 1과 통제관

0238

김

14부

외 무 부

종 별 :

번 호 : HOW-0037 일 시 : 91 0122 1700

수 신 : 장 관(중근동, 구일, 정일)

발 신 : 주 화란 대사

제 목 : 걸프사태 (자료응신 제 91-14호)

주재국 국방부 발표에 의하면 주재국은 1.21 현재 걸프사태 관련 총 3억 길다(약1억8천만불)의 비용을 지출한바, 동 주요 내역은 아래와 같음.

0. 함정 및 보급선 파견 : 60백만 길다 (매월 5백만길다 소요)

0. 미사일 부대 터키 파견 : 약 12백만 길다 (매월 2.1백만 길다 소요)

0. 의료단 UAE 파견 : 1백만 길다 (매월 약70만길다 소요)

0. 무기 영국지원 : 35백만 길다

0. 화학무기 방어 장비 및 의약품 터키 지원 : 44.3백만 길다

0. 전선국 지원 : 9.3백만 길다 (91년도 중 55백만길다 추가지원 예정)

0. 전쟁난민 구호 : 15.5백만 길다. 끝.

(대사 최상섭-국장)

중아국	장관	차관	1차보	2차보	미주국	구주국	정문국	청와대
총리실	안기부							

PAGE 1

91.01.23 13:31 FG

외신 1과 통제관

0239

관리번호	91/646

원 본

외 무 부

종 별 :

번 호 : POW-0047　　　　　　　　일 시 : 91 0124 1900

수 신 : 장관(중근동,구이,미북,정일,기정)

발 신 : 주 폴부갈 대사

제 목 : 걸프전쟁(자료응신 6호)

연: POW-0042

1. 주재국 정부는 MARCELLO MATHIAS 정부대변인의 1.24 기자회견 성명등을 통해, 이락의 이스라엘에 대한 공격에 대해 비난한바 있으며, 또 이락이 전쟁포로를 선전에 이용 하는것을 제네바 협정을 명백히 위배한 처사라고 비난하고 있음

2. 그러나 1.24 NOGUEIRA 국방장관이, 상기 정부 대변인은 당지 이락대사관에 대한 감시 조치가 행해 지고는 있으나, 이락 외교관의 추방등 제재조치는 아직고려되고 않고 있다고 밝혔음. 한편 대변인은 당지 이락대사가 망명을 신청했다는 설의 진위를 묻는 기자 질문에 대해 이를 부인 하였음 (이와 관련 당관이 별도 추가 탐문한 바에 의하면 당지 이락대사는 당초 1 월초까지 귀국예정 이었으나, 1 월중 위장계통 신병으로 인해 수술을 받았으며, 현재로서는 2 월경 귀국예정으로돼 있다는바, 동인의 귀국이 이런저런 사유로 지연되고 있는것은 사실로판단됨)

3. 주재국 정부는 최근까지 로마주재 대사가 겸임해온 주 이스라엘상주대사직에 BARBOSA FERREIRA 주 오지리 공사를 임명한 것으로 1.24 밝혀졌으며 이는 최근 친 이스라엘 여론이 환기된 계기를 활용한 처사로도 생각됨. 끝

(대사유혁인-국장)

예고:91.6.30.까지 예고문에 의거 일반문서로 재 분류됨.

검토필(1991.6.30.)

중아국　미주국　구주국　정문국　안기부

PAGE 1　　　　91.01.25　07:30

외신 2과 통제관 BT

0240

외 무 부

종 별 :

번 호 : PDW-0075 일 시 : 91 0125 1025

수 신 : 장관(동구이,미북,정일,기정동문)

발 신 : 주 폴란드 대사

제 목 : 부시대통령 서한(자료응신 제 91-016호)

부시 미대통령은 걸프사태에 대한 미국입장지지(1.8) 및 폴란드 부채탕감(1.11)을 요청하는 주재국 바웬사 대통령의 서한에 대해 최근 아래 내용의 회신을 브내왔다고 함.

1. 걸프사태에 관한 폴란드의 지지와 협력에 대해 감사함.

2. 폴란드의 경제개혁에 필요한 국민적 합의조성을 위해 귀하가 취하고 있는 조치와 확고한 지도력을 찬양함.

3. 금년 늦게 계획되고 있는 의회선거를 앞두고 폴란드 국민들은 현재의 경제적희생이 밝은미래를 약속함을 알 필요가 있으며, 미국은 이와관련, 파리클럽회의와 미.폴 양자간 협의를 통해 폴란드의 공적 부채를 상당부분 탕감코자 노력중이며 그 노력이 성공할 것으로 믿음.

4. 본인은 금년 3월 귀하의 미국 공식방문시 와싱톤에서 만나 양국간의 강력하고지속적인 동반자 관계를 발전시키게 되기를 기대하고있음.끝

(대사 김경철)

구주국 미주국 중아국 정문국 안기부 대책반 당직실 1차보

PAGE 1

91.01.25 21:23 DN

외신 1과 통제관

0241

외 무 부

종 별 :

번 호 : BBW-0070　　　　일 시 : 91 0128 1200

수 신 : 장 관(중근동,구일)

발 신 : 주 벨기에대사

제 목 : 걸프사태

주재국 외무부는 1.23.자 부랏셀 주재전 외교공관에 대한 회람을 통하여 걸프사태관련, 주재국 관계당국은 외국 공관에 대한 안전대책을 강화 하였음을 알리면서아울러 다음사항에 대한 협조를 요청함.

- 모든 유용한 정보제공
- 공관내부 안전 조치강화 시행
- 리셉션, 오(만)찬등 사교행사 자제.

끝.

(대사 정우영-국장)

중아국	장관	차관	1차보	2차보	미주국	구주국	청와대	총리실
안기부	대책반							

PAGE 1

91.01.28 21:45 DA

외신 1과 통제관

0242

원 본

외 무 부

종 별 :

번 호 : BBW-0073 일 시 : 91 0128 1700

수 신 : 장 관(중근동,구일,정일,기정동문,국방부)

발 신 : 주벨기에대사

제 목 : 걸프전쟁 (자료응신 제9호)

1. 1.25. 주재국 정부는 걸프전 관련 다음과 같은 추가 재정지원 조치를 발표함.

0 미국정부가 벨기에 소재 무기 전문 회사인 FNHERSTAL 사로 부터 구매한 자동 소총 (M249-SAW SQUAD)972 정에 대한 구입대금 8천만 BF 상당을 대신 변제

0 시리아에 설치될 베네룩스 적십자사 난민 캠프에 3천만 BF 지원

2. 상기외 금일 현재까지 주재국 정부의 걸프사태 관련 지원 현황을 다음과 같음.

0 배 차원 협력

- 90. 8월말 이래 소해정 2척 지원함

1척 파견 (호르무즈 해협)

- 90. 10월이래 FRIGATE 함 1척 추가 파견

0 NATO 차원 협력

- 91. 1월초 MIRAGE 전투기 18대 (NATO 공군 기동군 소속) 터키 DIYARBAKIR 공군기지 파견

- 91. 1.28. 소해정 1척 (NATO 도버 해협 상주 해군사(STANAFORCHAN) 소속) 지중해 파견

나. 인도주의적 조치

0 91.1.22. 민.군 자원자로 구성된 의료 지원단 50여명 사이프러스 파견

0 영.불 군사 병원장비 지원 (야전 침대 2,800대,앰블런스 1대 지원, 부상병 호송용 항공기 2대 배치)

0 국제 적십자에 대한 대 요르단 난민구제 활동비 3백 5십만 BF 지원

0 기타 난민 수송용 항공기 파견.끝.

(대사 정우영-국장)

중아국	장관	차관	1차보	2차보	미주국	구주국	정문국	청와대
총리실	안기부	국방부						

PAGE 1

91.01.29 02:50 DQ

외신 1과 통제관

0243

외 무 부

종 별 :

번 호 : AVW-0108 일 시 : 91 0128 1800

수 신 : 장관(수신처 참조)

발 신 : 주 오스트리아대사

제 목 : 언론보도(91.1.28)

수신처: 구이,중근동,동구이,경일,통일,정홍,걸프대책본부,청와대외교,기정

1.머리기사

가. DIE PRESSE

-BAGDAD: NEUE WAFFEN GEGEN ISRAEL

-SADDAM WILL DEN KRIEG VERSCHAERFEN

나. DER STANDARD

-SADDAM HUSSEIN DROHT ISRAEL MIT VOELLIGER VERNICHTUNG

-BAGDAD KUENDIGT BALDIGEN EINSATZ NEUER NICHTKONVENTIONELLERWAFFEN AN

2.주요논설

가. DIE PRESSE

제목: KAMPFMITTEL OELPEST

-시청자들은 기름에 덮인 깃털을 흔들며 죽지 않으려고 발버둥치는 물새들, 물가에 놓인 동물들의 시체, 해변에 밀려온 검은 기름 찌꺼기 등을 보았음. 이러한 장면들은 인간의 실수에 의해서 일어나는 환경 오염에 관한 보고가 아님.

이들은 쿠웨이트 해안을 기름으로 물들이려는 이라크의 전략에 관한 전쟁 보고임.

-이 장면들은 연합군의 쿠웨이트 상륙을 어렵게 하려는 실제적인 목적외에도 HUSSEIN 이 궁지에 몰리면 앞뒤를 돌아보지 않고 모든 수단을 동원해서 전쟁을 계속할 것이라는 심리적인 압박을 전 세계에 가하기 위한 것임.

-지구의 환경 보전에 관심 있는 모든 나라들은 이라크의 이러한 전쟁 수단에 대해 항의하기 시작하였음. 그들중 많은 나라들은 이라크의 쿠웨이트 침공에 대해 침묵을 지켰던 나라들이며, 그 후에 비로소 그들의 ''평화선언''이 이라크 독재자에대한 동정의 표시로 해석될수 있다는 사실을 인정하였던 나라들임.

구주국	장관	차관	1차보	2차보	미주국	구주국	중아국	경제국
통상국	정문국	청와대	총리실	안기부	대책반			

PAGE 1 91.01.29 06:58 DA

외신 1과 통제관

0244

-이 나라들에 있어서는 ''기름을 위해서 피 흘리는일은 없을 것'' (KEIN BLUT FUER OEL) 이라는 표어가 금언처럼 회자 되었으나 바로 이 기름이 쿠웨이트 침공을야기 시켰다는 사실은 묵과되었음. 이제 HUSSEIN 에게는 자국민을 포함한 인류의운명 따위는 중요한 것이 아니며, 오랜 기간 동안 엄청난 파급 효과를 가져올 환경 훼손도 전략을 위해서는 주저 없이 이용될수 있다는 사실이 명백히 드러났음.

-뒤늦게야 세상의 모든 녹색파 (GRUENE) 들은 정치적인 선호에 관계 없이 HUSSEIN 에 대항하여 단결하기 시작하였음. 또하 뒤늦게야 세상의 모든 환경 보존 단체들은 그들의 적이 누구라는 사실을 알아 차리게 되었음. 이제 그들은 명확한 한 목소리로 ''HUSSEIN 이 환경 폭탄을 점화시켰다''고 외치고 있음.

나. DER STANDARD

제목: SCHOCKTHERAPIE ODER UMGEWOEHNUNG

-오스트리아 중앙은행과 워싱톤 소재 ''INSTITUTEFOR INTERNATIONAL ECONOMICS''가 공동 주관한 ''CURRENCY CONVERTIBILITY IN EASTERN EUROPE'' 회의에서는 동구의 금융 정책을 놓고 급격한 개혁을 주장하는 충격요법론자 (SCHOCKTHERAPEUTEN)들과 온건하 개혁을 주장하는 점진주의 (GRADUALISMUS) 자들이 첨예히 대립 하였음.

-충격요법 론자들의 ''BIG BANG'' 이론은 영국의 은행과 주식 시장의 경험을 토대로 한것이며 과거 IMF 참여자들도 이를 지지하고 있음. 이에반해 점진주의의 유일한 옹호자는 오스트리아이며 자신의 경험을 문서로 제출하였음.

-설사 이들이 논쟁을 벌이고 있는 동구 화폐의 태환화가 실현된다고 할지라도 국민이 중앙은행의 허가없이 외국은 행의 구좌를 소유하기 까지에는 많은 시일이 소요될것임. 충격론자들과 점진주의자들 간의 기본적인 입장차이는 단순히 화폐의 태환에 관한 것만은 아니며 입장이 공식화된 것도 아님. 그들의 입장차이는 문서로서는 치열하나 실제에 있어서는 크게 상충되는 성질의 것은 아님.

-점진주의자들도 동구 화폐의 태환화 과정이 서구의 경우와는 완전히 다를 것이라는 사실을 인정하고 있으며, 화폐가 자유로이 교환되기 이전에 우선적으로 수입자유화가 실현되어야 한다는 사실을알고 있음. 또한, 충격론자들도 ''완전한 태환화''를 즉 각적으로 요구하고 있지는 않음.

-토론의 주안점은 상품의 수입에 필요한 외화를 정부의 승인없이도 공정환율에매입할 수있는 방안을 여하히 강구할수 있는가에 집중되어 있음.

전반적으로 외환보유고가 부족한 동구 국가들이 자본 거래를 자유롭게 용인하기까지에는 많은 시일이 소요된다는 점을 누구나 알고 있음.

-문제는 숱한 ''좋은 약속''을 남발해온 서구 투자가들이 이윤만 노리는 것이 아니라 얻은 이윤을 다시 재투자할 것이라는 인식을 동구국들에 심어줄수 있느냐에 달려 있음.

(끝)

외 무 부

종 별 :

번 호 : PDW-0086 일 시 : 91 0129 1130

수 신 : 장관(동구이,중동,정일,기정동문)

발 신 : 주 폴란드 대사

제 목 : 걸프사태(자료응신 제 91-18호)

연 : PDW-0061

주재국 외무성은 1.24 당지 이라크대사를 불러 전시군인 및 민간인 보호에 관한제네바 협약, 육상 및 해상에서의 군사작전 수행에 관한 헤이그 협약, 화학 및 생물병기 사용금지에 관한 1925년의 제네바 의정서를 준수할 것을 촉구하고 이스라엘에대한 이라크의 미사일 공격을 규탄하는 폴란드 정부의 입장을 전달하였다고 함.끝

(대사 김경철-국장)

중아국	장관	차관	1차보	2차보	미주국	구주국	중아국	정문국
청와대	총리실	안기부						

PAGE 1 91.01.30 01:25 CG

외신 1과 통제관

0247

외 무 부

종 별 :

번 호 : DEW-0048　　　　　　일 시 : 91 0129 1630

수 신 : 장 관(중근동,구이)

발 신 : 주 덴마크 대사

제 목 : 걸프만 사태(주재국 의료지원)

대: DEW-0030

1. 당지 언론보도에 의하면, 사우디에 파견될 연호 주재국 군의료진 1진 30여명이 1.31. 당지 출발예정임. 동 의료진의 체류예정기간은 3개월이며 상황에 따라 단축, 또는 연장될 것이라함.

2. 한편 HOLSTEBRO 시의 미군병원(병상 200개)도2.9.까지 진료준비가 완료될 것이라함. 끝.

(대사 장선섭-국장)

중아국 안기부	장관	차관	1차보	2차보	구주국	정문국	청와대	총리실

PAGE 1　　　　91.01.30 02:08 DN

외신 1과 통제관

0248

외 무 부

종 별 :

번 호 : HOW-0044 일 시 : 91 0129 1600

수 신 : 장 관(중근동,구일,북미)

발 신 : 주 화란 대사

제 목 : 걸프 사태 (자료응신 제 91-16호)

1.8VAN DEN BROEK 주재국 외무장관은 걸프사태를 협의키 위해 1.28-30 간 미국을 방문, BAKER국무장관 및 의회인사들과 회담을 가질예정임.

미측은 VAN DEN BROEK 장관에게 걸프전 관련 화란측의 군사, 재정, 물자지원을 강화해줄것을 요청할 것으로 관측됨.

2. 1.26(토) 주재국 암스텔담 시내에서 약 1만명의 시민들이 반전 시위를 벌인후 해산함.끝.

(대사 최상섭-국장)

중아국 안기부	장관	차관	1차보	미주국	구주국	정문국	청와대	총리실

PAGE 1 91.01.30 10:03 WG

외신 1과 통제관

0249

외　　무　　부

종　별 :

번　호 : CZW-0075　　　　　　　　일　시 : 91 0129 2050

수　신 : 장 관(중근동 동구이 정일 기정)

발　신 : 주 체코 대사

제　목 : 걸프사태(91-1)

1. 주재국 HAVEL 대통령은 주간 정례 라BUAK 연설을 통해 주재국의 화학무기 대응 군전문가팀 파견은 % 악에 대항하는 조처% 라 하고 대이스라엘 공격, 걸프해 대규모 유류 방류, 유전공격등은 이라크에 의한 국제적 위험 야기행위로서 국제사회의 공동 대응은 올바른 행동이라고 언급함.

2. 주재국 화학무기대응 군사요원 1명이 1.18 총기사고로 사망한 바, 동 시신이 1.28 미군용기편으로 운구, 군 장의식하 프라하 도착함. 끝.

(대사 선준영-국장)

중아국 ㊀ 1차보　구주국　정문국　안기부

PAGE 1　　　　91.01.30　10:28 WG

외신 1과　통제관

0250

관리 번호	91-705

원 본

외 무 부

종 별 :

번 호 : POW-0056　　　일 시 : 91 01301 1900

수 신 : 장관(중근동,미북,구이,정일)

발 신 : 주 폴부갈 대사

제 목 : 걸프전 동향(자료응신 10호)

1. 당지 1.29 주요 일간지 보도에 의하면, ARAFAT PLO 지도자는 최근 주재국 대통령에게 걸프분쟁의 평화적 해결을 위한 개인적 협력을 요청한바 있었다함. 그 결과 SOARES 대통령의 비서실장인 NUNES BARATA 대사는 SOARES 대통령의 명으로 1.29 튜니스로 파견되어 ARAFAT 와 면담한 것으로 파악됨 (SOARES 대통령은 사회주의 연맹 수뇌부 시절 부터 ARAFAT 와 친분이 있은 것으로 알려짐)

2. PLO 는 걸프분쟁 관련, 이락의 편을 들므로서 오히려 그간 INTIFADA 등으로 쌓아왔던 국제적 이미지가 크게 약화된바, 이를 만회키위한 시도의 일환으로주재국 대통령등 국제적인 정계인사 접촉을 시도하는것으로 판단해 볼수있음. 한편 이스라엘은 상기 주재국의 대 PLO 접촉에 불만을 갖고 지켜보고 있는것으로보도됨

3. 폴부갈, 스페인, 이태리, 프랑스의 남구 4 개국의 전문가들은 1.17 주재국 외무성 청사에서 회의를갖고 마그레브 5 개국 (모로코, 알제리아, 튜니지아, 리비아, 모리타니아)과의 협력방안을 협의한바 있으며, 1.18 에는 지중해 안보 및 협력회의(CSCM, DONFERENCE FOR SECURITY AND COOPERATION IN THE MEDITERRANEAN) 창설문제에 대해서 추가 협의한바 있었음

4. 현재로서는 91.2 월말 까지는 CSCM 창설을 위한 기초 문서가준비될 전망 이라하며, 걸프전쟁이 진행되는 와중에서도 지중해 국가간의 협력증진 방안은 꾸준히 외교적 경로 및 전문간 접촉을 통해 모색될것 이라는바, 그간걸프전 문제 관련, 통일적인 대외정책을 제시치 못했던 EC 제국들 중에서, 특히아랍제국과 긴밀한 유대관계를 가져온 남구 국가들은 걸프전쟁후의 문제와 관련, 발언권을 확보해 두고자 여사한 대 아랍권 협력의 강화를 모색할것으로 추정됨. 끝

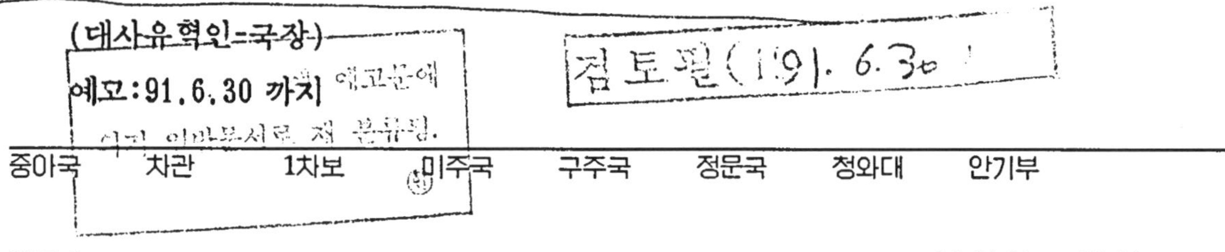
(대사유혁인-국장)

예고:91.6.30 까지

검토필(1991. 6. 30)

중아국　차관　1차보　미주국　구주국　정문국　청와대　안기부

PAGE 1　　　91.01.31 07:54

외신 2과 통제관 BT

0251

외 무 부

종 별 :

번 호 : GRW-0160 일 시 : 91 0201 1050

수 신 : 장 관(구이)

발 신 : 주 희랍 대사

제 목 : 주재국 외상-미국방 공동성명발표

1.SAMARAS 외상은 1.30 BUSH 미대통령면담에 이어 CHENEY 국방장관과 회담을 갖고희.미관계 전반적 문제를 토의했음.

2.상기 두장관 회담후 발표된 공동성명 골자는 아래와 같음.

-아 래-

가.미측은 희랍의 걸프전 지원에 사의를 표함.

나.미측은 희랍 안전강화를위해 이미 몇가지 중요한 조치를 취했음.

(447백만불 차관, 476대의 STINGER 대공미사일 선적, 559 대의 M60 탱크및 300대의 M 113장갑차 인도준비등)

다.미측은 또한 PATRIOT에 관련된 SPECIALARRANGEMENTS 의지원, AIM-9L CAPITIVECARRY MISSILEBODY 인도등 추가 조치를 취할것임.

라.양측은 계속적 군사회담에 동의함.

3.MITSOTAKIS 수상은 금번 SAMARAS의 방미는 기대보다 성과가 컸다고 평가함.끝.

(대사 박남균-국장)

구주국	1차보	미주국	중아국	정문국	청와대	안기부	국방부	총리실

장관 차관

PAGE 1

91.02.01 21:18 BX

외신 1과 통제관

0252

관리번호	91-109

외 무 부

종 별 :

번 호 : DEW-0056 일 시 : 91 0201 1400

수 신 : 장관(중근동,구이,기정)

발 신 : 주 덴마크 대사

제 목 : 걸프사태

1. 1.29. SCHLUTER 주재국 수상은 덴마크는 걸프사태 다국적군 참여국들이 유엔결의안 이행에 대한 경제적 부담이 공평하게 이루어지지 않고 있다고 판단하는 경우, 이를 경청할 준비가 되어있으며 주재국은 2 억 7 천만 크로너까지 부담할 수 있을 것으로 예상한다고 말함.

2. 한편 1.30. 주재국 의회는 대 이락 경제봉쇄를 위해 걸프만에 파견되어 있는 코르벳함. OLFERT FISCHER 호가 전부에 참여할수 있도록 허용하자는 야당 진보당의 제안을 부결시킴. SCHLUTER 수상의 소수연립 정부는 다국적군에 대한 보다 적극적인 참여를 내심 바라고 있으나 최대 야당인 사민당이 이에 반대하는 한 의회 승인이 난망시 되고 있어 아직은 별다른 추가조치를 취하지 못하고 있음. 끝.

(대사 장선섭-국장)

예고:91.6.30 까지

일반문서로재분류(1991. 6. 30.)

중아국 장관 차관 1차보 2차보 구주국 안기부

PAGE 1 91.02.01 23:38

외신 2과 통제관 BW

0253

김

외 무 부

종 별 :

번 호 : HOW-0055 일 시 : 91 0201 1600

수 신 : 장관(구일,미북,정일)

발 신 : 주 화란 대사

제 목 : 외무장관 대외관계 발언 (자료응신 제 91-20호)

1. VAN DEN BROEK 주재국 외무장관은 국회외무국방위에서 걸프전 이후의 EC-미국간 관계악화가 우려된다고 언급하면서, 미국과의우호협력관계 유지를 위해서는 EC 측 의 보다많은 노력이 요구된다고 피력함.

2. 동 장관은 미-EC 간에 세계무역 자유화문제 대해 현재의 대립적인 입장이지속된다면 심각한 통상마찰이 야기될 것이라고주장하는 한편, 금번 방미중 미의회 인사들로 부터EC 국가들의 걸프사태에 대한 제한적 역할로말미암아 미국이 주된 전쟁부담과 인명 피해를 떠맡게 된 점에 대한 비판이 있었으며, 이러한비판은 미국사회의일반적 분위기를 반영한것이라고 부언함. 끝.

(대사 최상섭-국장)

구주국 장관 차관 1차보 미주국 정문국 청와대 안기부 중아국 [illegible]

PAGE 1

91.02.02 03:42 BX

외신 1과 통제관

0254

관리 번호	91-731

원 본

외 무 부

종 별 :

번 호 : POW-0061 일 시 : 91 0201 1900

수 신 : 장관(중근동,미북,구이,정일,기정)

발 신 : 주폴부갈 대사

제 목 : 걸프전 주변동향(자료응신 11호)

연:POW-0056

1. 주재국 대통령은 놀웨이 국왕 장례식 참석 귀로에 1.31 파리에 들러 미테랑 불 대통령과 회담후 동일 당지 귀임함. 연호 BARATA 대통령 비서실장은 1.30(수) 밤 늦게 튜니스에서 가진 ARAFAT PLO 의장과의 면담결과를 파리에서 SOARES대통령에게 보고했는바, 그 내용이 SOARES-미테랑간 회담에서도 거론된것으로 보임

2. 주재국 대통령은 ARAFAT 의장의 걸프평화 중재노력 요청에 대해 BARATA비서실장을 통한 상기 답변에서 이락군의 쿠웨이트에서의 선 철군, 걸프전 휴전, 그에 뒤이은 중동에 관한 국제평화회의 개최를 골간으로 하는 평화 이니시아티브안을 이락쪽에서 받아드릴 경우, 자신이 평화중재에 참여할 의사를 밝혔다 하며, 이에대해 PLO 의장은 후세인과 접촉후 빠른 시일내에 회답을 보내오기로 했다함

3. PLO 측이 굳이 SOARES 대통령의 주선을 요청한 배경은 동 대통령이 미, 이스라엘, PLO 등 금번 분쟁 당사자들과 공히 관계가 좋으며, 폴부갈이 금번 걸프전에 깊이 참여치 않고 있다는점, SOARES 대통령이 SI 의 사절로서 82 년 이스라엘과 PLO 간 레바논 휴전에 협력한점등으로 지적되고 있음

4. 이스라엘 정부는 금번 주재국 대통령의 대 PLO 접촉에 유감을 나타냈고,당지 이스라엘 대사도 1.30 외무성(정무차관보)을 방문, 유감표명 및 진상을 문의한바있음. 당지 이집트 대사도 1.31 외무성을 방문하였으나, 동 대사는 자신의 방문은 폴 정부에 대해 항의키 위한 것이 아니었다고 기자들에게 밝혔음

5. 금번 주재국 대통령의 대 PLO 접촉에 대해서는 주재국 정계 일부에서도 약간의 비판이 있었음. 그러나 SOARES 대통령측은 금번 대 PLO 접촉 사전에 미국및 이스라엘측에 동 사실을 통보했다고 1.31 밝혔음. 주재국 정부는 대통령의 외교

중아국 차관 1차보 미주국 구주국 정문국 안기부

PAGE 1

91.02.02 07:11

외신 2과 통제관 BT

0255

이니샤티브에 대해서는 논평치 않는다는 입장을 견지하고 있으나, 별도로 당지 미 대사관과 긴밀히 접촉하는등, 금번 대통령의 조치를 FOLLOW-UP 하고 있는것으로 탐문됨

6. PLO 는 그간 걸프전 발발위요, 이락의 편을 들므로써 국제적 지지와 동정이 상당히 상실된것이 사실인바, 대 EC 접촉, 대화창구의 존속을 위해서 및 걸프전 평화협상의 중재를 통하 PLO 자신의 이익 강구를 위해서 금번 SOARES 대통령에 대해 접근한 것으로 분석됨. 한편 압도적 지지로 금 1 월초 대통령 재선에 성공한 SOARES 대통령은 자신의 좋은 국제적 이미지를 바탕으로 걸프사태에 관한 EC 및 자국의 기본 정책을 일탈치 않는 범위내에서 가능한대로 걸프 평화 모색에기여코자, 금번 대 PLO 접촉을 수락한것으로 생각됨. 본건관련 특기 동향 탐문되면 추보 하겠음. 끝

(대사유혁인-국장)

예고:91.6.30 까지 에 예고문에 의거 일반문서로 재 분류됨.

토필(1991.6.30.)

0256

길

외 무 부

종 별 :

번 호 : HOW-0059 일 시 : 91 0204 1700

수 신 : 장 관(중근동,구일,미북)

발 신 : 주 화란 대사

제 목 : 걸프 사태 (자료응신 제 91-22호)

LUBBERS 주재국 수상은 퀘일 미부통령이 이락이 화학무기를 사용할 경우, 핵무기 사용을 배제할 수없다고 발언한데 대해 반대입장을 표명함.

동 수상은 걸프전의 조속한 해결을 바라지만 핵무기 사용보다는 인내와 끈기로 대처하는 것이좋을 것이라고 언급함. 한편, 주재국 주요정당들도 핵무기 사용에 반대하는 입장을 표명하고 있음.끝.

(대사 최상섭-국장)

중아국	장관	차관	1차보	2차보	미주국	구주국	중아국	정문국
정와대	총리실	안기부						

PAGE 1

91.02.05 09:25 WG

외신 1과 통제관

0257

원 본

외 무 부

종 별 :

번 호 : CZW-0091 일 시 : 91 0204 1930

수 신 : 장 관(중근동 동구이 정일)

발 신 : 주 체코 대사

제 목 : 걸프사태(91-5)

1. 2.3 당지 관영통신 은 주재국 WAGNER 외무차관과 당지 AL-MUTLAK 이라크대사는양국관계및 체코내 이라크 국적인 체류와 관련된 문제들을 협의하였다 하고 이라크측은 체코내 이라크인들이 체코시민의 생명과 안전을 위협하는 행위에 일체 관련하지 않을 것임을 확약했다 고 보도함.

2. 주재국내에는 이라크 외교관, 군사기관에서 훈련중인 이라크군 일부가 체류중인바, 주재국측은 이라크측은 이라크대사를 초치, 이들이 테러행위 기타 체류목적외 불법행동을 하지않도록 이라크측의 주의를 촉구한 것으로 보임.

3. 한편 당지 HOSSEINI 이란대사는 주재국 DIENSTBIER 외무장관에게 걸프전 관련, 이란의 엄격한 중립 유지입장을 표명한 것으로 보도됨.끝.

(대사 선준영-국장)

국기국	장관	차관	1차보	2차보	구주국	중아국	정문국	청와대
총리실	안기부							

PAGE 1 91.02.05 09:32 WG

외신 1과 통제관

0258

외 무 부

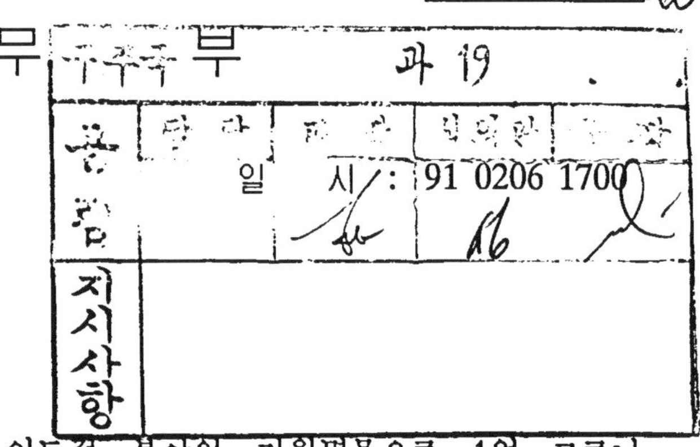

종 별 :

번 호 : NRW-0106

수 신 : 장 관(구이,기정동문)

발 신 : 주 노르웨이대사

제 목 : 걸프지원

1.주재국은 걸프 전쟁과 관련하여 인도적 분야의 지원명목으로 1억 크로나 원조계획을 수립, 집행중인것으로 알려짐. 이중 18.6백만크로 나는 전쟁지역 난민구호, 이동야전병원운영, 터키와 가자 및 웨스트뱅크지역 팔레스타인인에 대한 가스마스크지원을 위해 이미 집행중이라 함. 이락의 쿠웨이트점렴이후 주재국이 걸프사태와 관련하여 지출한 군사적, 인도적 지원액은 모두 10억 크로나를 넘는것으로 나타났음

2.주재국은 사우디에 야전병원을 설치하기로 결정, 이에 따라 의료진 140명이 2.5.HOLST국방장관의 환송을 받으며 당지를 출발하였음. 이들은 3개월씩 근무하고 귀국, 교대하는 것으로 알려짐. 주재국은 걸프전쟁에 직접 군사적 참여는 하지않으나 인도적 분야 지원은 적극적으로 참여하겠다는 입장을 보이고 있음.끝

(대사 김병연-국장)

구주국 장관 차관 1차보 2차보 중아국 정문국 청와대 총리실 안기부

PAGE 1

91.02.07 07:27 WH

외신 1과 통제관

0259

외 무 부

구주국		과 19	.	.
고	담 당	과 장	심의관	국 장
지시사항				

종 별 :

번 호 : DEW-0077 일 시 : 91 0208 1700

수 신 : 장 관(중근동,구이,기정)

발 신 : 주 덴마크 대사대리

제 목 : 걸프사태

1. 2.8. 당지 POLITIKEN 지는 주재국 정부가 최근 영국정부에 대해 걸프 전쟁에서 필요한 군수물자 내역을 주재국에 알려줄 것을 요청했으며, 이는 그동안 걸프사태 전비 부담을 놓고 주로 독일에 대해 불만을 표시해 온 영국이 주재국에 대해서도 비슷한 불만을 표시한데 대한 주재국의 반응이라고 보도하고 주재국 정부는 걸프사태에 대한그 간의 소극적 자세를 재검토하기 시작했다고 분석함.

2. 동지는 주재국이 영국에 군수물자를 제공하는 경우 주로 탄약이 될것으로 보도함.

끝.

(대사대리-국장)

중아국	장관	차관	1차보	2차보	미주국	구주국	정문국	정와대
종리실	안기부	대책반						

PAGE 1

91.02.09 06:22 DA

외신 1과 통제관

0260

관리 번호	91-281

원 본

외 무 부

길

종 별 :

번 호 : POW-0077 일 시 : 91 0208 1900

수 신 : 장관(미북,중근동,정홍,구이)

발 신 : 주 폴투갈 대사

제 목 : 걸프전 다국적군 지원

대:AM-0029,30

1.2.6 자 당지 일간 O COMERCIO DO PORTO 지는 8 면에 -서울, 지원약속 이행-제하, 아국의 연합통신 보도를 인용, 2.4 이상옥 외무장관의 외무통일위 보고내용 언급등, 아국의 2 차에 걸친 걸프 다국적군 지원조치에 대해 특별 논평없이상보하였음. 기타 언론보도는 아직까지 별반 없었음

2. 당관 주참사관은 2.5 주재국 CARDOSO 아주국장 면담시 아국의 걸프 다국적군 지원참여 현황을 상세 설명해준바, 주재국측은 동 설명에 사의를 표하고, 아국의 지원은 매우좋은 조치로 생각한다는 반응을 보였음. 끝

(대사유혁인-국장)

예고:91.6.30 까지

예고문에 의거 일반문서로 재분류19 91.12.31.

미주국	장관	차관	1차보	2차보	구주국	중아국	정문국	청와대
안기부								

PAGE 1 91.02.09 07:16

외신 2과 통제관 FE

0261

주 포 르 투 갈 대 사 관

주폴(정)700- 40　　　　　　　　1991. 2. 8

수신 : 장 관

참조 : 중동아프리카국장, 구주국장, 미주국장

제목 : 걸프전 관련 동향

(자료응신 제 17 호)

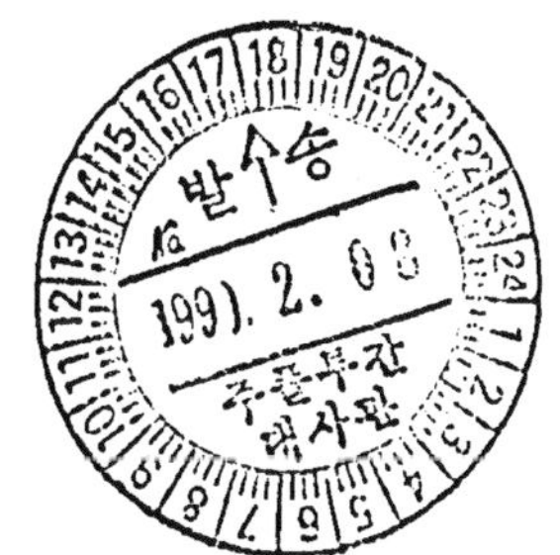

연 : POW-0061, 참조 : ECW-0123

1. EC 외무장관회의는 91.2.4의 회의에서 걸프전 관련된 제반 보의 및 결정을 내리는 가운데, PLO의 대이락 지원과 관련하여, EC의 대PLO 접촉관계를 동결시키기로 하였읍니다.

2. 동 회의에서 연호 PLO Yasser Arafat 의장의 주재국 Mario Soares 대통령에 대한 접촉과 이에 대한 Soares 대통령의 조치(Barata 비서실장을 튜니스 파견, Arafat에게 친서 전달)는 보의되지 않았다고 합니다. 그러나, 그간 EC 집행위와 EC 일부 국가수도에서는 Soares 대통령의 대 PLO 접촉 과정에서, EC 여타 국과와 사전 협의가 없었다는 점에서 비판적 의견이 제시되었던 것으로 알려지고 있읍니다.

3. 상기 EC 각료회의의 대 PLO 관계 동결조치로 인해 주재국내에서 Soares 대통령의 대PLO 접촉에 대한 찬,반 시비가 한동안 계속되고 있읍니다.

09738

0262

주재국 Cavaco Silva 수상은 Soares 대통령의 외교 이니시아티브에 대해서는 논평치 않는다는 입장을 취하고 있으며, 주재국의 입장은 EC제국의 공동입장과 같다는 입장만을 표명하여, 대통령의 이니샤티브와는 상당한 거리가 있음을 시사하고 있으며, Deus Pinheiro 외상은 또 Soares 대통령 이니샤티브에 대한 시비의 파장을 극소화시키려는 노력도 보이고 있읍니다.

5. 상기 대통령의 조치를 위요한 주재국내의 외교정책 시비는 이원 집정제적 정부체제하에서 발생될 수 있는 문제이기도 하나, 다른 한편 전통적으로 가급적 분쟁 당사자들과의 균형된 관계를 유지 하려해온 주재국의 외교전통에서 비롯된 것으로도 보여지고 있읍니다.

6. 한편 주재국내 마그래브권 대사들(이집트, 리비아, 튜니시아, 모로코)은 공동으로 EC 제국에 대한 공동외교 Demarche의 일환 으로 2.1 Deus Pinheiro 외무장관을 예방하고, 걸프전 문제와 전후 문제를 협의했으며, Pinheiro 외상은 걸프전이 종식되는대로 중동문제토의를 위한 국제평화 회의를 개최하자고 제시하였읍니다. 또 주재국은 지중해 역권의 안녕과 협력증진을 위해 CSCE와 같은 지역 평화회의의 추진 필요성도 강조한 것으로 알려지고 있읍니다.

끝.

주 포 르 투 갈 대 사

0263

관리 번호	91 - 765

원 본

외 무 부

종 별 :

번 호 : POW-0081 일 시 : 91 0211 1900

수 신 : 장관(중근동,구이,미북,정일,기정)

발 신 : 주 폴투갈 대사

제 목 : 걸프전 주변동향(자료응신 18호)

연: 주폴정 700-40

1. 주재국은 작주 당지 이락대사관 외교관중 아타쉐 JASSIM HEMADI, SUDHI ABOSSH, ALI SEKAR 3 인을 추방조치함. 상기 HEMADI, ABOOSH 2 인은 이락 정보기관 요원으로 알려짐

2. 주재국 정부는 동 추방생을 공식 발표하지 않았으나, 주재국 주간지인 OINDEPENDENTE 지의 2.8 보도를 통해 처음 알려지게됐음. 동 보도관련, 기자들의 해명요청에 대해 주재국 정부는 이를 공식적인 추방조치라고 까지는 확인하지않고, EC 의 대 이락제재조치에 병행, 당지 이락공관 인원감축 조치를 취한것 이라고만 밝혔음. 상기 주재국 조치는 미, EC 제국의 압력에 따라, 당지 이락공관원중 위해 요소가 있을수있는 인물들을 선정, 추방한것으로 판단됨

3. 주재국 정부가 상기 추방조치 발표를 삼가한것은 전통적으로 좋은 관계를 유지해왔던 이락에 대한 자극을 피하려는 이외로도, AL-WANDAWI 이락대사(와병 이유로 본국 소환불응 및 제 3 국 망명설 유포)의 처리문제와 관련한 매우 미묘한 입장에서 비롯된것으로 탐문되고 있음

4. 당지 이락대사관은 2.8 자로 AL-WANDAWI 대사(90.1.5 당지부임)의 당지 임기 만료를 외무성에 공식 통고했으며, 또 2.6 자 당지 외교단앞 공한에서 상기인의 이임통고를 행한바 있는바, 동대사는 제반 정황으로 보아 제 3 국에서 망명신청 내지 귀국거부 상태중인것으로 추정됨. 끝

(대사유혁인-국장) 검토필(1991.6.30.)

예고:91.12.31 까지

중아국 장관 차관 1차보 미주국 구주국 정문국 안기부 청와대

PAGE 1

91.02.12 06:16

외신 2과 통제관 EE

0264

7h

외 무 부

종 별 :

번 호 : AVW-0176 일 시 : 91 0213 1600

수 신 : 장관(구이,중근동,걸프대책본부,청와대외교,기정)

발 신 : 주 오스트리아 대사

제 목 : 구난 전차 수송

연:AVW-0154

1.연호 구난전차 103대중 일부인 26대가 화차 2량에 실려 작 2.12. 독일로부터주재국 남부 지방인 TIROL 을 거쳐 이태리로 수송되었음. 오스트리아 내전 철도 구간에 걸쳐 헬리콥터와 헌병을 동원한 엄중 경호속에 실시된 제 1차 수송에 이어 추가수송이 있을 것으로 예상되고 있음.

2.구난 전차 수송에 반대하는 데모대는 수차에 걸쳐 이를 저지하기 위한 물리적시도를 행하였으며, 동결과 녹색당 소속의 TIROL 주 의원 FRANZKLUG, INNSBRUCK 시의원 RAINER PATEK 등을 포함약 100명이 체포되었음.

3.WALDHEIM 대통령은 ''DIE PRESSE'' 지와의 단독 인터뷰를 통해 중립이나 무기수송에 관한 건설적 토론은 환영하나, 결정은 국회와 정부의 소관 사항이므로 일단결정된 사항에 대해서는 국민이 따라 주기를 희망한다고 말하고, 구난 전차의 수송은 유엔 회원국으로서의 의무 준수와 유엔결의를 준수할 목적으로 개정된 전쟁 물자법에 따라 행해진 합법적 조치라고 언명하였음.

4.한편, 지난 2.10. 영국 정부는 탄약 수송기의 오스트리아 영공 통과를 주재국정부에 요청하였으나 LOESCHNAK 내무장관의 모호한 태도로 항공 노선을 제 3국 경유로 변경한 것으로 알려져 논란이 일고 있음. MOCK 외상은 외무성,국방성 및 수상실모두가 영국의 요청을 수락키로 결정하였음에도 불구하고 LOESCHNAK 가 이를 거부한것은 명백한 월권 행위라고 비난하였으나, VRANITZKY 수상은 LOESCHNAK 가''부처간의 협조를 깨뜨리거나 망설이는'' 행동을 하지 않았다고 옹호하고 있어 귀추가 주목됨.

5.주재국 정부는 영국의 추가 요청에 대비하여 금주말 절차적인 사항에 관해 영국 정부와 협의 할 것이라고 함.끝

구주국 V장관 차관 1차보 2차보 미주국 V중아국 정문국 청와대
총리실 안기부 V대책반

PAGE 1

91.02.14 02:45 DQ

외신 1과 통제관

0265

외 무 부

종 별 :

번 호 : AVW-0191 일 시 : 91 0218 1815

수 신 : 장관(수신처참조)

발 신 : 주 오스트리아대사

제 목 : 언론보도 (91.2.18)

수신처: 구이,중근동,정홍,걸프대책본부,청와대외교,기정)

1.머리기사

가. DIE PRESSE

-AKKORD BUSH-GORBATSCHOW UEBER BODENANGRIFF?

-ERST KREML-GESPRAECH MIT IRAKS AUSSENMINISTER

나. DER STANDARD

-VOR START DER BODENOFFENSIVE BAT GORBATSCHOW UM AUFSCHUB

-FRANKREICHS AUSSENMINISTER:WIR KENNEN DAS DATUM DES ANGRIFFS

2.주요논설

가. DIE PRESS

제목: DREHSCHEIBE MOSKAU

-일견 지금 상황은 걸프전이 발발하기 며칠전의 상황과 흡사함. 그때도 전쟁을막아보려는 막바지 협상이 있었으나 결과는 없었음. AZIZ는 사담의 강경 입장만을되풀이 했을뿐이었고, CUELLAR 사무총장은 바그다드 방문에서 소득없이 돌아 왔었음.오늘 AZIZ 와 고르바쵸프 회담도 아무런 성과 없이 끝날 것인가?

모든 일에는 양면이 있음. 전쟁이 시작된 이후 상황은 많이 바뀌었음. 사담의 군대는 형편없이 두들겨 맞았고 이라크는 사실상 패배한 것이나 마찬가지임. 사담이연합군의 지상전 개시를 두려워 할 이유는 얼마든지 있음. 양측의 사상자가 막대할 것으로 예상되는 지상전이 일단 시작되면 이는 궁극적으로 사담과 그의 정권과 군대의 몰락을 의미함. 선택은 쿠웨이트에서 스스로 물러나든지 아니면 쫓겨 나든지 둘밖에 없음.

-사담은 이를 알고 있음. 바로 그 매문에 그의 특사 AZIZ 는 고르바쵸프 와의회담

구주국	장관	차관	1차보	미주국	중아국	정문국	청와대	총리실
안기부	대책반							

PAGE 1 91.02.19 21:34 DA

외신 1과 통제관

0266

에서는 실현 불가능한 전제 조건들을 포기할 것으로 예상됨. 고르바쵸프도전쟁의 방향을 바꿀수 없다는 것을 알고 있음. 왜냐하면 미국은 BAKER- BESSMERTNYKH회담에서 소련에게 걸프전 이후의 신질서 구축에 대한 참여를 보장했기 때문임. -연합군은 건재해있고 부쉬- 고르바쵸프 약속도 건재해 있음. AZIZ 가 이러한사실들을 명확히 깨달을수록 전쟁이 곧 끝나리라는 희망을 강하게 걸어 볼수 있음.나. DER STANDARD

제목: GOLFKRIEG: WARUM SO LANGE?

-지난 몇주만큼 사담과 히틀러가 빈번히 비교된 적은 없음. 이라크의 면적은 434,128 KM2 로서 당시 독일의 면적과 비슷함. 31년 히틀러가 정권을 잡았을때 독일의 면적은 468,718 KM2 였음. 히틀러가 자르지방, 오스트리아, 주데테 및 메멜지역을 병합한 후의 소위 ''대독일'' 면적은 현 이라크 면적의 3분의 4 정도 였음. -지도상의 축척은 가끔 혼란을 일으키게 함. 유럽의 중앙으로 부터 멀어질수록면적은 작게 보임. 실제로는 사담의 엘리트 부대가 쿠웨이트내 벙커속에 포진하고있는 면적만 해도 NIEDEROESTERREICH 만함. 많은 사람들은 이라크가 세계에서 가장 강력한 군사력을 가진 미국과 연합군에 맞서 버틸수 있는 사실에 대해 의아심을가질지 모르나 사담이 군사를 요소 요소에 배치해 놓은 면적의 광대함과 이에 따른 연합군측 폭격의 분산을 생각해보면 이해가 갈것 임.

-또 하나 간과하기 쉬운사실은 전쟁의 초기 단계에는 전쟁전 부터 비축해놓은물자를 가지고 싸운다는 사실임. 8년간이나 전쟁에 익숙해 있었고 총생산의 삼분의일 (86년 32프로) 가량을 군비로 사용하는 나라 (세계 평균은 약 5.4프로)의비축이 어느정도 되리라는 것은 짐작할수 있음. 86년 통계로 이라크의 국민 일인당군사비용은 1,060 미불로 오스트리아 (191 미불)의 다섯배 반이 넘으며 거의 미국 (87년 1,215 미불)과 맞먹는 정도임. 게다가 사담은 국민의 내핍을 강요한데서 나오는 추가 요자금을 외국으로 부터의 군사물자 도입에 사용해 왔음.

-장기적으로 보면 소모된 병력을 보충하고 소진된 군사물자를 충전할수 있는 인적.경제적 재생산 능력이 전쟁의 승패를 결정한다는 사실을 알수 있음. 이런 점에서 이라크는 비록 89년에 성인 남자의 절반인 백만 내지 이백십이만 오천명을 무장 시켰으나 인구 비율로 15배, 총생산으로 120배나 되는 미국과 싸워서 승산은 없음.

-그러나, 일차대전 때의 동맹국, 이차대전 때의 추축국들도 장기적으로는 승산이 없었음에도 불구하고 우세한 적 (특히 각각 1917.4.2 및 1941.12.8 미국의 참전 이후)에 맞서서 싸웠으며 1914-18년간 3.39백만, 1939-45년간 4.65 백만명이나 되는

병력의 손실에도 불구하고 마지막 항복할 때까지 끝까지 싸웠음.

-사담은 두가지 교훈을 얻어야 함. 첫째는, 충분한 준비와 전력의 균형이 지배하는 과도기간이 짧을수록 또한 적과의 경제력의 불균형이 클수록 사담에게는 오히려 약이 된다는 사실임. 둘째는, 아무리 견고한 요새로 전쟁이 계속되면 지탱하지못한다는 사실임. 만리장성, 로마의 LIMES, 마지노선 및 대서양 장벽 모두 무너졌음.문제는 사담이 역사의 가르침을 알고 있느냐 하는 것임.

(끝)

원 본

외 무 부

종 별 :

번 호 : DEW-0088 일 시 : 91 0218 2210

수 신 : 장 관(중동2,구이,기정)

발 신 : 주 덴마크 대사대리

제 목 : 주재국의 걸프전비 부담

연:DEW-0077

1. 2.15 주재국 의회는 걸프전쟁에서 막대한 부담을 지고있는 영국에대해 현금 1억 크로너 (약1800만불) 의 지원을 결정하였으며, 그러나 동 금액은 인도적 목적에만 사용되어야 한다고 조건을 명시함. 의회는 또한 이스라엘점령지역내 팔레스타인인들에 대한 방독면 2만개와 이스라엘에대한 6백만불 상당의 의료품 지원도 승인하였음.

2. 주재국 정부는 영국이 지난 2.7. 연합국 전비부담에 비협조적인 나라로 베네룩스 3국과 함께 덴마크를 지칭, 비난함에 따라 영국에대해 지원 희망내역을 타진한바 있으며, 이에대해 영국은 현재 걸프만과의 수송을 위해 덴마크 회사로 부터 빌려쓰고 있는 선박 6척의 6개월 용선비용 3억크로너를 지원 요청하였음. 그러나 주재국의회에서 사민당등 야당이 군사목적과 관련되는 일체의 원조제공에 강력 반대함에 따라 금번 제공되는 1억 크로너는 영국군 야전병원및 부상자 후송등 인도적 목적에만쓰이도록 제한됨.

3. ELLEMANN-JENSEN 외무장관은 상기 지원이 영국에 대한 덴마크의 연대의식을 잘 나타낸 것이라고 평가하였으며, SCHLUTER 수상은 이로서 주재국이 걸프사태와 관련하여 총 10억 크로너의 비용을 부담하게 되었다고 말함. (코르벳함 1척파견, 의료진30여명 파견, HOLSTEBRO 시에 미군야전병원 개설, 걸프지역 난민지원등 포함)

4. 그러나 금번 원조 결정에 있어 주재국 정부측은 여소야대의 정치 현실상 가능한 범위내에서 최선의 지원을 끌어냈다고 평가하고 있는데반해 영국은 액수및 그 사용목적의 제한에대해 매우 실망하고 있는 것으로 당지 언론은 보도하고 있음.

(대사대리-국 장)

중아국	장관	차관	1차보	2차보	미주국	구주국	중아국	청와대
총리실	안기부							

PAGE 1

91.02.20 06:12 CG

외신 1과 통제관

0269

외 무 부

종 별 :

번 호 : SDW-0142 일 시 : 91 0219 1700

수 신 : 장관(구이,중동,기정,국방부)

발 신 : 주 스웨덴 대사

제 목 : 이락 외교관 추방 (언론보도 종합)

1. 주재국 외무성은, 외교관 직분에 벗어난 활동을 하였다는 이유로, 이락 외교관 4명을 추방조치 하였는바, 이들은 지난 2.15 주재국을 떠났음.

2. 이들 4명은 스웨덴 거주 이락인 피난민 들에 대하여 스파이 행위(감시)를하였을 뿐만 아니라 이들에 대하여 압력을 가해 왔었음.

3. 한편 스웨덴 경찰은 2.16 당지 이락 대사관에서 회의를 마치고 나오는 20명의 이락인을 테러계획 혐의로 연행 조사후 전원 석방 하였는바, 당지 이락 대사대리는 2.18 이들이 연합군 폭격 매문에 거정되는 본국의 가족의 안부를 묻기위해대사관에 찾아 왔던 것이라고 설명하면서, 테러 음모설에 부인 하였음.

끝

(대사 최동진-국장)

구주국	장관	차관	1차보	2차보	미주국	중아국	정문국	청와대
총리실	안기부	국방부	대책반					

PAGE 1

91.02.20 06:31 DA

외신 1과 통제관

0270

외 무 부

종 별 :

번 호 : SDW-0140 일 시 : 91 0219 1700

수 신 : 장관(중동,구이,미북,기정)

발 신 : 주 스웨덴 대사

제 목 : 놀틱, 카나다 외상회의

1. 스웨덴, 핀랜드, 놀웨이등 놀딕 3국 외상과 CLANK 카나다 외상이 2.19 스톡호름에서 회의를 갖고, 걸프전 종료후 대책에 관하여 토의할 예정인바, 동회의에서의 이락의 철수방법은 물론, 철수후의 평화 유지군 및 군사 감시요원 문제, 피난민 및 철수자 원조문제 등도 토의할것임.

2. 놀딕제국은, 유엔이 이락의 쿠웨이트 철수 이후의 대책을 조속히 강구 하도록, 지난 1월 초순, 유엔 사무총장에게 요청한바 있음.

끝

(대사 최동진-국장)

중아국 1차보 미주국 구주국 정문국 안기부

PAGE 1

91.02.20 06:33 DA

외신 1과 통제관

0271

원 본

외 무 부

종 별 :

번 호 : DEW-0093 일 시 : 91 0220 1730

수 신 : 장 관(중동2,구이,기정) (사본:주 싱가폴대사-직송필)

발 신 : 주 덴마크 대사대리

제 목 : 주재국의 팔레스타인 방독면 지원

연:DEW-0088

1. 당지 언론보도에 의하면 주재국은 연호 방독면 2만개(총 1,340만 DKR 상당)를UNWRA(유엔 팔레스타인 난민구호 기구)를 통해 이스라엘 점령지역내 팔레스타인 난민들에게 제공 할 것이라함.

2. 주재국은 당초 주재국 민방위 기관에서 오랫동안 비축해 온 상기 방독면을 이스라엘에 지원하려 했으나 이스라엘은 동 방독면이 규격에 안맞는다는 이유로(제조후 19 년 이상 경과) 이를 사절 하였음. 한편 당지 주재 이스라엘 대사는 UNWRA 를 통한 주재국의 팔 난민 방독면 지원을 방해하지 않을 것이라고 말함.

3. 주재국은 이미 터키에도 방독면 4만 5천개를 지원한 바 있음. 끝.

(대사대리-국장)

중아국 1차보 구주국 안기부

PAGE 1

91.02.21 05:01 DQ

외신 1과 통제관

0272

관리 번호	91-876

외 무 부

종 별 :

번 호 : IDW-0031 일 시 : 91 0222 1530

수 신 : 장관(구일,정이,중근동)

발 신 : 주 아일랜드 대사

제 목 : 주재국 동향

연:IDW-0030

당관 유참사관은 2.21(목) 외무부 S. WHELAN 아태국장과 연호 면담시, 주재국의 대 아세아 지역 국가와의 관계증진, 남북한 관계 및 걸프사태등에 대한 의견 교환이 있었는 바 동 국장의 발언 내용은 아래와 같음.

가. 주재국은 아세아국가들과의 협력관계 강화가 긴요함을 신식하고 있었으나 90 년중에는 EC 의장국 및 TROIKA MEMBER 가 되어 사실상 대외관계 업무의 주된 부분이 EC 관련 업무가 차지하였음. 아세아 지역 주요 국가들과의 관계증진을 위해 90.9. COLLINS 외무장관이 한국을 방문한데 이어 금년에는 중국, 인도 및 일본 방문을 추진한 결과 2.21.-25. 간 동 장관이 인도를 방문중이며 5 월 중순 일본 방문이 있을 것으로 보임.

나. 북한이 금년중 정부차원에서 주재국을 접근 시도한 사실을 없는 것으로 알고 있음.

다. 걸프사태와 관련 전선국 및 ALLIED FORCES 에 대한 한국의 지원은 내용과 규모면에서 매우 GENEROUS 한 것으로 보임.끝.

(대사 민형기-국장)

예고:91.12.31. 일반

91.6.30. 일반

구주국	장관	차관	1차보	2차보	중아국	정문국	청와대	안기부

PAGE 1 91.02.23 02:30

외신 2과 통제관 DO

0273

원 본

외 무 부

종 별 :

번 호 : NRW-0151 일 시 : 91 0225 1710

수 신 : 장 관(구이,중동,기정동문)

발 신 : 주 노르웨이 대사

제 목 : 걸프 지상전 주재국 반응

국 장

1.STOLTENBERG 주재국 외무장관은 2.24.연합군의 지상전 돌입에 대해 전적인 지지를 표명하였음.동장관은 이락과 사담후세인이 걸프전쟁을 평화적으로 해결할 의사가 없음을 스칸디나비아 국가와 더불어 규탄한다고 덧붙혔음

2.동장관은 유엔측으로부터 노르웨이가 장차걸프지역의 OBSERVATION CORPS 에 참여하도록 요청받았음을 밝히고 주재국 국방부는 11명의 장교를 48시간이내에 파견할 태세를 갖추고 있다고 말하였음.동장관은 또한 걸프지역에 평화유지군을 파견하여주도로 요청받으면 이를검토할 의향이 있음을 아울러 암시하였음.끝

(대사 김병연-국장)

구주국 장관 차관 1차보 2차보 중아국 정문국 청와대 총리실 안기부

PAGE 1

91.02.26 09:22 WG

외신 1과 통제관

0274

원 본

외 무 부

종 별 :

번 호 : SDW-0166 일 시 : 91 0225 1800

수 신 : 장 관(미북,중근동,구이,기정)사본:국방부

발 신 : 주 스웨덴 대사

제 목 : 걸프 지상전 반응

1. 걸프지상전 개시에 대해 CARLSSON 수상은, 2.24당사자간에 평화적 해결을 보지못한 것은 매우 유감스럽다고 공식 논평하였으며, SCHORI외무차관은 이락측이 안보리 토의시에 그들의 뜻을 분명히 하지 않았는바, 확전의 책임은 이락측에 있으며, 이락의 쿠웨이트 유전 방화 및 쿠웨이트인들에 대한 고문, 처형등 보도가 사실이라면 이는 극히 험오할일이며, 확전에 대한 좋은 사유를 제공하는것이라고 언급함.

2. 각 정당 수뇌들도 한결같이 유감을 표시하였으나, 보수, 자유, 중앙당은 확전의 책임이 이락측에 있다고 비난한 반면에, 공산, 환경, 양당은 미측의 조급한 지상전개시를 비난하였음.끝

(대사 최동진-국장)

미주국	장관	차관	1차보	2차보	구주국	중아국	청와대	총리실
안기부	국방부							

PAGE 1

91.02.26 09:37 WG

외신 1과 통제관

0275

외 무 부

종 별 :

번 호 : AVW-0236 일 시 : 91 0226 1930

수 신 : 장 관(구이,동구이,동구일,중근동,정홍,대책본부,청와대외교,기정)

발 신 : 주 오스트리아 대사

제 목 : 언론보도(91.2.26)

1.머리기사

가. DIE PRESSE

-ALLIIERTE BESCHLEUNIGEN OFFENSIVE GEGEN DIE IRAKER

-ZAHLREICHE TOTE BEI SCUD-AUGRIFF AUF US-CAMP

나. DER STANDARD

-DIE ENTSCHEIDUNGSSCHLACHT UM KUWAIT WIRD VIER TAGE DAUERN

-US-SOLDATEN BEI SCUD-ANGRIFF GETOETET:SCHON 517 OELGUELLENBRENNEN

2.주요논설

가. DIE PRESE

제목: BLITZKRIEG OHNE ENDE

- 지난 주말 시작된 전격전 (BLITZKRIEG) 에 대한 소식은 연합군의 작전이 성공적으로 수행되고 있다는 낙관적인 뉴스들로 가득 차있음. 우리는 이와 같은 소식들을 지난 1월17일에도 경험한바 있음. 우리는 이와 같은 소식들을 지난 1월 17일에도 경험한바있음. 군당국은 폭격기의 높은 명중률을 선전했으며 CNN 특파원은 이라크는 내일이 다시 없을 것같이 보도하였음. 전쟁이 장기화하고 희생자가늘것 같다는 미국 대통령의 경고에도 불구하고 개전초 며칠동안의 들뜬 분위기는 전쟁이 빨리끝나지 않는 것을 의아하게 여기는 여론을 불러일으켰음.

- 지상전이 시작된 지금의 상황도 지난번과 비슷함. 미 군사 당국은 전략적인 동기에서 언론보도를 통제하고 있으며 사실을 정확히 알지못하는 언론은 작전이 성공적이라는 가정하에 초기성과를 도취적으로 보도하고 있음.

- 지상전은 이제 시작일 뿐이며 희생자가 늘어날 전투가 계속될 것이라는 워싱턴과의 리야드의 경고는 너무 늦게 나왔음. 쿠웨이트 관영통신은전격전

구주국	장관	차관	1차보	2차보	구주국	구주국	중아국	정문국
청와대	총리실	안기부	대책반					

PAGE 1 91.02.27 09:59 WG

외신 1과 통제관 ·

0276

(BLITZKTIEG), 전 격성과 (BLITZFOLG) 및 전격승리 (BLITZSIEG) 라는 표제하에 쿠웨이트가 이미 해방되었다는 오인 보도까지 감행하였음.

- 이라크군의 대량 부항이 지속되어 미 합차의장이 말한대로 전쟁이 3-4일만에 끝나기를 바람. 피할수 있는 희생을 줄이는 것이 우선되어야할 것임.세계는 군사당국과 언론이 이미 오래전에 축배를 든 전쟁이 왜아직까지 끝나지 않는가에 대하여 의문을 가지고 있음.

나.DER STANDARD

제목: ARMEEN OHNE PAKT

- 책임은 다시 독일로 돌아 왔음. 55년 서독이 NATO 에 가입하였을 때 제국주의의 침공을 저지한다는 명목으로 소련의 제의에 의해 바르샤바조약이 체결되었음. 90년 10월 부침 속에서도 동맹은 유지되어왔으나 독일의 통일과 이에따른 동독의 탈퇴로 마침내 6개 잔류국 외상들은 군사동맹의 해체를 의결하였음.

- 동맹은 결성되었다가 해체되는 것이 다반사임.적군은 아직 잔류하고 있음. 적군은 헝가리, 체코, 폴랜드의 해빙이 보여주는 것과 같은 지킬수 없는 영토만 포기하였음. 바르샤바조약기구의 해체는 89년 혁명이후 초강대국들이 구축한 새로운 세계 질서의 논리적 결과임.

- 유럽에서의 긴장완화를 천명한 89년 12월 부쉬와 고르바쵸프간 몰타 정상회담이후 계속되어온 군축협상에서는 ''동.서''라는 말 대신''국가집단''이라는 말 이 사용되고 있음. 이러한 새로운 용어의 배경에는 동구 국가들이 자리잡고 있음. 서구식 개혁을 추진하고 있는 슬로베니아로부터 폴랜드에 이르는 국가군들과 ''비잔틴식 모델을 추구하고 있는 알바니아, 세르비아, 루마니아 및 불가리아가 대조를 이루고 있음.

- 바르샤바 조약 기구의 해체를 위한 준비기간은 짧게 책정되었음. 왜냐하면 시대착오적인 기구를 오래 유지할 이유가 없기 때문임.장기적으로는 NATO 도 같은 운명을 맞이해야 할것임. 적대감으로 가득찬 어둠의 시대에서 NATO가 그 기능을 효과적으로 발휘해왔다는 이유만으로 NATO 를 항구적으로 존속 시킬 명분은없음.

(끝)

PAGE 2

0277

원 본

외 무 부

종 별 :

번 호 : CZW-0143 일 시 : 91 0226 2130

수 신 : 장 관(중동일 동구이)

발 신 : 주 체코 대사

제 목 : 걸프사태(91-7)

주재국 HAVEL 대통령은 2.25 다음요지 성명 발표함.

1. 이라크의 즉각 무조건적 쿠웨 이트 철수 촉구함.

2. 유엔 안보리 결의 지지함.

3. 체코는 쿠웨이트, 사우디, 미국주 도하 국제 다국적군과 공동 노력 경주함.

4. 쏘련의 평화안 반대, 침략자의 군사적 패배를 승리로 호도할수 있는 여지 배제 필요함.

5. 후세인은 비극적 사태의 직접적 책임 당사자임.끝.

(대사 선준영-국장)

중아국 1차보 2차보 구주국 정문국 청와대 안기부

PAGE 1 91.02.27 10:14 WG

외신 1과 통제관

0278

원 본

외 무 부

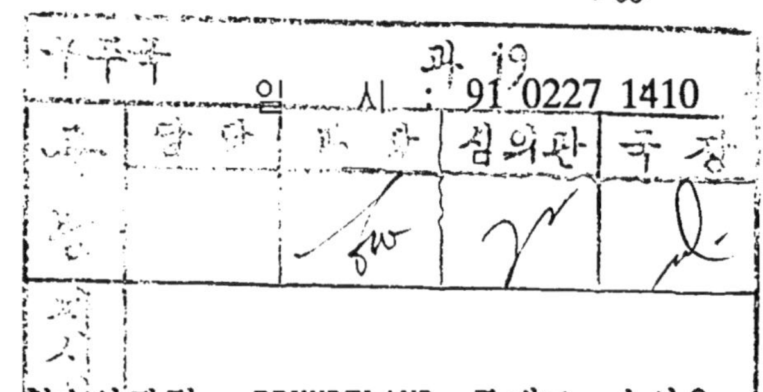

종 별 :

번 호 : NRW-0156

일 시 : 91 0227 1410

수 신 : 장 관(구이,중동,기정동문)

발 신 : 주 노르웨이 대사

제 목 : 걸프전쟁

연합군의 승리와 이라군의 쿠웨이트 철수와관련, BRUNDTLAND 주재국 수상은 2.26.이제 종말의 시작일뿐이며 이락이 모든 유엔결의를 받아들일때까지 만족하지 않는다고 논평 하였음. 동 수상은 사담 후세인이 신뢰할수없는 인물이라고 평하면서 이락군을 완전히 동원 불능상태로 만들지 않으면 안전이 유지될수 없다고 말하고, 가장 중요한것은 새로운 전쟁이 재발하는것과 사담후세인이 중동에서 군림하는것을 막는일이라고 강조하였음.끝

(대사 김병연-국장)

구주국 장관 차관 1차보 2차보 중아국 정문국 청와대 총리실 안기부

PAGE 1

91.02.28 09:07 WG

외신 1과 통제관

0279

외 무 부

종 별 :

번 호 : DEW-0105 일 시 : 91 0227 1700

수 신 : 장 관(중동일,구이,국연,기정) (사본:주 싱가폴대사-직송필)

발 신 : 주 덴마크 대사대리

제 목 : 걸프 사태

1. 2.26 주재국 KUND ENGAARD 국방장관은 유엔이 주재국에 대해 유엔 걸프만 평화유지군 파견을 요청해 왔으며, 주재국은 이에 응하여 우선 1차로 13명을 파견한후 추후 약 100명을 추가 파견키로 동의했다고 말함.

2. 한편 당지 언론보도에 의하면 덴마크, 스웨덴, 노르웨이, 핀란드등 북구 4개국은 약 240명의 유엔 평화유지군을 공동 파견할 준비중이라함.끝.

(대사대리-국장)

중아국	장관	차관	1차보	2차보	구주국	국기국	청와대	총리실
안기부								

PAGE 1 91.02.28 09:28 WG

외신 1과 통제관

0280

외 무 부

종 별 :

번 호 : AVW-0252 일 시 : 91 0228 1900

수 신 : 장 관(구이,중근동,국연,정홍,걸프대책본부,청와대외교,기정)

발 신 : 주오스트리아대사

제 목 : 언론보도(91.2.28)

1.머리기사

가. DIE PRESSE

-SADDAM WEICHT IMMER MEHR ZURUCK

-WEITERE UN-RESOLUTIONEN ANERKANNT

나. DER STANDARD

-ENTSCHEIDUNGSSCHLACHT IM SUDIRAK

-UN-SICHERHEITSRAT WEIST BAGDAD AB

2. 주요논설

가. DIE PRESSE

제목: SADDAMS GREUELTATEN

- 모든 일들이 영화나 소설에서 처럼 비현실적으로 보임. 일요일에 쿠웨이트 행을 위한 지상전이 시작되었을 때만해도 세계는 숨을 죽이고 이를지켜보았음. 수주동안의 전투와 끊임없는 유혈속에서 사람들은 공포에 떨었음. 이제 갑자기 KUWAIT-CITY가 해방되고 거리에서는 환호가 넘치기 시작하였음.

-수천명에 이르는 포로들의 모습이 공개되고 몇몇은 배기를 들고있는 모습이 보였음.포로들은 모두 순진하게 보였음. 이제 사담의 희생물로 표현된 이 포로들이 무슨 일을했던가는 잊혀지고있는 것처럼 보임.

-쿠웨이트 민간인을 끌고가고 약탈,방화,살인을 자행하였던 이라크 군인들이 수개월동안 EMIR의 궁전에서 어떤 기분을 맛보았는지 짐작이감.

사담을 필두로한 악도(UBELTATER) 들은 아직도 벙커속에 숨어서 무의미한 선전을 계속하고있음.이들은 쿠웨이트의 병합을 명령하였을뿐 아니라 약탈, 파괴등 군인들의 야만적인 행동을 비호하였던 자들임.

구주국 장관 차관 1차보 2차보 중아국 국기국 정문국 청와대
안기부 안기부 대책반

PAGE 1

91.03.01 13:29 DP
외신 1과 통제관

0281

-미국이 독재자의 직접 전복 또는 최소한 그의 야성을 철저히 분쇄함으로써 이라크 국민들이 스스로 독재자를 축출토록 만들려는 저의를 이해할수있음. 이라크군의만행에 관한 소식이 잘전해져서 이슬람 세계에 남아있는 사담팬들의 생각이 바뀌기를 바람.

-연합군은 사담의 엘리트 부대를 괴멸시킬 준비가되어있음.

어려운 과제는 이라크 국민 또는 아랍인의 자존심을 뭉개지 않고 사담을 굴욕시키는데 있음. 미국이 군사적인 승리를 발판으로 정치적인 승리까지 얻을수 있는가는지켜보아야할 일임.

나. DER STANDARD

제목: UN-EINIGKEIT

- 정의를 파괴한자에 대한 정의의 승리가 눈앞에 놓여있고, 사담의 굴욕적인 패배가 확실한 이때 유엔 안보리의 미래를 위한 새로운 역할에 대한 관심이 집중되고있음. 무력침공을 무력으로 분쇄한다는 결의가 달성된 이제유엔은 항구적인 평화 유지를 위한 조정기능을 수행하여야함.

-첫번째 문제는 침략의 재발을 방지하기 위해 어떠한 예방조치가 마련되어야하는가에 있음. 이를위해서는 12개 결의만으로 충분한지 또는 추가적인 결의가 채택되어야하는지 부터 검토해야할 것임.

사담이 쿠웨이트 병합을 취소하고 배상금을 지불하며 휴전과 더불어 모든 전쟁포로를 석방하겠다는것을 보면 군사적인 압력만이 사담이 이해하는 유일한 언어라는 사실을알수있음.

급한 휴전을 중재했던 소련까지도 바그다드의 도살자(SCHLACHTER) 가 많은 기회를 놓쳤다는 사실을 인정하고있음.

-안보리 내부 특히 상임 이사국간에는 사담의 쿠웨이트로 부터의 철군만으로는 충분치 않다는 합의가 이루어져있음.그러나 벌써부터 미국이 안보리결의를 뚜어넘었으며, 초강대국간의 경쟁관계가 다시 출현할것이라는 우려도 있음.

-새로운 세계 질서를 위한 도구로서의 유엔안보리에 관한 검증과정(BEWAHRUNGSPROBE) 은 이제 시작되었음.

역내 평화와 안전 회복을 천명하고 있으며 자주 인용되는 결의안 678호가 어느정도까지 이라크 내부문제에 대한 간섭을 허용할것인지는 관심의 촛점임. 이문제에 대한 답을보면 UN의 미래를 읽을수 있음.끝.

(대사 이장춘)

PAGE 2

0282

외 무 부

종 별 :

번 호 : SDW-0198 일 시 : 91 0305 1700

수 신 : 장 관(중동일,구이,기정,국방부)

발 신 : 주 스웨덴 대사

제 목 : 야전병원 부대 쿠웨이트 이동요청(언론보도)

1. SAAD ABDULLAH SABAH 쿠웨이트 수상은, 최근 스웨덴 정부에 대하여, 현재사우디 아라비아에 주둔하고있는 야전병원 부대를 쿠웨이트로 옮겨달라는 요청을 하였음.

2. 이에 대해 ANDERSSON 외상은, 쿠웨이트에 병원 및 동 장비들이 크게 부족하다는 점을 알고있으나, 이를 웜티 좀더 검토해 봐야하겠다고 말하였으며, H.G.BILLINGER 국방차관은 이는 간단한 문제가 아니며, 대안으로서는 의료요원과 의약품을 지원할수도 있을것이라고 언급함.끝

(대사 최동진-국장)

중아국 1차보 구주국 정문국 안기부 국방부

PAGE 1

91.03.06 10:09 WG

외신 1과 통제관

0283

외 무 부

종 별 :

번 호 : NRW-0172

수 신 : 장관(중동일,구이)

발 신 : 주노르웨이대사

제 목 : 주재국의 쿠웨이트 재건참여

일 시 : 91 0306 1620

1.주재국 언론보도에 의하면 일연의 주재국 민간사절단이 쿠웨이트 정부의 긴급초청으로 3.6.쿠웨이트로 향발하였다고함. 동사절단은 주쿠웨이트 주재국대사의 도움으로 구체적인 문제를 다룰것이며, 유전및 항구재건이 가장 관심있는 분야가될 것이라고함. 그동안 쿠웨이트 망명정부는 주재국 원유관련 자문회사, 원유채굴장비 판매회사, 엔지니어링회사등 40-50여개의 회사를 접촉해왔다고함

2.표제관련 구체사항 확인되는데로 추보예정임.끝

(대사 김병연-국장)

중아국 2차보 구주국

PAGE 1

91.03.07 06:15 DN

외신 1과 통제관

0284

외 무 부

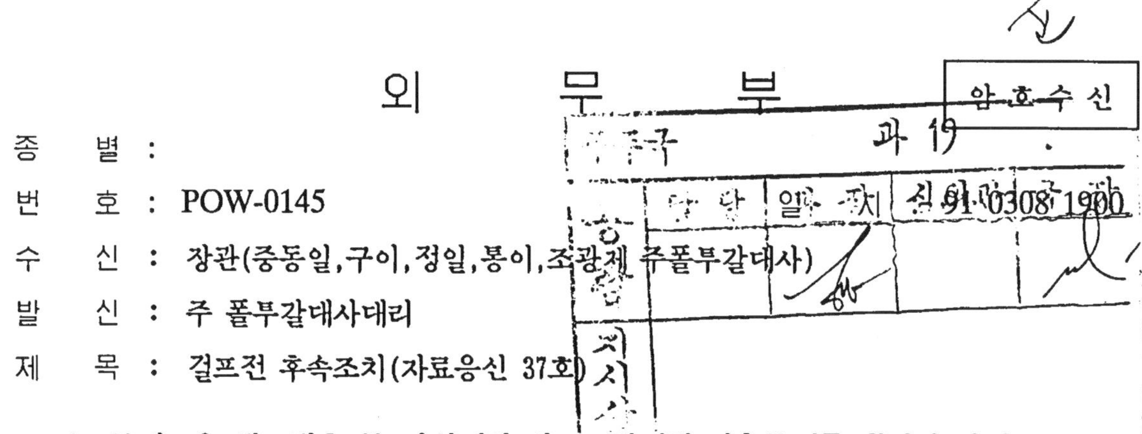

종 별 :

번 호 : POW-0145

수 신 : 장관(중동일,구이,정일,통이,조광제 주폴부갈대사)

발 신 : 주 폴부갈대사대리

제 목 : 걸프전 후속조치(자료응신 37호)

1. 주재국은 걸프전후 동 지역에의 외교, 경제적 진출문제를 협의키 위해 PINHEIRO 외상의 주재로 3.6 공업장관, 대외무역담당 국무상과 주요 기업인들이 참석리 오찬 세미나를 가진바, 그 결과 주요사항을 하기 보고함

가. 주재국 정부는 걸프지역 공관 보강계획의 일환으로 최근까지 주 이락대사가 겸임해온 쿠웨이트에 금명간 공관을 신설, 신임대사를 파견키로함. 또 걸프현지 영사관 인원들을 보강키로함

나. 주재국 대외교역청(ICEP)의 현지 사무소 증설검토

다. 걸프이사회(GCC) 사무총장의 주재국 방문초청

라. 이란에 경제인 사절단 파견

마. 쿠웨이트 복구에의 건설, 엔지니어링 사업참여 추진(건설계약 또는 하청계약참여 추진)

바. 걸프 현지 진출 희망기업에 대한 정부차원 지원제공

2. 상기 회의에서 외무성측은 EC 의 쿠에이트 복구계획참여 전략 및 방안 문서를 자료로서 배부하였다함

3. 외무성 대변인인은 이락주재 대사복귀등 대이락 관계는 고려치 않고 동국제세를 관망중이라고 밝힘

4. 주재국은 최근 이스라엘 주재 초대대사임명(JOAO QUINTELA PAIXAO), 사우디주재 대사교체 임명(JOAO FERREIRA)등 조치를 취한바 있었는바, 걸프 발발전, 동 지역에 어느정도의 진출기반이 있었으므로, 이를 보완, 다시 진출코자 시도하고 있는것으로 판단됨. 끝

(대사대리 주철기-국장)

중아국	장관	차관	1차보	2차보	구주국	통상국	정문국	청와대
안기부								

PAGE 1

91.03.09 06:24
외신 2과 통제관 FE

0285

원 본

외 무 부

종 별 :

번 호 : NRW-0199 일 시 : 91 0318 1800

수 신 : 장 관(중동일,구이)

발 신 : 주 노르웨이 대사

제 목 : 대쿠웨이트 경제제재해제

주재국은 이라크정부가 유엔안보리 결의안을 받아들인것과 관련 이라크의 쿠웨이트 침공이래 취해왔던 대쿠웨이트 경제제재 조치를 해제한다고 3.15.공식 발표함.그러나 주재국의 대이라크 경제제재 조치는 여전히 계속 유지된다고함.끝

(대사 김병연-국장)

중아국 1차보 구주국 정문국 안기부

PAGE 1 91.03.19 08:41 WG

외신 1과 통제관

0286

원 본

암호수신

외 무 부

종 별 :

번 호 : NRW-0261 일 시 : 91 0417 1600

수 신 : 장관(중동일,구이,사본:서구2과장경유 김병연대사)

발 신 : 주 노르웨이대사대리

제 목 : 주재국 외무장관 쿠웨이트 방문

주재국 T.STOLTENBERG 외무장관은 걸프지역 정세논의 쿠웨이트 복구공사 참여및 환경문제협의를 위하여 4.21-25 간 이집트및 쿠웨이트를 방문 예정임.주재국 외무장관 쿠웨이트 방문시 NORSK HYDRO(주재국 최대 제조업체 그룹) 및 STATOIL(주재국 최대 원유생산업체) 대표들도 쿠웨이트 복구공사 수주를 위하여 쿠웨이트를 방문예정임.끝

(대사대리 손상하-국장)

중아국 차관 1차보 2차보 구주국 구주국

PAGE 1

91.04.18 01:12

외신 2과 통제관 CA

0287

원 본

외 무 부

종 별 :

번 호 : NRW-0271　　　　　　일 시 : 91 0423 1400

수 신 : 장관(중동일,통일,구이,사본:서구2과경유 김병연대사)

발 신 : 주 노르웨이 대사

제 목 : 주재국의 대 이라크 경제재 일부 해제

연:NRW-199

1.주재국은 유엔안보리 결의안에 따른 대이라크 경제제재 조치중 일부를 해제한다고 4.19.발표함. 동발표는 유엔이 4.3.이라크,쿠웨이트및 연합군간의 정식휴전및 대이라크 경제제재 변경을 승인함에 따라 취해진 것이라함

2.경제제재 일부해제에 따라서 식량및 민수물자에 대한 경제제재는 해제된다함.식량공급시는 유엔안보리 제재위원회에 통보하며 기타 민수물자 공급시는 제재위원회의 동의가 필요하다함. 그러나무기,군수물자,군사목적에 이용될 수 있는기술및 서비스 제공은 계속 금지 된다고함.끝

(대사대리 손상하-국장)

중아국 차관 1차보 2차보 구주국 통상국 정문국 (대사실) 청와대
안기부

PAGE 1　　　　　　91.04.23 23:41 DF
외신 1과 통제관

0288

외교문서 비밀해제: 걸프 사태 39
걸프 사태 구주지역 동향 2

초판인쇄 2024년 03월 15일
초판발행 2024년 03월 15일

지은이 한국학술정보(주)
펴낸이 채종준
펴낸곳 한국학술정보(주)
주 소 경기도 파주시 회동길 230(문발동)
전 화 031-908-3181(대표)
팩 스 031-908-3189
홈페이지 http://ebook.kstudy.com
E-mail 출판사업부 publish@kstudy.com
등 록 제일산-115호(2000. 6. 19)

ISBN 979-11-6983-999-0 94340
979-11-6983-960-0 94340 (set)

책에 대한 더 나은 생각, 끊임없는 고민, 독자를 생각하는 마음으로 보다 좋은 책을 만들어갑니다.